L'OURS NOIR D'AMÉRIQUE

PRINCE DES TÉNÈBRES

PAR

JACQUES PAQUETTE

AVEC LA COLLABORATION
DES MEMBRES DE
MAISON NOUVEL HORIZON

Le dessin de la couverture a été réalisé par

FRANCINE GAGNÉ

Bibliothèque Nationale du Canada
Dépôt légal - 2ème trimestre 1990
ISBN 0 - 919331 - 12 - 2
L'OURS NOIR D'AMÉRIQUE
Imprimé au Canada. Tous droits réservés
Maison Nouvel Horizon Inc., 1990

INTRODUCTION

Ce livre sur l'ours noir d'Amérique a pu être complété grâce à de nombreux collaborateurs et collaboratrices qui ont bien voulu participer avec moi à cet ouvrage. J'ai été entouré pendant des mois par de vrais jeunes saints des temps modernes, membres actifs d'une organisation chrétienne, et cela au vrai sens du mot. En effet, lorsque je parle du mot chrétien, je parle de gens qui, non seulement sont approfondis dans la connaissance des Saintes Lettres, mais aussi qui les mettent concrètement en pratique dans leur vie. C'est d'ailleurs cette connaissance de Dieu, au travers de Sa Parole, qui a donné un sens spirituel à cet ouvrage.

Tout en vous faisant pénétrer dans le monde fantastique de l'ours noir - notre façon à nous d'exprimer notre sincère sympathie à la cause de cet animal méconnu - ce livre vous permettra d'approfondir la science de la foi. Il contient une très grande connaissance dans un temps bien limité: bonheur, joie, réconfort et réponses à une multitude de vos questions. Et, bien que Dieu y soit très présent, il s'y trouve à la fois une révélation étonnante sur le prince des ténèbres.

Un jour, j'ai rencontré un entrepreneur en construction qui avait bâti une soixantaine de maisons durant ses quarante ans de métier, et je lui demandai s'il avait déjà sérieusement pensé à s'en construire une au paradis. Tout d'abord, nous avons ri. Etant donné mon très jeune âge, on aurait dit un grand-papa, la pipe à la bouche, et son petit-fils dans un sérieux dialogue. Cela arriva quatorze ans passés, au début de mes fiançailles avec Dieu. Le monsieur m'avoua ensuite très sincèrement ne pas s'être construit une maison dans les cieux.

- J'ai 65 ans, me dit-il, et je crois que je n'y ai jamais pensé.

Il me dit qu'il n'avait quand même pas fait une mauvaise vie, mais qu'il avait été plus juste depuis ses vingt dernières années. En tout cas, il réalisait l'importance du sujet dont je lui parlais. Nous avons discuté pendant de longues heures. Finalement, il m'encouragea dans mon travail d'évangélisation et résolut aussi dans son coeur de lire sérieusement la lettre d'amour écrite par les apôtres de Jésus. L'Evangile pur et simple devint son nouveau guide. Il en fut heureux, de même que sa femme et ses enfants. En effet, cette nouvelle vie spirituelle ne put faire autrement qu'influencer tous les membres de sa famille. Combien de fois les parents ne laissent qu'un héritage humain à la génération qu'ils ont engendrée, et absolument rien de spirituel? Nos jeunes, bien souvent, n'ont plus la foi parce qu'on ne la leur communique plus. Je revis le monsieur quelque temps après, à l'encan de Lachute, et il m'assura que son Nouveau Testament était désormais son livre de chevet.

Ceci me rappelle l'histoire émouvante de mon ami Albert Desjardins, qui lui aussi ouvrit son coeur à Dieu au soir de sa vie. Cet homme de 81 ans, au nez croche, au dos rond, chauve, plein de cicatrices sur la tête, alcoolique depuis soixante ans, la bouteille de vin à la main, me racontait des histoires d'ours à n'en plus finir alors que je n'avais que 17 ans. Assis tranquillement chez lui, il me parlait de l'ours et de sa ouache (tanière de l'ours), comment son haleine maintenait la température à l'intérieur, comment son pouls devenait de plus en plus faible pour le garder à demi inconscient pendant les longs mois d'hibernation. Il me parlait aussi des différentes durées de l'hiver du milieu des Etats-Unis au Grand Nord, de l'influence que cela avait sur la durée du sommeil de l'ours, enfin, de plein d'autres choses. Imaginez-vous qu'à 81 ans, il en avait long à raconter.

La vie de ce vieil Albert était tout simplement incroyable. Il avait eu un fils unique qu'il vit mourir de ses propres yeux en pleine forêt. Il avait abattu un arbre qui lui était retombé sur le dos. Péniblement, il avait assisté à la mort lente de son fils, jusqu'au bout de son sang. Des épreuves comme celle-là l'avait sérieusement marqué, et depuis longtemps déjà la bouteille était devenue sa compagne de tous les jours. Il ne trouvait désormais rien de mieux à faire que de s'évader dans l'alcool pour noyer son chagrin et sa souffrance. A cette époque de ma vie, malheureusement, je n'étais pas chrétien et la spiritualité ne m'intéressait pas du tout. Malgré mes 17 ans, j'étais sérieusement alcoolique; nous buvions ensemble des soirées et des nuits entières, et je n'avais pas trop de solution à lui offrir. Plusieurs années allaient s'écouler avant que je puisse faire quelque chose pour lui.

En fait, j'avais commencé à prendre goût à l'alcool à l'âge de 13 ans. A l'âge de 16 ans alors que je travaillais dans les mines de Sudbury en Ontario, presque tout mon salaire passait en alcool dans les bars. J'avais soif de liberté et d'expériences nouvelles, et pourtant je devenais de plus en plus esclave de mes propres vices. J'étais un jeune homme plein d'agressivité, ce à quoi l'alcool n'ajoutait rien de bon, bien sûr. Très vite aussi ma vie sexuelle devint tout à l'envers. J'étais sans scrupules.

Ce bonheur dont j'avais tant besoin et que j'osais chercher en écoutant mes passions, m'échappait de plus en plus. A l'âge de 19 ans, j'étais si bien devenu criminel que je me retrouvai derrière les barreaux au "Florida State Penitentiary", pour quinze vols à main armée qui n'étaient pourtant qu'une légère partie de tous mes crimes. Non seulement j'étais esclave de mes passions, mais j'étais désormais enfermé, avec pour seul salaire, les remords du mal que j'avais fait. Entouré de méchanceté, de violence, de haine, d'hypocrisie, de vol, d'homosexualité, d'angoisse, prisonnier entre quatre murs, le vide de ma vie n'était que plus évident.

J'y ai vécu des expériences qui vous feraient frémir d'horreur. C'est là que j'ai commencé à comprendre ce que pouvait être l'enfer. Et non seulement la prison me donna une vision de l'enfer, mais elle me convainquit plus que jamais de l'existence du diable. A cette époque, vraiment, je croyais davantage au diable que je pouvais croire en Dieu. Je passai presque deux années de ma vie dans cette prison. Au fil des mois, mon besoin spirituel ne cessait de grandir. Je dévorais des livres de toutes sortes. Tout y passait: philosophie, religions orientales, sciences occultes, extra-terrestres, évolution. Et pourtant le vide que j'avais au-dedans de moi ne se remplissait jamais. Lorsque je sortis de prison, j'étais résolu à mener une bonne vie et à recommencer à zéro; mais tout dégringola à nouveau dans le temps de le dire. Cette fois-ci, ce fut la drogue qui m'étouffa dans son étau mortel. Révolté, malheureux, assoiffé de tout, je ne pouvais que fuir la réalité et endormir ma conscience. Jésus nous dit dans l'Evangile que sans lui nous ne pouvons rien faire. Sans Dieu et sans le Christ, ma vie était donc un échec total. J'avais laissé le diable entrer dans ma vie, et malheureusement j'étais lié par mon péché.

Très rapidement je devins totalement dépendant de la drogue, si bien qu'en moins d'un an je me piquais dans les veines avec du "speed" et de l'héroïne. Il m'en coûtait en moyenne $150. par jour pour contenter mon besoin de drogue. J'étais devenu une épave humaine, une espèce de cadavre pesant tout au plus 105 livres, au lieu de mes 170 livres habituelles. Je n'avais même plus le courage de commettre des crimes. J'étais bien souvent réduit à "bummer" de l'argent sur la rue comme un pauvre clochard. Je couchais à peu près n'importe où; il m'arrivait même de dormir avec des chiens dans leur cabane. A 22 ans, j'étais désormais un jeune homme désespéré, n'ayant plus le goût de vivre.

Après avoir échoué une première tentative de m'enlever la vie en m'injectant une overdose d'héroïne dans les veines, je décidai de me lancer du haut d'un pont dans les eaux glaciales de la rivière Ottawa. Je voulais plonger la tête première sur le pilier de ciment du pont pour me fracturer le crâne, et finir ensuite dans les eaux mouvementées qui m'entraîneraient sous la glace, alors que j'aurais déjà été bien mort. Mais le vent violent me fit frémir; j'eus peur de ne pas frapper le pilier comme je le voulais et de finir dans l'eau glacée, blessé, mais toujours conscient, ce qui ne m'intéressait pas du tout. Finalement, ce soir-là, je me réfugiai dans une voiture abandonnée où je passai la nuit. C'est durant cette nuit d'hiver où je grelottais de tous mes os, que je fis du fond de mon coeur, peut-être pour la première fois de ma vie, une prière très sincère à Dieu: je lui demandai de me donner la force de me suicider. Belle prière n'est-ce pas pour un jeune de 22 ans! Mais le lendemain, Dieu, Lui, m'attendait dans le détour.

Malgré ma folie et mon désespoir, Il avait entendu mon cri du coeur et Ses projets étaient bien différents des miens. La Parole de Dieu nous dit justement ce qui suit au livre de Jérémie: "Car je connais les projets que j'ai formé sur vous, dit l'Eternel, projets de paix et non de malheur, afin de vous donner un avenir et de l'espérance. Vous m'invoquerez et vous partirez; vous me prierez et je vous exaucerai. Vous me chercherez et vous me trouverez, si vous me cherchez de tout votre coeur"[1]. Cette phrase, dans sa conclusion, contient bien un "si" qui est très important. Quand on est réellement sincère, Dieu se révèle et se manifeste de façon concrète. A ce moment précis de ma vie, sans même le savoir, cette recherche désespérée était un cri vers Dieu. Un cri qui n'a plus de distance pour notre Père céleste. Au-delà des galaxies, Son oreille paternelle en entend le murmure.

Le lendemain, vers l'heure du midi, alors que je marchais sur la rue, je croisai un vieil homme. Je l'abordai en lui demandant:

- Monsieur, j'aurais besoin d'un peu de "change".

Mais le monsieur savait quelle sorte de drogué j'étais, et il me répondit:

- Ecoute bien, je n'ai pas de "change" à te donner, mais si tu veux je vais te parler de Jésus.

Ma réponse fut plutôt froide:

- Moi, le Christ, monsieur, je m'en "crisse" pas mal, je veux rien savoir de lui.

Le monsieur me regarda en plein visage sans broncher et me dit:

- Le Christ se "crisse" pas mal plus de toi que tu te "crisses" de lui. Lui est assis sur un trône de l'autre côté, et toi tu as l'air d'un chien battu.

- Ah bon! lui répondis-je. En tout cas, je ne veux rien savoir du Christ, et salut!

Puis, je partis de mon côté et lui du sien. Mais alors que je l'avais distancé d'environ 75 pieds, il se tourna vers moi et me lança:

- Eh! Tu ne veux pas aller au ciel?

- Non! lui dis-je.

- Eh bien! étouffe-toi, et va chez le diable!

Pas besoin de vous dire que j'étais très en colère. Je suis revenu sur mes pas pour lui dire durement:

- Là, ça me tente de t'arracher la tête!

A quoi il répondit:

- C'est ce qui me prouve que tu as besoin de Dieu. Un jeune homme comme toi, tu es prêt à battre un vieillard de mon âge!

Je fus plutôt impressionné de voir la foi et la conviction de cet homme. Son assurance marqua un point.

Puis, il m'invita à la brasserie, en disant qu'il me paierait la bière si je l'écoutais me parler de Dieu. Finalement, je décidai d'y aller, sans doute plus pour la bière que pour autre chose. Mais Dieu allait me prendre à mon propre piège. Au fil des bières et au fil des heures, la parole de cet homme qui ne cessait d'essayer de me convaincre, s'infiltrait dans mon coeur. Cette image simple et vraie de Jésus qu'il s'efforçait de m'apporter, ce Messie de Dieu parmi les hommes, ce Docteur venu du ciel et prophétisé par tous les prophètes de l'Ancien Testament comme aucun homme ne l'avait été, avait quelque chose de touchant qui me convainquit qu'au fond je ne le connaissais pas. Plus encore, il me donnait le goût de le connaître.

En fait, c'était au coeur du Nouveau Testament qu'il avait découvert lui-même ce visage authentique du Fils de Dieu. Il me raconta aussi que c'était à la suite d'un événement incroyable qu'il avait commencé à lire le Nouveau Testament. Alors qu'il participait à la deuxième guerre mondiale en Europe et qu'il était en plein champ de bataille, une balle le frappa à la hauteur du coeur et il tomba à la renverse, foudroyé, comme s'il avait reçu un coup de masse en plein front. A sa plus grande surprise, alors qu'il était toujours étendu sur le dos, il réalisa qu'il était toujours conscient et il n'arrivait pas trop à comprendre ce qui venait de se passer. Il tâta son coeur d'une main nerveuse et sentit aussitôt dans sa poche, le Nouveau Testament que l'aumônier lui avait donné quelques jours plus tôt. En le retirant de sa poche, il eut la surprise de voir qu'une balle l'avait frappé en plein centre et s'y était arrêtée. Pour lui, ce fut le choc de sa vie. Depuis ce jour précis, il commença à lire le Nouveau Testament, sa vie se transforma et il ne fut plus jamais le même homme.

Et c'est cet homme qui avait été transformé par Dieu et par Sa Parole, qui me donna ce jour-là un véritable verre d'eau spirituelle. Quand Jésus nous dit dans l'Evangile: "Moi, je suis le pain de vie. Celui qui vient à moi n'aura jamais faim et celui qui croit en moi n'aura jamais soif"[2], croyez-moi, c'est précisément ce qui se passa dans ma vie. Le vieil homme, en fait, en conversant avec moi sur les choses de Dieu, rassasia ma faim et ma soif spirituelles. Plus encore, il alluma dans mon coeur une petite flamme qui n'allait jamais s'éteindre. Dieu s'était approché de moi et s'était servi de cet Edmond Léonard, ancien sergent de l'armée, plein de caractère et de sang-froid, pour me piquer au vif et réveiller enfin ma nature spirituelle endormie.

Ce monsieur m'accueillit chez lui comme son garçon et m'hébergea aussi longtemps que je le voulus. Son épouse et lui-même m'aidèrent tendrement à traverser le temps dur de ma désintoxication, qui était pour moi le point de départ d'un changement véritable. Croyez-moi, ce ne fut pas de tout repos. Le diable ne laisse pas aller sa proie aussi aisément et on ne se sort pas de ses griffes aussi facilement qu'on s'y est laissé prendre. L'Evangile nous dit justement: "Ce sont les violents qui s'emparent du royaume des cieux et qui le ravissent"[3]. Oui, je dus me faire violence plus d'une fois pour me libérer de ces chaînes du mal qui m'avaient asservi pendant tant de temps. Par bout, ma lecture du Nouveau Testament était un vrai calvaire. J'avais une pression et des combats intérieurs incroyables. Mais, petit à petit, ma foi grandissait et mon être spirituel s'éveillait à la vie de Dieu, me convainquant qu'il me fallait continuer à tout prix. La persévérance produit la victoire sur l'épreuve: finalement, ma vie fut totalement transformée. J'acceptai de me soumettre au message du Christ et d'obéir à Dieu. Cela fut le début d'une vie avec Dieu qui me réservait des aventures incroyables et des moments inoubliables. Dieu, désormais, allait se servir de moi pour Son oeuvre. Il me fallait tout juste être à son écoute.

Une de mes premières aventures spirituelles eut lieu par une froide journée d'automne. Depuis plusieurs mois déjà, je lisais la Parole de Dieu à tous les jours pendant plusieurs heures. A un moment donné j'étais en train de regarder la télévision à la maison, lorsque tout à coup une toute petite intuition intérieure m'inspira de laisser la télé et d'aller évangéliser sur la rue principale de la ville où je me trouvais, une localité d'environ dix mille habitants. Finalement, j'aboutis dans la maison de mon ami Albert Desjardins, cet homme dont je vous parlais un peu plus tôt. Non seulement j'avais vieilli, mais maintenant j'avais une solution à lui proposer face à son problème d'alcoolisme. C'était, en fait, l'occasion rêvée de lui parler de ce qui avait bouleversé ma vie.

Le tout se déroulait sur le bord de la rivière Outaouais, dans la petite maison qu'il habitait avec deux autres alcooliques, où ronronnait un poêle à bois. Je commençai à lui parler de Dieu. Toutefois, mon discours persuada ses deux amis de quitter la pièce et de se réfugier à l'autre extrémité de la maison. Albert, lui, écoutait d'une oreille attentive. Il vit que j'avais vraiment changé. Des larmes coulèrent de ses yeux; l'Esprit-Saint venait d'agir. Le Nouveau

Testament que j'avais dans mes mains est vite devenu le sien. Sa femme était décédée depuis longtemps et je devins pour lui comme un nouveau fils unique. Je me souviendrai toujours de la question que le vieil Albert me posa au sujet de son fils. Malgré mon jeune âge, lui qui en avait 80 passés, il me demanda bien humblement où était rendu l'esprit de son garçon mort en forêt. Je lui répondis que je ne savais pas, car c'est Dieu qui va juger au dernier jour. De toute façon, ce ne sont pas les morts qui comptent mais plutôt les vivants.

Quelque temps après, Albert mourut, mais les cloches de Bethléem s'étaient faites entendre au fond de son coeur. En effet, au moment de sa mort, son Nouveau Testament reposait sur lui. Il l'avait lu sans arrêt pendant ces trente jours qui avaient séparé notre rencontre et son départ pour l'au-delà. Tafocaïn et Rollen, ses deux compagnons de chambre, moururent tous les deux aussi en moins de deux ans.

Albert fut pour moi l'exemple d'un vieil homme sage qui a trouvé la grande perle avant de faire le long voyage. Pendant ces quelques temps qui ont précédé sa mort, Albert ne buvait plus du tout, lui qui avait été alcoolique pendant 60 ans. Croyez-moi, sa vie avait réellement changé. Comme j'étais content d'avoir écouté cette petite voix qui m'avait poussé à aller évangéliser. "Qu'ils sont beaux sur les montagnes les pieds de ceux qui annoncent la bonne nouvelle!"[4] Pour beaucoup de croyants, témoigner de leur foi est comme une montagne d'épreuves insurmontables, et ils sont vaincus par la peur d'être ridiculisés. Dieu a besoin de chrétiens délivrés des chaînes de la gêne, qui n'ont pas peur d'aller parler de leur foi et de leur espérance à tous ces gens perdus et malheureux qui n'attendent que cela. "Ainsi sera ma parole qui sort de ma bouche, elle ne reviendra pas à moi sans effet, mais fera ce qui est mon plaisir, et accomplira ce pour quoi je l'ai envoyée."[5]

La moisson est mûre et les peuples de la terre attendent la révélation des fils de Dieu. Le temps de sortir de nos ouaches est venu; le cri de commandement de l'Archange se fait entendre pour nous avertir: "Car je connais tes oeuvres, que tu n'es ni froid ni bouillant. Je voudrais que tu fusses ou froid ou bouillant! Ainsi, parce que tu es tiède et que tu n'es ni froid ni bouillant, je vais te vomir de ma bouche. Parce que tu dis: je suis riche, et je me suis enrichi, et je n'ai besoin de rien, et que tu ne connais pas que toi, tu es le malheureux et le misérable, et pauvre, et aveugle, et nu, je te conseille d'acheter de moi de l'or passé au feu, afin que tu deviennes riche, et des vêtements blancs, afin que tu sois vêtu et que la honte de ta nudité ne paraisse pas, et un collyre pour oindre tes yeux, afin que tu voies. Moi, je reprends et je châtie tous ceux que j'aime; aie donc du zèle et repens-toi. Voici, je me tiens à la porte et je frappe: si quelqu'un entend ma voix et qu'il ouvre la porte, j'entrerai chez lui et je souperai avec lui, et lui avec moi. Celui qui vaincra, je lui donnerai de s'asseoir avec moi sur mon trône, comme moi aussi j'ai vaincu et je me suis assis avec mon Père sur son trône."[6]

Il est vrai que les Ecritures nous parlent de ceux qui sont tièdes envers Dieu de façon très radicale. Mais quant à moi, ce qui est tellement plus important c'est cette conclusion de Jésus: "j'entrerai chez lui, et je souperai avec lui". Cette communion, cet appel venu de l'intérieur, écoute-le et n'aie pas peur. Et tu entendras la voix de l'ours. Elle te dira de belles choses. Oui, celui qui a dormi dans sa ouache s'éveille pour laisser aux nations une lumière, une voix dans l'obscurité de la forêt.

---

1. Jérémie, chapitre 29, versets 11 à 13
2. Evangile de Jean, chapitre 6, verset 35
3. Evangile de Matthieu, chapitre 11, verset 12
4. Epître de Paul aux Romains, chapitre 10, verset 15
5. Esaïe, chapitre 55, verset 11
6. Apocalypse de Jean, chapitre 3, versets 15 à 21

CHAPITRE 1

VOYAGE AU LAC ANDREW

A l'été 1976, mon épouse Eileen me demanda d'aller visiter sa soeur qui demeurait à la campagne. En effet, elle était installée au lac St-Joseph, à une quarantaine de milles de la ville de Québec, dans un chalet qu'elle habitait avec son ami. C'est là que j'ai rencontré pour la première fois mon beau-frère, Marc Lemelin, un garçon comique aux yeux bleus. C'était un gars qui aimait bien explorer les forêts et les lacs, non seulement pour pêcher et chasser, mais aussi pour la joie de se retrouver dans la nature. Il possédait, de plus, un avion sur flotteurs qui lui permettait de voyager assez facilement où il le voulait bien.

L'atmosphère était très agréable et on parla pendant plusieurs heures autour du foyer. Marc nous raconta toutes sortes d'aventures qu'il avait vécues en forêt, à la pêche, à la chasse, dans ses mille et un voyages d'avion. J'étais tellement captivé par toutes ses histoires que finalement, il m'invita à passer quelques jours dans un petit chalet où il avait l'habitude d'aller et qui se trouvait en pleine forêt sur le bord d'un lac. Pour dire vrai, c'était la première fois de ma vie qu'une occasion comme celle-là m'était offerte. Quand j'étais jeune, il y avait bien une forêt en face de chez nous où on allait tuer des lièvres avec des bâtons tellement il y en avait; mais me faire déposer en avion en pleine nature, cela avait quelque chose de tout à fait nouveau. J'acceptai donc l'invitation avec joie. La soirée se termina là-dessus et on se donna rendez-vous quelques jours plus tard. Marc nous offrit aussi d'amener avec nous quelques-uns de nos amis.

C'est ainsi que nous nous sommes retrouvés chez lui au matin du rendez-vous fixé, sur le quai à côté de son avion, notre équipement en main et anxieux de vivre cette première aventure. Nous avions aussi amené nos cannes à pêche, bien sûr. Notre ami Marc nous avait si bien décrit les belles truites qui peuplaient ce lac que nous étions très intéressés de nous transformer en pêcheurs pour l'occasion. Et nous voilà partis! En un tour de main, l'avion quitta l'eau calme du lac et survola les montagnes environnantes. Le spectacle était splendide: un tapis vert de forêt s'étendait à perte de vue, brisé ça et là par des lacs et des cours d'eau qui ne se comptaient plus. En moins d'une heure, nous amerrissions sur le lac Andrew, perdu en plein coeur de la brousse québécoise; un lac qui ne faisait pas plus de 3/4 de mille de long sur sept à huit cent pieds de large. Marc nous lança alors en blague: "Voilà votre château!", en pointant du doigt ce qui allait être notre demeure pour les jours à venir. A l'extrémité sud du lac, une vieille construction grise tranchait avec le vert des arbres. On ne savait pas trop à quoi s'attendre. On finit par accoster devant notre chère cabane. C'était une espèce de chalet en bois rond dont le bois, en vieillissant, était devenu tout gris; bien qu'il n'était pas jeune, il était pourtant très bien conservé.

L'intérieur était très simple. La première chose qui me frappa en entrant fut l'énorme poêle à bois qui était là, au fond contre le mur. C'était un vieux poêle à bois des années 50, comme on en retrouvait un peu partout dans les camps de bûcherons de l'époque. Ces poêles étaient tellement massifs qu'ils possédaient quatre gros anneaux de fer, l'un à chaque extrémité pour les transporter. Le reste du mobilier était réduit au strict nécessaire: quatre ou cinq lits, une table, quelques chaises, un fauteuil ou deux.

Marc était accompagné par un monsieur de 73 ans, Fernand Imbeault qui, malgré son âge, était toujours très alerte. En fait, il était dans une forme exceptionnelle. C'était un homme simple et paisible, qui avait une grande expérience de la forêt. On voyait qu'il avait toujours été proche de la nature. Il nous révéla plein de secrets sur la survie en forêt, les plantes, les animaux, etc., qui nous évitèrent bien des malheurs que nous auraient sûrement causé notre inexpérience. Grâce à lui, par exemple, on apprit à reconnaître l'herbe à puce et à l'éviter. Monsieur Imbeault était aussi un homme très habile, il faisait tout avec rien. On lui donnait une hache, un marteau et quelques clous, et il nous faisait à peu près n'importe quoi. C'était incroyable toutes les choses qu'il pouvait accomplir dans une journée. Un homme travaillant comme lui nous laissait vraiment un exemple à nous les jeunes. On était bien content de suivre ses conseils et de l'avoir comme guide pour cette première expérience en forêt. Marc nous laissa donc avec lui, car il devait absolument retourner à la ville.

Lorsque son avion disparut à l'horizon, je réalisai alors plus concrètement ce qui se passait. Nous étions seuls au beau milieu de la nature dans toute sa pureté et sa majesté. Tout ce qui nous entourait, c'était la forêt, le ciel, l'eau et les animaux. Aucun chemin ne parvenait jusqu'à ce lac. C'est une sensation bien spéciale lorsqu'on la vit pour la première fois. Monsieur Imbeault nous fit visiter les lieux. On s'engagea avec lui dans une "trail" tout juste derrière notre camp. Il nous montra en même temps l'emplacement de la toilette, qui était bien sûr à l'extérieur du camp, et celui de la "dump" où on jetait les déchets. Cette "trail" menait droit sur le sommet d'une petite montagne environ un mille plus loin. Une surprise nous y attendait. Un autre lac débordant de belles truites rouges s'étalait là sous nos yeux; on n'aurait jamais cru découvrir un lac à cette hauteur. Mais ce n'était pas tout. Fernand nous expliqua qu'il y avait encore deux autres lacs derrière celui-ci qu'on pouvait atteindre facilement par d'autres petites "trails". Puis, il prit bien soin de nous indiquer les endroits où l'on trouvait le plus de truites.

- Regardez là-bas où l'eau se jette dans le lac, ça s'appelle la charge et c'est plein de poissons. Et à l'autre bout il y a la décharge où l'eau s'en va, là aussi c'est très bon. C'est là qu'il faut pêcher. Ca mord presqu'à tout coup! dit-il.

Pas besoin de vous dire qu'on avait plutôt hâte d'essayer nos cannes à pêche. Toutefois, ce n'est que le lendemain que la pêche allait débuter. Cette première journée se termina bien calmement. Le voyage en avion, les émotions et la marche en forêt nous avaient quelque peu fatigués. L'esprit plein de toutes les images de cette journée de découvertes, on s'endormit assez tôt en pensant déjà au lendemain.

Dès le début de notre deuxième journée, ça brassait drôlement dans le camp. Alors qu'on s'affairait à la table du déjeuner, chacun y allait de son petit commentaire sur la pêche et sur la grosseur des poissons qu'il allait attraper. En tout cas, tout le monde se promettait une journée de pêche inoubliable. Sans perdre de temps, mon épouse décida de former équipe avec monsieur Imbeault. Elle avait mis son grappin sur le plus expérimenté, bien sûr. Et tous deux choisirent d'aller pêcher dans les petits lacs en haut de la montagne. On avait convenu ensemble de se diviser pour ne pas tous pêcher au même endroit. J'héritai donc, avec un de mes amis, du lac Andrew comme territoire de pêche. Et bien, croyez-le ou non, les truites nous boudèrent toute la journée. On avait beau mettre n'importe quoi sur nos hameçons, pas une seule truite ne voulut mordre. Il n'y avait vraiment rien à faire. On eut quand même une petite consolation. La nature nous avait offert un spectacle gratuit. Etendus bien confortablement dans notre canot et chauffés par le chaud soleil de juillet, nous avions assisté, amusés, aux culbutes joyeuses d'une belette pendant près d'une heure. La petite bête longeait la rive du lac en sautant d'une roche à l'autre; tantôt elle plongeait à l'eau, tantôt elle disparaissait dans la forêt pour réapparaître un peu plus loin. De temps en temps, elle pointait son nez dans notre direction, puis elle continuait son petit jeu. Nos deux corps immobiles ne la rendaient pas trop méfiante. Pour moi, ce fut le moment de joie de ma journée. Mais je remarquai alors que mon compagnon, lui, avait la mine plutôt basse. Curieux, je lui demandai ce qui se passait:

- Hé Sylvain! Qu'est-ce qui ne va pas? Faut pas que tu t'en fasses pour une journée sans poisson, voyons!

- Non, c'est pas ça Jacques. Pour être franc avec toi, c'est la première fois que je me retrouve dans un endroit aussi tranquille. Je suis un gars de la ville et je trouve qu'ici le temps s'est arrêté. Je ne sais pas trop pourquoi, mais je me sens mal à l'aise.

- Il faut pas que tu t'en fasses avec ça, lui dis-je. Je crois que pendant les deux ou trois premiers jours qu'on passe dans le bois, on se sent tous un peu inquiets, un peu déboussolés et désorientés. Et c'est normal qu'il y ait une adaptation. On a passé des années et des années dans des villes bruyantes et on se retrouve du jour au lendemain en plein silence. D'autant plus que dans les villes, il y a toujours quelque chose à faire. On s'occupe constamment la tête soit à bricoler, à faire du sport, du ménage, à écouter de la musique ou à je ne sais plus quelle autre distraction, ça ne finit plus. Ici, c'est l'opposé. On passe la moitié de la journée dans une chaloupe à attendre que le poisson morde, donc, on a beaucoup plus le temps de penser. Et dans le calme de la nature, on se rend soudainement compte de l'agitation qui règne à l'intérieur de nous.

- C'est vrai ce que tu dis là, Jacques. Je crois que j'ai plus pensé depuis les deux derniers jours que j'ai pensé dans les cinq dernières années de ma vie. J'espère bien que je vais m'habituer, parce que je n'arrive pas à supporter tous ces souvenirs et ces idées qui me passent par la tête.

- Oublie pas, lui fis-je remarquer, que tu n'as pas fait que changer de décor, c'est une nouvelle vie qui commence pour toi. Moi aussi au début de ma conversion, il y avait toutes sortes d'événements du passé qui me revenaient en mémoire. C'est comme une étape qu'on doit tous passer parce que notre conscience se réveille. La conscience, on pourrait la décrire comme la voix de l'être spirituel qui vit au-dedans de nous. Cette voix, d'ailleurs, nous l'entendons tous dès notre enfance. Elle nous a été donnée pour nous guider dans la vie.

- Tu dis qu'elle me parle depuis mon enfance, mais c'est bizarre, on dirait que c'est la première fois que je l'entends, en tout cas aussi claire que ça. Peut-être que je ne lui ai jamais porté attention avant ces derniers jours...

- Retourne dans ton passé et tu verras qu'elle te parlait continuellement. Ce qui arrive souvent, en vieillissant, c'est qu'on prend plaisir à faire le contraire de ce qu'elle nous dit. Comme elle continue de nous reprendre, on essaie alors de la fuir en se tenant occupé au maximum, ou d'étouffer sa voix dans le bruit de la vie de tous les jours, ou de la droguer, ou encore de la noyer dans l'alcool, mais elle sait nager et finit toujours par refaire surface. Le problème, c'est qu'à force d'essayer de l'apaiser et de l'étouffer par toutes sortes d'excuses et de raisonnements, elle devient une conscience élastique qui s'ajuste à la société qui l'entoure. On commence alors à vivre nos vies, non plus selon la simplicité de ce que notre conscience nous dicte, mais selon toutes les idées qui font bien notre affaire. Alors notre conscience devient tellement souillée qu'on appelle le mal bien et le bien mal. C'est là qu'on se retrouve plein de remords et angoissé. Et pourtant, personne d'entre nous n'aime les remords et l'angoisse; il faut juste réaliser qu'on n'aura jamais la conscience tranquille si on refuse de l'écouter. D'ailleurs beaucoup de psychologues sont d'accord pour dire que l'angoisse est une maladie de la conscience.

La Bible, elle aussi, nous dit un peu la même chose, mais elle va encore plus loin en nous expliquant en même temps la cause du problème et le moyen de le vaincre: "Tribulation et angoisse sur toute âme d'homme qui fait le mal, mais gloire et honneur et paix à tout homme qui fait le bien"[1]. Cela dit bien ce que ça veut dire: plus tu fais le mal, plus tu es malheureux, et plus tu pratiques le bien, plus tu deviens heureux et en paix avec toi-même. C'est donc à nous d'avoir l'intelligence de l'écouter. Notre conscience est un peu comme un cadran mécanique. Si on attend trop pour se réveiller et se lever, il arrête de sonner tout simplement.

- Mais Jacques, quand ça fait des années qu'on ne s'occupe pas du tout de savoir si on a une conscience, et encore moins de suivre ou de pratiquer ce qu'elle peut nous dire, à quoi doit-on se fier pour savoir ce qui est bien et ce qui est mal?

- La Bible est la pure conscience de l'homme écrite dans un livre, Sylvain. C'est un guide moral qui nettoie la conscience de toutes les influences qu'elle a pu subir et de tous les raisonnements qui ont pu la fausser. Commencer à la lire a mis une lumière sur mes erreurs passées et m'a formé une conscience nette et aiguisée qui sait trancher entre la vérité et le mensonge.

- Oui, mais que fais-tu de toutes ces tribus d'indigènes qui ont toujours vécu loin de la civilisation des hommes modernes? Moi je trouve que, bien souvent, même s'ils n'ont jamais lu la Bible, ils nous laissent pourtant un exemple de simplicité, de fraternité, de justice et d'honnêteté. Prends par exemple les Indiens d'Amérique qui, bien avant que les Jésuites les "convertissent" à leur catholicisme, avaient une morale de vie très proche des dix commandements de la Bible, qu'ils ignoraient pourtant totalement.

- C'est, lui répondis-je, parce qu'ils ont tout naturellement obéi à ce que leur conscience leur a toujours enseigné. Dieu ne s'est pas contenté d'inspirer des hommes pour que Ses lois soient écrites dans un livre, Il les a aussi écrites dans nos coeurs pour que nous les suivions. Recule juste au temps de nos grands-parents. Beaucoup d'entre eux vivaient éloignés des villes et menaient une vie simple, très proche de la nature. Ils n'avaient pas beaucoup d'instruction, c'est vrai, mais ils avaient certainement plus d'éducation et de moralité que beaucoup de gens d'aujourd'hui. Ils avaient appris très jeunes à connaître et à écouter la voix de leur conscience et à faire du bien.

- En tout cas, je réalise à quel point nous, les soi-disant "civilisés", avons besoin d'un sérieux nettoyage pour retrouver cette pureté de conscience qui nous permettrait de vivre heureux et de dormir en paix aussi.

- Tu as raison Sylvain, c'est comme ma grand-mère me disait toujours, il n'y a pas de meilleur oreiller qu'une bonne conscience. Mais sais-tu qu'avec tout ça le temps passe. Le soleil est en train de disparaître derrière les montagnes. On serait peut-être mieux de rentrer?

- Tu as raison.

- Je suis curieux aussi de voir comment les autres s'en sont tirés. On va peut-être avoir des surprises...

On revint donc bredouille au camp. Mais ma chère épouse avait vu juste en se joignant à notre guide; en effet, elle avait fait une pêche qu'elle n'était pas prête d'oublier. Les truites qu'ils avaient attrapées avaient de quoi faire rêver, et il y en avait plus d'une vingtaine. Mon copain Sylvain n'en croyait pas ses yeux. Il faut dire que le père Imbeault connaissait très bien le coin et il n'en était pas à ses premières armes avec une canne à pêche. On eut au moins la consolation de déguster avec eux tous ces beaux poissons. Laissez-moi vous dire que la truite fraîchement pêchée, c'est dur à battre. Pour chacun de nous, ce fut un véritable festin.

Notre journée du lendemain débuta d'une façon légèrement différente. Le bruit des gouttes de pluie sur la tôle fut notre réveille-matin. D'ailleurs ce fut la tempête toute la journée; non seulement il pleuvait à "boire debout", mais il ventait à "écorner les boeufs". Mère nature n'était pas trop de notre bord cette journée-là. Croyez bien qu'on appréciait notre camp, tout spécialement la chaleur rassurante du poêle à bois. Des joies toutes simples comme celles-là nous apportaient un peu de bonheur chaque jour. Malgré la pluie, j'appréciais vraiment la simplicité de cette vie en forêt. En fait, c'est plutôt difficile de se compliquer la vie lorsqu'on est en plein bois; on n'a qu'à suivre le rythme de la nature et goûter bien simplement la paix agréable qu'elle nous offre. Mais quel contraste avec la ville! Ici en tout cas, on n'est pas pressé et il n'y a pas d'horaire à respecter, pas de "trafic" non plus sur le lac Andrew, et surtout pas de bruit. Vous êtes-vous déjà rendus compte à quel point l'homme moderne est passé maître dans l'art de faire toutes sortes de bruits? La pollution par le bruit qu'ils appellent ça. Un bruit qui devient de plus en plus insupportable et qui, malheureusement, rend les gens nerveux et stressés. La civilisation nous a peut-être apporté bien des commodités, mais elle nous a fait oublier beaucoup de choses essentielles comme le calme et la tranquilité sans lesquels il est difficile de s'arrêter pour réfléchir, prier ou méditer. J'étais bien content de voir que dans mon cas, la période d'adaptation avait été moins longue que prévue, car je commençais déjà à pouvoir apprécier le silence du lac Andrew.

Je restai étendu quelques heures pendant lesquelles je ne fis que regarder la pluie, puis je finis par sortir de mes réflexions en réalisant tout d'un coup que j'étais tout de même un peu trop "branleux" de me laisser arrêter ainsi par un peu de pluie. Je pris donc mon courage à deux mains, ainsi que mon imperméable, et je décidai d'affronter la tempête pour aller tâter le lac du bout de ma canne à pêche. Je dus de plus le faire seul, car personne n'était vraiment intéressé à m'accompagner; ils étaient tous trop préoccupés par leur partie de cartes.

Je déposai une bonne grosse roche sur le devant de mon canot pour équilibrer le tout et me lançai sur le lac à coups de rames énergiques. Ma balade n'eut rien de reposant, surtout qu'elle dura près de quatre heures, mais les truites que j'attrapais, cette fois-ci à un rythme assez régulier, me donnaient un nouveau souffle de vie à chaque fois. A un moment donné, j'arrêtai mon canot devant ce qui me semblait être la charge du lac. Dès mes premiers lancers, les truites s'attaquèrent furieusement à ma petite "veltic" garnie d'un beau ver. J'en avais attrapé trois ou quatre déjà, lorsque soudainement un poisson saisit ma ligne et donna un coup si fort que je faillis échapper ma canne à pêche à l'eau. Celui-là était de taille. Je dus me débattre pendant plus d'une demi-heure pour enfin l'épuiser et le capturer. C'était une truite rouge de 21 1/4 pouces qui pesait plus de 5 livres. Tout un poisson! Et quelle lutte! J'ai cru un moment qu'il n'abandonnerait jamais. Ma persévérance avait été bien récompensée. Je revins au camp tout trempé, mais heureux et fier de mes douze poissons et de mon trophée. Mes amis au camp n'en crurent pas leurs yeux. Laissez-moi vous dire qu'ils se mordaient les pouces de ne pas m'avoir accompagné. Malgré tout, c'était la fête. L'atmosphère était tout simplement fantastique dans le camp après cette pêche. Mes amis jouaient toujours aux cartes et tout le monde faisait des blagues. Nous avons eu beaucoup de plaisir, mais la soirée fut trop courte. Le temps d'arranger les poissons, de les déguster, et de leur raconter les détails de mon aventure, et déjà c'était l'heure du coucher. La journée avait été forte en émotions grâce à cette pêche miraculeuse, et je me promettais une bonne nuit de repos.

Alors que nous étions profondément endormis, entre 2 et 3 heures de la nuit, je fus réveillé tout à coup par un bruit assez étrange. Cela ressemblait au grattement de griffes puissantes; les griffes d'un animal qui cherchait à grimper sur le toit. C'était impressionnant d'entendre ça dans la noirceur de la nuit. En tout cas, ce n'était pas des souris ou des mulots, car le bruit était très épeurant. Ce n'est qu'au lendemain matin, toutefois, que l'on constata ce qui s'était passé, car au moment où cela arriva, j'oserai vous dire qu'on était plutôt figé sur notre lit et dans notre sac de couchage. Je dis "on", car deux autres de mes amis me confièrent ce matin-là qu'ils furent réveillés eux aussi par le bruit; mais on était tous à ce point terrifiés, qu'aucun n'osa dire un mot ni émettre un son. Finalement, la bête disparut et tout revint au silence. En dedans de moi aussi tout redevint calme et paisible. La frayeur que j'avais ressentie n'avait duré qu'un moment.

Je me mis alors à penser à tous ces gens au coeur des villes qui, eux, vivent des peurs continuelles. Combien de gens, en effet, de nos jours, sont rongés intérieurement par toutes sortes d'inquiétudes, de stress, de paranoïas, de peurs inutiles, dont ils n'arrivent pas à se débarrasser et qui ne font que détruire leur vie à petit feu et les rendre d'autant plus malheureux? Craindre et s'inquiéter ne change rien à la réalité. C'est pourquoi on ne devrait jamais se laisser dominer par de tels sentiments. On ne devrait pas non plus s'attendre à ce que les polices d'assurances, les systèmes d'alarmes, les cours de relaxation, les vacances à la campagne ou tout autre moyen humain et matériel nous apporte cette paix intérieure dont nous avons tous tant besoin.

Moi, c'est en retrouvant la foi que j'ai du même coup retrouvé la si précieuse paix de l'âme. Ca m'a permis de ne plus me laisser ébranler ou bouleverser par tout ce qui se passait autour de moi. Ca m'a permis aussi d'entendre la voix de ma conscience, car c'est toujours dans le calme et la tranquilité qu'elle nous parle. Quand on est agité en dedans, on ne peut être attentif à cette voix. Ainsi, cette paix intérieure que Dieu donne nous rapproche de Lui. C'est donc dans le coeur de l'homme que la paix doit être mise tout d'abord pour qu'il puisse être heureux, peu importe où il se trouve et peu importe quels événements de sa vie il doit traverser. Quand les inquiétudes et les peurs essaient de nous envahir, on doit laisser la foi les repousser. Martin Luther King, qui dut plus d'une fois craindre pour sa vie et pour celle des siens, a dit un jour: "La peur a cogné à la porte, la foi est allée répondre et il n'y avait personne."

Le lendemain, à la clarté du jour, ceux qui avaient entendu le bruit furent naturellement les premiers à aller voir ce qui s'était passé. Bien enfoncées dans le bois vieilli du camp, apparaissaient très clairement les traces des griffes d'un petit ours qui avait monté sur le toit et était redescendu, comme si de rien n'était. L'ours n'avait peut-être jamais senti l'odeur de l'homme avant et sa curiosité l'avait entraîné jusqu'à nous. Il y avait aussi des traces de griffes sur un arbre tout près où le petit ours avait grimpé. Dans les jours qui suivirent, on eut des visites de plus en plus fréquentes à l'endroit où nous jetions nos déchets, qui semblait être l'endroit favori des ours. Presqu'à tous les jours nous découvrions des pistes nouvelles d'ours qui étaient venus manger à la "dump". Elles nous montraient clairement qu'il y en avait de différentes grosseurs. Pour des gens de la ville comme nous, cela nous transportait dans un autre monde de savoir qu'autant d'ours peuplaient la forêt tout autour de nous. Ce fut ma première expérience avec l'ours; pour la première fois de ma vie, j'avais eu la chance d'entendre un ours de très près en pleine nature. Cela avait fait naître en moi l'idée d'aller plus loin avec cet animal qui m'intriguait. L'ours n'était rien de moins qu'un mystère, c'est vrai, mais j'étais décidé à ce qu'il devienne un nouveau terrain d'étude. D'ailleurs, je savais que j'avais bien des choses à apprendre dans la nature, et cela dans bien des domaines.

Malheureusement, le temps des vacances était déjà terminé et nous devions tous retourner à la ville. Cela nous attristait un peu, mais nous nous promettions bien de revenir. Alors que l'avion s'éloignait, je repensais encore à tout le bien que m'avait procuré les heures passées sur le lac à attendre le poisson et à marcher en forêt. Toutes ces heures de tranquilité m'avaient permis de me reposer et de méditer. Une grande paix nous avait tous envahis. On aurait dit qu'une cinquantaine de livres de pression psychologique et de fardeaux de la vie avaient été laissés dans le bois. Nous nous sentions beaucoup mieux et nous étions plus épanouis. Nous avions bien mangé, bien dormi et pris du bon air. Nous avions vécu des aventures comme nous n'en avions jamais expérimentées auparavant. Et pourtant c'était si simple.

C'est alors que j'eus une idée: mais pourquoi ne pas amener des gens en désintoxication au coeur de la forêt? Ce serait fantastique! Non seulement cela les éloignerait de leur milieu et des mauvaises tentations (les brasseries et les vendeurs de drogue sont plutôt loin lorsqu'on est en pleine forêt), mais la paix de la nature leur ferait sûrement autant de bien qu'à nous, sinon plus. On pourrait permettre, de cette façon, à des toxicomanes et à des gens aux prises avec toutes sortes de problèmes de profiter d'un temps de retraite dans la nature; ils auraient ainsi la chance au moins de méditer et de réfléchir sur leur vie, et de peut-être même entendre enfin la voix de leur conscience qui les pousserait à changer et à prendre un nouveau départ. L'idée me remplit de joie et je me promis d'en tenter l'expérience.

---

1. Epître de Paul aux Romains, chapitre 2, verset 9

CHAPITRE 2

LE VENTADOUR

- O.K. Les gars, il va falloir qu'on se partage le travail pour la journée. On a un petit coup à donner, quelques petites choses à réparer ici et là et puis tout va être beau. Après ça, on pourra pêcher et s'amuser.

- J'prends un gars avec moi, Jacques, et je m'occupe de réparer le toit du camp et la galerie. Quand j'aurai fini, je vous donnerai un coup de main pour autre chose. Guy, tu veux m'aider?

- Bien sûr monsieur Imbeault. On va leur montrer ce qu'on est capable de faire.

- Prends donc les clous et la tôle qui sont là-bas contre l'arbre. On va commencer par le toit.

- Bon maintenant, dis-je aux autres, ça me prend deux gars pour installer le poêle à bois.

- O.K. j'y vais, dit François.

- Moi aussi, ajouta André.

- On a laissé le poêle et les bouts de tuyaux en bas sur la plage. Le reste de la tôle est là aussi. Bon, pour ceux qui restent, c'est pas trop compliqué. Il faut tout juste nettoyer la plage et un peu tout autour du camp et pour finir, agrandir l'ancienne "dump" là-bas derrière, au bout de la "trail". Denis et moi, on va aller couper des arbres un peu plus loin dans le bois; ça nous prend une bonne trentaine de billots solides et droits pour bâtir un quai. S'il y en a qui veulent se faire des bras, on va avoir besoin d'aide tantôt pour les transporter sur la plage. Je vous ferai signe quand ils seront prêts.

- J'amène la scie à chaîne, dit Denis.

- O.K. lui dis-je, je te suis avec le reste... Ah oui! j'allais oublier la toilette. Excusez-moi les gars, mais il nous faut encore deux volontaires pour bâtir une toilette.

- J'en fait mon affaire, répondit Jocelyn. Sylvain, tu veux bien m'aider?

- Oui, oui, j'arrive.

- Soyez prudents tout le monde. Les hôpitaux ne sont pas à la porte. On se revoit plus tard, dis-je en m'éloignant.

Et oui, comme vous devez le deviner assez facilement, j'étais cette fois-ci encore au beau milieu de la forêt québécoise dans une espèce de paradis perdu, au coeur d'une nature presque vierge. Nous avions décidé, quinze de mes amis et moi-même, de s'installer là pour l'été de 1978; disons plus précisément pour les deux plus beaux mois de l'été, c'est-à-dire juillet et août. L'endroit était le lac Ventadour, situé à 75 milles environ au nord de la ville de Québec, à l'ouest du parc des Laurentides, et c'était un autre des nombreux trésors cachés de Marc Lemelin.

Ce lac était réellement un endroit de rêve, totalement isolé de la civilisation, et il avait quelque chose de majestueux. Non seulement il était à 1200 pieds du niveau de la mer, mais il était entouré de plusieurs montagnes qui semblaient l'isoler encore davantage de tout ce qu'il y avait autour. Il s'étendait sur environ 5 milles et était découpé par plus d'une dizaine de baies de toutes les formes et de toutes les grosseurs. Le camp où nous nous trouvions était situé dans l'une de ces baies, presqu'en plein centre du lac. Sa position en hauteur, sur une petite butte d'une trentaine de pieds, nous donnait comme une espèce de vue d'aigle sur tout l'ensemble du lac. Ceci nous permettait entre autre d'y voir le soleil se lever à l'est et s'y coucher à l'ouest; des spectacles gratuits et tout simplement inoubliables! De vrais chefs-d'oeuvre dont j'étais content d'apprécier la beauté.

Ce lac possédait encore l'une des plus belles charges qu'il m'ait été donné de voir. On la découvrait au fond de l'une des baies, après avoir traversé un étroit passage bordé d'arbres. C'était une petite chute qui jaillissait de la forêt comme par miracle. Quant à la décharge, elle s'écoulait elle aussi toute en rapides vers un autre lac un peu plus bas, le lac l'Escarbot, que l'on pouvait atteindre aussi par un joli sentier de brousse qui longeait ces rapides. La lumière qui brillait sur le lac Ventadour aux soirs de pleine lune était si éclatante qu'on se serait cru en plein jour. Je ne sais trop si c'est à cause des reflets de l'eau ou de la position des montagnes ou de l'élévation du lac, mais en tout cas c'était vraiment impressionnant. C'était quelque chose de la nature à voir et à inspecter, croyez-moi: une authenticité de perfection comme on n'en voit rarement. Tous ces détails, ajoutés les uns aux autres, étaient sans doute ce qui rendait ce lac si majestueux.

Nous avions la chance aussi d'avoir tout près de notre camp, à quelque 200 pieds environ, une source d'eau qui sortait du flanc de la montagne pour se jeter dans le lac. Je ne pourrai jamais oublier cette eau qui surgissait de la terre et qui était si pure et si limpide. C'était une eau qui étanchait vraiment notre soif. Et sa température était tout aussi incroyable: elle était si froide, en effet, qu'en plein mois de juillet elle pinçait et brûlait la peau lorsqu'on s'y trempait les mains. C'était l'eau qu'on buvait bien sûr, mais elle nous servait à autre chose aussi. On avait creusé un bassin où l'eau s'amassait et on y avait enfoncé une espèce de coffre en bois rond de 2 pieds par 2 pieds, maintenu là par des bouts de bois fixés dans le sol de chaque côté du petit cours d'eau et qui nous servait de réfrigérateur. Il y avait même deux étages à l'intérieur: l'un totalement sous l'eau et l'autre juste au-dessus. Et bien, croyez-le ou non, lorsque le couvercle de ce réfrigérateur était fermé, la froideur de l'eau était si intense que du frimas se formait sur la nourriture du dessus. En tout cas, on était bien heureux de pouvoir conserver notre nourriture au frais grâce à cette trouvaille ingénieuse de monsieur Imbeault, l'homme aux mille tours dans son sac.

Malgré sa présence toutefois, tout le monde y avait quand même mis du sien pour accomplir les différents travaux qu'il fallait faire pour bien s'installer. Et on s'en était pas mal bien tiré d'ailleurs pour des jeunes sans trop d'expérience en forêt. Cela avait même surpris monsieur Imbeault, lui qui en avait pourtant vu de toutes les couleurs dans le bois. Ce qui l'avait surpris en fait, c'était la vitesse à laquelle tout s'était fait, et la discipline de ces jeunes surtout. Pour lui, c'était quelque chose de bien spécial et de bien inhabituel aussi. Et on voyait bien derrière son regard songeur qu'il se demandait comment cela était possible. Il faut dire que nous vivions tous ensemble depuis des années et que nous oeuvrions bénévolement à temps plein en réhabilitation et en désintoxication. On avait donc appris avec le temps et à travers cette vie commune, à vivre et à travailler en équipe, en se donnant la main et en mettant nos talents au profit des autres. Pour nous, la discipline n'avait rien d'extraordinaire, au contraire, elle faisait partie de notre vie de chaque jour et était devenue quelque chose de naturel. Ainsi, lorsque venait le temps de travailler, chacun faisait ce qu'il avait à faire et on y mettait tout notre coeur. Ce qui fit qu'en une journée seulement tout le travail était terminé au camp du lac Ventadour.

Le soir était tombé sur cette première journée et on se retrouva tous sur la plage de la petite baie autour d'un feu, savourant paisiblement un repos bien mérité. Je regardais tous ces jeunes et j'étais heureux de voir à quel point l'harmonie pouvait régner entre eux. C'était quelque chose à voir, comment des gens venant de toutes sortes de milieux totalement différents les uns des autres, arrivaient aussi simplement à vivre unis ensemble comme une grande famille. Il y avait parmi eux des gens ayant trempé dans la drogue, l'alcool, la criminalité, la prostitution, l'homosexualité et j'en passe, et aussi des gens n'ayant vécu aucun de ces problèmes. Là, devant moi, se côtoyaient tout naturellement des gens de foyers divisés et des gens de foyers heureux, des gens de milieux riches et des gens de milieux pauvres, des gens sortis de milieux universitaires et de simples travailleurs, ex-militaires, sportifs, motards, etc. Ce méli-mélo de monde, voyez-vous, avait un point en commun: quelque chose de fort les unissait l'un à l'autre plus solidement que toute autre chose au monde, et c'était leur foi en Dieu. Mais attention! pas n'importe quelle foi. Beaucoup de gens disent qu'ils ont la foi, et pourtant cela ne les rend pas différents et ne change rien dans leur vie. La foi de ces jeunes, au contraire, était une foi sincère et vivante, une foi dont la puissance avait réellement transformé leur vie. Ils avaient tous, en effet, découvert dans la Bible, dans le message du Christ, le vrai sens de la vie et s'étaient engagés à suivre les traces de Jésus.

C'est ça la vraie foi, une foi qui est une conviction solide et qui produit du fruit, une foi qui nous fait non seulement accepter le message du Christ, mais qui nous convainc de le mettre en pratique parce que l'on sait que cela vient de Dieu. Une foi vivante qui transforme notre vie graduellement, jour après jour, et qui fait de nous de vrais fils et de vraies filles de Dieu. Voilà pourquoi tous ces jeunes pouvaient vivre ensemble dans l'amour et le partage, comme de véritables frères et soeurs qui se respectent l'un l'autre et qui s'aiment d'un amour sincère et pur.

Il faut dire aussi que tous ces jeunes gens travaillaient aussi comme missionnaires à temps plein. En fait, la foi et l'amour qu'ils avaient reçus étaient si beaux et si grands qu'ils ne pouvaient s'empêcher de les partager avec le plus grand nombre possible de gens, et cela peu importe leur classe sociale. Ainsi, à tous les jours ils se retrouvaient dans les rues, les foyers, les hôpitaux, les églises, les écoles, les prisons, les bars, etc., pour dire aux autres ce que Dieu avait fait dans leur vie. Pour eux, cette vie de missionnaire est la plus belle vie possible. D'ailleurs, les vrais enfants de Dieu sont des gens qui aiment Dieu et qui en parlent comme ils respirent, tout naturellement et sans honte; ils sont, en d'autres mots, des prophètes qui révèlent le plan de Dieu aux autres.

En réalité, tous les vrais chrétiens dans le monde sont eux aussi de vrais prophètes. Le mot "prophétiser" signifie "parler de Dieu" et depuis le début des temps, depuis que l'homme est sur la terre, Dieu s'est toujours révélé par la bouche de ses fidèles afin de guider l'humanité dans la bonne direction. C'est sa façon de parler aux gens. Il peut se servir de ses prophètes aussi pour annoncer des évènements futurs.

Aujourd'hui, les gens ne s'imaginent pas qu'ils pourraient rencontrer de leur vivant un saint ou un prophète, peut-être parce qu'ils ont une fausse idée de ce qu'ils sont vraiment. Les vrais serviteurs de Dieu n'ont aucune parure extérieure remarquable. Ce sont des hommes et des femmes bien ordinaires qui vivent parmi le peuple, peut-être même à côté de chez-vous. Habituellement ils ne laissent personne indifférent, car quand les gens entendent parler de Dieu ou des choses spirituelles, c'est certain qu'il y a une réaction dans leur coeur. Certains sont contents, ça les encourage, ça leur donne de l'espoir et le goût de faire plus, tandis que pour d'autres, ce sont des paroles qui les dérangent à cause de la place que Dieu n'a pas dans leur coeur. Dans le fond, ce qui dérange dans ces prophètes de Dieu ce n'est pas leur personne, mais bien plutôt l'Esprit-Saint qui est en eux. La Bible nous dit à ce sujet que les vrais chrétiens "sont une odeur de mort pour ceux qui périssent et une odeur de vie pour ceux qui sont sauvés"[1]. C'est pourquoi, lorsque quelqu'un vous parle de Dieu ne le rejetez pas et ne le jugez surtout pas à son apparence, mais regardez plutôt sa foi et son amour spirituel et écoutez bien attentivement ce qu'il vous dira.

Laissez-moi vous raconter une petite histoire, celle de l'aigle et des poules: "Un aigle avait été capturé très jeune par un fermier qui l'avait pris au piège, et lui avait mis une entrave afin qu'il ne puisse pas voler. Ainsi emprisonné, il le laissait se promener librement dans la basse-cour sans crainte qu'il ne s'échappe. Il ne fallut pas longtemps pour que l'aigle commence à se comporter comme les poules, grattant et picorant le sol. Cet oiseau qui avait auparavant volé dans les cieux, semblait satisfait de vivre la vie de basse-cour des humbles poules.

Un jour, le fermier reçut la visite d'un berger qui était descendu des montagnes où vivaient les aigles. Voyant l'aigle, le berger dit au fermier: "Quelle honte de garder cet oiseau entravé ici dans votre basse-cour! Pourquoi ne le laissez-vous pas aller?" Le fermier accepta et coupa l'entrave. Mais l'aigle continua de tourner en rond en grattant et en picorant comme auparavant. Le berger le prit et le plaça sur un mur de pierres très élevé. Pour la première fois depuis des mois, l'aigle vit la vaste étendue du ciel bleu et le brillant soleil. Il étendit alors ses ailes et, d'un bond, monta en flèche dans un formidable vol en spirale, toujours de plus en plus haut. Finalement, il agissait à nouveau comme un aigle."

Ainsi, tous les vrais croyants du monde sont comme ce berger: ils veulent à tout prix libérer les hommes et les femmes de leur vie de basse-cour, cette vie si limitée, parce qu'uniquement basée sur le monde matériel. Ils veulent leur révéler qu'ils appartiennent à un autre monde, un monde spirituel qu'ils ne connaissent pas et qu'ils ne voient pas, mais qui pourtant existe. Ils veulent surtout les aider à retrouver le vrai sens de la vie sur terre. C'est pourquoi ce livre a été écrit, non seulement pour vous faire connaître le monde merveilleux de l'ours, mais pour vous révéler à vous aussi quel est le plan de Dieu pour votre vie et pour cette humanité dont nous faisons tous partie, et pour vous donner le goût de devenir des fils et des filles de Dieu.

Alors que je songeais à tout cela, tout en regardant les flammes du feu qui dansaient là devant moi, Jocelyn me tapa sur l'épaule, me ramenant brusquement à la réalité:

- Hé! Jacques! Tu trouves pas que ça sent le "chauffé"?

- Le "chauffé"? J'sais pas. Il y a bien un feu qui brûle, mais...

C'est alors qu'une odeur de caoutchouc brûlé atteignit mes narines. D'un mouvement sec, je ramenai ma botte vers moi.

- Ben oui, t'as raison. La semelle de ma botte était en train de fondre. Je te remercie! J'pense que c'est le temps que j'aille me coucher avant que j'passe au feu. Bon, j'y vais. Salut tout le monde! A demain.

- Salut Jacques! répondit le groupe.

Les jours qui suivirent furent au plus calme. On laissait le temps couler à son rythme, respirant à pleins poumons l'air pur de la forêt. Peu à peu, chacun de nous refaisait le plein. On ne pouvait vraiment pas demander mieux que ce calme extraordinaire pour se remettre de tous ces mois de vie très active. C'était le repos total.

Au fil des jours, je réalisais de plus en plus à quel point l'ordre et l'équilibre de Dieu régnaient dans cette nature à l'état pur. Et je me disais en moi-même: la nature et les animaux, sans même avoir cette conscience que nous possédons, respectent mieux les lois de Dieu que nous-mêmes pouvons le faire. Cela me donnait vraiment un bel exemple: comment nous, les enfants de Dieu, devrions aussi avoir cette fidélité et cette obéissance aveugles que les animaux et la nature ont vis-à-vis du plan que Dieu a établi pour eux. Au fur et à mesure que je réalisais cela, mon respect pour l'environnement ne cessait de grandir, et je faisais vraiment beaucoup plus d'efforts pour le garder propre. De plus, je me souvenais trop bien comment l'homme soi-disant civilisé, qui était venu à cet endroit avant nous, avait laissé ses traces et ses cochonneries que nous avions dû nettoyer.

Très malheureusement, l'homme d'aujourd'hui a oublié que Dieu, au début de la création, lui a confié la responsabilité de prendre soin de cette nature qu'Il a créée. En fait, en perdant le respect des lois de Dieu, l'homme a du même coup perdu le respect envers la nature et les créatures de Dieu. Il ravage les forêts, vide les lacs, les rivières, les fleuves. Il pollue l'eau en y déversant des tonnes de produits chimiques et de déchets de toutes sortes que l'océan en colère vomit sur les plages du monde. Il pollue l'air à pleines cheminées d'usines qui crachent leur venin mortel; un venin que non seulement on respire, mais qui nous retombe dessus en pluies acides. Combien de grandes villes du monde étouffent sous la pollution de leurs millions de voitures?

En plus, comme si cela n'était pas suffisant, les pays industriels qui sont à l'aise se débarrassent de leurs déchets toxiques et dangereux dans les pays pauvres du Tiers-Monde. Ils sont sans scrupules pour se servir d'eux comme poubelles.

Au nom de la science, du progrès, de la liberté, combien d'essais atomiques ou nucléaires a-t-on fait depuis les années cinquante? Quelque chose comme 1500. Et à chaque fois on a lâché dans l'atmosphère une quantité incroyable de poussières radio-actives. Soyez assurés aussi que toutes ces explosions ont gravement travaillé la croûte terrestre et provoqué des tremblements de terre qui ont fait mourir des milliers et des milliers de gens.

Avec tout ce que l'on rejette dans l'atmosphère, on a maintenant atteint la couche d'ozone et elle est détruite en plusieurs endroits, laissant désormais filtrer des rayons dangereux du soleil dont elle nous protégeait. Par toute cette pollution encore, et tous ces changements qu'on a fait subir à l'environnement, on a complètement bouleversé les températures et les saisons: non seulement la température du globe ne cesse d'augmenter, mais on vit des sécheresses de plus en plus nombreuses, même en pleine saison des pluies, et des régions généralement à l'abri du froid sont frappées maintenant par des tempêtes de neige. En d'autres mots, c'est le désordre total! A mon avis, l'état de notre planète est tout simplement le reflet de l'état intérieur des gens.

Que dire enfin des pauvres animaux? Les hommes ne les ont pas seulement chassés pour leur survie, mais les ont tués pour le plaisir, les ont "empaillés", et les ont finalement expulsés de leur habitat naturel. Combien d'espèces sont aujourd'hui en voie de disparition? Combien ont déjà été complètement exterminées? La nature souffre mes amis, elle souffre le massacre d'une humanité déréglée qui détruit son équilibre et la rend malheureuse, les tristes résultats sont là sous nos yeux.

Toutefois je dois vous avouer que même si je sais cela depuis des années, j'ai dû moi-même me cogner le nez à plusieurs reprises en commettant toutes sortes d'erreurs, pour réaliser finalement à quel point j'avais besoin de connaître davantage la nature pour mieux la respecter. Laissez-moi vous raconter quelque chose qui vous expliquera ce que je veux dire par là. Cela s'est passé quelque temps après notre arrivée sur le lac Ventadour, un soir où nous nous trouvions tous à l'intérieur du camp. Il était environ 10 heures, lorsqu'on entendit tout à coup du bruit provenant du vieux poêle et des vieux tuyaux qu'on avait jetés derrière le camp. De toute évidence, une bête quelconque avait déplacé quelque chose, mais le bruit fut très court et tout rentra dans l'ordre bien rapidement. Cela me chicota tout de même un peu, car une des filles était entrée dans le camp, toute énervée, quelques instants plus tôt, en me disant qu'elle avait entendu les bruits d'un ours derrière la toilette. Connaissant la peur naturelle des femmes, je l'avais aussitôt rassurée en lui disant que c'était sûrement une bête puante et qu'elle n'avait pas à s'inquiéter.

Mais mon assurance se transforma vite en inquiétude, lorsqu'environ quinze minutes plus tard un second bruit se fit entendre.

Il provenait encore une fois du tas de tuyaux, mais cette fois-ci il n'y avait pas de doute possible: ce n'était absolument pas une bête puante, ni une souris. Le bruit que nous avions entendu était celui d'une patte pesante qui avait écrasé le tuyau en marchant dessus; un bruit très impressionnant, croyez-moi, surtout dans le silence et la noirceur de la nuit.

Sans dire un mot et en prenant mille précautions, je m'approchai de la fenêtre de côté pour regarder dehors. Bien que nous étions dans la nuit, un quartier de lune jetait tout de même une pâle lueur sur cette forêt endormie. C'est alors que je vis une grosse masse sombre qui marchait doucement et se dirigeait vers l'avant de notre camp. Et oui, c'était un ours, et un gros s'il-vous-plait. Je n'en croyais pas mes yeux! Pour la première fois de ma vie, je voyais un ours réel en pleine nature. Ma mentalité de "gars de ville", ajoutée à la peur que je ressentais et qui faisait battre mon coeur à tout rompre, ainsi que mon ignorance de l'instinct de l'ours, tout cela mis ensemble fit que je n'avais qu'une idée en tête: le "tirer". J'étais certain que l'ours était un animal très vorace, très méchant. Il y a tellement d'histoires sur l'ours, tellement de "racontars" négatifs. Je pris donc ma "22" et demandai à une amie d'éclairer l'ours avec une lampe de poche, dès qu'un autre ouvrirait la porte. L'ours s'approchait de plus en plus, car il avait flairé notre sac de vidanges sur la galerie. A mon signal, la porte s'ouvrit et je tirai vers l'ours sans perdre un instant. L'ours tomba sur le dos, mais à ma grande surprise, il se releva aussitôt et s'enfuit dans la forêt à la vitesse de l'éclair.

L'avais-je touché? L'avais-je raté? Je n'en savais rien. Tout ce que je savais, c'est qu'il s'était enfoncé dans la forêt et avait disparu. Quel choc et quelle déception! Non seulement l'ours n'était pas mort, mais il s'était enfui. Je venais de perdre un beau trophée que j'aurais pu montrer fièrement à tous mes amis. A ce moment-là, je n'avais rien saisi du drame qui venait de se dérouler sous mes yeux. Dans mon ignorance, je venais de me faire un ennemi et un ennemi qui serait désormais terriblement méfiant à l'égard de tous les hommes.

Pour vous situer un peu dans le temps, cela se passait environ trois semaines après notre arrivée sur le lac Ventadour et il ne fallut pas plus d'une autre semaine pour que nous goûtions à la "médecine" de cet ours. Si la vengeance est douce au coeur de l'Indien, comme le dit le proverbe, elle l'est aussi croyez-moi, au coeur de l'ours. La fin de cette semaine marquait justement l'arrivée de nos joyeux troubadours de l'air, Marc Lemelin et monsieur Imbeault qui nous avaient quittés au premier retour de l'avion, que l'on voyait apparaître à toutes les deux semaines pour nous ravitailler en nourriture et en carburant, et pour nous rapporter aussi les dernières nouvelles de la ville. Ce jour était toujours un jour de fête que l'on célébrait tous ensemble autour de quelques caisses de bières; disons qu'on profitait de l'occasion pour s'amuser et "lâcher notre fou". Les voisins étaient bien loin, on ne risquait pas de déranger quelqu'un...

Il faut dire que notre pilote d'avion y jouait sa part importante. "Capitaine tempête", comme on l'avait surnommé à cause de son caractère qui pouvait tourner à la tempête bien rapidement, était en fait un conteur de blagues inépuisable qui nous faisait rire aux larmes pendant des heures. Il avait, en plus, un bagage d'histoires vécues en forêt, en avion, en canot, tantôt avec les Indiens, tantôt avec les Inuits dans le Grand Nord, tantôt avec les gars de bois, toutes aussi incroyables les unes que les autres et qui nous amusaient comme des petits fous. Ce Marc Lemelin avait un sens de l'humour tout simplement extraordinaire, et l'atmosphère qu'il mettait dans le camp lors de ces petites réunions n'avait pas sa pareille. Le seul petit côté plate, c'est qu'il devait, la plupart du temps, partir avant la tombée du jour et il nous laissait toujours un peu sur notre appétit. Mais quand même c'était bien agréable. On en avait presque pour deux semaines à se rappeler toutes les blagues qu'il nous avait contées.

Ainsi donc, ce jour-là, après que l'avion nous eût quittés, on décida de se faire à manger. Vous savez ce que c'est lorsqu'on a bu quelques bières. André, un spécialiste de la saucisse, nous parla si bien de ses hot-dogs cuits sur le poêle à bois que l'on accepta son offre sur-le-champ. On n'avait pas aussitôt dit "oui", qu'il était déjà en chemin vers notre réfrigérateur installé dans la source d'eau froide où se trouvait, bien sûr, toute la viande fraîchement débarquée.

Mais là, une surprise l'attendait: notre ours, celui-là même que j'avais tiré, était passé au frigidaire avant lui et avait réussi à sortir la boîte de bois du ruisseau. Alertés par les cris d'André, on se retrouva tous en bas au "frigo". Tous furent complètement assommés par le spectacle qui s'étalait là sous nos yeux. C'était bien notre ours: les pistes étaient identiques à celles qu'il avait laissées près du camp une semaine plus tôt. Imaginez donc qu'il fallait une force extraordinaire pour arracher cette caisse d'où elle était, car voyez-vous, on avait pris toutes nos précautions pour se protéger au cas où on aurait eu des visites nocturnes d'animaux. On l'avait non seulement fixée très solidement à des billots enfoncés profondément de chaque côté du ruisseau, mais on l'avait construite avec des rondins de bois massifs et des clous de six pouces. Pour l'ouvrir, il avait dû venir à bout d'un cadenas aussi massif que le reste, fixé lui aussi par des clous de six pouces. Et bien, croyez-le ou non, il avait tout arraché, tout démoli et tout mangé... Il ne restait plus aucune saucisse. Les quatre paquets vides étaient là par terre, 4 fois 12: 48. Je peux même vous dire la sorte: c'était des "Hygrade".

Notre ami André Lahaye, justement, avait précisé au pilote d'avion lors du voyage précédent qu'il devait acheter des "Hygrade" ou des "Frankfurt", en lui assurant que c'étaient les meilleures. L'ours avait englouti les 48 saucisses, les 10 livres de viande hachée, toutes les côtelettes de porc, comme si de rien n'était. Le plus beau du tour, cela je ne l'oublirai jamais, c'est qu'il avait ouvert chacun de ces paquets de saucisses avec ses griffes, aussi délicatement et aussi précisément qu'un homme utilisant un couteau.

L'ours venait de nous rendre la monnaie de notre pièce en nous volant notre nourriture vitale des deux prochaines semaines, ou du moins, toute notre viande. Que pouvions-nous faire puisque l'avion était déjà parti? Il nous fallait avaler notre pilule bien sûr et attendre, nous n'avions pas le choix. Mais en agissant de la sorte, l'ours nous avait ni plus ni moins déclaré la guerre, et il allait maintenant goûter à notre "médecine".

---

1. 2è épître de Paul aux Corinthiens, chapitre 2, versets 15-16

CHAPITRE 3

DE L'OURS AU SINGE

Tout le monde, désormais, n'avait plus qu'une seule idée en tête: attraper cet ours à n'importe quel prix. On décida alors de bâtir une espèce de cabane en bois dans laquelle l'ours, en y pénétrant, serait pris au piège: facile à dire, mais pas facile à faire. En effet, on eut mille et un problèmes pour la construction de ce piège. Malheureusement, une fois terminé et installé, on réalisa au bout de quelque temps qu'il n'y avait rien à faire pour convaincre cet ours de malheur d'y entrer. On avait beau mettre plein de goujons, une espèce de poisson vidangeur pas mangeable, que l'ours normalement aime bien; notre ours, lui, était trop malin pour se mettre le nez à l'intérieur.

Quand je dis que le goujon est un poisson pas mangeable, je veux dire en fait qu'il n'est pas mangeable pour des Nord-Américains comme nous, qui levons le nez sur toutes sortes de bonnes choses, car au fond le goujon est très bon à manger; il n'a qu'un défaut, il est plein d'arêtes. Si on crevait de faim, on en mangerait avec joie. Le goujon a cette particularité de sentir très fort, surtout lorsqu'il s'est décomposé pendant quelques jours sous la chaleur du soleil. L'ours, d'ailleurs, raffole de tout ce qui est en décomposition, au point d'enterrer la viande fraîche qu'il découvre pour la laisser moisir un bout de temps. Mais là, on n'arrivait pas à le tromper. Il était beaucoup plus rusé qu'on ne le pensait et son instinct de bête sauvage semblait lui dire que quelque chose de louche se passait dans cette cabane. Malgré tous nos efforts, il n'a jamais voulu mordre à l'appât.

Finalement, le jour du ravitaillement arriva encore une fois. Lorsqu'on raconta notre histoire à Marc et à monsieur Imbeault, ils la trouvèrent bien drôle et nous promirent de revenir dès le lendemain avec un piège à ours que Marc avait chez lui et qui, nous assura-t-il, allait régler le cas de cet ours une fois pour toutes. Le départ de l'avion ce jour-là fut bien différent; nous savions qu'il nous ramènerait en moins de 24 heures ce dont nous rêvions tous depuis plus de deux semaines: un vrai piège que l'ours ne réussirait pas à déjouer cette fois-ci.

Le son de l'avion, le lendemain matin, nous fit bondir hors du camp. Je crois que notre pilote n'avait jamais reçu un accueil aussi chaleureux; en tout cas, on était tous très anxieux de voir ce fameux piège. C'était en fait une espèce de grosse mâchoire d'acier qui s'ouvre complètement et au centre de laquelle se trouve le déclencheur qui, lorsqu'on le touche le moindrement, fait refermer le tout à une vitesse éclair. A ce moment précis, les deux rangées de dents de fer qui composent cette mâchoire claquent l'une sur l'autre, et le son à lui seul vous fait frissonner. Imaginez ce qui arrive à la patte qui se trouve malheureusement prise là. Le ressort de ce piège est si puissant qu'il faut deux hommes assez solides pour l'ouvrir à sa pleine extension. Laissez-moi vous dire que c'est le genre de piège qui ne laisse aucune chance. On était bien certain cette fois-ci qu'il ne pourrait pas s'échapper.

On fit donc un genre de construction le plus naturel possible, avec du bois entassé pêle-mêle au fond duquel on mit notre fameux goujon. Puis, on cacha bien soigneusement le piège à l'entrée, sous des feuilles et des brindilles. Il ne nous restait plus désormais qu'à attendre. Deux ou trois jours plus tard, étonnés de ce que rien n'arrivait, on décida d'aller y regarder de plus près. Comble de malheur, le piège ne fonctionnait plus; il était "éventé". On avait beau frapper sur le déclencheur, le piège refusait de se refermer. Décidément tout était contre nous.

Après toutes ces tentatives, on était un peu découragé de se battre; peu à peu on était même devenu comme hanté par la présence de cet ours qui rôdait autour de nous sans que nous puissions l'apercevoir. Nous savions bien qu'il était là. Non seulement il avait tout mangé le goujon de notre deuxième piège, mais les pistes que nous découvrions régulièrement trahissaient sa présence.

Je ne peux vous expliquer avec des mots l'atmosphère qui régnait dans le camp, mais pour sûr elle était morbide; deux de mes amis en particulier, Gino et André Lahaye, étaient sérieusement bouleversés par la bête. Ils en parlaient sans cesse et la voyaient partout. Ils aiguisaient tellement nos nerfs qu'on se sentait épié de touts bords, touts côtés; le soir surtout, car la noirceur de la forêt a quelque chose d'assez terrifiant. Les ténèbres sont si épaisses qu'on pourrait les découper au couteau. Pas besoin de vous dire qu'on n'osait plus trop sortir dehors, et quand on n'avait pas le choix on le faisait plutôt rapidement et en chantant à pleine voix pour éloigner l'ours au cas où... On était à l'écoute du moindre bruit.

Un de ces soirs, on entendit craquer à l'extérieur autour du camp. Il était vers les 11 heures. Toutes nos lumières étaient éteintes. C'était son heure. Je décidai de sortir avec la lampe de poche, accompagné par deux courageux compagnons. La peur travaillait nos entrailles. On ouvrit la porte avec mille et une précautions, puis je me mis à éclairer un peu partout dans la forêt. Soudain, on l'aperçut à travers les arbres; il était debout et son regard était braqué sur nous. Il n'était qu'à une vingtaine de pieds. Je ne sais pas si vous avez déjà vu ça deux yeux d'un ours en pleine noirceur qui vous regardent. Il y a de quoi vous glacer le sang dans les veines. C'est comme deux yeux argentés, comme deux pièces de 25 sous qui brillent dans la nuit et qui vous regardent. On est tous rentrés dans le camp à une vitesse incroyable. Nos coeurs battaient à un rythme qu'ils n'avaient jamais atteint auparavant. Soulagés, mais toujours inquiets, on se demandait tous comment cette aventure au coeur du royaume de l'ours noir allait se terminer.

Il nous restait à peine deux semaines jusqu'à la fin de notre séjour, et l'ours était toujours en liberté. Nous commencions à comprendre davantage le petit proverbe populaire qui dit: "Ne vendez pas la peau de l'ours avant de l'avoir tué".

Avec l'expérience de ces quelques semaines on avait dû réaliser, un peu malgré nous, à quel point l'ours est un animal rusé. Au fond, c'était plutôt nous qui étions pris au piège: au fil des jours, cet ours nous avait rendus paranoïaques, alors que lui courait les bois sans trop s'occuper de notre présence. Et pourtant, tout avait été si agréable au début, dans les premières semaines de notre séjour en forêt. On était dans un endroit si merveilleux, tout était si tranquille et si majestueux. C'était trop beau et trop calme sans doute. Il fallait bien qu'on ait quelque chose de négatif près de nous pour nous enlever la paix: l'ours noir d'Amérique, le prince des ténèbres. C'est ainsi qu'on surnomma notre ennemi nocturne; croyez-moi, c'était vraiment le prince des ténèbres. En fait, on ne le voyait jamais le jour.

Au point où nous en étions, il me fallait à tout prix trouver une solution. Je ne pouvais pas accepter de rester là sans rien faire, en m'avouant vaincu. C'est ainsi que, quelques jours avant le retour de nos amis et de l'avion, on décida de se rendre au petit village de Van Bruyssel, en empruntant la voie des eaux, dans l'espoir d'y trouver un piège à ours. En fait, nous avions deux lacs à traverser, l'Escarbot et le Kiskissink, et deux "trails" d'environ un mille chacune à parcourir et nous y étions. Je partis donc en canot avec Guy et André Paré. Le temps était couvert et le vent soufflait fort sur le lac ce matin-là, mais nous n'avions qu'une idée en tête: dénicher un piège, et pour cela nous étions résolus à affronter la pire des tempêtes.

La distance sur le Ventadour pour atteindre la "trail" menant au premier lac se fit sans trop de problèmes, mais lorsqu'on lança le canot dans les eaux agitées de l'Escarbot, les vagues avaient au moins trois à quatre pieds de hauteur. C'était la tempête; à cause de la position du lac, le vent y soufflait avec encore plus de rage. Chaque vague que l'on coupait nous éclaboussait autant que si quelqu'un nous avait lancé une chaudière d'eau. André, lui, à l'avant du canot, s'amusait comme un gamin dans les montagnes russes. Il avait beau être complètement trempé, il ne pouvait s'empêcher de rire à toutes les fois que l'on frappait une nouvelle vague. Il faut dire que le gars avait passé son enfance dans les piscines de Montréal-Nord, à nager et à jouer au water-polo. Quant à moi, et bien je dois vous avouer que je ne riais pas du tout. L'eau, le vent, les vagues m'en mettaient plein la vue, au point où cela devenait de plus en plus difficile de voir en avant et surtout de maintenir cette embarcation le nez dans le vent pour bien couper les vagues.

Finalement, ce qui ne devait pas arriver arriva: le bateau s'enfonça tout droit dans une vague trop grosse pour être surmontée et il se remplit d'eau, si bien qu'avec deux ou trois pouces de plus on allait tout simplement se transformer en sous-marin. Sans même réfléchir un instant, j'enfonçai la poignée de l'accélérateur au maximum et je mis le cap sur la berge la plus proche. C'était notre seule chance: une autre vague comme celle que nous venions de traverser et nous étions quitte pour la nage. Pendant que le canot progressait de peine et de misère vers la rive, mes deux coéquipiers armés de plats de margarine se débattaient dans un effort suprême pour essayer de vider l'eau hors du canot. Honnêtement, je n'ai jamais vu personne de toute ma vie opérer à une telle vitesse.

Lorsque finalement on toucha le bord, croyez-moi il était temps. Quel soulagement et quelle aventure! On se serait cru en plein milieu de l'océan, et pourtant ce n'était qu'un lac. C'est alors qu'une voix, sortie de nulle part, nous interpella:

- Hé! Les gars! Beau temps pour la pêche, n'est-ce-pas?

La surprise fut totale. On ne s'attendait pas du tout, mais vraiment pas du tout à voir quelqu'un là. D'où sortait-il celui-là? Chanceux dans notre malchance, nous avions accosté tout juste vis-à-vis du campement de cet homme. On était bien curieux de savoir ce qu'il faisait là.

- Tirez votre canot dans les "branchailles", et venez vous sécher un peu. Je crois que vous en avez bien besoin, nous lança-t-il cette fois-ci en éclatant de rire.

Cet homme vivait seul en pleine forêt; il s'était bâti une espèce d'énorme tipi indien avec des bouts de toile et des morceaux de peaux cousus les uns aux autres et il se préparait tout bonnement à y passer l'hiver. C'était difficile d'avoir quelque chose de plus simple, mais c'était propre et chaud et il y avait suffisamment de place pour loger les quatre personnes que nous étions. Il passait son temps à trapper, à chasser et à étudier la nature. Contrairement à ce que nous aurions cru, c'était un biologiste, un gars de la ville qui, quelques mois auparavant, avait décidé de tout "foutre en l'air" et de se retirer dans la nature. Après cinq années d'études universitaires, il n'arrivait plus à accepter que la science soit aussi limitée et sans réponse à tant de questions que l'homme se pose. Il avait décroché et on sentait bien qu'il était triste et déçu. Du fond de sa solitude, dans les profondeurs de la nature, il essayait tant bien que mal de se convaincre que la vie a un sens et qu'elle vaut la peine d'être vécue, et il y arrivait difficilement. J'avais le sentiment de tomber à pic. Après une petite visite des lieux et les présentations d'usage, on lui expliqua brièvement que nous étions des chrétiens qui étaient venus se ressourcer spirituellement dans la nature. On jasa un peu des bienfaits de la vie en forêt, puis on commença à discuter de la fondation du monde.

- Je n'arrive pas à comprendre, dit René, pourquoi l'homme, malgré toutes ses grandes découvertes sur l'univers et sur la vie, est toujours incapable d'expliquer l'origine du monde dans lequel il vit. Il n'a réussi qu'à élaborer des théories toutes aussi incroyables les unes que les autres comme le Big Bang, par exemple.

- Le "Big Bang" dis-tu? Celle-là je ne l'ai jamais entendu. On en apprend à tous les jours, dis-je.

- C'est la théorie scientifique la plus récente sur l'origine du monde, qui nous explique que l'univers a commencé par une explosion de matière, le "Big Bang", qui a supposément tout mis en ordre et placé nos 500 millions de galaxies. Soit dit en passant, une seule galaxie contient le nombre incroyable de 100 milliards d'étoiles. Notre soleil, avec son système solaire, met à peu près 250 millions d'années pour faire le tour de sa galaxie, parce que vois-tu, nous nous déplaçons dans l'espace. Et ce ballet de planètes et d'étoiles est réglé au peigne fin, c'est-à-dire avec une précision qui fait que la terre tourne sur elle-même et la lune autour de la terre, et toutes deux autour du soleil. Les jours succèdent aux nuits inlassablement, et la terre dans sa rotation autour du soleil s'éloigne et se rapproche pour créer les saisons. Tout est là, bien à sa place. Imagine-toi maintenant que tu amasses des matériaux de construction sur un terrain vague et que tu fasses tout exploser. Penses-tu que tu vas obtenir une maison bien bâtie?

- Très peu de chance à mon avis, répondis-je. Mais sais-tu qu'ils n'ont peut-être pas complètement tort avec leur théorie du Big Bang, seulement il a fallu que quelqu'un produise l'explosion primitive.

- C'est justement cela que les savants refusent d'accepter, me répondit-il.

- Cela me fait penser à une petite histoire que j'ai lue à propos du savant Newton. Un jour qu'il lisait dans son cabinet de travail, son ami incroyant entra dans la pièce. Newton venait tout juste de mettre au point une reproduction miniature du système solaire qu'il avait placé sur son bureau. Son ami, homme de science, reconnut immédiatement le système solaire et s'en approcha pour tourner la manivelle. Avec une admiration évidente, il regardait évoluer les corps célestes sur les orbites, tous à leurs vitesses respectives. S'éloignant un peu, il s'exclama:

- Quel mécanisme superbe! Qui l'a fabriqué?

Sans lever les yeux de son livre, Newton répondit:

- Personne.

Se tournant vers lui, l'athée lui dit:

- Sans doute n'as-tu pas compris ma question. Je te demandais: qui a fabriqué cet appareil?

Cette fois, Newton leva les yeux et assura son ami avec le plus grand sérieux que personne ne l'avait fait, mais que c'était par le plus pur hasard que les divers éléments du mécanisme tant admiré s'étaient rassemblés comme ça, tout seuls. L'athée, tout étonné, lui dit:

- Tu dois me prendre pour un fou! Naturellement quelqu'un a fabriqué ce mécanisme, un génie d'ailleurs; et je voudrais connaître son nom.

Newton déposa son livre, se leva et mis sa main sur l'épaule de son ami.

- Ce mécanisme n'est qu'une faible imitation d'un système bien plus merveilleux dont tu connais les lois. Je suis incapable de te convaincre que ce jouet n'a pas eu de créateur, et pourtant tu prétends croire que l'original grandiose a pris naissance sans l'intervention d'un Créateur. Essaie de m'expliquer par quel raisonnement tu es arrivé à pareille conclusion!

Le véritable homme de science ne peut pénétrer dans les secrets de la création sans percevoir le doigt de Dieu. Et c'est ce qu'un homme comme Einstein a été assez humble d'avouer: "Par mes calculs, dit-il, j'ai réalisé l'existence de Dieu, mais par mes calculs je n'ai pu le connaître". Son étude de la nature a convaincu Einstein et bien d'autres hommes de science aussi qu'un Dieu ou un Créateur, si tu préfères, est à l'origine de notre monde. Et c'est ce que la Bible nous dit aussi: "en effet, ce qui ne se peut voir de Dieu, savoir sa puissance éternelle et sa divinité, se voient comme à l'oeil, depuis la création du monde, quand on les considère dans ses ouvrages"[1]. Autrement dit, la nature est un grand livre qui nous parle de Dieu. Les savants ont bien pu reconstituer une cellule en laboratoire, mais ils n'ont jamais pu lui donner la vie; pas plus d'ailleurs qu'ils ne peuvent créer un moustique ou un brin d'herbe, des choses pourtant bien simples de la création. Il y manque l'étincelle divine.

- O.K. pour Dieu; ça, y a pas de problème, dit René. Je vois bien qu'un monde comme le nôtre n'a pas pu se faire tout seul. Mais de là à croire à 100% ce que la Genèse raconte dans la Bible, là, je débarque. D'après moi, ce n'est rien de plus qu'une belle légende.

- Non, non, René, cela n'a rien d'une légende. Il faut juste prendre le temps d'aller voir ce que ça dit pour réaliser à quel point c'est logique. Je vais même te dire que la science confirme les étapes de la création telles qu'on les retrouve dans ce premier livre de la Bible. T'as pas une Bible à quelque part? Je vais te montrer.

- Oui justement, j'en avais amené une ici avec l'intention de la lire attentivement. Il y a un peu de poussière dessus, mais elle est en un morceau au moins.

- Regarde ce que ça dit, lui dis-je: "Au commencement Dieu créa les cieux et la terre. Et la terre était désolation et vide"[2]. Tu vois bien que la terre a existé pendant un bout de temps avant que Dieu décide d'y mettre la vie. Et à ce que je sache, la science dit quelque chose qui ressemble à ça, non?

- Oui, t'as raison, dit René. On évalue l'âge de la terre à quatre milliards et demi d'années, alors que la vie ne serait apparue que beaucoup plus tard.

- Ensuite, il est écrit que Dieu a rassemblé les eaux sur la terre. Je suis convaincu qu'il n'y a pas un savant qui peut t'expliquer d'où vient toute cette eau. Et sans eau pourtant, tout serait désolation et vide sur la terre, tel que la Bible nous le dit.

- C'est vrai! T'as encore raison, Jacques. La science bafouille totalement sur l'eau; les savants sont incapables d'expliquer d'où provient cette masse fantastique d'eau qui recouvre environ les 3/4 de notre planète et qui, d'autant plus, n'a pas été trouvée nulle part ailleurs dans toute la partie explorée de notre galaxie.

- Je vais probablement t'étonner, René, mais la Bible nous explique tout simplement que notre univers est encerclé d'eau; c'est d'ailleurs pour cela que le ciel est bleu quand le soleil brille. C'est le reflet de l'eau qui nous entoure.

- M'étonner, dis-tu Jacques? Je n'ai jamais entendu une histoire pareille de toute ma vie. Tu es bien certain que c'est ce que la Bible dit?

- Oui, oui René, c'est très clair. Ca en parle tout d'abord au livre de la Genèse. Dans ce texte on peut lire ce qui suit: "Et Dieu dit: Qu'il y ait une étendue entre les eaux, et qu'elle sépare les eaux d'avec les eaux. Et Dieu fit l'étendue, et sépara les eaux qui sont au-dessous de l'étendue d'avec les eaux qui sont au-dessus de l'étendue"[3]. Dans les Psaumes, ça dit aussi ceci: "Louez-le, cieux des cieux et vous, eaux, qui êtes au-dessus des cieux!"[4] Il y a donc des eaux au-dessus de ce que l'on nomme la voûte céleste. Cela explique aussi comment il a pu pleuvoir 40 jours et 40 nuits sans arrêt au temps de Noé. Autant d'eau ne peut être contenue dans les nuages. Dans la Genèse, on peut lire: "en ce jour-là, toutes les fontaines du grand abîme se rompirent et les écluses des cieux s'ouvrirent; et la pluie fut sur la terre 40 jours et 40 nuits"[5].

Voilà pour ce qui est de l'eau. Ensuite, le texte de la Genèse nous parle des plantes. Ce sont naturellement les premières formes de vie qui sont apparues, tout comme la science le dit j'en suis sûr, et le texte ajoute: " car l'Eternel Dieu n'avait pas fait pleuvoir sur la terre, et il n'y avait pas d'homme pour travailler le sol; mais une vapeur montait de la terre et arrosait toute la surface du sol"[6]. Qu'est-ce que tu dis de celle-là?

- Ouais, c'est spécial, dit René. C'est plutôt difficile à prouver aussi, mais je sais que plusieurs savants ont soutenu qu'aux premiers stades de l'apparition des formes de vie, une espèce de vapeur recouvrait la terre. En tout cas, j'ai jamais lu quelque chose du genre dans un livre religieux. D'ordinaire, les histoires religieuses sur la formation du monde ressemblent plutôt à des contes pour enfants, où la terre est plate et soutenue par quatre éléphants géants aux quatre coins. Tu vois ce que je veux dire?

- Oui, répondis-je. Tu veux qu'on continue?

- Bien sûr, va jusqu'au bout, ça m'intéresse.

- L'étape suivante, René, fut l'apparition du soleil et de la lune, puis des étoiles.

- L'ordre est ce qu'il y a de plus scientifique encore une fois. La science confirme, en effet, que le soleil et la lune ont été formés presqu'en même temps, et que le soleil a existé avant les planètes et les étoiles. On ne sait pas, naturellement, comment et quand le soleil a commencé à briller, mais on sait toutefois que la formation du système solaire a été un phénomène assez rapide.

- Finalement, la Bible nous parle des différents êtres vivants qui ont peuplé la terre: d'abord, les poissons et les oiseaux, puis les reptiles et quadrupèdes.

- Décidément, Jacques, il n'y a aucune erreur. Tout cela est exactement l'ordre d'apparition des formes de vie: les poissons et les oiseaux à l'ère secondaire; les quadrupèdes, eux, à l'ère tertiaire. Franchement, la Bible m'étonne.

- L'homme et la femme, enfin, viennent clôturer tout cela. De la terre à l'homme, du début à la fin, tout s'enchaîne de la façon la plus logique et la plus scientifique. La Bible d'ailleurs nous dit que l'homme a été tiré de la terre, c'est-à-dire de la "poussière du sol"[7], pour être plus précis. Savais-tu que dans le corps humain se retrouvent tous les minéraux formant la composition du sol?

- Ah oui? fit René. Là, tu m'apprends quelque chose que je ne savais pas. On en apprend à tous les jours, comme tu disais si bien.

Mais qu'est-ce que tu fais du long processus de l'évolution dans tout ceci? Il ne faudrait pas l'oublier. La Bible en parle de ça?

- La Bible parle de création et non pas d'évolution.

- Tu viendras pas me dire que tout ça s'est fait en sept jours quand même!

- La Genèse nous dit en sept jours, mais dans la deuxième épître de Pierre on peut lire: "un jour est devant le Seigneur comme mille ans, et mille ans comme un jour"[8]. Cela veut dire qu'il a fallu six mille ans pour que la création soit achevée. Si tu veux mon avis, je crois que ça prend plus de foi pour croire dans l'évolution que dans la création. La théorie de l'évolution a été mise de l'avant par un homme, Charles Darwin. Voici ce qu'il a dit lui-même: "l'impossibilité de concevoir que cet univers et la conscience soient apparus par hasard est l'argument principal en faveur de l'existence de Dieu". Darwin croyait donc dans l'existence de Dieu.

Et si Dieu est le Créateur de la vie, à quoi bon essayer de prouver que la vie par la suite a évolué d'elle-même? Dans le livre de Charles Darwin sur "l'origine des espèces", on a calculé 800 phrases qui expriment le doute et l'incertitude, telles que "nous pouvons peut-être en conclure" ou "il se pourrait que", etc. Il n'a pas été trouvé de fossiles ou d'ossements qui montrent que les formes de vie ont débuté bien simplement, puis se sont transformées avec le temps. Tout ce que les fossiles nous montrent, c'est l'apparition de formes de vie telles qu'elles sont là aujourd'hui.

Si tel animal a pu se modifier, perdre une nageoire, changer de queue, ou si telle autre espèce d'animal a disparu avec le temps, rien dans tout cela ne prouve que la vie se transforme et que les animaux ont évolué. Depuis toujours, les chiens engendrent des chiens, les oiseaux des oiseaux, les poissons des poissons, etc. Et c'est cela que la Bible nous enseigne: "Dieu fit les animaux de la terre selon leur espèce"[9]. Tous les animaux se reproduisent uniquement et simplement selon leur espèce. Et il en est de même pour les singes: après 6000 ans d'histoire, ils mangent toujours des bananes. Les singes sont fidèles à leur épouse, ils ne pratiquent pas l'avortement, ils ne fabriquent pas de bombes pour détruire leur propre espèce. Crime, alcoolisme, toxicomanie, prostitution n'existent pas chez eux non plus. Le singe, créature de Dieu, est resté comme Dieu l'a fait et n'a jamais proclamé que la race humaine était sa descendance.

Comme les réalisations de l'homme peuvent paraître bien mystérieuses pour un singe, soyons assez honnêtes de reconnaître que les réalisations de Dieu peuvent nous paraître mystérieuses à nous aussi. Rien ne sert non plus de parler d'énormes périodes de temps pour justifier l'évolution. Le temps produit la décomposition, la désintégration. Le temps est l'ennemi de l'évolution. Fais l'expérience avec toi-même comme cobaye. Laisse-toi aller et ne te laves pas pendant une journée, tu te sens un peu mal à l'aise. Laisse-toi aller pendant trois jours, tu as l'air d'un ours mal léché. Laisse-toi aller pendant une semaine, tu sens l'ours mal léché.

- Ha! Ha! Elle est bien bonne celle-là! Tu me fais rire toi, Jacques! T'es vraiment le genre de gars qui n'y va pas avec le dos de la cuillère quand c'est le temps de convaincre quelqu'un. Mais c'est bon. Au moins, t'es convaincu et tu sais de quoi tu parles. J'ai tellement rencontré de croyants qui n'avaient rien à dire lorsqu'on leur posait des questions du genre. Comme si Dieu ne voulait pas qu'on pose de questions! Il nous a fait avec une intelligence tout de même! C'est sûrement pour qu'on s'en serve. Justement, j'ai une autre question à te poser.

- Vas-y René. Profites-en pendant que je suis là.

- Les extra-terrestres, qu'est-ce que tu penses de ça? Pourquoi la vie ne viendrait-elle pas d'une autre civilisation? Il y a tellement de planètes et de systèmes solaires dans l'univers. Il doit bien y avoir du monde ailleurs!

- Dis-moi une chose tout d'abord, René. Quelle est l'étoile la plus proche de notre système solaire? Un scientifique comme toi doit savoir ça?

- Je crois bien que c'est Alpha Proxima Centauri, et elle est à quatre années-lumière d'ici, c'est-à-dire à 38,000 milliards de kilomètres. En fait, cela nous prendrait des milliers d'années pour l'atteindre.

- C'est loin en tout cas, pas mal trop loin pour supposer que quelqu'un d'ailleurs puisse venir ici. Jusqu'à présent vois-tu, malgré toutes les photographies de soucoupes volantes, de tasses volantes ou de vaisselles non identifiées...

- Les OVNI tu veux dire.

- Oui, c'est ça, lui dis-je en souriant, et bien personne n'a jamais pu prouver, avec photo à l'appui, avoir vu des êtres extra-terrestres. Non, personne. Les petits bonhommes ont bien beau être de la couleur que tu voudras, on ne les a jamais vus. La belle histoire qu'une ou des civilisations plus développées aient déposé la vie sur la terre il y a des milliards d'années ou influencé de quelque manière l'évolution des singes, ne tient pas debout non plus. A quoi bon s'imaginer toutes sortes de choses sur la possible existence d'êtres extra-terrestres? De toute façon, cela ne changerait rien à ta vie, ni au monde qui t'entoure.

- Oui, mais qu'est-ce que tu fais des pyramides d'Egypte, Jacques, du triangle des Bermudes, de l'Atlantide, des soi-disant pistes d'atterrissage dans les Andes qui datent de plusieurs millénaires, et de toutes ces choses inexpliquées?

- On ne peut pas tout expliquer, René. Ce n'est pas une raison toutefois pour voir les extra-terrestres partout. Jacques Cousteau a parcouru les mers et les océans du monde et il n'a jamais trouvé de vestiges ou de ruines de l'Atlantide. A son avis elle n'a jamais existé, c'est un mythe de Platon, un point c'est tout. Quant aux pyramides, la Bible nous dit que des millions d'Hébreux, alors qu'ils étaient esclaves des Egyptiens, ont transporté des pierres pendant des centaines d'années pour construire des villes et des monuments aux Pharaons. Une stèle de l'époque de Ramsès II, trouvée à Beisan en 1923, déclare que le Pharaon employait des Hébreux pour construire une ville appelée de son nom. Au musée du Caire, se trouvent des briques séchées au soleil et marquées du mot "Ramsès". On peut voir que certaines sont mêlées de paille, d'autres enfin, sont sans mélange. Ceci confirme le décret du Pharaon rapporté dans le livre de l'Exode, selon lequel ordre était donné, à un certain moment, de ne plus fournir de paille aux Israélites.

Le problème vois-tu, c'est que l'homme a toujours préféré se dire qu'il n'y avait pas de Dieu, c'est moins dérangeant; et il a dû ainsi inventer toutes sortes de théories sur l'origine du monde qui, pour la plupart, ne tiennent pas debout du tout. En réalité, tout est simple, c'est l'homme qui complique tout. Non seulement la vie est limitée à la planète terre, mais de plus, les hommes et les femmes de différentes couleurs appartiennent à la même espèce et proviennent d'une même source: la race humaine créée par Dieu. N'importe quel anthropologue (celui qui étudie les origines de l'être humain) qui se respecte, t'avouera que tous les êtres humains sont issus d'un groupe originel.

Et c'est précisément ce que l'on peut lire dans le Nouveau Testament: "Dieu qui donne à tous la vie, la respiration et toutes choses, a fait d'un seul sang toutes les races des hommes pour habiter sur toute la face de la terre, ayant déterminé la durée des temps et les bornes de leur habitation, pour que les hommes cherchent Dieu, s'ils pourraient en quelque sorte le toucher en tâtonnant et le trouver, quoiqu'il ne soit pas loin de chacun de nous, car en lui nous avons la vie, le mouvement et l'être. Car aussi nous sommes sa race"[10].

Et oui René, l'homme et la femme sont de la race de Dieu, ils sont des petits dieux en miniature qui ont été créés à Son image spirituelle. Et ce monde précis, ordonné, intelligent, est là tout simplement pour manifester Sa puissance et Sa grandeur: "Les cieux racontent la gloire de Dieu, et l'étendue annonce l'ouvrage de ses mains"[11]. Et cela afin que l'on réalise à quel point on n'est rien, une poussière dans l'univers, et que l'on doit tout à ce Dieu bon et tout-puissant. Quand on a compris cela, on a tout compris.

- Amen! fit René.

- Je crois que j'ai trop parlé encore une fois.

- Non, non, Jacques. Je blague. Je te remercie pour toutes les explications. Je dois t'avouer que je ne pensais pas que la Bible parlait de tout ça. Il va peut-être y avoir moins de poussière dessus.

- Bon, bien il faudrait peut-être qu'on pense à bouger les gars. Qu'est-ce que vous en pensez?

- On est prêt, répondit Guy. Le vent s'est calmé, on ne risque plus de faire naufrage.

- La journée est pas mal avancée avec tout ça, fis-je remarquer. On est mieux d'oublier notre voyage au village. En passant, René, t'aurais pas un piège à ours?

- Non. Les ours, moi, je les laisse tranquilles. C'est mieux comme ça.

- C'est peut-être ce que je devrais faire moi aussi.

- C'est certainement ce que tu devrais faire, Jacques, crois-moi.

- Je vais y penser. En tout cas, t'es le bienvenu pour les deux ou trois prochains jours, si tu veux venir faire un tour. Après cela, on sera parti.

Sur le chemin du retour, on décida tous ensemble, sur le conseil de René, que la guerre à l'ours avait assez duré. Il y avait certainement mieux à faire que de se casser la tête comme nous le faisions. On allait reculer la "dump" de plusieurs centaines de pieds, ce qui éloignerait probablement l'ours, et aller à la pêche pour les quelques jours qu'il nous restait. Cela allait terminer nos vacances sur une meilleure note.

---

1. Epître de Paul aux Romains, chapitre 1, verset 20
2. Genèse, chapitre 1, versets 1-2
3. Genèse, chapitre 1, versets 6-7
4. Psaume 148, verset 4
5. Genèse, chapitre 7, versets 11 et 12
6. Genèse, chapitre 2, versets 5 et 6
7. Genèse, chapitre 2, verset 7
8. Deuxième épître de Pierre, chapitre 3, verset 8
9. Genèse, chapitre 1, verset 24
10. Actes des Apôtres, chapitre 17, versets 25 à 28
11. Psaumes 19, verset 1

CHAPITRE 4

LE LAC A L'OURS

- Allons-y les gars, leur criai-je. C'est pas le temps de se traîner les pieds! Il est déjà 3 heures et nous avons encore plusieurs voyages à faire. Un peu de courage bon sang! Et mettez-y du nerf! Là c'est le temps de vous servir de vos bras!

Nous nous trouvions à ce moment-là au beau milieu de la "trail" séparant le lac Kiskissink de l'Escarbot. On s'était décidé cette année-là à répéter notre expérience du Ventadour, mais en s'installant, cette fois-ci, sur l'Escarbot, un lac plus bas. Aussi, on avait convenu de le faire par les voies terrestres et en canot, comme les Indiens d'antan.Nous n'avions couvert que la moitié de la distance et tout le monde était déjà complètement épuisé et tanné de suer à transporter des canots, des chaloupes, des moteurs, des caisses de nourriture, des tentes, du matériel qui n'en finissait plus. Lorsqu'on est quinze ou vingt personnes, ça fait du bagage.

- Envoye Guy, grouille-toi un peu! Reste pas en arrière à traîner, lui dis-je.

- O.K. Je m'en viens. (Ah! j'aurais donc dû rester à la maison, murmurait Guy en lui-même. Je regrette de m'être lancé dans une aventure pareille. Les mouches, les sentiers de roches, la boue, le portage, la faim, la fatigue; j'en ai plein mon "capot". Jacques a l'air bien décidé d'arriver avant la nuit et on dirait que ça lui donne des forces nouvelles. Lui, c'est un vrai bulldozer. Il a trimé dur toute sa jeunesse sur la ferme, dans les mines, un peu partout, et il n'a pas peur de forcer et de se salir les mains. Ah! et puis au fond, je devrais me dire au lieu de me plaindre, qu'une journée ou deux d'efforts intenses ne sont rien du tout comparés aux quelques mois que nous allons passer en forêt.)

Six heures plus tard, on arriva à destination à l'autre bout de l'Escarbot. Nous étions vidés de nos forces, mais heureux tout de même. Il ne nous restait qu'à installer, à la hâte, toutes nos tentes avant la tombée de la nuit. Les dernières furent montées à la lampe de poche, alors que les femmes nous préparaient un repas bien mérité. Pas besoin de vous dire qu'on dévora comme des affamés; nos femmes n'en croyaient pas leurs yeux de nous voir enfiler assiette par-dessus assiette.

- J'espère que vous ne mangerez pas comme ça à tous les repas! lança Hélène.

- Casse-toi donc pas la tête; on va aller te chercher du poisson comme t'en auras jamais vu, répliqua un André bien sûr de lui.

Une fois le repas terminé, chacun disparut dans sa tente et tous s'endormirent profondément, épuisés par cette journée inoubliable. Ce n'est qu'à la lumière du jour, le lendemain, qu'on pût apprécier tout le charme de notre nouvelle demeure. Cet emplacement était un ancien relais de pêche, utilisé par les membres d'un club privé. Ils y avaient laissé une cuisine d'été et un abri pour le feu. Ce site abandonné était vite devenu quelque chose de bien vivant: on aurait dit des wigwams indiens, avec toutes ces tentes de différentes couleurs éparpillées un peu partout.

On avait nettoyé les alentours et coupé aussi toutes les petites branches au bas des arbres pour obtenir une belle éclaircie de 200 pieds carrés environ. Cela éliminait beaucoup de mouches, et nous permettait d'apercevoir le lac ainsi que la splendide chute qui se jetait là, tout près de notre campement. C'était, en fait, l'eau qui s'écoulait du Ventadour; elle formait une petite baie tranquille, bordée de sable fin où l'on construisit notre quai. Il ne nous restait plus désormais qu'à jouir de ce territoire incroyable. Ce lac d'ailleurs regorgeait de goujons, de dorés, de truites rouges et enfin de truites grises dans ses fosses les plus profondes.

L'un de ces après-midi ensoleillés, nous avons décidé, André Paré, Ronald Thériault et moi-même, d'aller à la pêche. Je connaissais un endroit très profond où se réfugiait la truite grise, lorsque le soleil avait réchauffé l'eau du lac. Dans les profondeurs de ces fosses où l'eau est glacée comme en plein hiver, les truites grises atteignent des dimensions à vous faire frissonner: des monstres qui peuvent mesurer près de cinq pieds et peser jusqu'à cent livres.

Une fois arrivés, nous nous sommes promenés en longueur audessus de la fosse. André avait en main une ligne plombée de 80 livres de résistance qu'il laissait traîner le plus profond possible. A chaque extrémité, nous faisions demi-tour pour repasser à nouveau. A un moment donné, alors que nous terminions un virage, j'eus comme l'intuition qu'André allait attraper un poisson.

- André, lui dis-je, quelque chose me dit que tu vas attraper un poisson d'ici à la pointe là-bas.

Nous étions à environ 200 pieds de distance.

- Moi je pense qu'on serait mieux de pêcher sur place, répondit André. Ca fait déjà plusieurs tours qu'on fait et il ne se passe rien.

- Non, non, je te le dis, tu vas en attraper un, lui assurai-je.

Il me fallut insister assez fortement pour qu'il continue à

"troller". Nous avions complètement traversé l'espace de 200 pieds qui nous séparait de la pointe, et rien ne s'était encore passé. André n'arrêtait pas de parler:

- Tu vois bien Jacques, qu'on perd notre temps, me lança-t-il de plus en plus impatient.

Nous allions faire demi-tour à la hauteur de la pointe en question, lorsque soudainement la ligne sembla s'accrocher au fond. Mais à notre plus grande surprise, elle se mit à bouger et à donner des coups. Et oui, cela bougeait réellement. André ne tenait plus en place.

- J'ai un poisson! J'ai un poisson! criait-il. Il doit être énorme!

Il se mit à remonter sa ligne. Je le voyais rougir à chaque tour de moulinet. Son poisson n'était toujours pas visible et il avait déjà le bras en compote. Je lui dis de détendre sa ligne et de prendre son temps. Il réussit finalement à le ramener jusqu'à la surface. C'était un monstre qui mesurait plus de quatre pieds. Ronald criait comme un déchaîné et essayait, tant bien que mal, de l'attraper dans l'épuisette, mais il était trop gros. C'était la pagaille totale: tout le monde criait, le poisson se débattait de plus en plus. André, dans son inexpérience, tenait sa ligne bien tendue pour ne pas le voir disparaître; si bien que, tout à coup, le poisson cassa tout et disparut dans les profondeurs du lac.

- Ah! "tabarouette", je l'ai perdu! Non, c'est pas vrai! fit André. Je l'ai perdu. Qu'est-ce que j'ai fait là...

- Ah, c'est ça quand t'écoutes pas les conseils des autres et que tu parles trop, lui fis-je remarquer. Je te l'avais bien dit de détendre ta ligne et d'arrêter de t'énerver. Tu le sais bien que je connais ça la pêche, après toutes ces années.

- L'expérience, c'est l'accumulation des erreurs, non? dit Ronald.

- Ouais, c'est sûr, lui répondis-je. Mais, la sagesse c'est de savoir écouter les autres. Voilà la meilleure façon d'apprendre dans la vie: ne pas jouer au "Jo connaissant" et ne pas parler sans arrêt. La vie serait tellement plus simple bien souvent, si les jeunes savaient écouter les vieux. Il y a toute une sagesse de la vie dans ceux qui ont vécu avant nous.

- Là-dessus, je suis d'accord avec toi, dit Ronald.

- En tout cas, c'est rien qu'un poisson. Faut pas en faire un drame non plus, ajoutai-je.

- Non, mais t'as raison Jacques, admit André. J'aurais dû t'écouter, c'est vrai. Mon professeur de français me disait toujours qu'on a deux oreilles et une bouche, et qu'il faut écouter deux fois plus qu'on parle.

- C'est souvent plus facile à dire qu'à mettre en pratique, lui dis-je.

Ronald leva les yeux vers le ciel:

- En parlant d'écouter, j'entends le bruit d'un avion. Pas vous autres?

- Mais oui. Regardez là-bas, c'est un avion sur flotteurs. Il s'approche du lac. Je vous parie que c'est Marc.

Comme de fait, c'était bien lui. Il nous survola et se dirigea vers le camp. On rangea donc nos cannes à pêche et on mit le cap dans la même direction. Marc nous avait amené un de ses amis, un Américain, pour lui montrer notre campement. L'homme fut très impressionné de voir à quel point on avait réussi à s'installer avec à peu près rien, en plein bois. Je leur racontai ensuite notre aventure de pêche. Il n'en fallut pas plus pour allumer notre "capitaine tempête"; il voulait à tout prix aller voir ça de plus près. Je le laissai donc partir avec André et Ronald, toujours aussi heureux de se porter volontaires. Décidément, ces deux-là avaient vraiment la piqûre de la pêche.

Pendant ce temps, je m'occupai de notre visiteur; grand amant de la nature, il accepta volontiers une petite balade en forêt pour visiter les alentours. Je l'entraînai donc dans la "trail" qui menait au lac Ventadour. On parla de choses et d'autres, puis la conversation s'engagea sur son travail. Il commença par me dire qu'il travaillait pour la NASA depuis 25 ans; j'eus droit à un véritable exposé plein de conviction, sur la grande connaissance et la haute technologie des Etats-Unis. Il ne cessait de vanter toutes les réalisations que son pays avait accomplies depuis les trente dernières années, grâce à la science, en particulier dans le domaine de l'aérospatiale. Tout y passait: les missions Apollo sur la lune, les satellites, la navette spatiale, les fusées, les radars, les missiles, les ordinateurs, les rayons-laser. Il ne cessait de me répéter que chacune de ces découvertes et de ces réussites n'étaient rien de moins qu'un pas de plus vers un monde meilleur. Il voyait déjà le jour où l'humanité, transformée par la science, vivrait enfin heureuse. Au bout d'environ une heure à l'écouter patiemment, j'eus "mon voyage" et je l'arrêtai net:

- A vous écouter parler, cher monsieur, on dirait bien que la science va régler tous les problèmes.

- Et pourquoi pas, jeune homme? La science, c'est le progrès. Où serait-on aujourd'hui de toute façon sans la science?

- C'est vrai, monsieur, que la science a réalisé des choses formidables. Qu'on pense par exemple à des inventions comme l'électricité, le téléphone, les appareils médicaux. Mais cela n'a pas pour autant réglé les problèmes du monde et ne les réglera pas non plus. On a beau avoir des machines, des ordinateurs, de la technologie de plus en plus développée, à quoi est-ce que ça sert si la vie est de plus en plus compliquée et les gens de plus en plus insatisfaits? Car c'est ça la réalité. La science crée même des problèmes qui n'existaient pas auparavant. Vos scientifiques, en effet, construisent aujourd'hui des bombes qui menacent de nous détruire; et le pire dans tout ça, c'est que plus de la moitié des scientifiques et des savants du monde travaillent dans le domaine de l'armement. Et pourtant, les savants ont sûrement autre chose à faire que de construire des armes et préparer la guerre. Ils devraient bien plutôt être au service des gens et s'occuper d'améliorer le sort de l'humanité. "Instruisez l'esprit d'un homme sans vous occuper de sa moralité, et vous préparez une menace pour la société" a dit très justement Théodore Roosevelt.

En effet, notre monde est plein de dangers instruits, de diplômés, de professionnels, qui sont bien loin d'utiliser leur savoir pour être réellement au service des autres. Ils s'en servent plutôt pour faire de l'argent. N'essayez pas de les déranger en dehors de leurs heures de bureau. Au lieu de prendre à coeur ce qui est leur devoir, ils le prennent pour une job de 9 à 5 et ils oublient la misère et la souffrance du monde ordinaire. Son savoir ne rend pas l'homme plus charitable en tout cas. "La connaissance enfle, mais l'amour édifie"[1], nous dit l'apôtre Paul, et c'est vrai. La connaissance sans Dieu fait des gens qui ont la tête pleine parce qu'ils savent beaucoup de choses, mais qui ont trop souvent le coeur moins plein de ce dont il devrait être rempli, c'est-à-dire d'amour, de compréhension, de disponibilité.

Laissez-moi, monsieur, vous raconter une petite anecdote qui vous fera sûrement réfléchir. Un jour, un homme conduisant une Ford tomba soudainement en panne avec sa voiture. Il sortit et regarda son moteur, mais il ne put trouver la cause de son arrêt. Pendant qu'il attendait de l'aide, une autre voiture apparût et s'arrêta. D'une Lincoln dernier modèle descendit un homme grand et jovial qui lui demanda ce qui se passait.

- Je n'arrive pas à faire partir cette Ford! fut sa réponse. Le nouveau venu fit quelques retouches sous le capot et lui dit:

- Essayez maintenant.

Le moteur se mit en marche et le propriétaire de la Ford reconnaissant, se présenta et demanda:

- Puis-je savoir votre nom monsieur?

- Mon nom est Henry Ford!

Le problème, voyez-vous mon cher monsieur, c'est que l'être humain, depuis que le monde est monde, essaie par sa propre connaissance de régler les problèmes de l'humanité. Il aurait plutôt intérêt à se tourner vers Dieu qui, en tant que Créateur de l'humanité, sait mieux que n'importe quel savant ce qui se passe avec la vie et avec nos problèmes. Tout comme monsieur Ford était l'homme le mieux placé pour réparer une Ford en panne, Dieu est le mieux placé pour nous aider.

- Je suis du même avis que toi Jacques, me répondit l'américain. Je sais que si nos professionnels avaient davantage la connaissance de Dieu, ça pourrait aller mieux. Je suis content d'avoir jasé avec toi, même si nous ne sommes pas toujours de la même opinion; pour être franc avec toi, je n'ai pas rencontré souvent du monde comme vous autres qui avez une foi aussi vivante en Dieu, et j'ai beaucoup de respect pour toi et pour tes amis. Je vois bien que vous n'avez pas besoin de la science et de la technologie des hommes pour vivre heureux. Ca me prouve que ce que tu dis pourrait être réalisable, mais je doute que ce jour est proche où les savants vont se mettre à consulter la Bible pour avoir des solutions aux problèmes de l'humanité.

- La raison, c'est qu'ils se pensent trop intelligents, lui dis-je, pour s'abaisser devant Celui qui pourrait les éclairer.

- En tout cas Jacques, je sais qu'un jour tous les hommes connaîtront la vérité. Ce jour-là, il n'y aura plus rien de caché.

- En parlant de caché, nos amis vont peut-être nous chercher si nous tardons dans le bois.

- Allons-y.

Nous sommes donc revenus au camp tout en jasant de choses et d'autres. Moins d'une heure après notre retour, nos amis devaient s'en retourner, car la journée tirait déjà à sa fin. Lorsque je serrai la main à notre visiteur, on se sourit tous les deux et il nous remercia tous chaleureusement de l'accueil qu'on lui avait fait. "Il aura bien le temps de méditer sur tout ce que je viens de lui dire", pensai-je, alors que l'avion prenait son envol.

Nous étions installés sur l'Escarbot depuis plusieurs semaines déjà et rien jusqu'à présent ne m'avait retrempé dans le monde de l'ours. Et pourtant, je savais bien que ce territoire en était peuplé, car les gens du coin l'avaient surnommé le lac à l'Ours. Il devait bien y en avoir à quelque part. Toutefois, je n'eus pas à attendre bien longtemps encore pour qu'il donne signe de vie. Dès le lendemain après-midi, en effet, Lucie, l'épouse de Ronald, une petite bonne femme d'à peu près cinq pieds et deux pouces, revint en courant de la "dump" et s'écria, tout énervée:

- Jacques! Jacques! Il y a des ours, il y a des ours là-bas! Je les ai vus.

Enfin, ils se montrent le bout du nez, me dis-je à moi-même. Je m'efforçai tant bien que mal de calmer tout le monde.

- Là, il ne faut pas qu'on fasse de bruit du tout, c'est très important. Marchez tranquillement et suivez-moi, on va aller voir ça.

On est donc parti à la file indienne, dix d'entre nous, dans le petit sentier qui menait à la "dump". Plusieurs d'entre eux n'avaient jamais vu d'ours en pleine nature, comme j'en avais eu la chance. Lorsqu'on est arrivé à la "dump" les deux ours étaient bien là. Ils se sont aussitôt levés debout et sont partis. C'était une grosse mère ourse et son petit; elle pesait sûrement dans les 300 livres, alors que le petit ne devait pas dépasser les 100 livres. Celui-ci était tout noir avec le museau noir, tandis que la mère était plutôt brune foncée avec un museau brun pâle. En tout cas, c'était bien beau de voir ça. La joie se lisait sur tous les visages; mes amis étaient vraiment heureux d'avoir pu observer des ours. Et j'étais tout aussi joyeux qu'eux.

A partir de ce moment, on décida par prudence d'éloigner notre "dump" à 700 ou 800 pieds du campement. Je ne voulais avoir de problème, ni avec les ours, ni avec d'autres bêtes sauvages. Je profitai donc de l'occasion pour construire une espèce de plate-forme dans les arbres, qui me permettrait d'observer les ours plus facilement. J'avais sérieusement envie de me mettre à l'étude des ours; l'été était à peine commencé et j'avais tout le temps devant moi. Ce jour même d'ailleurs, sans perdre de temps, je me retirai discrètement sur ma plate-forme pas loin de la "dump", avant que le soleil se couche. J'aimais me retrouver seul ainsi, non seulement pour les ours, mais aussi pour méditer dans le calme de la nature et lire ma Bible.

Lorsque je m'étendis dans ma petite cachette ce jour-là, je repensai à la discussion que j'avais eu la veille avec notre visiteur américain. Je ne pouvais m'empêcher de songer à tous ces gens pris au piège de la connaissance, du savoir, de la science, et qui ne comprennent pas malheureusement que la vraie connaissance n'est pas scientifique, ou philosophique, ou ésotérique, ou cosmique, mais bien simplement spirituelle et divine. Car ce qui est important dans la vie ce n'est pas de savoir beaucoup de choses, mais plutôt d'être en communion avec Celui qui sait tout. "La connaissance du Saint est l'intelligence"[2], voilà ce que nous disent les Proverbes. L'homme, malgré le pouvoir de son intelligence, est très limité; il est limité à ce monde humain et terrestre qui n'est pourtant qu'une infime partie de la réalité. En fait, la réalité est beaucoup plus que ce que l'on peut étudier, analyser ou mesurer. La vérité, c'est qu'il existe une dimension spirituelle qui n'est pas visible avec l'oeil humain, mais que seul l'Esprit de Dieu peut nous faire discerner. Une fois éclairés par Lui, non seulement nous comprenons les profondeurs de la Bible et de Dieu, mais nous possédons la clef du domaine spirituel. Dans le livre de l'Apocalypse, l'apôtre Jean nous dit que le Christ est "celui qui a la clef de David, celui qui ouvre et nul ne fermera, qui ferme et nul n'ouvrira"[3]. En d'autres mots, le Christ est le seul qui peut ouvrir notre intelligence spirituelle, et le seul qui peut nous donner la clé pour régler bien des problèmes qui sont souvent incompréhensibles sur un plan humain.

Il y a 2000 ans, Jésus est venu enseigner aux hommes une science qui est malheureusement encore totalement inconnue des professionnels, et qui est la science des esprits. Ce que nous avons besoin de comprendre ici, c'est que nous vivons dans un monde qui est formé d'êtres spirituels. Même si on ne les voit pas, ils sont pourtant bien réels. C'est au niveau de nos idées que ces esprits agissent et nous influencent. Ils se servent aussi des faiblesses de notre nature humaine ou de nos différents sentiments pour avoir accès sur nous. Leur but est de dominer sur notre vie. Les troubles émotionnels et mentaux sont justement les conséquences de leur présence dans le monde. C'est la raison aussi pour laquelle nous sommes incapables de les guérir, parce que la racine profonde de toutes ces "maladies" est spirituelle. Le pire, c'est que les gens ignorent qu'ils sont entourés de cette sorte d'ennemi. C'est pour cela qu'ils sont si démunis et si vulnérables. La vraie connaissance est donc de mettre la lumière sur nos vrais adversaires et de lutter contre eux: "car notre lutte n'est pas contre le sang et la chair, mais contre les principautés, contre les autorités, contre les dominateurs de ces ténèbres, contre les puissances spirituelles de méchanceté qui sont dans les lieux célestes"[4]. Voilà ce que nous révèle la Bible. Ainsi la réalité est de combattre ces forces spirituelles; mais dans ce combat, la science des hommes est totalement inutile.

Sachons donc que nous avons besoin de la thérapie spirituelle que Jésus enseigne dans sa Parole pour venir à bout de tous ces mauvais esprits. C'est avec l'Esprit Saint, la plus grande autorité spirituelle à laquelle tous les esprits sont soumis, que le Christ chassait les démons et libérait les gens de leurs problèmes: "on lui amena tous ceux qui se portaient mal, qui étaient affligés de diverses maladies et de divers tourments, et des démoniaques, et des lunatiques, et des paralytiques, et il les guérit"[5]. Encore aujourd'hui, cette autorité est donnée à tous ceux qui croient en Jésus-Christ et qui lui obéissent. C'est cette obéissance qui nous délivre et qui nous fait rechercher les qualités spirituelles qui vont nous permettre de triompher dans nos vies. Bien sûr, cette victoire du bien sur le mal se fait graduellement. Dieu nous donne son Esprit et nous délivre de l'emprise qu'exerçait le mal sur nous, cependant il n'appartient qu'à nous de persévérer dans son enseignement pour que la victoire soit totale.

Ce soir-là, lorsque je descendis de ma tour d'observation, il était déjà très tard. Plongé dans mes pensées comme je l'avais été, je n'avais pas fait attention à grand chose. Mais cette première soirée n'était qu'un début. Au fil des semaines qui suivirent, je me retrouvai très souvent sur ma plate-forme. J'allais y passer de longues soirées tout seul, sans dire un mot à personne. L'ours m'intriguait tellement; cela me donnait toute la patience pour l'étudier. A tous les soirs, d'ailleurs, on prit l'habitude de pêcher quelques goujons au bout de notre quai, dans la petite baie au pied des rapides, et on allait les porter à côté de notre tour d'observation. C'est ainsi que, peu à peu, j'eus la chance de baptiser cinq ou six ours différents qui venaient visiter notre appât régulièrement à tour de rôle. Il y en avait deux qui étaient tout noirs, et les trois ou quatre autres, eux, avaient des museaux plutôt jaunes. Parmi ces ours, bien sûr, il y avait la grosse mère et son petit que nous avions aperçus au tout début et qui, eux, venaient plus souvent que les autres.

En fait, ces deux ours se sont familiarisés avec l'homme très rapidement. Souvent, lorsqu'ils venaient manger, j'étais là sur la plate-forme. De temps à autre, la mère pointait son nez dans ma direction, mais sans plus. Pour elle, j'étais sans doute rien de plus qu'un animal bizarre perché là-haut dans les arbres, et qui avait l'air bien inoffensif. La mère ourse laissait toujours manger son petit avant elle. C'était beau de voir ça. Elle attendait que le petit ait complètement fini de manger avant de s'approcher. On aurait dit qu'elle était contente que le petit se soit gavé. On voyait aussi la joie entre eux deux; rien qu'à la façon de marcher qu'avait la mère, c'était bien évident qu'elle était joyeuse. Moi, ça me réconfortait vraiment le coeur de rendre heureux un animal aussi impressionnant et majestueux en pleine forêt; et cela, grâce à quelques petits coups de ligne sur le bout d'un quai, pour attraper des poissons que nous ne mangions même pas.

J'ai pu observer que les ours vivent en famille, en petits groupes de cinq à vingt membres, tout dépendant de la nourriture qui se trouve sur le territoire. Il doit y avoir assez de nourriture pour tout le monde, sinon les derniers arrivés, généralement les jeunes mâles, devront partir à la recherche d'un nouveau coin. Bien qu'ils ne soient que des bêtes, ils ont appris, grâce à cet instinct merveilleux qu'ils ont, à se partager la forêt en différents territoires bien précis qui couvrent une surface d'environ quinze milles carrés. Bien que chaque territoire est sous le contrôle d'un chef, un ours gros et fort, généralement le grand-père ou la grand-mère, jamais il ne dominera ses semblables au point de les maltraiter; il ne fait que protéger le territoire qu'il habite. De toute façon, pour les ours, un territoire est quelque chose de sacré. Ils savent qu'ils ne doivent pas se mettre le nez sur le terrain d'un autre ours, à moins de se créer des problèmes. Et il semble qu'ils n'aiment pas les problèmes. Il est très rare en effet que les ours se battent entre eux. Ils ont trop de respect les uns pour les autres; ils sont aussi assez intelligents pour savoir que lorsqu'ils se battent, ils se blessent sérieusement. Alors ils ne le font pas.

Il m'est arrivé une journée d'observer un gros ours de 700 livres que j'avais baptisé "Toklate". Il était chef de territoire et il n'avait peur de rien, ni de personne, il était à l'aise partout. Il dominait dans tout son territoire et il faisait ce qu'il avait à faire sans s'occuper des autres ours. Toklate était végétarien et ne voulait rien savoir de la viande, c'est pourquoi il n'approchait pas des places où je mettais du poisson. Ce n'est qu'avec une longue-vue que j'ai pu l'observer, car il venait rôder autour de l'appât à une distance d'environ 100 à 150 pieds. Il était beaucoup plus rusé et plus subtil que tous les autres ours, et c'est peut-être la raison pour laquelle il était si gros. Il n'y avait pas un ours qui pouvait se mesurer avec lui en fait de grosseur et de force. Il était vraiment bien fait, élégant, puissant et majestueux. C'était le roi, l'ours par excellence du territoire. Lorsqu'il croisait un autre ours, l'autre le respectait; on voyait bien qu'il était considéré comme le maître de la région. Ce qui m'a le plus impressionné, c'est de l'observer identifier son territoire. Il prenait, par exemple, un arbrisseau d'une quinzaine de pieds de haut, le pliait tranquillement et le maintenait au sol en se tenant dessus avec ses quatre pattes. Il laissait l'odeur de son urine sur toutes les petites branches de l'arbre, puis le laissait reprendre sa position initiale.

Il m'est arrivé d'observer également comment les ours s'identifient entre eux. C'est certain qu'il y a une hiérarchie qui va selon la grosseur, mais il y a des petits ours qui sont très intelligents. Les ours, plus ils sont gros, plus ils mènent du bruit face aux autres ours: par exemple en frappant des arbres, en les pliant ou en les cassant avec violence. Les bruits d'identification des ours dans la forêt ont un impact et un sens pour eux. Ils se comprennent en entendant ces bruits-là. C'est sûrement pour cela qu'ils ont appris à se respecter et à vivre ensemble paisiblement.

---

1. Première épître aux Corinthiens, chapitre 8, verset 1
2. Proverbes, chapitre 9, verset 10
3. Apocalypse, chapitre 3, verset 7b
4. Ephésiens, chapitre 6, verset 12
5. Evangile de Matthieu, chapitre 4, verset 24

CHAPITRE 5

HÉLÈNE ET LES GRIFFES DE L'OURS

Dans les jours qui suivirent, je me retrouvai plus souvent sur ma plate-forme que sur le lac. J'avais déjà de l'expérience comme pêcheur et je comptais bien en acquérir autant auprès des ours. Ces heures d'observation, d'ailleurs, me convainquaient que les ours n'étaient pas aussi mystérieux et impénétrables qu'ils en avaient l'air. De plus, au fur et à mesure que je les observais, j'apprenais vraiment à les aimer. J'en étais pourtant toujours à mes débuts dans cette étude fascinante du monde de l'ours, et j'avais encore beaucoup de choses à apprendre.

C'est alors qu'une aventure un peu spéciale vint déranger le calme de notre petit village indien. Depuis le tout début de mes soirées d'observation, nous allions régulièrement porter du poisson au pied de notre plate-forme où les ours nous rendaient visite. Un de ces soirs, toutefois, le goujon avait cessé de mordre et je n'ai rien mis à l'endroit où on les nourrissait d'habitude.

Le lendemain matin très tôt, aux environs de 6 heures, alors que le camp était dans le silence le plus total, on eut droit à une surprise pleine d'émotions. En effet, je fus réveillé par une voix de femme qui m'appelait de l'une des tentes:

- Jacques, Jacques, un ours! un ours!

Le temps de reprendre mes esprits, je sortis à la hâte de ma tente avec une 300 Winchester en main, prêt à tirer sur tout ce qui bougeait. Tout ce que je vis c'est notre grosse mère noire qui se sauvait à pleines jambes dans le petit sentier qui menait à la "dump". Je n'eus même pas le temps de faire un mouvement qu'elle avait déjà disparu dans l'épaisseur de la forêt.

Elle venait, quelques minutes auparavant, de déchirer d'un coup de patte la tente de l'un des couples, Hélène et Guy, qui étaient naturellement bien endormis. Le coup de patte avait ouvert la toile de la tente juste au-dessus de la tête d'Hélène. L'ourse avait ensuite passé sa tête à travers le trou pour sentir ce qui se passait à l'intérieur. Pas besoin de vous dire que la vision de la bête, là, à quelques pouces d'elle, lui avait donné la peur de sa vie. Son cri de mort avait fait fuir l'ourse sur le coup et avait réveillé son mari. Ce fut un réveil bien différent pour le camp ce matin-là.

Comme vous vous en doutez peut-être, notre attitude envers les ours qui nous entouraient et qui étaient presque devenus nos amis, changea complètement dès ce moment-là. L'ourse nous avait attaqués. Il fallait qu'on se défende désormais. Nous ne voulions pas risquer que quelqu'un soit tué ou blessé par une ourse qui nous rendrait visite durant la nuit ou à l'aube du jour. On se réunit donc tous ensemble à la table du déjeuner pour préparer un plan d'attaque. C'est alors que ma femme, Eileen, pas très réjouie par nos projets de mort et de pièges, se mit à défendre l'ourse:

- En tout cas les amis, je trouve que vous oubliez vite. Rappelez-vous l'histoire du Ventadour, lorsque l'ours nous avait volé notre viande; malgré tous vos plans et vos pièges, vous n'avez jamais pu l'attraper, mais au contraire c'est lui qui a bien ri de vous autres, parce que vous vous êtes laissés gâcher vos vacances tellement vous aviez peur. Vous devriez plutôt chercher à les comprendre. Moi, je ne comprends pas qu'une journée vous donnez à manger à cette ourse et que c'est votre amie, et que le lendemain vous parlez de la tuer parce que c'est devenue votre ennemie.

- Mais, écoute donc Eileen, ce n'est pas parce qu'on ne l'a pas nourrie pendant une journée que cette ourse a raison de venir faire du trouble dans le camp, lui répondit Guy.

- En tout cas, moi je continue à croire que c'est plus de votre faute que de la sienne, répliqua encore Eileen. Le réflexe de vouloir absolument la tuer vous a comme aveuglés, et vous ne pouvez pas voir que le coup de patte de cette mère ourse était juste pour vous avertir qu'elle n'avait plus de nourriture.

Quand on donne de la nourriture à un ours et qu'on l'apprivoise, il faut s'en occuper comme il faut. Si on arrête de le nourrir il peut arriver à votre camp, défoncer la porte et prendre votre nourriture. On le regarde comme étant vraiment un mauvais garnement, mais en fait, si vous ne donnez pas de nourriture à votre chien, peut-être qu'il va faire la même chose lui aussi. Il videra les poubelles de vos voisins à l'envers, parce qu'il a faim. L'animal n'est pas pire que l'homme, et il faut reconnaître un besoin bien naturel chez lui qui est sa faim.

- La faim, mon oeil! C'est qu'elle va nous bouffer si on ne s'occupe pas de son cas tout de suite, à cette ourse de malheur, lança à son tour François.

- Savez-vous à qui vous me faites penser? demanda Eileen.

- Non. Dis-nous donc ça, demanda Denis.

- Et bien, vous me faites penser à une bande de révolutionnaires enragés qui ne pensent qu'à tuer.

- Non, mais là, il faudrait quand même pas exagérer non plus, dis-je. Premièrement, on ne cherche pas juste à tuer, pis deuxièmement, quand tu dis que les révolutionnaires sont des gens qui ne cherchent qu'à détruire et tuer, ça paraît que tu ne les connais pas vraiment.

- Pour être franche avec toi, j'ai pas trop envie de les connaître, répondit Eileen. Tu trouves ça intelligent, toi, de faire sauter des bombes un peu partout, pis de tuer des innocents?

- Tu te mélanges Eileen, dit Guy. Il faut pas confondre les révolutionnaires avec les terroristes. C'est pas la même chose du tout. Premièrement, les révolutionnaires sont des gens issus de peuples opprimés par des gouvernements injustes ou des militaires. Les révolutionnaires luttent pour les choses essentielles de la vie, leur droit au travail, à un logis, à la nourriture. C'est pas eux autres qui font sauter les bombes. Et lorsque les révolutionnaires en arrivent là, ils deviennent tout simplement des terroristes. Ils tombent dans le piège de se servir de la violence au lieu d'unir les gens dans une lutte commune et politique. Beaucoup de terroristes actuels d'ailleurs, sont des hommes et des femmes entraînés et payés par des gouvernements pour déséquilibrer des systèmes politiques opposés. Ce ne sont pas du tout des révolutionnaires.

Denis, s'approchant avec quelques bols de gruau, ne put s'empêcher de dire son mot:

- En tout cas, moi je peux vous dire que j'ai pas mal voyagé à travers le monde quand j'étais dans l'armée, et j'ai vu plusieurs gouvernements soi-disant respectables qui se donnent le droit, eux, quand ça fait leur affaire, de lancer des bombes, de faire mourir des innocents, de soutenir des dictatures militaires qui règnent dans le feu, le sang et la terreur, de déclencher des guerres, de renverser le gouvernement de d'autres pays par la violence, parce qu'ils sont trop à gauche ou trop à droite.

C'est ce qui s'est passé en Hongrie, en Tchécoslovaquie, en Afghanistan, et dans beaucoup de pays de l'est et d'Afrique quand les Russes sont entrés avec leurs chars d'assaut pour prendre le pouvoir dans le pays. C'est ce qui s'est passé au Chili quand les Américains ont fait assassiner le président socialiste Allende; c'est ce qui s'est passé en Iran et en Lybie avant que des révolutions chassent les exploiteurs, financés par les pays capitalistes; c'est ce qui s'est passé au Vietnam, et dans un nombre incroyable d'autres pays où des peuples ont été violentés, terrorisés, massacrés. C'est ce qui se passe encore aujourd'hui en Irlande du Nord.

- Moi, je dis que les gouvernements du monde qui maintiennent l'exploitation de leurs semblables sont aussi coupables que les terroristes, fit remarquer Sylvain. Au fond, ce sont eux les vrais terroristes.

- Il y a pas mal de vrai dans ce que tu dis là Sylvain, dis-je. En réalité, personne n'a le droit de tuer ses semblables, pas plus les gouvernements du monde que les terroristes, ou qui que ce soit d'autre. Mais le problème vois-tu, c'est que notre monde est tellement pourri d'injustice, d'exploitation, d'inégalité, de racisme, que ça ne peut pas faire autrement que créer des révolutionnaires et des révolutions. Cela n'a rien de nouveau d'ailleurs. Depuis le début de l'histoire, des groupements d'hommes se sont toujours élevés contre des empires et des gouvernements injustes. Et au risque de vous choquer peut-être, je dois vous dire que j'ai beaucoup de respect pour tous ces révolutionnaires audacieux qui sont prêts à donner leur vie pour leurs idéaux. Leur soif de justice et d'égalité sociale est beaucoup plus respectable, selon moi, que bien des gouvernements du monde. Et pourtant, ce sont les révolutionnaires qu'on regarde comme des bêtes noires et qu'on accuse de n'importe quoi.

- Moi, en tout cas, je suis pour la révolution, dit Ronald.

- Décidément, tout le monde est pour la révolution ici, constata Eileen.

- Et je vais te dire pourquoi bien simplement, continua Ronald. Je ne peux pas accepter que les gouvernements impérialistes et capitalistes laissent notre monde être dirigé par une minorité riche, les millionnaires, les banquiers, les gens d'affaires, les politiciens, les professionnels, les mafiosis, etc., qui vivent dans un débordement de luxe et d'abondance, pendant que le reste de la société doit se débrouiller avec les miettes. Dans un nombre incroyable de pays, en Amérique du Sud, en Amérique Centrale, en Afrique, en Asie, en Orient, les richesses naturelles du pays passent sous le nez des habitants, pour finir dans les mains de cette petite poignée de gens qui sont bien indifférents de maintenir en place un régime politique qui opprime le peuple, pourvu qu'ils fassent de l'argent. Ils laissent derrière eux des peuples pauvres qui vivent dans la misère et l'esclavage, et qui, la plupart du temps, n'ont même pas le pouvoir de dire un mot, sous peine de mettre leur vie en danger.

C'est exactement ce qui se passe au Zaïre, par exemple, un des nombreux pays d'Afrique, où les noirs sont exploités. Ce pays possède un des sols les plus riches du monde: des diamants, de l'or, de l'uranium, du cuivre, du zinc, de l'étain, du cobalt, etc. Et bien, croyez-le ou non, le peuple Zaïrois fait partie des peuples pauvres, parce que toutes ces richesses sont exploitées par des compagnies capitalistes étrangères qui se foutent bien de partager les profits avec les travailleurs zaïrois.

En fait, les pays riches du monde n'ont tellement pas cessé d'exploiter les pays pauvres du "Tiers-Monde" que leur nombre a toujours continué d'augmenter et que, pour être fidède à la réalité, il faudrait les appeler maintenant le "Deux Tiers-Monde". Comment veux-tu qu'il n'y ait pas de révolutions, Eileen? Les pauvres ne sont pas des imbéciles; un jour vient où ils en ont assez et ils se révoltent. Qu'on soit d'accord ou non, la révolution est nécessaire; notre monde a trop besoin de changement.

- En tout cas, c'est dur de faire comprendre ça aux Nord-Américains qui vivent à l'aise, rajouta Gino.

- C'est vrai, dit Sylvain, mais si on va en parler aux peuples noirs et aux pauvres qui souffrent, c'est bien différent. Ils vont chanter et danser avec vous parce qu'ils comprennent du fond de leur souffrance que le système dans lequel ils vivent est injuste et que pour eux, la révolution est nécessaire.

- Tout ce que vous dites là me fait penser aux chansons de Bob Marley, ce noir qui chante du "Reggae", fit remarquer Jocelyn. A bien y réfléchir, quand je m'arrête sur les paroles de beaucoup de ses chansons, il n'arrête pas lui non plus de parler de révolution, d'égalité, de partage, de justice sociale, de pauvres et de riches, de la folie de l'argent, etc.

- Je l'ai moi-même rencontré en Jamaïque, leur dis-je, il y a un an de cela environ; tout à fait par hasard, en entrant dans un bar. Nous avons parlé ensemble jusqu'aux petites heures du matin. En fait, c'est un bonhomme qui a toujours crié pour la justice et contre les exploiteurs, en particulier les capitalistes. Je l'ai toujours aimé pour ça d'ailleurs. Il me disait qu'il ne se tairait jamais et qu'il se servirait toujours de sa musique pour dire la vérité. A voir la souffrance de ses frères et soeurs noirs dans le monde, il ne pouvait pas rester silencieux. Cela il en était vraiment incapable. Il voyait trop clair pour ne pas réagir et pousser les peuples opprimés à la révolution. A ses yeux, c'était son devoir de chrétien d'élever la voix et de dénoncer les injustices de ce monde et c'est ce qu'il a toujours fait à travers ses chansons.

- Nous autres on est drôle, dit Ronald. On se réunit afin de préparer un plan pour tuer un ours et on finit par parler de révolution. On pourrait pas revenir à nos moutons peut-être? Ou à notre ourse, si vous aimez mieux? Qu'est-ce qu'on décide de faire?

- O.K. les gars, c'est vrai. On parlera de révolution plus tard. Occupons-nous de notre ourse. Tout d'abord Eileen, je comprends que tu aimes les animaux, je les aime aussi, mais il faut que tu comprennes qu'on n'est pas au zoo, répondis-je. On vit en plein bois avec des animaux sauvages, faut faire attention. Imagine-toi si la patte de l'ourse avait blessé Hélène, les problèmes qu'on aurait eus, en plein bois, pour la soigner si ça avait été grave. On peut pas prendre la chance que quelqu'un soit blessé. Tant qu'elle ne sera pas morte, on ne se sentira pas en sécurité.

Mais ma femme n'était pas convaincue.

- Pourtant cette maman ourse était dans cette forêt bien avant nous. C'est nous autres qui avons envahi son territoire en s'installant ici comme si la forêt nous appartenait. Je suis sûre que si vous lui faites du mal, vous allez le regretter.

Et c'est là-dessus qu'elle s'en alla, toute triste.

- Ah! Les femmes! Elles sont trop sentimentales... Venez avec moi les amis, on va mettre au point notre piège.

D'après le dessin se trouvant dans un livre qui racontait les exploits d'un homme qui avait couru les bois et chassé l'ours, on bâtit le piège en question. C'était une espèce de cage en bois qui se terminait en pointu. L'ours qui avait le malheur de s'aventurer à l'intérieur ne pouvait y introduire que la moitié de son corps. En attrapant l'appât, il déclenchait un levier qui retenait une charge d'environ 1000 livres de bois, posée sur un billot au-dessus de l'entrée du piège. Le billot, en lui tombant sur le dos, lui brisait presqu'à tout coup la colonne vertébrale.

On installa donc ce piège très spécial au pied de la plate-forme où nous attirions normalement les ours. Nous allions jeter un coup d'oeil à tous les jours. Les premières journées, rien ne se passait, sinon que de temps à autre un petit animal avait déclenché notre piège. Je vous dirai que ce n'était pas agréable du tout. Il nous fallait relever un à un tous ces gros billots et les remettre à leur place. De plus, le système de levier qui retenait tout ça était très sensible, si bien que souvent il se déclenchait pendant que nous étions en train de le replacer. Il nous fallait recommencer. Croyez-moi, cela n'avait rien de facile.

Finalement, un de ces bons matins, lorsqu'on se présenta au piège, il avait été déclenché par un ours, mais à notre grande surprise il n'était plus là. Tout ce qu'on voyait, c'était un paquet de poils et les pistes permettant de dire qu'il s'agissait bien de la mère ourse. Elle était venue à bout de s'en sortir avec ces mille livres de bois tombées sur elle. La terre et le bois à la portée de ses griffes avaient été travaillés et creusés avec une rage incroyable. Elle était blessée, car il y avait du sang partout. Je craignais fortement qu'elle soit toujours en vie. En tout cas, je m'attendais au pire; un ours blessé peut être très dangereux. Je me suis dit finalement qu'elle avait probablement fait le tour du lac et devait être rendue de l'autre côté.

On décida alors d'essayer de l'attraper avec un vrai piège à ours; un piège tout comme celui que je vous ai décrit un peu plus tôt dans un autre chapitre, et qui ressemble à une grosse mâchoire d'acier. On l'installa donc de l'autre côté du lac, à quelque 1000 pieds de profondeur dans la forêt. On le déposa devant l'ouverture d'une espèce de cabane de branches et d'arbres empilés que nous avions fait pour l'occasion, au fond de laquelle se trouvait l'appât. On attacha le piège à un gros billot avec la chaîne qui était reliée au piège. Ce principe est pour éviter que l'ours s'arrache la patte. Lorsque le piège est fixé à un billot mobile, il le traîne pendant un bout de temps jusqu'au moment où la douleur le force à s'arrêter. Nous allions visiter le piège à tous les jours, deux fois par jour. Un à un les jours passaient, et notre piège n'avait pas bougé d'un poil. Franchement, je n'espérais plus grand chose. Je pensais bien l'avoir perdue à jamais.

La vie retrouva son calme, mais les ours, malgré leur absence physique, demeuraient toujours bien présents dans notre esprit. On ne pouvait pas les oublier aussi facilement, surtout pas ma femme Eileen qui ne manquait pas non plus une occasion de nous faire la morale. Elle voulait nous convaincre que c'était nous les méchants, et non les ours:

- Vous pensez que l'ours est dangereux, mais il ne faut pas voir de méchanceté là où il n'y en a pas. Tous les océans du monde, par exemple, ont fait chavirer beaucoup de navires, mais on ne critique jamais le bel océan bleu, vert et turquoise et ses grosses vagues. Pourtant, s'il y a quelque chose qui a tué du monde dans la vie, c'est bien l'océan. C'est à peu près comme les voitures. Elles sont donc jolies ces belles Corvette, ces Mercedes, ces Ford, et ces beaux Chevrolet, mais à toutes les fins de semaine, vous remarquerez dans les journaux que c'est à coup de dizaines de gens qui meurent dans les accidents de la route. Mais l'ours noir, lui, on ne lui donne aucune chance et on ne lui pardonne pas. A la minute qu'il y en a un dans le coin, on veut le tuer.

Malgré tous ses conseils, on laissa le piège là et on continua nos petites visites quotidiennes, au cas où quelque chose se passerait. C'est ainsi qu'environ une semaine plus tard, à la suite de l'une de ces visites, notre ami Vincent revint tout énervé en criant:

- Ca y est les gars, il y a un ours dans le piège. Il est toujours bien vivant et il n'a pas l'air très content d'être pris là-dedans.

Pas besoin de vous dire que son discours n'avait laissé personne indifférent. Non seulement tout le monde était énervé, mais tous excepté Eileen bien sûr, voulaient monter dans la chaloupe pour aller voir ça de leurs yeux. J'eus un peu de difficulté à calmer le groupe, car nous étions trop nombreux pour y aller d'un seul voyage. Je pris le départ avec cinq ou six personnes. Tous les visages trahissaient une certaine anxiété de côtoyer à nouveau un ours; il était prisonnier, oui, mais bel et bien vivant.

Lorsque nous sommes arrivés de l'autre côté, quelle ne fut pas notre surprise de voir, retenu dans les crocs d'acier du piège, un petit ours d'environ 75 livres. Malheureusement, c'était bien le petit de notre chère maman ourse. Il avait la patte cassée, il claquait des dents avec rage et le poil sur son dos était raide comme celui d'un porc-épic. Il était très fâché et tirait sur sa patte péniblement. On voyait bien que ça lui faisait mal. Un ours dans un piège, ce n'est pas beau à voir; ça souffre beaucoup, ça beugle, ça pleure, surtout quand il vient de se faire attraper. Quand ça fait une ou deux heures qu'il est là, il ne sent plus rien parce que sa patte devient engourdie.

Si j'avais su que le petit s'y prendrait, je ne l'aurais jamais installé. En tout cas, je me suis rendu compte que ce n'est vraiment pas une façon d'attraper un ours. Ainsi blessé, je n'eus pas le choix, il me fallut l'abattre même si j'en n'avais pas le goût du tout. Et puis on l'a mangé. Que voulez-vous, il était mort; à quoi bon gaspiller la viande. L'ours est très bon à manger, comme la plupart des bêtes sauvages d'ailleurs. Toutefois, comme il est charognard, la viande contient des parasites et elle doit être bien cuite, c'est-à-dire bouillie pendant plus de cinq heures en changeant l'eau régulièrement.

Triste fin pour un petit animal qui ne nous avait jamais fait de mal et qui nous avait rendu tellement heureux. Triste fin pour la mère, car elle aussi on ne l'a jamais revue. Je me sentais vraiment coupable. J'avais tué cette mère et son petit que j'avais observé pendant des heures avec tant d'attention, cette mère que j'avais nourrie pendant des jours et des jours et que je regardais manger tout émerveillé, avec son petit. Elle s'en était allée mourir dans la forêt, les reins cassés. Si on avait réalisé les souffrances qu'on allait imposer à ces ours, on aurait sûrement écouté Eileen, comme elle nous en avait avertis. Maintenant qu'on avait non seulement tué la mère mais aussi le petit, on le regrettait. Pour nous tous, c'était des joies qui finissaient en drame. Ce soir-là, autour du feu, ma femme Eileen ne put s'empêcher de nous dire:

- Tu t'en rappelles, Jacques, au déjeuner, la fois que vous étiez réunis pour préparer un plan afin de tuer l'ours et qu'on avait parlé des révolutionnaires? dit ma femme.

- Oui, je m'en rappelle très bien, dis-je, comme si c'était hier.

- Et bien, pour en revenir à nos révolutionnaires, je sais que c'est toujours avec de bonnes intentions qu'ils s'engagent dans la révolution, mais d'après ce que j'ai vu et entendu, même si je ne suis pas trop connaissante en politique, on dirait qu'il n'y a jamais rien qui change.

- Et nous voilà repartis sur la révolution, dit Jocelyn. Moi, vous allez m'excuser, mais j'ai ma journée dans le corps. Je m'en vais me coucher. Bonsoir.

Après qu'il fut parti, Denis prit la parole:

- Trop souvent, vois-tu, les révolutionnaires, malgré toutes leurs belles promesses d'égalité et de justice, une fois qu'ils ont le gouvernement entre les mains, s'endorment dans le confort de l'argent et du pouvoir, eux aussi, tout comme ceux qui étaient là avant. Ils tombent dans le piège de ne pas partager et de ne pas abolir une fois pour toutes les inégalités sociales. Il semble très difficile malheureusement, de ne pas se laisser corrompre par le pouvoir.

- On sait tous que Dieu est pour la justice et pour la libération des peuples opprimés, mais penses-tu que Dieu est d'accord avec les révolutions? demanda Gino.

- Oui. Dieu est pour une forme de révolution, mais peut-être pas celle qu'on pense. Avant d'établir dans la société le partage, l'amour, la fraternité, l'égalité, il faut que ces valeurs règnent dans le coeur de l'être humain, sinon c'est du temps perdu de changer les systèmes politiques.

La révolution doit débuter à l'intérieur de nous. Autrement dit, avant de changer le monde, il faut se changer soi-même. Che Guevara, ce grand révolutionnaire, a dit lui-même: "Si ma révolution n'a pas pour but de changer le coeur de l'homme, elle est inutile". Mais le Christ, lui, est allé encore plus loin, car il a fait de ce changement du coeur le point de départ de sa révolution. Et c'est pourquoi aussi il a été le plus grand révolutionnaire de tous les temps. Son message d'ailleurs, lorsqu'on le lit et qu'on le met en pratique, a vraiment la puissance de transformer notre vie en profondeur en nous révolutionnant du dedans. Surtout, il remplit notre coeur d'amour, ce qu'aucune révolution politique n'a jamais réussi à faire. C'est cette seule révolution du coeur finalement, qui a le pouvoir de transformer notre monde, et rien d'autre.

Albert Einstein a dit à ce sujet deux choses pleines de vérité. La première est celle-ci: "Il est plus facile de couper un atome de plutonium en deux que de changer le coeur de l'homme", parce que c'est la plus difficile des transformations, bien que la seule qui puisse durer. Puis il a dit celle-ci: "Si nous enlevons des prophètes ce que le judaïsme y a ajouté après eux, et du christianisme tout ce que le Christ n'y a pas ajouté, notamment la prêtrise, nous avons là une doctrine capable de sauver l'humanité de tous ses problèmes sociaux, moraux et politiques. Et c'est le devoir de chaque homme de faire tout ce qui est en son pouvoir pour faire triompher cet enseignement véritablement humain". Je crois sincèrement que c'est le genre de révolutionnaire qu'il nous faut tous devenir, non à la pointe du fusil, mais à la pointe d'une arme toute différente: l'Evangile, parce qu'il détruit le mal à sa source sans faire mourir le méchant.

- C'est bien beau tout ce que tu dis, me fit remarquer Eileen, mais toi-même avec l'ourse, tu t'es entêté et tu as fini par la tuer au lieu d'écouter. Dis-toi bien qu'il y a beaucoup de dirigeants du monde qui s'entêtent eux aussi au lieu d'écouter, qui prennent des décisions dans le confort de leur bureau sans vraiment se soucier du peuple et des gens ordinaires. Ils décident ceci ou cela, parfois même d'envoyer des nations entières à la guerre.

Les hommes devraient réellement apprendre à mettre leur orgueil de côté, et à être à l'écoute de leurs semblables. Il y aurait beaucoup moins de conflits sur la terre. C'est en se parlant et en s'écoutant que l'on finit par se comprendre et s'entendre. Je sais aussi que beaucoup de gens ordinaires, qui ne sont pas des révolutionnaires, aimeraient vraiment vivre dans un monde meilleur, mais ils ne font rien car ils se disent en eux-mêmes que tout seul ils ne changeront pas le monde. S'ils connaissaient la puissance de l'Evangile, ils pourraient se faire beaucoup de bien et en faire à leurs semblables. Ainsi, au lieu de passer leur temps à rêver d'un monde meilleur, ils pourraient y travailler dès aujourd'hui en aidant les gens à changer.

Cette discussion mit un terme à notre journée. Honnêtement, cette fois-ci j'avais eu ma leçon et je me promettais bien de ne plus me laisser prendre au piège de massacrer des ours inutilement. Au moment de m'endormir, je remerciai mon épouse de la leçon qu'elle nous avait donnée à tous, et l'assurai qu'à l'avenir mon attitude envers les ours serait bien différente.

CHAPITRE 6

YOGI

Le lendemain matin, il faisait beau et chaud à notre campement du lac à l'ours; on décida donc de partir, Eileen et moi, pour une longue marche dans la forêt. Après quelques heures, on se retrouva finalement au lac Ventadour, à un petit camp où nous aimions nous retirer seuls. C'était un endroit tranquille que nous avions découvert lors de notre premier été passé dans cette forêt.

Cet endroit avait quelque chose de bien spécial. C'était là où, pour la première fois, nous avions, Eileen et moi, apprivoisé un ours. Et oui! Nous avions apprivoisé un petit ours qui nous avait côtoyé pendant trois beaux étés inoubliables. Malheureusement, on ne l'avait plus revu en cette quatrième année où nous étions campés au lac à l'Ours. Lorsque nous avions visité le petit camp, à notre arrivée, au début de l'été, une note nous attendait sur la porte. Elle avait été posée là par des chasseurs qui avaient utilisé le camp à l'automne précédent: "Nous avons tué un ours noir au museau jaune, d'environ 275 livres, à l'extrémité du lac". Le texte était bien court, mais il resta gravé dans notre mémoire comme une blessure. On était maintenant rendu à la fin de l'été et on n'avait toujours pas revu Yogi (c'était le nom de notre ours). Le fait de se retrouver là, à notre camp secret nous faisait naturellement penser à lui. On ne pouvait pas oublier un animal aussi extraordinaire.

Lorsqu'on le vit pour la première fois, c'était un petit ourson d'environ 150 livres, au pelage très noir et au museau jaune. Il était super intelligent et aussi très facile à apprivoiser. En fait, il s'adaptait à l'homme comme rien. On le rencontra pour la première fois à l'un des appâts que nous avions installé derrière le camp. A ce moment-là, il était un ours comme tous les autres. Peu à peu, il devint plus familier. Il mangeait à peu près tout ce qu'on lui donnait. On le gâtait même avec toutes sortes de bonnes choses qu'on ne donnait jamais aux autres ours. Ma femme et moi d'ailleurs, n'amenions presque jamais personne à ce camp-là. Nous étions donc les seules personnes à nourrir notre ami Yogi, ce qui est un avantage, car les ours sont très sensibles aux odeurs. Ainsi, ils s'habituent à l'odeur de ceux qui les nourrissent, mais lorsqu'il y a une odeur étrangère tout est à recommencer. Un ours ne se laisse pas automatiquement apprivoiser par tous ceux qui l'approchent.

Cet été-là, on alla régulièrement à notre camp. A toutes les fois, on revoyait notre ours et on le nourrissait fidèlement. A la fin de l'été, il était si bien apprivoisé qu'il se levait debout, saisissait la nourriture qu'on lui offrait avec ses deux pattes avant, puis s'assoyait calmement pour manger le tout. Malheureusement, l'été n'est pas éternel. L'approche de l'automne marqua pour nous la fin de notre première saison d'été avec Yogi; c'était aussi le temps du retour au travail, bien sûr. Il nous fallut, un peu avec tristesse, quitter notre retraite sauvage et notre nouvel ami.

Ce n'est qu'au printemps de l'année suivante, quelque huit mois plus tard, qu'on pu retourner dans notre forêt bien-aimée. L'ours ne nous avait pas oubliés. Bien au contraire, il nous retrouva avec la joie d'un animal qui retrouve son maître. A notre grand étonnement, en quelque temps il devint encore plus familier; sans exagérer il était aussi familier qu'un chien. Il se frottait sur nous comme si de rien n'était et se laissait même gratter derrière les oreilles. Il était tellement doux qu'on n'en croyait pas nos yeux. Toutefois, il demeurait toujours très méfiant face à n'importe qui d'autre qui s'approchait du camp.

Cet été-là on recevait de la visite régulièrement et Yogi se comportait comme un vrai chien de garde. Il pouvait aisément sentir quelqu'un marchant dans la "trail" menant au camp, à plus de 1000 pieds de distance. Il nous surprenait à tout coup: alors qu'on jouait avec lui et qu'on le caressait sans se douter de rien, il se levait soudainement et pointait ses oreilles, son nez et son regard dans la direction précise où était la personne, à des centaines de pieds de là; nous, on n'avait rien entendu. Il avait le temps de s'enfoncer dans la forêt et de disparaître complètement, bien avant que la personne arrive. On ne pouvait absolument pas le garder là. Il n'a jamais voulu se laisser voir par d'autres personnes que nous deux. Sa méfiance naturelle de l'être humain était trop forte.

Toutefois, ces heures passées avec notre ours nous ont permis de comprendre à quel point cet animal pouvait être intelligent, bien au-delà de ce qu'on aurait pu imaginer. Un bon jour, il nous est même arrivé avec un lièvre dans la bouche et l'a déposé sur notre balcon. On aurait dit que c'était sa façon de nous remercier. En tout cas, de la part d'un ours c'était quelque chose de surprenant. Au fil des années d'ailleurs, il devenait de plus en plus apprivoisé. A la fin, on lui faisait faire toutes sortes de choses. Notre gros problème fut son poids: d'une année à l'autre, naturellement, il ne cessait de grossir, si bien qu'au début de la troisième année, il pesait plus de 260 livres, sinon davantage. Autrement dit, ce n'était plus un petit ours, mais une bête adulte, grosse et puissante dont il fallait se méfier un peu, même s'il était notre ami.

A partir de là, on commença à être plus prudent: on le grattait avec beaucoup de précautions et on ne s'amusait presque plus avec lui. Lorsqu'il avait faim, il venait cogner à la porte du camp. On lui faisait quelques beurrées de beurre d'arachides avec de la confiture; il en mangeait quatre ou cinq et s'en retournait dans la forêt. En fait, il faut faire attention avec les ours mâles adultes. Ce n'est pas qu'ils sont méchants, mais leur force est dangereuse. Ainsi, un mâle apprivoisé, à un moment donné veut jouer avec vous; parce qu'il est fort et gros, cela devient un genre de compétition pour lui et il cherche à montrer sa force. Etant donné que nous, on marche debout, alors lui aussi se lève debout. La suite est moins intéressante: il peut vous donner un coup de patte qui risque de faire très mal à cause de sa puissance. Et pourtant il ne fera pas cela méchamment; il ne veut que jouer. Il n'est donc pas mauvais de mettre plusieurs épaisseurs de vêtements lorsqu'on joue avec un ours. Cela peut faire la différence entre recevoir un bon coup seulement ou être gravement blessé. Malgré cela, notre ami Yogi qui était pourtant un mâle, ne nous a jamais fait de mal. C'était comme un gros toutou.

Les femelles apprivoisées ne présentent aucun danger. Elles sont beaucoup plus dociles. Une fois qu'on a gagné leur confiance, on peut les toucher sans problème. Elles se laissent, elles aussi, gratter derrière les oreilles et ne cherchent jamais à se battre ou à montrer leur force comme un mâle. Enfin, les oursons sont encore plus faciles à approcher, quoiqu'il faut quand même être prudent. Ils ont l'air de petits toutous, mais leur force est étonnante. Si l'ourson panique parce que vous cherchez à l'approcher trop vite, il peut vraiment vous blesser. A 6 ou 8 mois, ses griffes et sa gueule sont aussi dangereuses que celles d'un gros ours de 2 ans.

Quelque soit l'ours de toute façon, il faut prendre son temps pour l'apprivoiser. Bien sûr, ce n'est pas une tâche facile, mais avec de la patience et un peu de ruse on y arrive très bien. Tôt ou tard, l'ours, parce qu'il a faim va se laisser avoir par son estomac. Vous n'avez qu'à lui donner de la nourriture, puis petit à petit l'amitié va se développer. J'ai vu des gens apprivoiser des ours très vite, les nourrir et s'amuser avec eux comme si de rien n'était. En fait, n'importe qui vivant un peu en forêt peut avoir un ours dans sa cour. Le problème, c'est que les gens ont peur de l'inconnu. Ils ont peur de l'ours, et leur réflexe est bien souvent de le tuer. L'ours noir n'attaque que rarement l'homme, mais ses sautes d'humeur et ses réactions imprévisibles alliées à sa grande force en font un animal qu'il vaut mieux traiter avec beaucoup de respect et de prudence, car on ne sait jamais quand exactement l'ours peut être dangereux.

Eileen et moi étions absorbés dans nos pensées depuis déjà un bon bout de temps, lorsqu'elle se décida tout d'un coup de rompre le silence.

- Penses-tu Jacques, que c'est vraiment Yogi qu'ils ont tué?

- Je ne sais pas trop, répondis-je. Tout comme toi, j'espère que non. Mais comment être sûr? C'est certain en tout cas, qu'eux ne savaient pas qu'il était apprivoisé. Alors, s'ils l'ont vu, ils l'ont sûrement tué comme ils auraient tué n'importe quel animal.

- C'est dommage, dit-elle, car c'était notre ami; un ami avec lequel on avait cheminé pendant tellement de temps et qu'on aimait beaucoup. Pendant trois ans on l'a vu ici, à chaque été, et aujourd'hui ça me fait de la peine de réaliser que je ne le reverrai probablement plus jamais. Tu te souviens Jacques, on avait même songé à tourner un petit film pour montrer à quel point on peut faire toutes sortes de choses avec un ours. Il va falloir oublier ça. Ca aurait été tellement un beau film sur les animaux et la nature; d'ailleurs, c'est sûrement plus intéressant de regarder des films et des émissions comme ça qui nous apportent quelque chose de vrai, que de regarder tout ce qui se passe aujourd'hui sur nos écrans de télévision.

- Là je suis d'accord avec toi à 100%, Eileen. On dirait que les producteurs, les auteurs et les acteurs, autant pour les films que pour les séries télévisées, se sont tous donnés la main pour étaler le vice devant les yeux des spectateurs, tout en essayant de nous faire accroire que cela est devenu normal. Ce qui était peut-être au départ une simple distraction est vraiment devenu avec les années une abomination. C'est de la pollution morale pure et simple qui pénètre ainsi dans la tête des gens à tous les jours.

A mon avis, depuis les années cinquante, la vie morale et la vie de famille ont été gravement démolies par cette boîte d'images. Au lieu de se parler, les gens regardent la T.V. On peut se poser la question combien de relations de couples, de relations parents-enfants, ou frères-soeurs, ont sérieusement souffert à cause de tout ce temps gaspillé devant un écran de verre. Comment peut-on se rapprocher les uns des autres, se comprendre, si le temps qu'on devrait prendre pour se parler, on le prend pour la T.V? Si au moins les émissions présentées apportaient quelque chose de positif! C'est tout simplement le contraire: violence, sexe, adultère, divorce, guerre, corruption, crimes de toutes sortes, etc. Voilà le menu quotidien des "dopés" de la T.V. C'est certainement pas avec ça qu'on va améliorer le monde.

- Tu as bien raison, ajouta Eileen. Pis à part de ça, c'est vrai qu'avec le temps la T.V. devient comme une drogue, tellement que parfois on n'a même plus la force de l'éteindre.

- Eh oui! C'est bien pour ça qu'à tous les jours, des millions de personnes s'écrasent confortablement devant leur appareil. C'est trop facile. Sous prétexte de se distraire et de passer le temps, on se retrouve devant notre téléviseur et on finit vite par en prendre l'habitude.

- Justement Jacques, l'autre fois André m'a montré un article de la revue Time qui disait qu'à travers le monde, il y a au moins 500 millions d'appareils de télévision. As-tu une idée du monde que ça atteint? Et bien, crois-le ou non, c'est environ la moitié du monde sur la terre qui est rejoint par toutes ces télévisions: deux milliards de personnes. Mais c'est dans nos pays industrialisés que c'est le pire: aux Etats-Unis, par exemple, 90% des familles ont au moins deux téléviseurs à la maison. On est bien équipé pour le lavage de cerveau. Finalement, ça disait qu'en Amérique du Nord et en Europe les gens passent en moyenne 4 à 5 heures par jour devant leur téléviseur. Quand tu penses que les gens travaillent huit à dix heures dans une journée et que tu additionnes à ça les heures de T.V., ça fait une vie plutôt limitée.

- Moi, me fit remarquer Eileen, je trouve que les grandes victimes sont les enfants, parce qu'ils ont un esprit fragile et se laissent influencer encore plus facilement que les adultes. De plus, à force de regarder la télévision, ils perdent leur sens de créativité et n'ont plus d'initiative. Ils deviennent mous et indifférents à la réalité. Trop de parents utilisent la T.V. comme gardienne d'enfants. Pour “avoir la paix”, ils laissent pendant des heures et des heures leurs jeunes devant des héros puissants, violents et pleins de pouvoir, qui les font vivre dans l'irréalité. C'est fou ce qu'une boîte carrée avec un écran et des boutons peut avoir comme pouvoir.

- Le monde aurait vraiment intérêt à se méfier de ce piège aux allures inoffensives. Dans le fond, Eileen, le problème est qu'ils ignorent quelle sorte de puissance spirituelle anime la télévision et s'infiltre dans les foyers et les consciences pour corrompre et détruire les valeurs morales et spirituelles. C'est tellement subtil que les gens ne se rendent pas compte jusqu'à quel point ça peut avoir une influence néfaste dans leur vie. Ils se laissent séduire par toutes sortes de mensonges présentés sous un visage attrayant et ils se rendent malheureux en enviant tout ce qu'ils voient à l'écran. Leur vie semble tellement terne comparativement à tout ce qu'on leur présente, qu'ils vivent constamment dans l'insatisfaction.

- C'est certain qu'il n'y a rien de mal à écouter la télévision une fois de temps en temps. L'idée, c'est qu'il ne faut surtout pas passer ses journées et ses soirées hypnotisés par cette boîte à images.

Au fil de ces réflexions et de cette discussion, on se retrouva bientôt en début d'après-midi. Bien que nous n'en avions pas le goût, il nous fallait quitter cette journée même notre petit paradis en forêt. Notre coeur était un peu triste, mais tout de même nous ne manquions jamais de remercier Dieu pour la chance que nous avions de goûter à cette incroyable tranquilité de la nature pendant tout l'été. Cela faisait déjà deux longs mois que nous étions campés à la pointe de l'Escarbot. Notre wigwam était presque devenu notre nouveau chez nous.

On jeta un dernier coup d'oeil à notre petit camp du lac Ventadour, et on s'enfonça dans la forêt en direction de notre campement où nos amis devaient être bien occupés à tout ramasser avant le grand départ. Par chance, Marc nous avait offert, deux semaines plus tôt, de venir nous donner un coup de main pour transporter notre matériel de la pointe de l'Escarbot au quai du Kiskissink où étaient nos véhicules. Cela fut grandement apprécié par tout le monde. Ca nous évitait la traversée des deux lacs et le portage avec tout notre stock.

Lorsqu'on arriva sur les lieux, Eileen et moi, Marc était déjà là. Il était bien heureux de nous revoir.

- On ne pourra pas se parler bien longtemps Jacques, me lança-t-il. J'ai encore deux ou trois voyages à faire. Mais on vous attend pour souper à la maison, si c'est O.K. avec vous autres. Comme ça on pourra jaser en masse.

- Si Jacques est d'accord, moi ça me ferait bien plaisir, enchaîna Eileen.

- Oui, oui Marc, pas de problème, ajoutai-je, on va être là sans faute.

- Je peux quand même vous débarquer en avion au Kiskissink si ça vous intéresse, conclua Marc. Je pourrai le faire aussi avec les autres qui n'auront pas à descendre les canots.

- Ouais, ouais, c'est pas une mauvaise idée.

On se retrouva donc tous au quai du Kiskissink et chacun partit dans sa direction. Marc, par la voie des airs, mes amis dans leurs camionnettes vers la ville de Québec, et ma femme et moi vers le lac St-Joseph.

Malgré le choc du retour à la civilisation, le voyage se fit sans problème. C'est toujours un peu spécial de revoir tout ça après un long séjour en forêt. L'accueil chez Marc et Marie-Claude fut bien chaleureux. Tous deux étaient tellement curieux d'entendre nos dernières aventures, que le repas et la soirée s'écoulèrent sans qu'on vit trop passer le temps. Finalement, on décida de rester à coucher. La fatigue de la journée, ajoutée à la route et à notre habitude de se coucher tôt en forêt, tout cela nous avait convaincu qu'il était plus prudent de partir le lendemain matin. Après avoir dit bonsoir à Marie-Claude, on se dirigea donc vers notre chambre, à la suite de Marc qui faisait le guide.

En entrant dans la pièce, on ne put faire autrement que remarquer la belle peau d'ours étendue sur le plancher de bois. Marc me lança alors:

- Hé! Jacques, tu te rappelles de l'ours que tu m'avais donné l'année passée? Et bien, regarde, j'ai fait traiter la peau. Le gars a très bien travaillé!

- Oui, c'est vrai. Il a fait une belle "job", répondis-je. On se souhaita une bonne nuit. Lorsque la porte fut fermée je remarquai toutefois qu'Eileen me regardait avec de drôles de yeux.

- Où tu l'as tué celui-là, Jacques? J'étais certainement pas avec toi quand c'est arrivé, car tu peux être sûr que je m'en souviendrais.

- Bien non, tu étais chez ta mère, et moi j'étais au lac Ventadour, dans notre petit camp en bois rond. J'avais décidé de prendre un temps de retraite, seul, pour prier et jeûner. J'avais besoin de me remplir spirituellement dans ce temps-là; je me suis donc retiré dans la solitude de la forêt. Cela m'avait fait beaucoup de bien. Mais pour revenir à notre ours, cela a commencé le soir de ma 7è journée de jeûne. Alors que j'étais assis bien tranquillement dans le camp, j'ai eu l'intuition qu'un ours viendrait me rendre visite le même soir. Je savais bien qu'il rôdait autour du camp la nuit venue, mais je n'avais pas encore réussi à le voir. Fidèle à mon inspiration, je pris mon pain, ma confiture et mes biscuits, et je les déposai sur la table. Malgré de gros efforts pour rester éveillé, je finis tout de même par m'endormir.

Il était presque 11 heures lorsque je fus réveillé par un bruit venant de l'extérieur. Et oui, c'était bien l'ours. Il grugeait à belles dents dans un os que j'avais laissé sur le terrain. Il était là, devant moi, tout au plus à une quinzaine de pieds. Seuls la fenêtre et le mur du camp nous séparaient. J'ouvris lentement la porte et lui lançai son premier sandwich. Il le prit rapidement et se sauva dans la forêt. J'attendis une quinzaine de minutes et lui lançai un autre sandwich. Cela ne fut pas bien long et mon ours réapparut dans le décor. Il ne pouvait résister à l'odeur d'une bonne beurrée de confitures. Cela continua toute la nuit. A chaque fois qu'il prenait un sandwich, il disparaissait avec celui-ci dans le bois pour le manger. Je ne le voyais plus pendant 15 ou 20 minutes, parfois une demi-heure ou même une heure. Puis il revenait. Tant et si bien qu'à l'aube, le lendemain matin, il avait pleinement confiance en ce nouvel ami qui le nourrissait si gentiment, et il se tenait sur mon balcon comme un "petit pitou" bien docile. Il avait tout mangé mon pain, mes confitures et mes biscuits.

Finalement, j'ai tué cet ours. Je sais que je n'aurais pas dû; j'aurais plutôt dû l'apprivoiser, d'autant plus que c'était une femelle. Mais je ne l'ai pas fait. Après coup, cela m'a fait beaucoup de peine. Tout ça, parce que j'avais promis une peau d'ours à Marc. Ce fut une erreur de débutant.

- Tu devrais plutôt dire une de tes nombreuses erreurs, me fit remarquer ma femme. As-tu déjà oublié les deux ours que tu as tués eux aussi par erreur?

- Non, je suis loin de les avoir oubliés, mais qu'est-ce que tu veux... d'une année à l'autre, j'apprends à mieux les connaître.

- Sais-tu, Jacques, continua Eileen, tout ça me rappelle le bout de chemin qu'on a fait tout à l'heure sur la route qui nous a amenés ici.

- Quel rapport ça a avec nos ours?

- Le rapport, ajouta Eileen, c'est qu'après deux mois dans la forêt, j'en revenais pas de voir les panneaux publicitaires et surtout à quel point ils trompent les gens avec toutes sortes de faussetés. Et bien, ton attitude avec cet ours-là, Jacques, a ressemblé pas mal à la tromperie de la publicité.

- Qu'est-ce que tu veux dire Eileen?

- Ce que je veux dire, c'est que tu as apprivoisé ton ours avec des friandises et de la confiture pendant toute cette nuit, alors que tu savais très bien dès le commencement que tu allais lui mettre une balle entre les deux yeux. La publicité fait exactement la même chose. Elle apprivoise les gens en hypocrite. La seule différence, c'est qu'elle les tue à petit feu. En d'autres mots, elle influence continuellement les gens à consommer des produits qui leur feront du tort, en leur suggérant que leur bonheur et leur plaisir en dépendent. Prends par exemple toutes les annonces de nourriture à la télévision et un peu partout ailleurs. Comment veux-tu que les gens ne deviennent pas gourmands, quand on les incite à manger de cette manière, et bien souvent même des choses qui ne sont même pas bonnes pour la santé?

Pourtant, tous les médecins nous disent clairement que les excès de table et les friandises de toutes sortes sont les causes de nombreux problèmes de poids, d'ulcères, de crises de coeur et j'en passe. Pourquoi pas plutôt avertir les gens des dangers de la gourmandise? C'est comme la cigarette, on sait tous comment c'est nocif pour la santé. Même le gouvernement paie des annonces pour nous le dire. Cependant, de l'autre côté, il tolère la publicité qui encourage le monde à fumer. Il y a certainement quelque chose qui ne tourne pas rond à quelque part.

Mais la pire de toutes ces publicités, c'est bien celle qui concerne la bière. Nos gouvernements passent des lois sévères à l'endroit de tous ceux qui conduisent en état d'ivresse pour les punir, et en même temps, ils permettent aux grosses compagnies de vendre leurs produits en faisant même accroire aux gens que la vie est donc belle autour d'une bière. Ces annonces de boisson nous montrent des gens heureux, gagnants, pleins d'amis, entourés de belles femmes, etc. Pourtant, la réalité est bien différente: violences, débauches, accidents, dépressions, divorces, ne sont que quelques-unes des conséquences de l'alcool. Où est la logique? La logique ici, c'est l'argent. Et ils ne reculent devant rien pour vendre leurs produits. Ils utilisent même le plus vieux truc au monde, qui est de se servir de femmes à moitié nues suggérant des idées sensuelles, pour attirer les regards des hommes sur les produits qu'ils annoncent. Que ce soit de la bière, que ce soit un paquet de gomme, que ce soit une automobile, on s'en fout bien. Du moment que les gens sont poussés à regarder, on est bien content. En réalité, la publicité crée de la convoitise.

- Ils utilisent aussi sournoisement toutes sortes de méthodes subliminales face auxquelles les gens sont vraiment sans défense.

- Qu'est-ce que tu veux dire par là, Jacques?

- On a commencé à utiliser ce procédé dans les années 50, surtout dans les salles de cinéma. On projetait sur l'écran une série de messages très rapides qui n'étaient pas visibles à l'oeil nu, mais que le subconscient, lui, captait. Cela avait comme effet d'inciter les gens à aller s'acheter du coke par exemple ou encore du "pop corn". Ce genre de publicité a été interdit depuis. Aujourd'hui, ils ont par contre une autre méthode, tout aussi subtile. Ils nous présentent un produit quelconque en évitant que cela ait l'air d'une publicité. Par exemple, la compagnie Coca-Cola a investi près d'un demi milliard de dollars dans des films comme "Superman" pour y voir apparaître son enseigne. Ainsi on est exposé à notre insu à de la publicité insérée dans des films à succès, par des compagnies qui n'ont d'autre souci que d'augmenter la vente de leurs produits. C'est une forme de publicité indirecte à laquelle personne ne peut échapper. En fait, Eileen, la publicité lave subtilement le cerveau des gens et les manipule. Le but est de les influencer à la consommation, peu importe si pour cela ils doivent tromper les gens.

Ce déguisage de la vérité est malheureusement un sérieux problème des publicistes et des médias également. Ceux-ci nous disent bien une partie de la vérité, mais ils sont bien loin de nous la dire en entier. Au lieu de remplir leur mission qui est d'informer les gens en présentant la réalité telle qu'elle est, ils disent plutôt ce qu'ils veulent et quand ils veulent. Les médias font donc rouler le système des pays capitalistes et sont même complices de ses injustices.

Ils se servent aussi abondamment du fait que le mal est plus populaire et plus attrayant que le bien. Prends par exemple tous ces journaux qui se plaisent à relater des meurtres et des viols avec des détails atroces et inutiles et souvent mensongers, ou encore ces revues pornographiques qui ne cessent de polluer les idées du monde et qui sont un autre exemple d'encouragement au vice. On donne tout simplement le goût aux gens de faire ce qui est le mal. Au lieu de leur donner la crainte ou de les avertir de se méfier de la drogue, de la boisson, du sexe et de la violence, les médias, en général, se servent généreusement de tout cela pour alimenter les vices cachés des individus, profitant ainsi du malheur des autres.

Ceux qui lisent tous ces journaux deviennent tellement habitués de voir de la violence, des meurtres... que c'est comme si ce n'était plus réel, comme s'il s'agissait de bandes dessinées. A la longue, cela endurcit leur coeur et leur enlève toute compassion devant les vraies souffrances de ceux qui les entourent.

- Pourquoi le gouvernement ne fait-il rien pour enlever ce poison qui ne cesse de détruire et de corrompre la société? demanda Eileen.

- A cause des gros profits qu'ils font, encore une fois, lui répondis-je. Si les médias et les publicistes se souciaient vraiment du bien-être des gens, ils propageraient la vérité et de la bonne publicité comme des messages positifs. Ce n'est pas normal que sur une planète aussi vaste que la nôtre et qui compte presque cinq milliards d'habitants, il n'y ait toujours que des mauvaises nouvelles à raconter.

- Ne sait-on pas comment cela joue sur le moral et les actions des gens? me demanda Eileen.

- Oui, mais ils craignent que s'ils racontent des événements heureux, les gens ne voudront plus acheter leurs journaux. Pourtant, s'ils faisaient un sondage, ils seraient sûrement surpris du nombre de personnes qui ont soif d'entendre de bonnes nouvelles.

- Je suis certaine qu'il y a des tas de gens simples qui auraient des histoires vraiment intéressantes à raconter.

- Je suis entièrement d'accord avec toi, Eileen. Et je suis sûr que ça irait tellement mieux dans la société si on se servait des médias pour influencer et pour encourager le monde à faire le bien. Les bonnes nouvelles devraient être en gros caractères sur la première page. Il devrait y avoir plus souvent dans nos journaux et magazines des récits d'événements de bonheur ou de merveilles de la nature récemment découvertes; on devrait aussi pouvoir lire des témoignages de gens qui oeuvrent pour le bien de leurs semblables. Toutefois c'est tout le contraire qui se passe actuellement: aidez les pauvres, donnez-leur à manger, visitez les malades et les prisonniers et vous resterez inconnus; mais commettez un crime et votre photo apparaîtra en première page. C'est malheureux, mais c'est ainsi.

- En tout cas je rêve du jour où les hommes vont réaliser à quel point le bien est quelque chose de pas mal plus important que l'argent. Je crois que je vais m'endormir là-dessus, Jacques. Bonne nuit, à demain.

- Bonne nuit Eileen.

CHAPITRE 7

BIGOUDIS ET DIAMANTS DE L'IDOLÂTRIE

Arrivés à Montréal, on décida d'arrêter à l'un des centres que nous avions dans cette région. Comme toujours, l'endroit était rempli de monde qui, pour la plupart, suivait une thérapie. S'occuper de tous ces gens était un travail très intéressant mais aussi très exigeant, car en accueillant ces personnes en difficulté dans nos maisons, nous nous engagions à vivre avec eux 24 heures sur 24, et cela pendant tout le temps que durait leur thérapie. Cependant, la joie que nous ressentions de les voir remonter la côte tranquillement nous faisait oublier tous les moments difficiles. Etant donné qu'il y avait beaucoup de travail, Eileen proposa de rester avec les quelques responsables de l'endroit pendant quelques jours pour leur donner un coup de main, ce qu'ils apprécièrent énormément. Quant à moi, je repartis le lendemain midi. Je devais aller rejoindre l'autre partie de notre groupe qui se trouvait en Abitibi, en campagne d'évangélisation.

En fait, depuis quelques semaines déjà, mes amis se promenaient d'une ville à l'autre avec deux autobus écoliers que nous avions achetés pour visiter les régions éloignées du Québec pendant les mois de l'été. On les avait transformés en "campeur" et cela nous permettait de voyager sans que cela nous coûte trop cher. On pouvait ainsi rencontrer beaucoup de gens qu'il nous était très difficile de rencontrer durant les mois d'hiver. C'était aussi l'occasion pour tout le monde de vivre une belle expérience, car ils campaient dans la nature et voyaient du pays. D'autant plus que s'éloigner des villes pour quelque temps, ça fait toujours le plus grand bien.

Je partis donc seul le lendemain après-midi, par une belle journée ensoleillée, en direction du petit village d'Evain près de Rouyn-Noranda, à quelque 400 milles de la ville de Montréal. J'en avais pour un bon huit heures de route au moins, sans compter les quelques arrêts qu'il me faudrait faire pour l'essence et pour manger, mais avec les années, j'avais pris l'habitude d'être sur la route. Tout cela faisait partie de ma vie de voyageur et j'y prenais même plaisir.

Il était plus de minuit lorsque je traversai la ville de Val-D'Or, la première ville de l'Abitibi, qui se trouvait à environ une soixantaine de milles de l'endroit où je devais me rendre. J'étais fatigué, mais je décidai tout de même d'aller jusqu'au bout. En sortant de la ville, je croisai un type qui faisait du pouce sur le bord de la route. L'heure tardive et l'allure peu rassurante du gars me firent tout d'abord passer tout droit. Je ne sais pas trop pourquoi, mais on dirait qu'on se trouve toujours des excuses pour ne pas faire monter quelqu'un à bord de notre voiture. C'est si facile de passer tout droit et finalement, on a vite oublié ce pauvre être humain qui moisit sur le bord de la route. Mais ce soir-là, je finis par me dire, quelques mille pieds plus loin: "Mais imagine-toi donc si c'était toi qui étais sur le bord de la route à cette heure-là. Qu'est-ce que tu voudrais que les autres fassent?" Je ne pus m'empêcher de faire demi-tour.

Lorsque j'aperçus le gars en question, et bien croyez-le ou non, il s'était mis à marcher. Décidément, il ne voulait rien savoir. Il fut tout surpris naturellement de voir que j'avais fait demi-tour pour lui et il me dévisagea un peu avant d'ouvrir la portière.

- Où vas-tu à cette heure-là? lui lançai-je, en ouvrant la porte moi-même pour l'inviter à monter.

- Aussi loin que possible, répondit-il. Je veux me rendre jusqu'en Alberta.

- T'as du chemin à faire avant d'arriver, lui dis-je. Mais dis-moi donc, ça faisait longtemps que t'étais là?

- Huit heures, mon chum! Ca fait 8 heures que j'sus là sur l'bord du chemin à attendre. Le monde avait plutôt l'air de paranoïer sur mon cas. T'es ben le seul qui s'est pas fié à mon apparence.

Il faut dire que le gars était plutôt du genre "armoire à glace". Il n'était pas si grand mais il était gros et musclé, et il devait bien peser dans les 200 livres; en plus, il avait le crâne rasé et une barbe de quelques jours. Bref, il était loin d'inspirer confiance au premier regard.

- Je m'appelle Jacques, et toi?

- Mon nom c'est Michel. En passant, je te remercie de m'avoir embarqué. Je vois qui reste encore du bon monde dans le monde qui n'ont pas peur de faire du bien.

- A part ça, Michel, qu'est-ce que tu fais de spécial dans la vie?

- Pour être franc avec toi, Jacques, je fais rien "pantoute". Je me laisse vivre.

- Mais pourquoi veux-tu aller en Alberta? lui demandai-je.

- Parce que je suis tanné d'être "pogné" à Montréal et que je veux me trouver une "job" dans ce coin-là. Je veux surtout changer d'air et faire quelque chose de différent de ce que je faisais avant.

- Et c'est quoi que tu faisais avant, Michel, si c'est pas trop indiscret?

- J'ai travaillé dans un club de danseuses nues. J'étais portier. Imagine-toi donc que j'étais le gars parfait pour mettre de l'ordre dans un club et laisse-moi te dire que je ne me faisais pas prier pour défouler mon agressivité. Mais à un moment donné, tu viens vraiment "écoeuré" de vivre dans un milieu comme ça et t'as le goût d'aller voir ailleurs.

- T'as bien raison Michel de vouloir t'en aller de là, c'est vraiment pas une vie.

- Ah, pis à part ça, Jacques, il y a toutes sortes de monde là-dedans: des vieux vicieux, des lesbiennes, des motards, des hommes d'affaires, des jeunes hommes, et surtout, c'est ça le pire, des gars mariés pis des pères de familles qui vont là regarder les belles jeunes filles pendant que leur femme et leurs enfants les attendent à la maison. Y regardent les filles danser comme si elles étaient des déesses, pis ben souvent elles ont l'âge de leurs propres filles. Ca n'a aucun bon sens. Moé, j'ai passé mes deux dernières années à les regarder aller à tous les jours. On finit par se rendre compte que ça n'a pas d'allure d'exploiter des femmes comme ça. J'ai beau me faire accroire qu'il n'y a rien là, que tout ça c'est normal et que ça fait partie de la vie, mais j'ai de la misère. C'est pour ça que je suis parti. Pis toé, Jacques, où tu t'en vas à cette heure-là?

- Je m'en vais rencontrer mes "chums" qui sont campés dans le bois près de Rouyn-Noranda.

- Travailles-tu? me demanda-t-il.

- Ben oui, moi je m'occupe de maisons de réhabilitation et de désintoxication. J'aide du monde qui ont toutes sortes de problèmes et je les accueille gratuitement dans mes centres pour leur permettre de recommencer une nouvelle vie, en leur donnant une thérapie qui est basée sur la foi en Dieu.

- T'es-tu sérieux! s'exclama Michel. A te regarder, on dirait pas ça "pantoute". Avec tes cheveux longs, ta barbe et tes "tattous", on te prendrait pour un "bum".

- Comme on dit, l'habit ne fait pas le moine, çà c'est sûr et certain.

- Comme ça, t'es un gars qui parle du bon Dieu. C'es-tu assez bizarre à ton goût. J'ai peut-être pas l'air trop trop croyant mais depuis une semaine à peu près, j'ai commencé à penser à Dieu. J'ai même volé une Bible à la bibliothèque de Montréal avant de partir, parce que je me disais qu'il fallait que je la lise. Tu me croiras peut-être pas, mais je venais juste de faire une petite prière avant que tu t'arrêtes, une des rares de ma vie. J'avais demandé à Dieu de me trouver un "lift" si vraiment Il m'entendait. Et voilà qu'une sorte de curé déguisé en "bum" m'embarque. C'est impossible que ça soit un hasard.

- Michel, moi j'en ai assez vu dans ma vie pour savoir que tout est possible pour celui qui croit.

- En tout cas, je crois en Dieu, oui, mais je vais pas à la messe et je ne suis pas trop intéressé d'y aller. Le monde qui vont là-dedans, c'est rien que pour montrer leurs beaux chapeaux ou pour montrer qu'ils sont du bon monde. Moé, je veux rien savoir d'eux autres les citoyens, je les haïs. C'est sûrement pas eux autres qui m'auraient embarqué en tout cas.

- T'as vraiment pas l'air à les aimer les citoyens, comme tu les appelles. Comment ça, donc?

- Parce qu'ils jugent le monde qui sont pas comme eux autres, ils se croient meilleurs qu'eux et ils pensent qu'ils ont réussi dans la vie parce qu'ils portent un habit et une cravate. En tout cas, si c'est rien que ça la vie que de travailler comme un robot pour avoir une maison, un char, de l'argent en banque ou pour faire un voyage une fois de temps en temps, moé ça fait longtemps que j'ai décroché de tout ça. J'aime mieux être un marginal, au moins "chu" pas "pogné" comme eux autres le sont.

- Je suis d'accord avec toi Michel pour dire que le monde sont "pognés", mais c'est parce qu'ils se font tous séduire par l'amour de l'argent. Ils pensent que d'en avoir beaucoup pour obtenir tout ce qu'ils désirent, c'est vraiment ça la vraie vie. Mais ils ne se rendent pas compte qu'ils en deviennent esclaves. L'argent est un bon serviteur mais un très mauvais maître. Malheureusement, les gens sont prêts à faire n'importe quoi pour l'argent, car il est devenu le dieu de ce monde. On dirait qu'ils ont de la misère à croire que l'argent ne fait pas le bonheur.

- Ben, donne-moé en un peu, pis je vais être heureux, me lança Michel en ricanant.

- Tout le monde dit ça et pourtant, les seules choses que l'argent peut acheter, ce sont les "bigoudis et les diamants de l'idolâtrie."

- Quoi, qu'est-ce que tu racontes là? s'exclama Michel. Des bigoudis? Là, j'ai de la misère à te suivre. Les bigoudis, ma mère se mettait ça sur la tête pour être belle. Mais qu'est-ce que ça vient faire dans notre histoire d'argent?

- C'est une expression que j'ai inventé, Michel, pour décrire toutes ces choses superficielles que les gens utilisent pour embellir leur apparence, parce qu'ils croient que c'est ainsi qu'ils vont se sentir bien dans leur peau.

- Ouais. Je vois un peu ce que tu veux dire.

- Les gens dans leur recherche du bonheur, vois-tu, essaient de s'encourager ou de se satisfaire, alors ils s'achètent de beaux vêtements, se font bronzer, prennent soin de leur silhouette, font des altères, se maquillent, se parfument, changent de coiffure ou de couleur de cheveux, etc., ça ce sont les bigoudis. Ils meublent aussi leur vie de toutes sortes de "bébelles" dont ils n'ont pas vraiment besoin. C'est ça que j'appelle les diamants de l'idolâtrie: les bijoux, le luxe, le confort; en d'autres mots, tous ces objets matériels qu'on désire obtenir et pour lesquels on est prêt à bien des sacrifices. C'est ainsi que toutes ces choses deviennent comme des dieux pour nous, car toute notre vie est finalement concentrée là-dessus. Et pourtant, tout ça ne nous donne qu'une satisfaction extérieure. En réalité, le monde matérialiste que l'homme s'est donné, non seulement ne le satisfait pas, mais l'étouffe et le pollue. L'homme, en se bornant à vivre dans l'univers de ses cinq sens, se cache les vrais horizons de la vie qui sont spirituels. Et quand vient le temps de traverser des temps difficiles, il n'y a aucun secours possible à attendre de tout ce que l'on peut posséder, aucune consolation à attendre de tous ces faux dieux.

- La vérité dans tout ceci, c'est que tous ces artifices humains pour lesquels on dépense tellement d'argent, de temps et d'énergie, et dans lesquels on met tellement d'espoir, n'arrivent en fait qu'à satisfaire une partie de nous-mêmes qui est notre corps, pendant que l'autre, elle, qui est spirituelle, crie famine! Et même si le monde dépensait des fortunes pour donner à leur corps tout ce qu'il peut désirer, il ne serait pas plus heureux car il néglige toujours l'essentiel. C'est pour cela que le monde est malheureux et insatisfait. Au lieu d'avoir leur coeur aux choses spirituelles qui durent et apportent un bonheur véritable, ils ont leurs désirs aux choses matérielles.

Quelquefois, nous sommes attachés à de petites choses qui, prises à part, paraissent insignifiantes et inoffensives, mais rassemblées dans notre vie, elles pèsent lourd et nous éloignent de Dieu. Vois-tu, c'est comme si tu jettes de la poussière à la figure d'un homme, tu ne lui feras pas de mal. Il ne souffrira pas davantage si tu lui jettes de l'eau ou de la paille. Mais la terre, l'eau, la paille mélangées font des briques. Lance-lui en une, et tu risques de lui fracturer le crâne. Nous autres aussi on se fait mal quand on s'attache à ces mille et une petites choses dont on fait dépendre notre joie et notre bonheur. Ce qui est très regrettable aussi aujourd'hui, c'est que les gens adorent la créature plutôt que le Créateur. On a mis l'homme sur un piédestal et on est en admiration devant sa beauté, son intelligence, ses réalisations et ses inventions. Mais qu'en est-il de Celui qui l'a créé? On ne sait plus qui Il est, on s'en est éloigné pour servir des idoles!

- Des idoles, s'exclama Michel, tu trouves pas que tu exagères un peu? On n'est quand même plus dans le temps de Moïse quand le monde se mettait à genoux devant un veau d'or!

- J'imagine que tu as dû voir le film "Les 10 commandements", toi!

- Ouais, je l'ai vu quand j'étais jeune.

- Dis-toi bien, Michel, qu'il n'y a que l'apparence des idoles qui est changée, car le monde d'aujourd'hui continue toujours à aimer des objets muets et inanimés et à mettre leur foi en eux. Vois-tu, une idole c'est quelque chose ou quelqu'un qu'on adore et qui prend dans notre coeur la place qui devrait normalement revenir à Dieu. Le monde serait tellement plus heureux s'il laissait un Dieu vivant habiter leur coeur.

- Mais pourquoi est-ce si important de le mettre dans notre coeur, qu'est-ce que ça va nous donner? questionna Michel.

- Il y a un petit verset dans l'Evangile qui répond à ça: "Là où est ton coeur, là aussi sera ton trésor"[1]. Quand notre coeur est occupé aux choses de Dieu, Lui en retour le remplit de paix, d'amour, de joie, de bonté, de douceur, d'espérance. De tels trésors sont bien plus importants à posséder que toutes les richesses et les honneurs de la terre. De plus, le premier commandement de Dieu nous enseigne qu'il n'y a qu'une seule façon d'aimer Dieu: "de tout ton coeur, de toute ton âme, de toute ta force et de toute ta pensée"[2]. Quand Jésus-Christ est à la première place dans notre vie, tout le reste est à la bonne place. C'est la seule garantie de bonheur qu'on puisse avoir sur la terre. Cependant, si on demandait aux gens à quel rang se situe Dieu au palmarès de leur vie, je crois que pour beaucoup, il n'apparaîtrait même pas.

- Moi, interrompit Michel, j'ai bien de la misère à comprendre comment quelqu'un peut arriver à aimer Dieu autant que ça.

- C'est pourtant tout ce qu'il y a de plus simple, Michel. C'est un peu comme tous ces jeunes qui, parce qu'ils idolâtrent des chanteurs ou des musiciens, prennent leur style, leur coupe de cheveux et apprennent leurs chansons par coeur. Ainsi, quand on prend le temps de connaître Dieu et que notre première préoccupation dans la vie est de suivre Ses commandements, notre vie s'en trouve tellement transformée qu'on ne peut pas faire autrement que de l'aimer et de vouloir devenir des "petits Christ" en miniature. On cesse de vivre que pour nous-mêmes, car de toute façon, c'est ce qui rend notre existence si plate et si terne. Quand on cherche l'intérêt de notre prochain, on trouve la vie enrichissante, on devient des artisans de bonheur et des fils de Dieu.

- Autrement dit, on doit mettre Dieu en premier, les autres en deuxième, et nous-mêmes en dernier. Ca m'a l'air simple, pourtant c'est loin d'être facile à mettre en pratique, conclut Michel, devenu songeur tout d'un coup.

- C'est pas facile mais c'est faisable, lui dis-je. Mais sais-tu, je pense à ça tout d'un coup. Pourquoi tu viens pas faire un tour où on est campé? Tu pourras rester quelques jours si tu veux. On a de la place en masse. Pis ça va te donner la chance de connaître mes "chums". Tu vas voir, tu vas les aimer, c'est du monde ben simple. T'auras aussi la chance de venir dans le bois si tu veux.

- O.K., j'y vais. J'ai pas grand place à aller de toute façon à l'heure qu'il est là.

Il était en effet plus de deux heures du matin. On quitta peu après la route principale pour s'enfoncer dans les terres derrière le petit village d'Evain où se trouvait le camping en question. Une fois arrivé sur les lieux, Michel fut tout surpris d'apercevoir nos deux autobus écoliers et les quelques tentes éparpillées ici et là. On parla un peu de choses et d'autres, puis on s'enfonça avec joie dans la chaleur de nos sacs de couchage. On avait eu notre dose de fatigue ce jour-là, et on était prêt pour une bonne nuit de sommeil!

Au réveil de notre ami, il était déjà plus de onze heures et il y avait toute une activité dans le camp, croyez-moi. Ils étaient au moins une vingtaine de personnes à camper là depuis quelques semaines; Michel avait les yeux grands ouverts et n'en revenait pas de voir cette "gang" de monde qui vivait ensemble comme une grosse famille. Pour nous, c'était tout à fait normal, mais pour lui c'était vraiment quelque chose de spécial. La première journée fut plutôt tranquille. Je restai au camp avec lui et quelques amis, pendant que tous les autres nous quittèrent pour aller évangéliser dans les villes et les villages des alentours. Il se lia d'amitié assez rapidement avec Hélène, une jeune fille de la Gaspésie qui était avec nous depuis un petit bout de temps. Il faut dire toutefois qu'il la trouvait bien de son goût, la jolie Hélène. Mais il réalisa très vite qu'elle était très différente de bien des femmes qu'il avait rencontrées dans le passé. Elle s'intéressait à son âme et ne cherchait aucune occasion pour le séduire. C'est ce qui l'avait le plus touché je crois. Ils passèrent une bonne partie de la journée à parler ensemble et à lire la Bible.

Michel était un gars très simple et il avait plein de questions à poser. La Bible l'intéressait beaucoup, car elle jetait une lumière sur beaucoup de points qui lui étaient incompris dans la vie. Il ne parlait pas à beaucoup de monde, mais il nous observait attentivement. Il avait remarqué notre simplicité de vie et il voyait bien que nous étions heureux même si nous ne possédions rien de bien luxueux. Ce qui l'intriguait beaucoup, c'était de voir les gars autant que les filles s'habiller d'une façon si modeste et si décente, sans bijoux, sans maquillage. Quand on alla se baigner et qu'il vit les filles avec leur costume de bain des années cinquante, il fut encore plus étonné. Il faut dire qu'il n'avait pas l'habitude de rencontrer des filles qui n'étaient pas intéressées à montrer leur corps. Il m'avoua également ce jour-là qu'il n'aimait pas le grand Gino, ni Simon, parce qu'ils n'étaient pas son style. Il avait de la misère à sentir Guy, parce qu'il lui faisait penser à un citoyen avec ses cheveux blancs et gris. Au fond, il se faisait une idée d'eux qui était fausse car il se fiait sur leur apparence, et ça, je lui expliquai que c'était pas correct, que c'était le dedans d'une personne qui comptait et non pas son allure extérieure.

De temps en temps, j'amenais Michel avec moi pour lui changer les idées un peu. On était entouré par des milles et des milles de chemins de pénétration qui avaient été construits par des compagnies minières des années auparavant et qui étaient toujours en très bon état. Lui et moi nous nous baladions en voiture dans ces chemins-là pendant des heures. En même temps, j'en profitais pour lui montrer les installations qu'on avait un peu partout à gauche et à droite pour observer les ours, et je lui parlais de toutes mes aventures avec cet animal incroyable; ça le passionnait vraiment. De plus, il était bien heureux d'être dans le bois, car le calme et la paix qui l'entouraient lui faisaient le plus grand bien. D'un jour à l'autre en tout cas, il prenait du mieux; ça se voyait même sur son visage. Le temps passa, les jours se succédèrent, si bien qu'au bout d'une semaine notre ami était toujours là.

Un soir, pour lui changer les idées, je décidai de l'amener avec moi dans un petit bar où j'avais l'habitude d'aller de temps en temps. La soirée débuta sur une note joyeuse autour de la table de "pool" à faire des blagues et à regarder une partie de "baseball" du coin de l'oeil. D'une bière à l'autre, mon ami Michel était de plus en plus de bonne humeur. Au début, je n'y fis pas trop attention, d'autant plus que j'étais occupé à parler à des gars avec qui je m'étais attablé. Au bout d'environ deux ou trois heures, je réalisai qu'il avait englouti une quantité assez importante de bière et qu'il commençait à être de plus en plus agressif envers le monde qui était là et avec qui il voulait se battre. Je ne voulais pas qu'il fasse trop de trouble. Je mis donc un terme à ma discussion en donnant rendez-vous à mes amis le lendemain soir, et j'entraînai mon Michel de peine et de misère à l'extérieur, puis dans l'auto. Pas besoin de vous dire qu'il n'était pas trop content de mon intervention.

- Ben, pour qui tu t'prends toi, pour venir me dire si j'ai bu trop de bière ou pas? T'en bois, toi, de la bière, pis personne te dit un mot. Laisse-moi donc vivre!

- Tu m'as l'air d'un laisser-vivre! T'es même pas capable de boire en homme pis tu voudrais que je te laisse faire? Non, mon ami, t'as pas frappé le gars pour ça. Moi j'suis assez honnête pour te dire si t'es de travers ou non. C'est pas tes gros bras qui m'énervent. J'en ai vu d'autres avant toi. Oui, c'est vrai, j'en bois de la bière, mais je vais pas dans les clubs pour me saouler la gueule comme toi, trompe-toi pas. Pendant que t'étais en train de faire ton fanfaron et ton "baveux", moi je parlais de Dieu aux deux gars. C'est beau la Bible, Michel, pis le bon Dieu, mais il faut que tu sois capable de dire non à la boisson si ça te fais perdre le contrôle de toi-même et que ça te rend violent comme ça. Je pense sérieusement que t'es mieux de pas trop te mettre le nez dans les bars pour un bon bout de temps. Tu es bien le premier à critiquer les autres parce que tu dis qu'ils sont "pognés", mais toi, tu es encore plus "pogné" qu'eux autres avec ta propre chair.

Ce fut le silence le plus total jusqu'au camp. Je venais de lui faire avaler sa pilule sans trop prendre les gants blancs, mais je savais que je devais le faire pour son bien. La nuit, de toute façon, allait faire mûrir tout cela jusqu'au lendemain et j'avais bien confiance qu'il en tirerait une bonne leçon. Le visage de Michel, le matin suivant, n'était pas trop souriant comme vous vous en doutez peut-être. Hélène avait bien réalisé que quelque chose s'était passé la veille. Elle vint me voir pour en savoir plus long. Après qu'on se soit entretenu ensemble quelques instants, elle alla trouver Michel et l'entraîna un peu plus loin sur le bord du lac.

- T'as pas trop l'air dans ton assiette ce matin, Michel. Qu'est-ce qui t'arrive?

- Ah... la soirée d'hier n'a pas été trop terrible pour moi. J'ai trop bu pis finalement, je me suis engueulé avec Jacques.

- Ouais, c'est pas drôle, lui dit Hélène. Sans te faire un sermon comme si j'étais ta mère, j'aimerais juste t'expliquer quelques petites affaires importantes qui vont t'aider à vaincre ton problème. Est-ce que ça te tente de m'écouter?

- Vas-y, je pense que ça peut pas me faire du tort.

- Vois-tu, Michel, il faut que tu saches que les êtres humains sont tous composés de deux natures: une nature animale qui est notre corps et une nature spirituelle qui est notre esprit. Les deux ont des désirs complètement contraires l'une de l'autre. Notre corps, lui, désire toujours manger, boire, dormir et c'est bien normal d'ailleurs, tandis que notre esprit, lui, désire la paix, la joie, l'amour. Cependant, ce qui n'est pas correct, c'est qu'à force de trop s'occuper de notre chair, elle devient de plus en plus exigeante et nous on devient vite esclave de tous ses désirs. On passe alors notre vie à essayer de la combler, mais sans jamais réussir à la rassasier. C'est une éternelle insatisfaite qui nous fait chercher continuellement notre plaisir et notre intérêt. Notre côté charnel nous entraîne à la débauche, à l'ivrognerie, aux excès de table, à la drogue, à l'idolâtrie; c'est également de lui que viennent les rivalités, les querelles, les jalousies, les envies, etc. Lorsqu'on laisse notre côté animal dominer sur notre esprit, il étouffe complètement notre dimension spirituelle à tel point que bien des gens ne savent même pas qu'elle existe.

Ce qui arrive quand on découvre qu'il y a en nous une nature spirituelle et qu'on décide d'en prendre soin, c'est que cela crée bien entendu une lutte à l'intérieur de nous-mêmes. Il faut pourtant que ce soit notre esprit qui en sorte victorieux. Hier, je suis certaine que ça te disait en dedans de toi de ne pas trop boire, car tu sais comment tu es quand tu prends trop d'alcool. Mais ta chère chair, elle, voulait boire et avoir le contrôle sur toi, alors toi, tu t'es laissé aller à ta mauvaise habitude et tu l'as écoutée. Aujourd'hui, tu regrettes et tu ne te sens pas bien. C'est ton être spirituel qui est triste.

- C'est vrai, Hélène, que je voulais pas boire comme ça. Mais c'était plus fort que moi, je pouvais pas dire non, j'avais trop soif.

- Une chose est sûre Michel, c'est certainement pas ton esprit qui avait soif de boisson! Au contraire.

- Ah... que je suis donc tanné de jamais être capable de mettre en pratique mes bonnes résolutions. On dirait toujours que je fais le mal que je veux pas faire.

- Il y a un bonhomme dans le Nouveau-Testament qui a parlé exactement de ce que tu vis là. Ecoute bien ce qu'il dit, tu vas trouver ça pas mal spécial: "Ce qui est bon, je le sais, n'habite pas en moi, c'est à dire en ma chair; j'ai la volonté mais non le pouvoir de faire le bien. Car je ne fais pas le bien que je veux, et je fais le mal que je ne veux pas. Et si je fais ce que je ne veux pas, ce n'est plus moi qui le fait, c'est le péché qui habite en moi. Ainsi donc, moi-même, de mon entendement, je sers la loi de Dieu; mais de la chair, je suis esclave de la loi du péché"[3]. Il faut donc que tu apprennes à combattre contre ta chair, car c'est vraiment elle notre pire ennemie. Sinon, on est comme cet homme qui doit se battre avec son voisin d'en face parce que celui-ci veut le tuer, mais qui lui fournit des armes, alors que lui se contente de tirer des cailloux. Il faut vraiment que tu dises non aux mauvais désirs de ta chair quand c'est le temps, sinon elle va toujours prendre le dessus. En fait, il faut juste que tu apprennes à résister aux tentations.

- Ca, c'est facile à dire, Hélène, mais moi, dans des situations comme hier, la tentation est vraiment trop forte. J'sus pas capable de résister.

- C'est ce que tu penses, Michel, mais tu te trompes. Il faut juste que tu te fasses un peu plus violence et tu vas réussir, tu vas voir. C'est certain que tu peux toujours te faire accroire que c'est trop dur, mais il ne faut jamais que tu écoutes ces idées-là, il faut que tu les rejettes. Il y a un verset là-dessus dans la Parole de Dieu qui est vraiment encourageant: "Aucune tentation ne vous est survenue qui n'ait été humaine, et Dieu qui est fidèle ne permettra pas que vous soyez tentés au-delà de vos forces; mais avec la tentation il préparera aussi le moyen d'en sortir, afin que vous puissiez la supporter."[4]

- Ouais, soupira Michel, c'est vrai que c'est encourageant, mais c'est quand même pas facile tout ça. Ca demande beaucoup d'efforts et de sacrifices. Il va falloir aussi que je renonce à plein de choses.

- C'est normal, répondit Hélène, qu'au début la lutte soit plus dure parce que ta chair est forte. Ca fait des années que tu lui donnes tout ce qu'elle veut, que toutes tes énergies sont concentrées à la satisfaire. Ton être spirituel, lui, a été pendant tout ce temps-là complètement négligé. Il faut que tu le nourrisses tout d'abord en lisant la Bible pour qu'il puisse prendre le dessus. Tu verras que l'emprise que ta chair a sur toi pour t'entraîner dans ses désirs va graduellement diminuer. Avec le temps, ta nature spirituelle va grandir et tu vas changer pour le mieux, car tes désirs ne seront plus les mêmes et tu vas même découvrir des joies que tu ne connaissais pas. Mais tu dois te faire violence contre ta chair et ne pas craindre de faire des efforts, si tu veux voir des résultats. Prends exemple sur les athlètes qui s'entraînent pour les Olympiques. Imagine un instant tout ce que ces gens-là s'imposent comme privations, comme régimes de toutes sortes, comme entraînement physique; tout ça dans l'espoir de décrocher une médaille ou pour la gloire bien courte d'avoir accompli quelque chose avec leur corps. Si ces gens-là sont capables de faire autant d'efforts pour une couronne périssable, et bien on devrait être prêts à en faire cent fois autant pour la couronne impérissable que Dieu promet à tous ceux qui l'aiment. Moi, je trouve que ça vaut le coup en tout cas.

- T'as ben raison Hélène, faut pas que j'me décourage comme ça. J'ai peut-être perdu une bataille mais je suis loin d'avoir perdu la guerre! Si ça te tente, j'aimerais ça qu'on lise ensemble une "couple" de chapitres dans la Bible; ça me ferait du bien, je pense.

- Pas de problème, Michel. Viens, on va aller chercher nos Bibles.

---

1. Evangile selon Matthieu, chapitre 6, verset 21
2. Evangile selon Luc, chapitre 10, verset 27
3. Epître de Paul aux Romains, chap.7, versets 18, 20 et 25
4. Première épître de Paul aux Corinthiens, chapitre 10, verset 13

CHAPITRE 8

CHASSE À MONT-LAURIER

Mes aventures avec l'ours étaient bien loin d'être terminées. D'un été à l'autre, ma soif de le connaître m'entraînait inévitablement quelque part en forêt où j'étais bien certain d'en rencontrer.

Je découvris un jour, comme par hasard, une nouvelle région où les ours étaient encore plus abondants. Alors que je roulais sur la route de l'Abitibi avec mon ami Denis Valcourt, un amateur de chasse et de pêche qui avait participé à plusieurs de mes voyages en forêt, on aperçut tout à coup sur la droite du chemin, une enseigne qui ne put qu'attirer notre attention. Sur celle-ci, en effet, on pouvait voir le dessin d'un ours noir avec l'indication suivante: "Guide pour la chasse au chevreuil et pour la chasse a l'ours". Pas besoin de vous dire qu'il n'en fallait pas plus pour nous attirer dans le petit chemin de terre qui s'enfonçait dans la forêt.

Nous étions environ à la hauteur de Mont-Laurier, précisément entre Mont-Laurier et Grand Remous, dans une région du Québec que nous ne connaissions pas. La petite route nous amena jusqu'à la maison d'un certain monsieur Robert qui vivait là avec sa femme et son fils. Il était guide professionnel et gagnait sa vie en exerçant ce métier, surtout pour des Américains qui venaient à la chasse à l'ours au printemps et à la chasse au chevreuil à l'automne.

Finalement, on prit rendez-vous avec lui quelques jours plus tard, pour une chasse qui allait durer quatre jours et à laquelle j'invitai deux autres de mes amis. Je passai la première journée toute entière avec lui. Non seulement je le suivis partout, mais je lui posai une multitude de questions sur l'ours. On devint vite amis car il était très content de mon grand intérêt dans ce domaine. Il m'amena à chacun de ses appâts où il nourrissait l'ours régulièrement avec de la viande, pour l'attirer et ensuite le chasser.

- Monsieur Robert, je sais que les ours aiment la viande et le poisson et qu'ils vont aussi manger dans les "dumps", mais y a-t-il autre chose qu'ils aiment manger? lui demandai-je.

- Bien oui, répondit-il. En fait, l'ours noir se nourrit en fonction de ce qui se présente autour de lui. 75% de son alimentation est constituée de végétaux, de feuillages, d'herbes, de baies et de noix. Mais ce qu'il aime le plus, ce sont les fruits. Tout le monde sait aussi que les ours adorent le miel. Pourtant, ce n'est pas tellement le nectar doré qui les intéresse, mais plutôt les abeilles et les larves qui constituent une excellente source de protéines et que peu d'ours dédaignent. Ils apprécient aussi beaucoup les guêpes, fourmis et termites, ainsi que leurs larves.

L'ours a des lèvres étonnamment mobiles; cela est dû au fait qu'elles ne sont pas attachées aux gencives. Ce trait particulier, combiné à une langue plutôt longue, lui permet de saisir sans problème baies et insectes, et cela malgré leur petite taille. Ce n'est qu'au cours des premiers mois du printemps, alors qu'il vient juste de sortir de sa tanière, que l'ours mange une plus grande quantité de viande. Etant donné que la végétation est rare à cette période de l'année, il va parcourir pendant quelque temps la forêt à la recherche de charogne de chevreuils et d'orignaux morts pendant l'hiver. Et puis, comme tu le sais, les dépotoirs à ciel ouvert attirent beaucoup les ours, car ils sont certains d'y trouver à peu près de tout. Il ne leur reste plus qu'à faire leur choix. C'est en général tôt le matin et en fin d'après-midi que l'ours est le plus actif, mais lorsqu'il sent la présence des hommes, il préfère éviter la lumière du jour. Il se déplace alors surtout le soir et pendant la nuit.

- Est-ce que ça leur arrive d'attaquer les autres animaux?

- Il peut arriver que l'ours attaque d'autres animaux, Jacques, mais seulement s'il est sûr de pouvoir les tuer facilement. Il arrive que les ours tuent des animaux comme les veaux, cochons et moutons, mais dans 90% des cas il s'agit de très gros mâles ou d'ours âgés et malades.

Non seulement il me raconta en détail comment l'ours se nourrit mais il m'expliqua bien clairement sa façon d'appâter et d'attirer l'ours qui était un peu différente de la mienne. Enfin, il me montra toutes sortes de trucs qui firent grandir encore davantage ma connaissance de ses moeurs.

Une chose est certaine, quand nous sommes sur une plate-forme il ne faut pas bouger parce que l'ours est un animal qui possède une ouïe ultra-sensible. Si on fait le moindre bruit, il discerne aussitôt qu'il y a quelque chose d'étrange dans cette forêt qu'il connaît si bien dans ses moindres petits sons, et il va attendre la noirceur pour venir manger à l'appât. Lorsqu'il fait noir, généralement les chasseurs quittent la forêt parce qu'on n'y voit plus rien et qu'il est défendu de tirer. Lorsqu'on revient à notre cache le lendemain, l'ours est déjà venu manger durant la nuit et tout est à recommencer. Malheureusement, il nous a fallu, mes amis et moi, apprendre à nos propres dépens que l'immobilité et le silence sont deux choses tout à fait fondamentales si on veut voir un ours en forêt.

Pour ma part, j'en étais à ma quatrième journée et je n'avais encore rien vu. Les trois premiers jours, j'avais probablement fait trop de bruit. Il était donc environ 4 heures de l'après-midi et monsieur Robert, notre guide qui connaissait bien son territoire et les places où les ours allaient manger, me dit bien sérieusement:

- Ce soir, il y en a un qui va aller vers toi, j'en suis sûr. Donc, il ne faut pas que tu fasses de bruit. En plus, c'est ta dernière journée de chasse. Si tu fais bien attention, tu vas en tirer un, je te le dis.

J'avais l'expérience des trois jours que je venais de passer à patienter et croyez-moi, j'étais plutôt assez préparé à tuer cet ours.

Le guide vint nous installer chacun à nos postes de chasse, et l'attente silencieuse reprit de plus belle. Le temps passait. Vers 6 heures, il commença à pleuvoir assez fort. J'endurai la pluie pendant une vingtaine de minutes, mais comme il pleuvait un petit peu trop fort à mon goût, je manquai de patience et je sortis de la forêt. Je marchai peut-être une quinzaine de minutes, quand soudain, il cessa de pleuvoir. Je me dis qu'il valait mieux retourner à l'appât. Et bien, à ma plus grande surprise, l'ours était venu manger. Je n'en croyais pas mes yeux. Il ne lui avait fallu que quinze minutes. J'ai tout de même attendu jusqu'à 9 heures, mais l'ours avait le ventre plein et bien sûr, il n'est pas revenu. Finalement, je suis sorti de la forêt à la noirceur, trempé jusqu'aux os par la pluie et plutôt déçu. Je venais de perdre ma dernière chance de tuer un ours.

Mon ami Denis Valcourt, lui, passa à un cheveu d'en tuer un ce même soir où le mien m'échappa. Son ours est venu chercher de la viande et est parti dans les bois tellement vite qu'il n'a même pas eu le temps de prendre sa carabine et de le tirer. L'ours a fait cela tellement silencieusement et rapidement qu'il en a été lui-même dépassé. Car Denis était tout un franc-tireur. Ce gars avait quitté l'armée après douze ans de service, alors qu'il était sergent, pour s'engager dans notre travail d'évangélisation et de réhabilitation. Croyez-moi que les fusils, les balles et les cibles n'avaient pas trop de secret pour lui. Avec sa 303, il pouvait tirer avec une précision incroyable, même sur une cible en mouvement.

Une fois, alors que nous étions à la chasse au caribou dans le nord de Schefferville, il m'avait dit qu'il tuerait son caribou d'une balle en plein coeur, et c'est exactement ce qu'il fit. Mais le plus beau du tour, c'est que le caribou courait au moment où il tira. Une autre fois, la même chose se passa avec un ours d'environ 150 livres qu'il tira, lui aussi, en plein coeur.

Ainsi, des quatre personnes qui participèrent à cette chasse, aucune ne réussit à tuer un ours bien qu'ils en aient vus de loin ou entendus. C'est pour vous dire à quel point cette chasse est quelque chose de sensible. Malgré notre déception de ne pas avoir tué d'ours, au moins on savait maintenant comment l'appâter pour l'attirer et le chasser. Ce fut tout de même une belle aventure. Ces longues heures d'attente, parfois des journées entières, dans le calme de la nature, nous faisaient découvrir toutes sortes de bruits nouveaux et étranges qui remplissaient le silence apparent de la forêt d'une vie incroyable. Bien sûr, il y a toujours un certain bruit dans la forêt, mais c'est un bruit reposant. Les chants des petits oiseaux, par exemple, sont une musique si douce à entendre. Je m'étonnais toujours aussi des mille et un bruits que font les animaux en pleine forêt, une vraie symphonie! Au coucher du soleil, c'étaient les criquets et les grenouilles qui prenaient la relève. De plus, le soir, nous avions amplement le temps d'admirer la lune et les étoiles.

J'étais bien content d'avoir à nouveau la chance de pouvoir méditer pendant toutes ces heures de solitude. C'est dans ces moments de tranquilité qu'on peut entendre plus facilement la voix de notre nature spirituelle. Je vous dis que c'est important de l'écouter, car c'est bien souvent par elle que Dieu essaie de nous parler. C'est comme l'eau qui coule dans la nuit, on ne la voit pas, mais on sait qu'elle est là car on peut l'entendre. C'est la même chose avec notre esprit, on ne le voit pas, par contre on sait qu'il est là, car on l'entend nous parler. Je me rappelle que depuis ma jeunesse, cette voix avait éveillé en moi toutes sortes de questions sur le sens de la vie sur terre, sur l'existence de Dieu, du diable, sur nos origines. Des questions que tout le monde se pose et qui, la plupart du temps, restent sans réponse.

Toutefois, au fil de mes années passées à lire la Bible, j'ai trouvé ces réponses et j'ai compris finalement le sens profond du plan que Dieu et Son Fils avaient préparé pour l'humanité. C'est ce que je vais tâcher de vous expliquer le plus simplement possible.

Tout d'abord, Dieu le Père. Je n'ai pas l'intention ici d'apporter des preuves de son existence, car la meilleure preuve que nous ayons est là devant nous, et c'est l'univers lui-même. Je n'essaierai pas non plus d'expliquer qui Il est, car toute description de Dieu n'est seulement qu'une description de Lui, et n'est pas Dieu. Il surpasse de loin ce que notre imagination ou notre intelligence peut concevoir et nous devons aller plus loin que nos cinq sens pour le percevoir; en fait nous avons besoin d'un sixième sens spirituel qui est celui de la foi. A ceux qui se demandent qui a créé Dieu, je réponds que Dieu est éternel, Il n'a pas eu de commencement et Il n'aura pas de fin non plus. Cela se comprend mieux quand on sait que l'éternité n'est pas un temps sans fin, mais plutôt une absence de temps. En effet, le temps est apparu avec la matière, et l'éternité est un état en dehors de la matière où il n'y a donc pas de temps, ni d'avant, ni d'après. C'est pourquoi la Bible nous dit: "Ton trône est établi dès longtemps, Tu es dès l'éternité"[1], et ailleurs on peut lire: "Avant moi aucun Dieu n'a été formé et après moi il n'y en aura pas"[2]. Autrement dit, Dieu le Père a toujours existé et Il mérite notre confiance. De plus, tout ce que nous enseigne Sa Parole est inspiré par Son Esprit, c'est donc la vérité et cela n'a rien à voir avec des fables ou des histoires inventées par l'homme.

Dieu, avant même de créer quoi que ce soit a créé Son Fils qui est appelé, avec raison, "le premier-né de toute la création". C'est ce que Salomon nous dit dans les Proverbes: "L'Eternel m'a possédé au commencement de Sa voie, avant Ses oeuvres d'ancienneté. Dès l'éternité, je fus établi, dès le commencement, dès avant les origines de la terre"[3]. Dieu le Fils a donc été enfanté par Dieu le Père, et il Lui est soumis. Le Christ est aussi le seul et unique Archange de toute la Bible et de tout le royaume de Dieu. Jude nous en parle dans son épître et le nomme "Michel l'Archange"[4]. Il est décrit aussi par le prophète Daniel comme: "Micaël, le grand chef du peuple de Dieu"[5]. Enfin, un texte de l'apôtre Paul nous dit à propos du retour du Christ, à la fin des temps, qu'il se manifestera avec "une voix d'Archange"[6].

Puis, c'est par le Fils "qu'ont été créées toutes choses, les choses qui sont dans les cieux et les choses qui sont sur terre, les visibles et les invisibles. Soit trônes, ou seigneuries, ou principautés, ou autorités: toutes choses ont été créées par Lui et pour Lui; et Lui est avant toutes choses"[7]. Le Christ a donc créé des êtres célestes qui allaient peupler avec Lui le royaume de son Père. Le premier à être créé par le Fils fut un être très puissant et très haut en gloire qu'Il établit pour être à la tête des habitants du royaume céleste. Son nom a peut-être de quoi vous surprendre, mais il s'appelait Lucifer. Esaïe nous décrit ce Lucifer comme un "astre brillant" et un fils de l'aurore"[8]. Ezéchiel, à son tour, nous dit des choses encore plus étonnantes: "Toi, tu étais la forme accomplie de la perfection, plein de sagesse et parfait en beauté, tu as été en Eden, le jardin de Dieu...; tu étais un chérubin oint qui protégeait et je t'avais établi tel; tu étais dans la sainte montagne de Dieu"[9]. Ce texte précise aussi qu'il était un chérubin oint, c'est-à-dire un chérubin ayant une onction spéciale le plaçant au-dessus des autres chérubins que Jésus créa à la suite de Lucifer. Ces chérubins sont les plus puissants des anges et le rôle qui leur est attribué est celui de protecteur, parce que ce sont eux qui sont les plus proches du trône de Dieu. Un texte d'Esaïe nous dit: "que Dieu est assis entre les chérubins"[10].

Ce qui est important de mentionner, c'est que, dans le royaume de Dieu, il y a une hiérarchie d'êtres spirituels, c'est-à-dire plusieurs groupes d'anges différents en puissance et en gloire et ayant chacun leur nom et leur rôle respectif.

Les séraphins que Jésus créa juste au-dessous des chérubins ont le rôle de chanter des louanges et de glorifier Dieu. C'est au livre d'Esaïe encore une fois qu'on nous parle de ces êtres célestes: "Des séraphins se tenaient au-dessus du Seigneur; et l'un criait à l'autre et disait: Saint, Saint, Saint est l'Eternel des armées, toute la terre est pleine de sa gloire"[11].

Les suivants sont les anges messagers. La Bible nous raconte à plusieurs endroits que ces anges sont envoyés par Dieu spécialement pour apporter des messages. Au début de l'Evangile de Luc, par exemple, l'ange Gabriel apparaît à Zacharie (père de Jean le Baptiste) et il se présente lui-même: "Moi, je suis Gabriel, qui me tient devant Dieu, et j'ai été envoyé pour te parler et pour t'annoncer ces bonnes nouvelles"[12]. De même, à la résurrection du Christ, d'autres anges messagers sont apparus, cette fois à Marie-Madeleine et aux femmes qui avaient accompagné Jésus. Enfin, viennent les derniers, tous les autres anges, c'est-à-dire ceux qui n'ont pas de fonction spéciale sinon de servir Dieu. Ainsi, dans le royaume céleste, les anges ne font pas que dormir sur des nuages, mais il y a toute une activité qui règne. Chacun a une occupation précise qui permet l'équilibre et l'harmonie de cet endroit. On peut lire en effet au livre de Job, qu'au commencement, tout était dans un ordre parfait et que "les anges éclataient de joie et chantaient ensemble"[13].

Tout était beau jusqu'au jour où Lucifer, à cause de sa puissance et de sa beauté, s'enfla d'orgueil et s'éleva dans son coeur contre Dieu. Les prophètes Esaïe et Ezéchiel nous parlent tous les deux de cette chute. Le texte d'Esaïe nous dit ce qui suit: "Comment es-tu tombé des cieux, astre brillant, fils de l'aurore? Et toi tu as dit dans ton coeur: je monterai aux cieux, j'élèverai mon trône au-dessus des étoiles de Dieu... Je monterai sur les hauteurs des nues, je serai semblable au Très-Haut"[14]. Puis, au livre d'Ezéchiel: "Tu fus parfait dans tes voies depuis le jour où tu fus créé, jusqu'à ce que l'iniquité s'est trouvée en toi. Par l'abondance de ton trafic, ton intérieur a été rempli de violence et tu as péché, et je t'ai précipité de la montagne de Dieu comme une chose profane"[15].

Lucifer a donc corrompu sa sagesse et sa beauté et a péché par orgueil, en voulant élever son trône au-dessus du trône de Dieu et devenir Dieu lui-même. Dans sa chute tragique, malheureusement, il a entraîné une bonne partie des anges. Le piège de l'orgueil et le désir de devenir des dieux, semés subtilement dans le coeur des anges par Lucifer lui-même, créèrent la révolte dans le royaume de Dieu et chambarda tout du bonheur éternel qu'Il avait promis à ses créatures. Que pouvait donc faire Dieu, alors qu'une foule d'anges avaient décidé qu'ils n'avaient plus besoin de Lui et qu'ils étaient désormais leur propre dieu? Dieu découvrit à ce moment-là que la liberté de ses anges comportait un risque: le risque de choisir le mal au lieu du bien. Et c'est ce qui se passa sous l'influence de Lucifer. La désobéissance venait de naître et, avec elle, les anges désobéissants.

Lucifer, lui, fut précipité de son trône et devint Satan, l'adversaire, ange déchu et ennemi de Dieu. S'il n'en avait tenu qu'à Lui, Dieu aurait détruit tous les anges, car Il ne peut accepter un tel péché de rébellion. C'est alors qu'intervint Michel l'Archange qui présenta à Dieu, son Père, le projet d'offrir aux anges la chance de se réconcilier avec Lui. Son plan était bien simple: les anges seraient envoyés dans un autre monde, différent de celui de Dieu, que le Christ prendrait soin de créer, et ils seraient placés sous forme d'esprit dans un corps humain.

Ce qu'il nous faut comprendre de tout ceci, c'est que nous étions chacun de nous en particulier l'un de ces anges, ou l'un de ces êtres spirituels éternels. C'est pourquoi l'apôtre Paul nous dit: "Quant aux anges Il dit: qui fait ses anges des esprits"[16]. Jésus nous dit aussi: "qu'à la résurrection d'entre les morts, on ne peut plus mourir, car on est comme des anges dans les cieux"[17]. De plus, dans l'Apocalypse, Jean nous dit cette petite phrase bien banale mais pourtant très significative: "mesure d'homme, c'est-à-dire d'ange"[18]. Autrement dit, tous les êtres humains étaient jadis des anges qui vivaient avec Dieu dans Son royaume; ils se sont retrouvés sur la terre, pour un temps déterminé, prisonniers d'un corps physique et mortel. Cela justifie parfaitement le fait que notre esprit soit tellement en contradiction avec notre chair. Seule la mort physique les séparera un jour. La durée de notre vie terrestre est le temps accordé par Dieu et Son Fils pour qu'on fasse le choix de retourner ou non dans ce royaume céleste d'où nous avons été chassés.

La hiérarchie ou les distinctions qui existent entre les anges expliquent les différences de caractère et de potentiel chez les êtres humains. C'est évident que certaines personnes ont une plus grande autorité que d'autres et ont en eux-mêmes le potentiel pour diriger un grand nombre de personnes; d'autres ont plus de talent que la moyenne des gens dans tel ou tel domaine. Cette autorité ou ces talents proviennent de la nature de l'être spirituel qui est en eux, et ils sont libres de s'en servir soit pour le bien, soit pour le mal.

Toutefois, Jésus-Christ dans son plan, ne s'en est pas tenu là. Lui aussi, non seulement allait venir dans la chair comme les anges, mais il paierait par son sang en mourant sur la croix, la rançon de leurs péchés et de leurs désobéissances. C'est pourquoi on peut lire dans les Ecritures: "Jésus, lequel, étant en forme de Dieu, n'a pas regardé comme un objet à ravir d'être égal à Dieu, mais s'est anéanti lui-même, prenant la forme d'esclave, étant fait à la ressemblance des hommes; et étant trouvé en figure comme un homme, il s'est abaissé lui-même, étant devenu obéissant jusqu'à la mort, et à la mort de la croix"[19]. Et de plus, par sa vie, Jésus allait montrer aux anges déchus le chemin à suivre pour retourner au royaume de Dieu, en révélant par sa résurrection d'entre les morts qu'il existe un autre monde que celui que l'on voit, où notre esprit peut espérer vivre pour l'éternité.

Et c'est ainsi qu'à la suite de cette révolte dans le royaume de Dieu, le Christ a été le médiateur qui a apaisé la colère de son Père et qui a ouvert la porte à la réconciliation. Un texte d'Esaïe nous dit ce qui suit: "Dans son amour et dans sa miséricorde, Il les a rachetés, et Il s'est chargé d'eux, et Il les a portés tous les jours d'autrefois"[20]. Ces jours "d'autrefois" ou ces jours "d'ancienneté" dont la Bible nous parle, sont tout simplement ces jours lointains où nous étions avec Dieu dans Son royaume. Ainsi, le Christ après la désobéissance des habitants du ciel, ayant reçu l'approbation de son Père, mit à exécution son plan avec l'aide de ce dernier. Ils créèrent l'homme et la femme à leur image et à leur ressemblance spirituelle, et les placèrent dans le jardin d'Eden. Là, le serpent, figure du diable, allait répéter le geste posé par Lucifer dans le royaume de Dieu. En fait, l'histoire de la Genèse dans le paradis terrestre, avec Adam, Eve et le serpent, est une figure de ce qui s'est passé là-haut au moment de la révolte. La Genèse, en effet, raconte que Dieu, après avoir placé l'homme et la femme dans le jardin d'Eden pour y vivre, leur permit de manger librement de tout arbre du jardin, à l'exception de l'arbre de la connaissance du bien et du mal.

C'est là que le diable fit son apparition sous la forme du serpent, et subtilement sema le doute dans l'esprit de la femme, en lui racontant des mensonges. Il lui fit accroire qu'en mangeant du fruit de l'arbre défendu, elle ne mourrait pas comme Dieu lui avait dit, mais qu'au contraire elle deviendrait comme Lui et connaîtrait le bien et le mal. La suite, on la connaît tous: tous deux tombèrent dans le panneau et désobéirent à Dieu. C'est dans ce panneau que nous sommes tombés lorsque nous étions des anges. On n'a qu'à regarder la vie humaine telle qu'elle est aujourd'hui, pour se rendre compte qu'on finit tous un jour ou l'autre par croire qu'on n'a pas besoin de Dieu et qu'on peut décider nous autres même de ce qui est bien ou mal, ou de ce que sera notre vie. Dieu, ainsi, n'a pas condamné des milliards d'individus parce qu'Adam et Eve ont mangé du fruit défendu et ont été chassés du paradis terrestre, mais parce que la désobéissance avait eu lieu avant.

Dieu a donc effacé de notre mémoire le souvenir de notre vie dans Son royaume; il n'est donc pas important de savoir si oui ou non on a été autrefois obéissant, mais bien plutôt de l'être aujourd'hui. Vous et moi sommes sur la terre parce que nous faisons partie du plan de Dieu. Nous avons tous un test à passer, à savoir si nous serons encore désobéissants ou si nous suivrons ce que le Christ nous a enseigné dans l'Evangile. N'oubliez jamais non plus que Satan, l'ange déchu, est lui aussi sur la terre pour nous voiler le véritable but de notre existence terrestre et nous empêcher de retrouver nos origines: le royaume céleste qui nous a été préparé dès la fondation du monde. "Car nous savons que, si notre maison terrestre, qui n'est qu'une tente (notre corps), est détruite, nous avons un édifice de la part de Dieu, une maison qui n'est pas faite de main, éternelle dans les cieux. Car aussi dans cette tente, nous gémissons, désirant avec ardeur d'avoir revêtu notre domicile qui est du ciel."[21]

---

1. Psaumes 93, verset 2
2. Esaïe, chapitre 43, verset 10
3. Proverbes 8, versets 22 et 23
4. Epître de Jude, chapitre 1, verset 9
5. Daniel, chapitre 12, verset 1
6. Epître de Paul aux Thessaloniciens, chapitre 4, verset 16
7. Epître de Paul aux Colossiens, chapitre 1, versets 15 et 16
8. Esaïe, chapitre 14, verset 12
9. Ezéchiel, chapitre 28, versets 12 à 14
10. Esaïe, chapitre 37, verset 16
11. Esaïe, chapitre 6, versets 2 et 3
12. Evangile de Luc, chapitre 1, verset 19
13. Job, chapitre 38, verset 7
14. Esaïe, chapitre 14, versets 12 à 14
15. Ezéchiel, chapitre 28, versets 15 et 16
16. Epître de Paul aux Hébreux, chapitre 1, verset 7
17. Evangile de Luc, chapitre 20, versets 35 et 36
18. Apocalypse de Jean, chapitre 21, verset 17
19. Epître de Paul aux Philippiens, chapitre 2, versets 6 à 8
20. Esaïe, chapitre 63, verset 9
21. Deuxième épître de Paul aux Corinthiens, chapitre 5, versets 1 et 2

CHAPITRE 9

GUIDE POUR ANDRÉ À KANASUTA

Au fur et à mesure que j'apprenais à comprendre l'ours, cela devenait de plus en plus facile pour moi de le découvrir dans un territoire où je savais qu'il y en avait. A la fin de ce même été où je vécus mon expérience à Mont-Laurier, je me retrouvai encore une fois au coeur de l'Abitibi, près de Rouyn-Noranda. En fait, comme à tous les étés, nous étions en tournée d'évangélisation, à peu près une vingtaine de personnes ensemble.

Je décidai de mettre à profit les connaissances que je venais tout juste d'acquérir auprès de monsieur Robert. J'offris donc à mon ami André Paré, qui mourait d'envie d'abattre un ours, d'être guide pour lui à un endroit qui s'appelait Kanasuta. Cet endroit était une "dump" qui était située en pleine forêt à quelque mille pieds seulement de la route. Elle était visitée régulièrement par plusieurs ours qui venaient s'y nourrir.

Finalement, on se retrouva tous les deux sur les lieux, perchés dans les hauteurs à vingt pieds d'altitude, sur une plate-forme que nous avions remise en état de supporter deux hommes. On s'installa sur deux matelas où on était tout à fait à notre aise pour attendre notre gibier. En tout cas, cela était un peu plus confortable que d'attendre debout car il nous fallait, la plupart du temps avant de voir un ours, patienter de très longues heures. Au bout d'un certain temps d'attente, je m'endormis. Quelque temps avant, ayant senti venir le sommeil, j'avais tout de même dit à mon ami André:

- Quand un ours viendra, tu me réveilleras et je te dirai quoi faire. Ne tire surtout pas avant de m'avoir averti.

Je savais très bien que les ours les plus gros viennent manger beaucoup plus tard que les plus jeunes, parce qu'ils sont plus rusés et plus méfiants. De plus, nous avions une nuit idéale qui s'annonçait, car c'était la pleine lune. Vers 10 heures du soir, alors que je dormais sur mes deux oreilles, je reçus un petit coup de coude dans les côtes qui me réveilla aussitôt. André me montra avec empressement un ours qui venait tout juste d'arriver. Il voulait le tirer à tout prix. C'était un ourson qui ne pesait pas plus de 60 livres.

- André, lui dis-je, laisse-le aller, il est trop petit.

Il était un peu déçu, car c'était la première fois qu'il avait un ours devant lui avec une carabine en main. Je retournai assez vite à mon sommeil, laissant André à son observation. Environ deux heures plus tard, vers minuit, un ours de 200 livres arriva à son tour; je reçus un deuxième coup de coude, deux fois plus fort que le premier. Je me réveillai en sursaut; au clair de lune, on le voyait très bien. Je dis à André d'attendre encore, ce qui ne fit pas du tout son affaire. Il était très déçu et parlait même un peu fort:

- Voyons, il faut le tirer, il est beau celui-là.

Je dus insister cette fois-ci et le raisonner:

- André, s'il-te-plaît, laisse faire, on ne tire pas celui-là.

Je connaissais la place et je savais, selon les pistes, qu'il y en avait des plus gros. Je parle d'ours qui pesaient dans les 400 ou 500 livres. Enfin, à 2h40 du matin, un énorme ours d'environ 450 livres apparut dans le décor bien tranquillement. Cette fois-ci, je reçus le coup de coude de ma vie. Je faillis tomber en bas de la tour. Pas besoin de vous dire que je me suis très bien réveillé. C'était un monstre de la forêt celui-là. Sans hésitation, je dis à André:

- Oui, celui-là tu peux l'abattre mais prends ton temps, enligne-toi comme il faut et tire-le dans le coffre, ne le manque pas surtout.

Bang! La balle frappa l'ours, mais plus haut que le coffre; en fait, elle toucha la colonne vertébrale qu'elle brisa en deux. L'ours tomba sur le dos et commença à agiter ses pattes dans tous les sens. Avant même qu'on ait eu le temps de descendre de notre plate-forme, l'ours s'était précipité dans notre direction. André tira un autre coup de feu, l'ours fit alors demi-tour et prit la fuite dans la forêt, entraînant tout son corps par la seule force de ses pattes avant. Ses pattes arrière ne bougeaient plus du tout. Imaginez un peu la force de l'animal: la colonne brisée, la moitié du corps paralysé, il s'est enfoncé dans la forêt à une vitesse d'environ 10 milles à l'heure, tout en labourant les feuilles et tout ce qui était sur son passage sur une largeur de trois pieds. Incroyable...

Nous étions très mal organisés pour le suivre dans la forêt. Il faisait encore noir et nous n'avions pas de lampe de poche. On décida d'aller chercher de l'aide chez nos amis avec qui nous étions en camping. On prit donc la voiture, car l'endroit où on campait était à environ une demi-heure de route de la “dump”. Mon compagnon avait la mine plutôt basse.

- J'trouve ça ben plate de l'avoir manqué mon ours, Jacques. J'aime pas ça faire souffrir les animaux inutilement. Pourtant, j'étais sûr de l'avoir tiré dans le coffre.

- Là, il est un peu trop tard pour les regrets André. Il faut plutôt qu'on se dépêche pour le retrouver ton ours s'il n'est pas mort, avant qu'il fasse un malheur. Les ours blessés sont très dangereux; la plupart du temps ce sont eux qui vont attaquer les hommes. Ca me rappelle justement quelque chose qui s'est passé à Yellowknife, dans les Territoires du Nord-Ouest. Apparemment sans raison, un ours avait attaqué trois personnes et les avait tuées toutes les trois. Lorsqu'ils firent une autopsie sur l'animal, une fois qu'il eût été abattu, on découvrit qu'il avait une balle de 303 dans le cerveau. Ainsi, il avait été blessé auparavant et c'est ce qui l'avait rendu méchant. Nos forêts, malheureusement, sont pleines d'ours blessés par des chasseurs imprudents, inexpérimentés ou trop pressés d'abattre du gibier.

- En tout cas s'il meurt, comme on dit, il va avoir gagné son ciel.

- Penses-tu vraiment, André, que les animaux vont se retrouver au ciel avec nous autres?

- Non non, Jacques, pas vraiment. Au fond, pour être franc, je ne sais pas ce qui arrive avec les animaux après la mort. Je me suis toujours posé la question.

- J'pense ben que t'es pas le seul à te poser cette question-là. Les animaux, vois-tu, c'est pas comme les êtres humains. Ils ont un instinct et une intelligence, mais ils n'ont pas d'esprit au-dedans d'eux qui puisse vivre après la mort. La Bible nous dit bien qu'ils ont une âme mais "l'âme", dans la Bible, signifie précisément la vie qui est dans le sang[1] et non l'esprit. Ainsi, lorsqu'ils meurent, tout est fini pour eux autres. Ils s'éteignent un point c'est tout. Il y a un texte dans le Nouveau Testament qui nous explique un peu tout ça: "Toute chair n'est pas la même chair; mais autre est celle des hommes, autre la chair des bêtes: et il y a des corps célestes et des corps terrestres"[2]. L'homme vient du monde de Dieu, mais les animaux, eux, viennent de la terre, et leur vie ne va pas plus loin.

- Dire qu'il y a des gens qui croient qu'ils vont se réincarner un jour dans un animal ou dans un autre corps quelconque. Je me demande comment ils font pour croire dans une histoire pareille.

- C'est bien simple, André, c'est parce que c'est plus facile de croire là-dedans, ça ne demande même pas d'effort.

- Qu'est-ce que tu veux dire exactement?

- Ce que je veux dire, c'est que les gens préfèrent croire qu'on peut recommencer une vie ratée et revenir sur la terre pour se racheter, que croire que la vie terrestre est l'unique chance qui nous est offerte par Dieu pour retourner avec Lui. Alors, on s'invente des théories comme la réincarnation qui, finalement n'ont aucun fondement réel et concret. En fait, la réincarnation n'est rien d'autre qu'une belle théorie humaine qui a été inventée de toute pièce, il y a plusieurs millénaires de cela, par les prêtres de la religion hindoue pour essayer de donner un sens à la souffrance et à l'injustice.

Ainsi, selon eux, après la mort l'âme humaine quitte le corps qu'elle habitait et passe dans un autre corps. Selon le cas, cela peut être un corps végétal, animal ou humain. Ceux qui ont été jugés bons doivent se réincarner dans des conditions agréables accordées à leurs mérites. Les méchants, par contre, se réincarnent dans des conditions malheureuses accordées à leurs mauvaises actions, comme par exemple, les pauvres et les infirmes. Imagine à quel point cette croyance favorisait les riches du temps et les prêtres de la religion hindoue qui formaient la classe dominante. Cette soi-disant réincarnation donne donc la chance à l'être humain de s'améliorer d'une vie à l'autre et d'être finalement délivré du cycle des naissances et de ce que les hindous appellent le "karma", c'est-à-dire tout le bagage accumulé du mal accompli dans nos vies antérieures. La sagesse ainsi atteinte lui permet de quitter ce monde et de supposément passer dans un autre monde spirituel beaucoup plus élevé.

La première illusion de cette réincarnation est de faire accroire à l'homme qu'il peut se racheter par ses seules forces et qu'il n'a besoin ni de Dieu ni de personne d'autre. La seconde est de lui faire accroire qu'il peut s'améliorer d'une vie à l'autre, même s'il ne se souvient pas du tout des fautes commises pendant ses supposées autres vies. Mais comment peut-on expier des péchés qu'on ignore et qu'on est certain de ne jamais connaître? Et surtout, où est dans tout ceci, la notion de bien et de mal qui nous permet de guider nos vies? En fait, si les gens avaient appris de leurs erreurs passées, l'humanité se serait certainement améliorée. Malheureusement, la réalité nous prouve plutôt le contraire. Notre monde est aussi plein de méchanceté et d'injustice aujourd'hui qu'il l'a toujours été dans le passé, et ce ne sont sûrement pas des religions inventées par l'homme ou des théories comme celle-là qui vont l'améliorer.

- Sais-tu Jacques, je pense savoir pourquoi les hommes se sont toujours inventés toutes sortes de philosophies et de théories pour expliquer l'au-delà; à mon avis, c'est qu'ils ont toujours eu peur devant l'inconnu de la mort.

- C'est bien certain, André, que la mort est quelque chose d'angoissant quand on ne sait pas ce qu'elle nous réserve. Ce n'est pas une raison toutefois pour essayer d'imaginer ce qui peut se passer après en se fiant sur notre raisonnement ou sur l'opinion de quelqu'un d'autre. La sagesse, c'est plutôt de se mettre à l'écoute de ce que Dieu, Lui, a à nous dire. Au fond, c'est Lui notre Créateur, et c'est Lui qui nous attend de l'autre côté.

Je vais te raconter une petite parabole qu'on peut lire dans l'Evangile de Luc et qui nous dit exactement tout ce qu'on a besoin de savoir là-dessus. C'est Jésus qui la raconte et elle parle de deux hommes, le pauvre Lazare et le mauvais riche. "Le mauvais riche était un homme qui se vêtait des plus beaux vêtements et qui faisait joyeuse chère, chaque jour, splendidement. Lazare, lui, était couché à sa porte, affamé et couvert d'ulcères, et il désirait seulement se rassasier des miettes qui tombaient de sa table, mais notre riche n'avait qu'une préoccupation: bien remplir son ventre et se payer du bon temps. Il ne se souciait pas du tout de ce vagabond qui traînait devant sa maison. Il arriva un jour que le pauvre mourut et fut porté par les anges dans le sein d'Abraham. Le riche lui aussi mourut quelque temps plus tard et fut enseveli. Alors qu'il était dans les tourments, il vit de loin Abraham et Lazare qui eux étaient joyeux et paisibles. Il les supplia donc d'avoir pitié de lui et de l'aider, car il souffrait beaucoup. Abraham lui répondit: "Mon enfant, souviens-toi que tu as reçu tes biens pendant ta vie, et Lazare pareillement les maux; et maintenant lui est consolé ici parce qu'il a obéi à Dieu, et toi tu es tourmenté car tu subis les conséquences de ton égoïsme envers ton prochain et de ton indifférence envers Dieu. De plus, un grand gouffre est fermement établi entre nous et vous; en sorte que ceux qui veulent passer d'ici vers vous ne le peuvent, et que ceux qui veulent passer de là ne traversent pas non plus vers nous"[3].

Cette parabole de Jésus est bien claire. Après la mort, on se retrouve aussitôt dans un lieu d'attente où se fait déjà une séparation définitive entre ceux qui seront accueillis par Dieu et ceux qui seront rejetés par Lui: les bons dans le sein d'Abraham et les méchants dans le hadès, le séjour des morts. Et nous y demeurerons tous jusqu'au jour du jugement dernier. On peut lire ailleurs, dans la Bible justement, "qu'il est réservé aux hommes de mourir une seule fois, après quoi vient le jugement"[4]. Il est difficile que ce soit plus clair que cela: il n'y a pas de réincarnation. Tout ce qu'il y a, c'est une incarnation, c'est-à-dire la venue de notre être spirituel dans un corps charnel puis, lorsqu'on meurt, le retour dans ce monde spirituel d'où l'on vient.

Quelques minutes après cette petite discussion, on se retrouva finalement au campement. Bien que nous étions toujours en pleine nuit, Denis, l'intrépide franc-tireur nous accompagna sans la moindre hésitation. Paulo Guilbault, un autre de nos amis qui était d'ailleurs originaire de cette région, se porta lui aussi volontaire.

Lorsqu'on arriva sur les lieux, il était déjà cinq heures du matin. La clarté de l'aube avait légèrement pris le dessus sur la nuit. Nous nous sommes donc mis à suivre les traces de notre animal, traces de sang provenant bien sûr de sa blessure, mais surtout les traces du travail de ses pattes avant qui avaient laissé dans la forêt une espèce d'autoroute labourée. Croyez-moi que ses pattes avant en travaillaient un coup pour traîner toute cette masse de muscles et de graisse de 450 livres. Le chemin qu'il avait emprunté était donc bien facile à suivre; après être entré dans le bois, il était descendu dans une petite clairière et avait traversé un marécage. Toutefois, de l'autre côté du marécage, les traces de sang avaient disparu. Il s'était alors enfoncé dans un champ de maïs où les plants atteignaient plus de quatre pieds de hauteur.

Mes amis, eux, marchaient en parallèle avec moi sur une voie ferrée tout juste à côté. Seul, ma hache à la main et armé d'un couteau pour débiter notre animal, je franchis le marécage et je m'aventurai dans le chemin à sa recherche, pendant que mes amis m'attendaient sur la butte formée par la voie ferrée afin d'avoir une vue d'ensemble sur les environs. Finalement je l'atteignis quelques pieds plus loin; il s'était écrasé entre deux rangs de blé d'inde. Aussitôt qu'il m'entendit, sa tête se tourna dans ma direction et sans hésitation il fonça sur moi avec toute la force de ses pattes avant, en grognant et en faisant toutes sortes de bruits étranges. Je n'étais pas trop intéressé à jouer à "Davy Crockett" en l'affrontant avec ma hache. Je pris mes jambes à mon cou et me sauvai à toute allure par le même chemin qui m'avait amené jusqu'à lui. Je n'avais vraiment pas d'autre choix.

Lorsque je fus parvenu au marécage, je lâchai un cri de mort à mes amis armés de carabines:

- Tirez-le les gars, il va m'avoir!

Je courais de plus en plus lentement; dans ce marécage, j'avais de la difficulté à mettre un pied devant l'autre, m'enfonçant à chaque enjambée. L'ours était en train de me rejoindre, lorsque soudainement, j'entendis un coup de feu. Denis tira une première balle qui rata l'animal. Mon coeur défaillit; il était presque sur moi. Bang! Deuxième coup de feu. Cette fois-ci Denis ne fit pas mentir sa réputation et le frappa en plein coeur. Il tomba raide mort. Croyez-moi que si lui n'était pas mort de ce deuxième coup de feu, c'est moi qui y passait; il m'aurait mis en pièces à coups de pattes. J'en ai des frissons à vous le raconter.

Laissez-moi vous dire qu'un ours blessé comme lui l'était, ça vous attaque avec la rage du désespoir. Dans sa tête, il n'a plus rien à perdre. Il est suivi, traqué par ceux-là même qui viennent de lui tirer dessus; il voit rouge. En tout cas, je ne donnerais pas cher de celui qui lui tomberait sous la patte à ce moment-là. Méfiez-vous sérieusement d'un ours blessé mes amis; et si vous partez à sa poursuite dans la forêt, soyez solidement armés et prêts à l'affronter à tout moment. Finalement, lorsqu'on débita notre ours, on découvrit qu'il avait déjà été blessé au dos par un autre chasseur. Mon ami André était bien fier de sa capture, mais moi, ça me faisait quelque chose qu'il soit mort en souffrant ainsi. Bien que j'avais cessé de prendre des ours au piège, je réalisais que ce n'était guère mieux de les abattre comme je le faisais. D'autant plus qu'un ours mort n'a plus grand chose à nous apprendre.

Quand on revint au camp, et bien tout le monde était debout malgré l'heure très matinale. Sans perdre un instant, les gars nous entourèrent afin d'examiner plus attentivement notre capture, tandis que la plupart des filles se tenaient plutôt loin, car le spectacle d'une bête morte ne les emballait pas trop. Etant donné qu'on voulait conserver la peau, il fallait que quelqu'un s'occupe tout de suite de la nettoyer avant que les vers se mettent dedans, et qu'elle puisse être sèche le plus tôt possible. On demanda donc un volontaire, mais tout le monde disparut comme par enchantement, et ce plaisir revint finalement de droit à André, notre chasseur d'une nuit. Après toutes ces émotions, je décidai d'aller me reposer un peu. J'en avais bien besoin. Je laissai donc André à sa besogne et je me retirai dans l'un des autobus.

Il était déjà tard dans l'après-midi lorsque je m'éveillai. Tout le monde était parti évangéliser. Il ne restait plus qu'André qui, lui, continuait inlassablement à gratter sa peau. En fait, c'est une tâche qui peut prendre plus d'une journée. Autour de huit heures trente, je décidai de préparer une soupe pour mes amis qui devaient être de retour vers neuf heures et demie. J'allai aussi chercher du bois pour préparer le feu de camp.

Ce soir-là, nos amis nous ramenèrent un jeune homme qui n'avait pas d'endroit où coucher et qui s'intéressait un peu à ce qu'on faisait. Cela se produisait régulièrement d'ailleurs, et on était toujours bien heureux d'accueillir quelqu'un parmi nous pour partager avec lui notre façon de vivre. Pendant que tout le monde mangeait, j'allai montrer à notre nouvel ami la peau de l'ours qu'André avait tué. Il venait justement de terminer son travail de grattage. Le jeune homme, du nom de Robert, eut l'air impressionné et n'examina la peau que très rapidement. Il était comme mal à l'aise devant la dépouille. Je lui offris alors de prendre une petite marche, histoire de l'éloigner un peu de tout cela. Il accepta tout de suite. On discuta de tout et de rien pendant quelque temps puis, il me confia que la vue de cet ours mort n'avait pu que lui faire penser à sa blonde morte quelques semaines auparavant, dans un accident de moto. Il m'avoua aussi que depuis ce jour-là, il n'avait cessé de s'interroger sur la mort.

- Je me demande où on peut bien s'en aller après la mort, Jacques. Dans ma tête c'est comme un gros trou noir quand je me mets à y penser.

- Après la mort, on s'en retourne à Dieu, Robert, c'est aussi simple que cela. En fait, on s'en va dans un lieu d'attente où les bons sont séparés d'avec les méchants, jusqu'au jour où nous ressusciterons tous pour être jugés par Dieu. Là, les gens qui sont d'un même côté vont se retrouver ensemble pour l'éternité.

- Qu'est-ce que tu en sais de ce qui se passe après la mort? Vois-tu, moi je préfère me dire qu'il n'y a rien, parce que je n'ai jamais rencontré personne qui soit revenu pour nous dire s'il y a quelque chose de l'autre côté.

- Je ne sais pas combien de fois j'ai entendu ça, que personne n'est revenu du monde des morts, et pourtant, il y en a bien un.

- Qui ça?

- Le Christ, voyons donc, Robert! Jésus de Nazareth. Celui qui est la source de toutes les religions chrétiennes du monde. En fait, il est le seul homme de toute l'histoire humaine qui a osé affirmer qu'il avait vaincu la mort. Et c'est sur ce miracle de la résurrection qu'est fondée la foi des chrétiens. C'est ce que les apôtres qui ont vécu avec lui ont prêché dès le commencement, et c'est ce que les chrétiens à travers les siècles ont toujours prêché.

- Mais qu'est-ce qui te dit que tout ça est vrai? Pourquoi ce serait pas les apôtres qui auraient tout inventé?

- Pourquoi? Parce que quand on regarde les faits, on voit bien que c'est impossible. Imagine-toi pas que dans le temps du Christ, les hommes étaient différents de ceux d'aujourd'hui. Ses apôtres étaient comme toi et moi, des gens bien ordinaires. Ils l'ont suivi pendant environ trois ans et ils croyaient que Jésus était Fils de Dieu, parce qu'ils l'avaient vu à l'oeuvre pendant tout ce temps et qu'ils se sont bien rendus compte que Dieu était avec lui. Mais quand il fut arrêté pour être crucifié, ils s'enfuirent épouvantés. La mort de leur maître avait anéanti leurs espérances et leurs ambitions. Puis quarante jours après, ces hommes effrayés et déçus furent transformés en prédicateurs courageux et dynamiques qui annonçaient Jésus ressuscité dans la ville même où il fut mis à mort. Ils ont été jetés en prison, fouettés, et même que la plupart d'entre eux sont morts martyrs dans les trente années qui suivirent. Tu crois que les apôtres ont pu changer ainsi, et finalement donner leur propre vie pour un mensonge qu'ils auraient inventé eux-mêmes? Je ne crois pas.

Je sais que ce qui provoqua en eux ce changement, c'est d'avoir eu un contact personnel avec le Christ ressuscité. Jésus est apparu à ses apôtres et à une foule de disciples du temps; pas comme un fantôme ou en rêve, mais en chair et en os. Il a même mangé avec eux. A un moment donné, il a été vu par plus de 500 personnes à la fois. Les apôtres savaient que le Christ avait vaincu la mort et que Celui qui l'avait ressuscité vivifierait aussi leur corps mortel à la résurrection. Voilà pourquoi leurs craintes avaient disparu. Les apôtres se rappelèrent aussi, à un moment donné, que Jésus lui-même leur avait dit qu'il devait souffrir beaucoup et mourir, mais que trois jours plus tard, il ressusciterait d'entre les morts. En d'autres mots, il leur avait annoncé lui-même sa propre résurrection.

Plusieurs prophètes de l'Ancien Testament avaient même annoncé, des siècles à l'avance, que Dieu ressusciterait le Messie. Le prophète David, au livre des Psaumes, plus de mille ans avant la naissance du Christ avait dit: "Ma chair aussi reposera en espérance, car tu n'abandonneras pas mon âme au shéol (séjour des morts), tu ne permettras pas que ton saint voit la corruption. Tu me feras connaître le chemin de la vie"[5]. David, lui, est mort et a été enterré. Il ne parlait donc pas pour lui-même, mais il annonçait, à propos du Messie, que sa chair ne pourrirait pas en terre comme celle de tous les hommes mais que Dieu le ressusciterait. Le tombeau du Christ s'est retrouvé vide du jour au lendemain, alors que les autorités religieuses du temps avaient placé elles-mêmes des soldats devant le tombeau pour monter la garde, de peur que quelqu'un décide de voler le corps. Le corps de Jésus a pourtant complètement disparu et personne n'a jamais pu le retrouver.

- Je comprends que pour ceux qui ont la foi, c'est facile de croire tout cela, me répondit Robert, mais moi, comment veux-tu que j'y crois puisque je n'ai pas la foi?

- Ce n'est pas seulement une question de foi, Robert, mais aussi une question de faits: tout ce dont je te parle depuis tantôt ce sont des faits concrets et réels qui, lorsqu'on prend le temps de les regarder sérieusement, nous prouvent simplement que le Christ est bel et bien ressuscité d'entre les morts. Je vais même aller encore plus loin si tu veux. Nous possédons aujourd'hui un document qui confirme à 100% le témoignage des apôtres sur la mort et la résurrection du Christ. Ce document, c'est une pièce de tissu de 14 pieds de longueur qui a recouvert le corps du Christ dans son tombeau et qui est appelé le Suaire de Turin.

- Ouais, parlons-en de ce fameux Suaire. La dernière chose que j'ai entendu là-dessus, c'est qu'on l'avait analysé selon la méthode de datation du carbone 14 et qu'il datait du 11e siècle.

- Malheureusement, Robert, c'est trop facile de dire que le Suaire est un faux, tout juste parce qu'on a essayé d'en savoir l'âge à l'aide d'une méthode scientifique qui peut commettre de grandes erreurs de temps. Cette méthode, en effet, se base sur la durée de vie du carbone 14 et détermine l'âge d'un objet quelconque selon la quantité qui s'en est éliminé. Mais le problème, c'est qu'il y a plein de facteurs extérieurs qui peuvent survenir et modifier sérieusement l'élimination normale de ce carbone 14, et ainsi fausser totalement l'estimation de l'âge. On a beau faire toutes les estimations qu'on voudra, on ne changera jamais la réalité de ce linge fantastique et on n'effacera jamais non plus tous les détails incroyables de vérité qu'il contient. Ce qu'il faut dire tout d'abord à propos de ce linge, c'est que c'est un négatif. On peut se demander comment un artiste aurait-il pu peindre quelque chose en négatif au 11e siècle, alors que la photographie n'a été découverte qu'au 20e siècle.

C'est à la suite de la première photographie du Suaire, qui révéla ce secret caché, qu'on entreprit de nombreuses études médicales pour déterminer son authenticité. Les médecins qui ont examiné cette pièce de tissu ont tous été convaincus par ce qu'ils ont constaté: ce linceul a véritablement contenu le cadavre d'un homme mort par crucifixion, et cette crucifixion ressemble en tous points à celle relatée par les Evangiles. Tout sur ce corps coïncide dans les moindres détails à l'état du corps du Christ après la passion qu'il a soufferte. Beaucoup de médecins ont été réellement impressionnés par le réalisme des plaies et des coulées de sang que l'on retrouve naturellement un peu partout sur ce corps. Les saignements du cuir chevelu indiquent qu'on lui a enfoncé une couronne d'épines sur la tête. Il a aussi reçu des coups au visage. Le dos est parsemé de plaies enfoncées qui ont été provoquées par un fouet se terminant par des boulets de plomb, le "Flagrum" (type de fouet que les Romains employaient du temps de Jésus et qui était redouté pour ses gros grains de plomb) comme on l'appelait. Et ces plaies ont été aplaties à la hauteur de l'épaule par ce qui ressemble à une poutre, justement celle que les crucifiés devaient porter jusqu'au lieu du supplice. Les genoux sont gravement endommagés comme à la suite de plusieurs chutes sur un chemin rocailleux. Il y a un trou au côté, suite à un coup de lance, celui qui fut donné par les soldats romains; et la plaie, vois-tu, est demeurée ouverte, chose qui ne se produit que sur un cadavre. Sur un corps encore vivant, la plaie se referme. Le Christ était bien mort lorsqu'on lui perça le côté. Enfin, il y a des marques très claires de trous aux pieds et aux poignets. Et oui, aux poignets, car les clous, contrairement à ce qu'on a toujours vu sur les oeuvres d'art, ont été plantés dans le pli du poignet et non dans le milieu de la main.

Le docteur Barbet, un chirurgien des années trente, intrigué par ce détail, a fait des expérimentations en crucifiant lui-même des cadavres, et il s'est rendu compte que le seul endroit où l'on pouvait enfoncer un clou pour soutenir tout le poids d'un corps humain était un espace naturel bien précis dans le pli du poignet. Le plus étonnant dans tout ceci c'est que, lorsqu'on enfonce un clou à cet endroit, le nerf médian qui active le pouce est légèrement coupé et le pouce se rabat à l'intérieur de la main. Si l'on jette un coup d'oeil sur les mains de l'homme du Suaire, on découvre que toutes deux n'ont que quatre doigts. Les pouces sont cachés à l'intérieur des paumes. Jamais un peintre n'aurait pu imaginer une telle chose. Sur toutes les oeuvres d'art, d'ailleurs, les clous sont toujours au centre de la main. Ce détail à lui seul pèse lourd pour établir l'authenticité du Suaire, mais ce n'est pas tout.

Crois-le ou non, et bien l'image que l'on retrouve sur ce linge est une brûlure. Le tissu a chauffé et s'est décoloré, et c'est ce qui a créé l'image. On peut naturellement se poser la question: comment le cadavre froid d'un homme a-t-il pu brûler un linge? Et comment a-t-il pu le brûler de manière à produire un négatif aussi parfait que celui d'une caméra? La seule explication scientifique donnée par tout un groupe de savants débarqués à Turin en 1978 pour faire des tests sur le Suaire lui-même, est qu'un flash de lumière et de chaleur s'est produit dans la noirceur du tombeau, il y a 2000 ans, pour donner cette image unique. La science du 20e siècle vient nous dire à nous que le corps du Christ dans son tombeau a produit, en se dématérialisant, lumière et chaleur et s'est imprimé sur le linceul qui le recouvrait, pour laisser aux générations futures une photographie de sa résurrection. Est-ce que c'est assez fort à ton goût, ça, Robert?

- Ouais, je savais rien de tout ça. En tout cas, ça fait réfléchir, c'est certain.

- Après toutes ces explications, il commençait à être tard et à faire de plus en plus froid; on décida donc de retourner auprès du feu. La plupart de mes amis étaient allés se coucher, mais il en restait encore trois ou quatre qui étaient toujours là à discuter. Je voyais bien que Robert était pensif. Comme j'allais lui demander ce qui le préoccupait ainsi, il se mit à parler:

- Je ne crois pas que ce soit un hasard que je sois ici avec vous ce soir. Je remercie le bon Dieu de vous avoir mis sur mon chemin. Aujourd'hui, j'étais très déprimé et je ne savais pas où aller. Je me promenais sur la rue et je me sentais vraiment seul. Tout d'un coup, je me suis retrouvé face à face avec Nicole. Je me demandais bien d'où elle pouvait sortir, celle-là. Elle a commencé à me parler et je n'arrivais pas à comprendre tout ce qu'elle me disait, parce que j'étais trop impressionné par toute la joie et le bonheur qui se dégageaient d'elle. Je n'ai pas pu m'empêcher de lui demander d'où elle venait. Elle m'a expliqué qu'elle voyageait avec un groupe de jeunes à travers la province, et qu'ils étaient campés pas très loin dans le bois. Elle me dit aussi que j'étais le bienvenu si je voulais venir. Et voilà comment je me suis retrouvé avec vous autres. Depuis que je suis arrivé, j'ai eu le temps de vous regarder aller toute la "gang" ensemble. Vous avez l'air tellement heureux et pleins de vie que je me suis rendu compte que vous avez quelque chose que le monde n'a pas.

- Veux-tu que je t'explique, Robert, ce qui fait qu'on est comme ça, si heureux et pleins de vie? C'est parce qu'un jour, le Christ nous a ressuscités intérieurement. Vois-tu, en plus de la résurrection physique du Christ il y a 2000 ans, il est question aussi dans le Nouveau Testament d'une résurrection spirituelle qui doit s'accomplir à un moment donné dans notre vie. En fait, c'est cette résurrection intérieure qui nous fait découvrir la vraie vie qui vient de Dieu: une vie spirituelle qui est aussi en même temps une vie éternelle, car elle demeurera en nous pour toujours si nous restons fidèles à Dieu. Notre corps n'est qu'une enveloppe passagère et il ne peut pas contenir la vraie vie.

C'est ce qui a fait dire au Christ: "Je suis la résurrection et la vie: celui qui croit en moi, encore qu'il soit mort, vivra; et quiconque vit, et croit en moi, ne mourra point, à jamais"[6]. C'est bien évident que Jésus nous parle ici de mort spirituelle et de vie spirituelle. Ce qu'il nous faut comprendre à partir de ça, c'est qu'on peut être très vivant physiquement, comme des millions de gens qui nous entourent, et pourtant être bien mort spirituellement. En d'autres mots, sans la vie de Dieu en nous, on est mort.

Ainsi, cette mort de l'esprit est certainement la plus terrible, car non seulement elle nous prive de Dieu et du bonheur ici sur la terre, mais elle nous en prive aussi pour toute l'éternité. C'est donc très important dès aujourd'hui, Robert, que tu fasses revivre cet être mort à l'intérieur de toi; c'est à ce moment-là seulement que la vie véritable va commencer pour toi. Tout ce que tu as à faire, de toute façon, c'est de suivre la recette que le Christ lui-même a donnée dans l'Evangile: "Celui qui entend ma parole, et qui croit en celui qui m'a envoyé, a la vie éternelle et ne vient pas en jugement; mais il est passé de la mort à la vie"[7]. Crois-moi d'expérience, ça marche!

On discuta ensemble encore quelques minutes, puis tout le monde se dirigea soit vers les tentes, soit vers les autobus en se promettant bien de passer une bonne nuit de repos. Je demeurai encore quelques instants seul devant les braises. J'étais content d'avoir encore une fois vu Dieu toucher le coeur de quelqu'un. Ce sont des événements comme celui-là qui nous encouragent à persévérer et qui nous montrent bien que notre travail n'est jamais vain dans le Seigneur.

---

1. Lévitique, chapitre 17, verset 11
2. Première épître de Paul aux Corinthiens, chap. 15 versets 39 et 40a
3. Evangile de Luc, chapitre 16, versets 19 à 26
4. Epître aux Hébreux, chapitre 9, verset 27
5. Psaumes 16, versets 9b, 10 et 11a
6. Evangile de Jean, chapitre 11, versets 25 et 26
7. Evangile de Jean, chapitre 5, verset 24

CHAPITRE 10

CORBEAUX, PROSÉLYTES ET THÉOLOGIENS

Alors que nous étions toujours dans notre bel Abitibi à faire de l'évangélisation, on décida, mes amis et moi, de se déplacer vers une autre région du Québec. Nous avions déjà passé près d'un mois au même endroit et cela nous avait donné tout le temps voulu pour parcourir toutes les villes et les villages des alentours, en visitant les jeunes et les moins jeunes dans leur maison et dans les places publiques. Il nous restait encore un bon mois de liberté pour voyager avant de regagner nos différents centres pour la saison d'hiver, et nous étions bien décidés d'en profiter. Mon choix s'arrêta alors sur la région de la Beauce que nous n'avions pas visitée depuis plusieurs années.

C'est ainsi qu'un bon lundi matin ensoleillé de ce mois d'août, notre caravane d'autobus, de camionnettes et d'automobiles prit la route en direction de Montréal qui était, bien entendu, notre première destination. Il nous fallait ensuite atteindre la ville de Québec, puis se diriger vers le sud de la province où se trouvait la région particulière de la Beauce. Quand je dis particulière, je veux dire par là que dans ces coins reculés des grands centres et plutôt campagnards, les gens ont une vie beaucoup plus paisible qui les rend naturellement accueillants envers tout le monde, contrairement aux gens de la ville qui, eux, ont plutôt tendance à être méfiants envers les étrangers. Ces gens simples de la campagne sont aussi beaucoup plus pieux, ce qui ne pouvait que rendre notre travail plus agréable. On était donc tous bien heureux d'y aller, et cela malgré les 600 milles à couvrir. Pour nous, c'était un départ vers de nouveaux horizons pleins de surprises et d'aventures. Le trajet se fit sans aucun problème majeur, et notre caravane s'immobilisa finalement à Vallée-Jonction, dans un petit camping en bordure de la route où l'on s'installa pour passer la nuit.

Le lendemain fut une journée bien tranquille dont tout le monde profita pour se reposer et pour se remplir spirituellement, en prévision du travail d'évangélisation qui s'annonçait. On peut s'imaginer toutes sortes de choses sur un travail comme celui-là mais, croyez-moi, cela est très intéressant de parler de Dieu pendant des heures à tous les jours. Etant donné qu'on donne beaucoup, il faut se ressourcer et se fortifier dans les Ecritures Saintes au moins plusieurs heures à chaque jour. C'est comme une bouteille d'eau qu'on vide pour étancher la soif des gens et qui a besoin d'être remplie à tous les jours par de l'eau fraîche. Lorsqu'on évangélise sur une base régulière, il faut aussi que notre vie soit vraiment très droite devant Dieu et qu'on soit en parfaite communion avec Lui, car sinon, on n'arrive pas à tenir le coup. De toute façon, quand quelqu'un choisit de guider les gens sur le chemin de la foi et du royaume de Dieu, il n'a pas le choix, il lui faut être un modèle à tout prix. Il lui faut laisser l'exemple, sinon il se trompe lui-même et il trompe les autres. Lorsqu'on veille à cela fidèlement, on a quelque chose de solide à donner aux gens. En tout cas, lorsqu'on est entouré de gens qui se disciplinent depuis des années pour faire une pareille vie, on réalise à quel point leur foi est sincère et leur amour véritable.

Le surlendemain fut donc la journée du départ. Comme on avait coutume de le faire de temps en temps, on décida, cette fois-ci, de partir pendant toute une semaine chacun de notre côté, en équipes de deux ou trois personnes. Jésus aussi avait l'habitude d'envoyer ses disciples deux par deux prêcher dans les villes et les villages. Pour nous, c'était toujours un plaisir, car on avait alors plus de liberté d'action et on vivait à chaque fois des expériences inoubliables. On partait sans un sou en poche et on vivait totalement par la foi pendant tout ce temps, c'est-à-dire qu'on mangeait et dormait chez les gens qui voulaient bien nous accueillir. Notre seul bagage était un sac à dos rempli de Nouveaux Testaments et de petits livres spirituels que nous avions écrits.

Moi, à la suite de ma conversion, j'ai fait cela pendant des années, seul, avec ma poche sur le dos, de ville en ville et de village en village. Laissez-moi vous dire que j'ai vu Dieu à l'oeuvre de mille et une façons, toutes aussi incroyables les unes que les autres. En réalité, Il a toujours été là pour me soutenir et me guider, Il ne m'a jamais abandonné. Bien sûr, j'en ai arraché, j'ai souffert; j'ai couché dehors, dans des granges, des cabanes à chien. Il y a même une fois où j'ai dû prendre le chien tout contre moi pour me réchauffer. J'ai été rejeté, injurié, ridiculisé, battu, arrêté maintes et maintes fois par la police, mon seul crime étant d'avoir évangélisé sur la rue ou de porte en porte. On m'a emprisonné, expulsé de plusieurs villes, on a même menacé ma vie, mais je vous avouerai franchement que toutes les bénédictions que j'ai reçues de Dieu, toute la joie d'avoir pu consoler les gens malheureux et désespérés, m'ont complètement fait oublier les moments difficiles que j'ai pu traverser. Ma foi est sortie de tout cela transformée, purifiée, fortifiée, inébranlable. Au service de Dieu, il n'y a pas de plus belle école que la souffrance. Le problème, c'est qu'on est rarement prêt à souffrir, spécialement dans une société comme la nôtre où tout est mis en oeuvre pour que les gens vivent dans la ouate.

Mes jeunes compagnons partirent donc ce jour-là. Pour ma part, à cette époque, je rendais visite aux curés des différentes paroisses pour les encourager dans leur travail ou encore pour les brasser, selon le cas. La semaine se termina rapidement et le samedi soir annonça l'arrivée de ces jeunes disciples des temps modernes. Ils avaient tous le sourire fendu jusqu'aux oreilles, car ils débordaient de joie et d'enthousiasme. Ils parlaient tous en même temps, tellement ils étaient pressés de raconter leurs aventures de la semaine. Plus tard dans la soirée, on se réunit quelques-uns d'entre nous. Il y avait André, un jeune homme de Montréal qui était avec nous depuis à peu près un an. Il avait délaissé l'avenir prometteur que lui assurait son emploi comme pompier pour s'engager avec nous. Il y avait Manon, une fille de Montréal qu'il connaissait bien, car c'était elle qui l'avait en quelque sorte entraîné, avec l'aide de son frère Sylvain, dans cette vie d'évangélisation. Mon cousin Gilles était là lui aussi. C'était un petit gars de Gatineau que nous avions réchappé du monde de la délinquance et du crime. Hélène aussi était là et Michel, que j'avais rencontré en Abitibi. Nous étions tous les six autour du feu et André commença à nous raconter sa semaine:

- Après quelques heures de route, Evelyne, Gilles et moi, on se retrouva dans le premier petit village où on devait travailler. On s'est mis à la tâche dès notre arrivée. Il faut dire que les premiers instants de l'évangélisation ne sont jamais faciles...

- Je sais, lui dis-je, même après des années, on a toujours un peu d'opposition et de gêne avant de commencer. Avec le temps, on apprend à se faire violence, à surmonter notre gêne et à briser la glace, car on sait d'expérience que ce n'est qu'un coup à donner. Mais une fois qu'on a parlé à quelques personnes, l'eau spirituelle se met vraiment à couler à flots. Comme Jésus nous le dit: "Celui qui croit en moi, selon ce qu'a dit l'écriture, des fleuves d'eau vive couleront de son sein"[1].

- C'est vrai Jacques. Dieu est vraiment là pour nous inspirer et nous donner les paroles dont on a besoin. Il nous faut juste bouger et y aller. La première journée se déroula à merveille; les rencontres se succédaient les unes aux autres et les gens étaient très positifs, si bien qu'à neuf heures, il y avait trois endroits différents où les gens nous accueillaient pour dormir. Le lendemain matin, étant donné qu'on avait évangélisé le village au complet, on a fait du pouce pour se rendre à l'autre village, situé quatre milles plus loin. Mais comme tu le sais, dans ces petites places il passe une auto à toutes les deux heures. On a donc dû marcher un bon bout de chemin. C'est sur cette route qu'on aperçut une bande de corbeaux et que Gilles nous fit un long discours sur le sujet.

- Il faut dire, continua Gilles, que c'est assez rare qu'on en voit autant en même temps. J'ai remarqué qu'ils se perchent tous dans le haut des arbres comme pour dominer sur le monde. Par des croassements un peu sinistres, ils communiquent entre eux. Ils sont toujours en quête de nourriture qu'ils dérobent comme des voleurs, et ils chassent tous les autres oiseaux de leur territoire. Ils se nourrissent de charognes, ils ont les yeux noirs comme le charbon et leur corps tout entier est noir.

- Je ne savais pas que tu aimais les corbeaux tant que ça, Gilles, lui dis-je.

- C'est pas que je les aime tant que ça, mais c'est parce qu'ils me font penser aux religieux et aux religieuses qui sont toujours vêtus de noir et sont souvent tout aussi noirs à l'intérieur.

- Mais voyons donc Gilles, ils ne sont pas tous comme ça, répliquai-je. Je connais des bons prêtres qui sont vraiment spirituels et qui n'arrondissent pas les coins pour plaire aux gens dans ce qu'ils enseignent. Justement, j'en ai connu un en Abitibi qui s'appelle Joseph Guillot. C'est le curé du village d'Evain et c'est un homme qui parle de la foi d'une façon authentique. Il a vraiment le don de prophétie; je veux dire par là que l'Esprit de Dieu parle à travers lui et que ça touche vraiment le coeur des gens. C'est un prêtre qui sait donner des retraites qui font réfléchir. Il n'est pas du genre à lancer des fleurs au monde, au contraire. Il a vraiment l'amour des âmes et c'est pourquoi il reprend les gens dans le mal qu'ils font. Il lit beaucoup la Parole de Dieu aussi, ce qui n'est pas le cas d'un bon nombre de religieux et de religieuses. Même si on a des divergences d'opinions, c'est un homme qui est édifiant et c'est ça qui compte.

Je ne peux que remercier Dieu pour des hommes dévoués comme lui, car c'est ce dont l'Eglise a le plus besoin: des hommes et des femmes remplis de l'Esprit Saint qui ont l'amour de Dieu et des âmes et qui connaissent bien la Bible. Malheureusement, ils sont vraiment trop rares. Le curé Guillot est évidemment persécuté par les gens de son propre village à cause des vérités qu'il dit. Quand on prêche la vérité, on ne peut pas faire autrement que de piquer au vif les gens qui se conduisent mal, car la vérité n'est pas toujours ce qu'on voudrait qu'elle soit, mais elle est froidement ce qu'elle est.

- Je suis convaincu que Gilles a lui aussi réalisé qu'il y avait encore de bons prêtres, car nous en avons rencontré un à la fin de notre semaine. Il nous a hébergés pendant trois jours dans son presbytère.

- André a raison, ajouta Gilles. D'autant plus que c'est arrivé d'une façon un peu spéciale.

- Laisse-moi lui raconter, reprit André. Tout a commencé quand on s'est retrouvé un soir, à neuf heures, sans aucun endroit où dormir. On est alors allé frapper à la porte d'une petite communauté de religieuses. On fut bien accueilli, mais les soeurs ne pouvaient nous héberger car on était trois et leur maison était trop petite. Elles décidèrent donc de nous emmener avec leur voiture au presbytère du village voisin qui était grand et occupé par le curé seulement. Toutefois, quand on est arrivé le curé était absent, et on a dû l'attendre environ une heure en compagnie des soeurs. Les religieuses étaient vraiment impressionnées par la foi et le zèle qu'on avait pour aller évangéliser ainsi. Elles n'ont pas cessé de nous poser des questions. L'une d'elles nous avoua même qu'elle avait toujours rêvé de faire ce qu'on faisait, mais qu'avec le temps elle s'était résignée à travailler comme professeur d'école. Il était presque minuit quand le curé fit son entrée dans le presbytère. On peut dire qu'il était surpris, car imagine-toi donc que quelques heures plus tôt, il avait accueilli Manon et Michel qui évangélisaient justement ce village. Ces deux-là dormaient déjà sur leurs deux oreilles depuis au moins deux heures.

- Le curé a eu l'air de trouver ça bien drôle, l'interrompit Gilles. En tout cas, sa générosité fit chaud au coeur des religieuses. Malheureusement, les curés de paroisses refusent trop souvent d'accueillir dans leur grand presbytère des gens qui en auraient bien besoin.

- C'est vrai, dit Michel, ils devraient se servir de toutes ces bâtisses pour accueillir les clochards, les prostitués, les drogués, les ex-prisonniers et les aider à se sortir de leur misère. Là, au moins, ces grosses cabanes seraient utiles à l'oeuvre de Dieu.

- En tout cas, notre curé, lui, était bien correct, continua André. En arrivant, il nous invita dans la cuisine pour prendre une petite bouchée avant d'aller au lit. Il faut dire qu'il était jeune pour un curé de paroisse, pas plus de 35 ans. Il avait eu la chance de travailler comme missionnaire au Nicaragua pendant plusieurs années et cela l'avait beaucoup changé. A côtoyer la misère, la maladie et la souffrance, il avait découvert le vrai visage de la religion, c'est-à-dire aimer sans condition, accueillir les autres, partager avec eux, comprendre leurs souffrances et les aider. Il s'efforçait de mettre tout cela en pratique au maximum.

- Il était aussi très emballé par notre travail, dit Gilles. Quand vint le temps d'aller se coucher, son attention fut attirée par l'un de nos volumes qui était légèrement sorti de mon sac. C'était "Prophéties de la fin des temps". Il nous en demanda aussitôt un exemplaire, car il était curieux de nous connaître davantage. La journée se termina là-dessus. On était tous très heureux d'aller se coucher et on a même fait une petite prière tous ensemble. Je crois que c'était la première fois de ma vie que je priais avec un curé.

- Le lendemain matin, continua André, c'est moi qui me suis réveillé le premier. Je descendis discrètement au salon pour lire quelques chapitres de ma Bible et quelle ne fut pas ma surprise de voir Roger, le curé, en train d'achever la lecture de notre livre. En fait, il avait passé une bonne partie de la nuit debout et il était levé depuis six heures le matin. Je lui demandai s'il était toujours aussi matinal et il me répondit que non. Ce livre, écrit par des jeunes catholiques à propos des prophéties de la fin des temps l'avait tellement intrigué, qu'il n'avait pu attendre pour le lire. Il me dit qu'il trouvait ça très bon, qu'il n'était pas d'accord avec tout ce qui était écrit, mais que l'important dans le fond, c'était que les catholiques se réveillent et que les prophéties de Jésus sur la fin des temps soient dévoilées. Il me confia également que cela l'avait beaucoup réjoui de me voir descendre, ma Bible en main, car lui aussi, à tous les matins, faisait la même chose. Au début de sa prêtrise, il ne la lisait pratiquement jamais, des petits bouts ici et là dans son bréviaire et c'était tout. Mais ces dernières années, la Bible était devenue sa compagne de tous les jours car il avait compris qu'il avait besoin, comme tout le monde, de nourrir sa foi. Il me dit encore:

- Si tous les membres de l'Eglise étaient des justes, pourquoi auraient-ils besoin de l'Eglise? L'Eglise n'est-elle pas une école pour les pécheurs? Ses professeurs sont aussi élèves. Ils doivent eux aussi suivre l'enseignement de l'Eglise qui est de marcher sur les traces du Christ.

- André, l'interrompit Michel, j'aurais une question à te poser. Est-ce que tu lui as demandé pourquoi la plupart des prêtres n'encouragent pas les gens à lire la Bible?

- Oui, je lui ai justement demandé. Il m'a répondu que si l'Eglise avait défendu aux gens de lire la Bible, sous prétexte qu'ils ne pouvaient pas la comprendre, c'était pour les garder dans l'ignorance et leur imposer toutes les traditions qu'ils voulaient. Il m'a avoué aussi que l'Eglise n'était pas parfaite et qu'il y avait plein de choses qu'elle devrait faire et ne faisait pas. Il m'a parlé également de ses études en théologie et comment, pendant toutes ces années passées à raisonner, il avait fini par perdre de vue la simplicité du Christ.

- Ah, la théologie, soupirai-je. On a si bien enlevé la vraie saveur de l'Eglise que la théologie actuelle ressemble à une théologie des oignons: après avoir enlevé toutes les pelures, il ne reste plus rien! En effet, il n'y a rien de mal pour un politicien à faire de la politique, ni pour un philosophe à faire de la philosophie, mais lorsque les dirigeants religieux se mêlent de politique, de psychologie, de philosophie, de sociologie et d'humanisme de toutes sortes, ce n'est plus du tout la même chose. Nous n'avons plus des prêtres, mais des poli-psycho-philo-socio-humanologues assaisonnés de quelques grains de Parole de Dieu, au lieu de simples hommes de Dieu.

- Avec le temps, poursuivit André, Roger a finalement compris que l'Esprit Saint, ainsi qu'une foi simple et sincère, étaient tout ce dont nous avions besoin pour comprendre la Bible, parce qu'en réalité elle s'explique d'elle-même.

- Je suis bien content pour lui qu'il ait finalement compris, dis-je. Le problème aujourd'hui de bien des gens, c'est qu'ils confondent Dieu et religion, alors qu'en réalité il y a une énorme différence entre les deux. Au cours de l'histoire, les théologiens ont tellement ajouté de traditions, d'enseignements humains et de cultes à la Parole de Dieu qu'ils l'ont étouffée. Ils se sont bâti une religion d'homme et "ils ont enlevé la clef de la connaissance"[2] comme l'ont fait les docteurs de la loi du temps de Jésus. Il faut revenir à la fondation, c'est-à-dire à la base de l'enseignement chrétien, à ce fondement solide et durable qui n'a jamais changé et qui ne changera jamais: le Nouveau Testament pur et simple.

- Au fond, dit Hélène, les prêtres, les évêques et les cardinaux se sont laissés prendre au même piège que les scribes, les pharisiens et les sacrificateurs du temps de Jésus. Comme eux, ils ont délaissé les choses les plus importantes de la loi, c'est-à-dire l'amour, la miséricorde et la fidélité envers Dieu pour servir leur propre intérêt.

- Sais-tu ce que les curés disaient aux paroissiens il y a de cela quelques années? l'interrompit Manon. C'est Roger qui nous l'a raconté: "Détachez-vous des biens de la terre et amenez-les au presbytère".

- C'est vrai ce que tu dis là? lui dis-je en riant.

- Mais oui Jacques, c'est bien vrai, m'assura-t-elle.

- Ce qui arrive à bon nombre de religieux, c'est qu'ils oublient ce "premier amour" qui les avait un jour poussés à donner leur vie pour servir Dieu. Au lieu d'être d'humbles serviteurs de Jésus, ils sont devenus avares, mondains et orgueilleux dans leur presbytère douillet et luxueux qu'ils ne veulent pas abandonner pour suivre le chemin de croix d'un vrai croyant. La plupart des religieux n'osent pas mettre en lumière les vices cachés de l'Eglise. Ils ont peur de perdre leur position et leur réputation et deviennent hypocrites, car ils préfèrent la gloire des hommes plutôt que la gloire de Dieu. Il y a un verset dans l'épître aux Romains qui parle des dirigeants religieux et qui décrit bien ce que je veux dire: "Toi donc qui enseignes les autres, ne t'enseignes-tu pas toi-même? Toi qui prêches qu'on ne doit pas dérober, dérobes-tu? Toi qui dis qu'on ne doit pas commettre adultère, commets-tu adultère? Toi qui te glorifies en la loi, déshonores-tu Dieu par la transgression de la loi?

Car le nom de Dieu est blasphémé à cause de vous parmi les nations"[3].

- Malheureusement, beaucoup de monde ne croient plus en Dieu à cause des mauvais exemples qu'ils voient dans l'Eglise, répondit Michel.

- Même que la tiédeur des prêtres, leur dis-je, se reflète dans l'état spirituel de leurs paroissiens; leurs églises sont pleines de croyants "jello" qui n'ont pas de fondation solide pour leur foi et qui manquent de fermeté. Beaucoup de gens sincères vont à l'église parce qu'ils ont soif d'entendre les Paroles de l'Eternel, mais comme ils sont gardés dans l'ignorance et qu'ils n'ont pas de bons exemples de la part des dirigeants, ils s'attiédissent.

- Combien de gens vont à l'église une fois de temps en temps pour se laver la conscience, et croient qu'ils sont bons, qu'ils vont aller au ciel, parce qu'ils pratiquent une religion, remarqua Gilles.

- Que veux-tu, lui dis-je, ils ne sont pas enseignés à haïr le mal, ni à aimer Dieu concrètement dans leur vie de tous les jours et à grandir dans la foi. C'est la même chose pour ceux que la Bible nomme "prosélytes", les jeunes séminaristes. La plupart de ces jeunes cherchent sérieusement à servir Dieu. Malheureusement, à cause de leur naïveté et de leur simplicité de coeur, ils se font séduire par les belles paroles et les grands discours de leurs dirigeants et enseignants. C'est ainsi qu'ils apprennent à servir les hommes et leurs traditions plutôt que Dieu. La triste réalité, c'est qu'ils sont induits en erreur dès le départ. Ce ne sont pas eux les vrais coupables, mais ils se font quand même prendre au piège.

C'est une chose de se dire chrétien, poursuivis-je, c'en est une autre de l'être réellement aux yeux de Dieu, de Le servir d'une manière qui Lui plaise et de persévérer, jour après jour, dans les beaux temps comme dans les mauvais temps, dans la prospérité comme dans l'adversité, dans la joie comme dans la tristesse, dans le renoncement et le sacrifice de soi. Dieu ne veut pas qu'on l'aime avec de belles paroles, de belles intentions, de beaux désirs, de belles idées, car c'est de l'hypocrisie. Mais Il veut qu'on l'aime de tout notre coeur en action et en vérité. Quand notre coeur est à Dieu, on a des fruits, à savoir des actions concrètes qui le démontrent. C'est à cela qu'on reconnaît les véritables chrétiens. Puisque le mot "Eglise" veut dire "assemblée de croyants" et non pas "bâtisse luxueuse", et bien il faut construire l'Eglise afin que chaque croyant baptisé soit une pierre vivante et active.

- Roger nous a dit avant qu'on parte, enchaîna André, que ça n'était pas le nombre de croyants qui comptait, mais plutôt que ceux qui appartiennent à une église soient forts et sanctifiés dans la foi. Je crois que cela lui faisait quelque chose qu'on s'en aille. Il nous a dit qu'il y avait bien longtemps qu'il n'avait pas eu la chance d'avoir une aussi bonne communion spirituelle avec des frères et soeurs dans la foi.

- En tout cas, leur dis-je, c'est encourageant de savoir qu'il y a encore des prêtres qui n'ont pas honte de l'Evangile et qui s'appliquent de tout leur coeur à enseigner son message. Il commence à être tard, les amis. On devrait aller se coucher pour être en forme demain et profiter pleinement de notre journée de congé. Mais avant, j'aimerais vous raconter une petite histoire qu'un de mes amis, qui est évêque me raconta un jour:

C'est l'histoire d'un évêque qui manquait de prêtres pour une église de village. Etant donné qu'il était mal pris, il confia l'église à un paysan qui n'avait pas d'instruction. Cependant, en rentrant dans son évêché, il eut peur d'avoir commis une grave erreur. Il s'arrangea donc pour se rendre à cette église un dimanche matin. Y étant entré sans avoir été reconnu, il se dissimula derrière un pillier, désireux de voir si ce nouveau prêtre valait quelque chose. Il fut saisi d'émotion: les prières étaient dites du plus profond du coeur, le chant ressemblait à celui des anges, la lecture des Ecritures se faisait avec un grand respect, le sermon était simple et édifiant. Ce fut l'office d'un prêtre au coeur brûlant. Celui-ci achevé, l'évêque monta à l'autel, s'agenouilla devant le prêtre et lui demanda sa bénédiction. Le pauvre prêtre, surpris, lui dit: "C'est vous qui devez me bénir, et non le contraire". L'évêque insista: "Je n'ai jamais vu un prêtre servir Dieu avec autant de coeur que vous le faites". Le prêtre sans instruction répondit alors: "Mais votre éminence, y a-t-il quelqu'un qui serve Dieu autrement?"

Nous avons besoin de prêtres simples comme celui-là pour que les croyants apprennent à aimer Dieu et à Le respecter.

---

1. Evangile de Jean, chapitre 7, verset 38
2. Evangile de Luc, chapitre 11, verset 52
3. Epître de Paul aux Romains, chapitre 2, versets 21 à 24

CHAPITRE 11

LE PRINCE DES TÉNÈBRES

Au début de l'année 1983, la piqûre de l'ours me prit à nouveau. Au fur et à mesure que la neige disparaissait sous le soleil du printemps, je sentais monter en moi l'appel de la forêt. Je savais bien que l'ours allait bientôt sortir de sa ouache, après son sommeil d'hiver qui l'avait gardé inactif pendant de longs mois. Encore une fois, je ne pus résister à ce désir intense de vivre de nouvelles expériences avec mon mystérieux compagnon. J'avais tellement la piqûre que j'en étais même gravement contagieux. En effet, j'en parlais avec tant d'enthousiasme que je réussis sans difficulté à convaincre d'autres personnes de participer à mes expéditions en forêt. En même temps, ça me donnait la chance de les éloigner de la ville, tout en les rapprochant de la foi. C'était aussi l'occasion pour partager avec eux tout ce que j'avais pu apprendre au fil de mes aventures avec l'ours.

Cette année-là, je partis donc de Montréal accompagné de quatre solides gaillards tous heureux de changer d'air et de partir pour une aventure nouvelle. Il y avait Luigi, Georges Doré, Michel Thibodeau et Jean Déziel. Jean, lui, travaillait avec moi en réhabilitation depuis que je l'avais aidé à se libérer de l'héroïne, quelques années auparavant. Tous étaient des gens de la ville, et ils mouraient d'envie de voir de leurs yeux ce qu'ils avaient entendu de ma bouche. En tout cas, malgré la distance à parcourir, ils avaient bien hâte de se retrouver en Abitibi, l'endroit dont je leur avais tant vanté le nombre incroyable d'ours. Le court séjour que j'y avais fait les années précédentes m'avait convaincu que la région en était pleine.

Georges, notre conducteur, n'était pas le genre à bloquer la circulation. On fit donc le voyage dans le temps de le dire. Notre première surprise fut la neige. En effet, plus nous montions dans le nord en s'enfonçant dans le parc de La Vérendrye, plus il y en avait; et pourtant lorsque nous avions quitté Montréal, la température était très chaude et la verdure avait déjà commencé à paraître. Alors que nous traversions le parc, on aperçut à un moment donné des enfants amérindiens sur le bord de la route. Sans aucun doute, ils devaient être installés avec leurs parents non loin de là. On arrêta la voiture sur l'accotement pour aller leur rendre visite; une petite"trail" qui s'enfonçait dans le bois nous mena à leur campement. Ils venaient tout juste de tuer un orignal et ils étaient en train de le débiter là, sur une table. Très souvent, des familles amérindiennes entières (père, mère et enfants) vont passer tout l'hiver en forêt, sous la tente, à trapper et à chasser; ils en ressortent en pleine santé et riches de peaux de toutes sortes, alors que nous, on y laisserait probablement notre peau. Je fis un brin de causette avec eux et m'informai si les ours étaient sortis. L'un d'eux m'assura que oui; en effet, il avait vu des pistes à quelques endroits et il croyait bien qu'ils étaient réveillés.

On reprit la route. Croyez-le ou non, lorsqu'on arriva à Rouyn-Noranda, les lacs étaient encore couverts de glace. On réalisa ce que ça voulait dire de se retrouver 400 milles plus au nord. En fait, c'est plus précisément à Evain que l'on s'installa, toujours fidèles à notre habitude. On prit une chambre à l'hôtel Evain et on descendit au bar pour y passer la soirée. Luigi, Georges et Michel jouaient au billard pendant que Jean et moi, on discutait.

- Il ne faut pas se coucher trop tard ce soir, si on veut être en forme pour demain.

- Ben voyons, Jacques! On va avoir du temps en masse pour se reposer en attendant que les ours viennent manger.

- Toi Jean, ça paraît que tu ne connais pas l'ours. Si tu te fermes les yeux, tu prends la chance de ne pas l'entendre arriver, parce que crois-moi, un ours c'est très silencieux.

- Comment ça, je l'entendrai pas? Avec la grosseur qu'il a, jamais je croirai que je pourrai pas m'apercevoir de sa présence!

- Ca, c'est ce que tu penses. Laisse-moi te raconter l'histoire de l'américain à qui j'ai servi de guide pendant quatre jours, l'année passée. Les trois premiers jours, il n'a rien vu. L'ours mangeait tout ce qu'il y avait à manger, mais l'américain ne le voyait jamais. Je lui disais qu'il faisait sûrement trop de bruit. Les trois quarts du temps, quand tu es guide, c'est ce que tu dis aux gars, parce que c'est toujours ce qu'ils font les premières journées. Puis, le quatrième jour, je lui dis:

- Monsieur, il y a quelque chose qui ne marche pas. Je voudrais que vous me disiez ce que vous faites. Vous êtes assis là, votre carabine est chargée, vous avez un télescope, vous êtes prêt; qu'est-ce que vous faites? Etes-vous bien certain que vous regardez l'appât?

C'est alors qu'il me répondit, tout hésitant comme quelqu'un que je venais de prendre au piège:

- Je lis un livre.

A cette réponse, je compris tout. Je pris donc le temps de lui expliquer un peu plus quelle sorte de bête est l'ours, pour le ramener sur terre et faire en sorte qu'il puisse en tuer un.

"Monsieur, vous n'attraperez jamais un ours en lisant un livre, car vous ne l'entendrez pas venir. Lui, il a fait ses pistes dès le début du printemps. Il marche et marche et marche dans ses "trails" en mettant toujours ses pattes à la même place pour briser les petites branches et les petits arbres. Cela lui permet, le reste de l'été, de se procurer sa nourriture facilement sans faire le moindre bruit autour de lui et sans que les autres animaux l'entendent. Autrement dit, c'est comme si l'ours mettait ses pantoufles."

- Crois-moi Jean, si un ours de 600 à 700 livres a fait ses pistes auparavant, il peut arriver à ta tour d'observation sans même que tu l'aies entendu, prendre une grosse bouchée de viande, puis s'en aller manger ça loin dans le bois et revenir une dizaine de minutes après pour en reprendre. Quand un ours adulte a mangé dix livres de viande dans sa journée, il ne revient plus, et toi, tu as perdu ton ours. Finalement, j'avertis mon américain sérieusement:

"Aujourd'hui, fermez votre livre et chassez. Ce n'est pas le temps de lire, c'est le temps de chasser."

La même journée, il a tué son ours. Tout ça pour te montrer comment un ours ça peut être silencieux!

- C'est bon à savoir, Jacques. Demain, je vais garder mes yeux bien grand ouverts.

On cessa de parler pendant quelques instants. J'étais comme un peu perdu dans mes pensées; ces quelques mots sur l'ours m'avaient ramené dans le temps, au coeur de la forêt. Je ne pouvais m'empêcher de songer à cet animal étonnant que j'allais bientôt côtoyer à nouveau, et toutes sortes de souvenirs me revenaient à la mémoire. Après quelques instants de réflexion qui se faisaient sans doute un peu trop longs, mon ami Jean me sortit soudainement de mon monde:

- Hé! Jacques! J'sus là. Faudrait pas que tu m'oublies. T'as l'air d'un gars qui est déjà rendu dans le bois avec les ours.

- Ouais, excuse-moi Jean. Je me suis mis à méditer tout d'un coup. En fait, en te parlant de tout ça, je me suis rappelé quelque chose d'un peu spécial à propos de l'ours.

- Quoi donc?

- Tu vas peut-être trouver ça fort un peu, mais tu vas voir toi-même à quel point c'est vrai. Après toutes ces années à observer et à étudier l'ours noir dans tous ses agissements, je me suis rendu compte, un moment donné, que l'ours était vraiment la plus belle figure du diable qu'on puisse trouver. L'ours noir est un animal tellement rusé et tellement silencieux lorsqu'il se promène dans la forêt avec ses "pantoufles", qu'il ressemble exactement au diable dans sa manière d'agir.

- Explique-toi un peu Jacques.

- C'est ben simple Jean. Le diable est tellement subtil et rusé lui aussi, que les gens ne soupçonnent même pas qu'il est là tout près d'eux, tout comme l'ours dans la forêt. Et crois-moi, le diable est bien content de passer inaperçu; cela fait vraiment partie de son plan pour tromper les gens. D'ailleurs, son plus grand piège est justement de faire accroire au monde qu'il n'existe pas. En effet, comment veux-tu que les gens se méfient de quelqu'un en qui ils ne croient pas?

- C'est sûr, Jacques, mais c'est difficile pour eux de croire en quelqu'un qu'ils ne voient pas.

- Pourtant, les résultats de sa présence sont bien là. Il ne faut jamais oublier, Jean, que le diable est un être puissant. Autant il a été puissant pour le bien dans le royaume des cieux, autant il l'est pour le mal aujourd'hui sur la terre. Du jardin d'Eden jusqu'à nos jours, cela lui fait 6000 ans d'expérience dans les différentes façons de séduire les gens par ses innombrables pièges. L'Apocalypse nous dit "qu'il séduit la terre habitée tout entière"[1]; cela explique la méchanceté qui règne partout autour de nous. Cela explique aussi pourquoi tous les moyens de communication sont presque toujours employés pour enseigner aux hommes à être mauvais. C'est bien à travers les journaux, la télévision et la publicité que les gens sont influencés ouvertement ou dans leur subconscient à faire ce qui est mal. Ce n'est pas un hasard non plus si l'on n'y voit surtout que la misère et l'injustice sur la planète, et qu'on y entend presque seulement de mauvaises nouvelles. C'est à Satan qu'appartient la terre, et l'humanité entière est sous son emprise. Comme l'apôtre Jean nous le confirme: "le monde entier est sous la puissance du malin"[2].

Ce n'est donc pas surprenant si le monde va mal. Ainsi, ce n'est pas Dieu qui est l'auteur du malheur de la race humaine, mais Satan, l'ennemi et l'adversaire de l'homme. Son pouvoir s'étend dans tous les domaines et c'est vraiment lui qui est "le chef de ce monde"[3]. Je veux dire par là qu'il a autorité sur la vie et l'esprit des gens. Car il a établi un plan bien précis pour embarquer le monde dans une manière de vivre qui ne les rend même pas heureux, mais à laquelle ils doivent se soumettre. On appelle cela la "roue du système". Et c'est lui qui tourne la roue et qui fait tourner le monde en rond.

- Mais Jacques, les gens n'ont pas le choix de travailler s'ils veulent survivre, tu le sais bien, même que c'est Dieu qui a dit que l'homme devait gagner son pain à la sueur de son front.

- C'est certain qu'il faut travailler dans la vie, Jean, mais la question c'est qu'il ne faut pas travailler seulement pour s'amasser des biens matériels, voilà toute la différence. Les gens devraient apprendre à vivre plus simplement, au jour le jour, au lieu de se casser la tête et de se stresser pour posséder tout ce que la société leur fait désirer.

- Il me semble que c'est juste normal que les gens profitent un peu de leur argent quand ils en ont l'occasion. Ils travaillent assez fort!

- Les gens n'en profitent pas autant que tu le penses Jean, car ils finissent toujours par devenir esclaves du système et ne sont jamais contents de ce qu'ils gagnent. Cela fait bien longtemps que c'est ainsi d'ailleurs; Aggée, un prophète de l'Ancien Testament disait, il y a de cela 2500 ans: "Considérez bien vos voies. Vous avez semé beaucoup, et vous rentrez peu; vous mangez, mais vous n'êtes pas rassasiés; vous buvez, mais vous n'en avez pas assez; vous vous vêtez, mais personne n'a chaud; et celui qui travaille pour un salaire, travaille pour le mettre dans une bourse trouée"[4]. On passe ainsi toute notre vie à travailler pour faire de l'argent et on oublie le plus important, qui est de travailler à notre salut. Jésus disait: "Que profitera-t-il à un homme s'il gagne le monde entier, et qu'il fasse la perte de son âme; ou que donnerait un homme en échange de son âme?"[5] C'est certain qu'il faut gagner sa vie dans ce monde-ci, mais il ne faut surtout pas négliger de nous préparer pour l'autre monde.

- En tout cas, ajouta Jean, c'est facile de se laisser aveugler et tromper sur le sens réel de notre existence terrestre quand on vit dans un monde comme le nôtre. On dirait bien en tout cas, que ça fait partie du plan du diable de tenir les gens le plus loin possible de la vérité. J'ai lu justement dans l'Evangile l'autre jour que "le diable est menteur et le père du mensonge"[6].

- C'est bien vrai ce que tu dis, et sa ruse dans le mensonge ne s'arrête pas là. Le diable sait qu'à vivre dans ce monde, nous ressentons tous, un jour ou l'autre, ce fameux vide intérieur et que nous cherchons alors le moyen d'étancher notre soif spirituelle. C'est pourquoi il se sert de tromperies habiles et de moyens humains pour nous attirer vers une fausse liberté, une fausse joie et une fausse paix. Il égare ainsi les gens par toutes sortes de philosophies ayant une apparence de sagesse comme l'ésotérisme, la méditation transcendentale, les extra-terrestres, la dianétique et tant d'autres qui ne sont, en fait, que des fables inventées par des hommes. C'est attirant pour ceux qui cherchent, parce que toutes ces philosophies séduisent par l'ambiance de mystère qu'elles dégagent, et parce que c'est aussi beaucoup plus facile de croire en tout cela que de mettre en pratique le message du Christ.

Pour les mêmes raisons, beaucoup de gens mettent leur confiance dans les sciences occultes, la sorcellerie, l'hypnotisme, les pouvoirs paranormaux, les voyages astraux, les astrologues, les diseurs de bonne aventure, et enfin tous ces médiums qui invoquent les morts ou communiquent avec les esprits. Malheureusement, plusieurs ignorent que le diable est à la source de toutes ces manifestations spirituelles, et que ce n'est pas trop long qu'on devient victime de ces puissances sataniques auxquelles on a fait appel.

- Moi, Jacques, j'en connais même qui en sont venus au suicide à force de jouer avec ça.

- Ce n'est pas pour rien que Dieu a toujours défendu ces pratiques. On peut lire dans l'un des livres écrit par Moïse, il y a de cela près de 3500 ans, que "tous ceux qui font ces choses sont en abomination devant l'Eternel"[7]. Cela est plutôt clair n'est-ce pas?

Au fond, ce qu'il nous faut comprendre là-dedans, c'est qu'il ne peut pas y avoir de communion entre Dieu et le diable, pas plus qu'entre les ténèbres et la lumière. On est d'un côté ou de l'autre. Le Christ étant la lumière du monde et Satan, le "prince des ténèbres", ça ne peut certainement pas marcher entre les deux. Ca dit même dans l'Evangile que "le Fils de Dieu a été manifesté, afin qu'il détruisît les oeuvres du diable."[8] Le diable hait donc le Christ et Sa lumière. Ce qu'il aime, ce sont les ténèbres, la nuit, le secret, la cachette, et c'est là qu'il agit le plus. Combien de vols, de meurtres, d'orgies, de débauches, d'adultères, etc., ont lieu la nuit et non le jour.

- C'est vrai ce que tu dis là, Jacques. Bien souvent aussi ces choses commencent dans des bars.

- T'as raison, ajoutai-je. Quand l'alcool a engourdi notre conscience, on dirait que le diable met le paquet. Il faut juste être sur nos gardes Jean, et avoir l'oeil ouvert sur les ténèbres du diable. Mais on a assez parlé pour l'instant. Viens, on va aller rejoindre nos trois "moineaux" à la table de "pool". Ils nous font des signes depuis tantôt. On va aller leur montrer ce qu'on est capable de faire.

- D'accord, me lança Jean, tout en se levant d'un seul bond de sa chaise.

- Bon, vous v'là vous autres, cria le gros Georges. Yé pas trop tôt! Maintenant que vous avez fini de placoter comme des "mémères" prenez donc une baguette qu'on vous montre à jouer, Luigi et moi.

- Pas de problèmes, les gars, on vous laisse commencer, lui répondit Jean.

Georges me tira un peu à part et me confia:

- En tout cas Jacques, je te remercie de m'avoir amené ici. Quand je pense que la première fois que je t'ai vu, je t'ai frappé d'un coup de poing au visage juste parce que tu me parlais du bon Dieu! C'est pas croyable comment on peut être des fois. Une chose est certaine, je peux te dire que tu m'as vraiment convaincu que t'étais un vrai chrétien en agissant d'même. T'as même pas essayé de te venger, pis en plus le lendemain, t'es même venu me parler comme si de rien n'était. Ca, ça m'a assommé "ben raide".

- Ecoute Georges, t'étais tellement saoûl que tu savais même plus ce que tu faisais; je pouvais certainement pas t'en vouloir pour ça. Je t'ai pardonné facilement, pis j'ai oublié tout ça.

- Je suis vraiment content qu'aujourd'hui on soit des amis. J'ai besoin de "chums" comme toi dans mon entourage. Des vrais "chums" qui sont capables de m'encourager à rester dans le bon chemin, me dit-il.

La soirée fut bien agréable autour de la table de "pool", mais elle fut quand même plutôt courte. Tout le monde avait dans le corps la fatigue du long voyage de la journée. Il n'était pas encore minuit lorsqu'on se dirigea tous vers notre lit. En quelques instants, tout le monde dormait profondément.

Cette nuit de sommeil nous permit vraiment de refaire nos forces et nous étions tous frais et dispos le lendemain matin. Après un déjeuner rapide, laissez-moi vous dire que mes gars étaient tous pressés d'aller explorer les bois environnants et d'y installer nos appâts. Dans le temps de le dire, on était tous dans la voiture et la joie se lisait sur tous les visages. Il y avait dans cette région d'Evain une quantité incroyable de chemins de pénétration qui s'enfonçaient un peu partout dans la forêt. Ces chemins nous facilitaient énormément la tâche et nous permettaient d'atteindre des coins très reculés en pleine forêt. Finalement, l'heure de la chasse sonna. Après quelques recommandations de dernière minute, je les laissai donc chacun à leur plate-forme.

Mes quatre compagnons étaient tous anxieux d'avoir un ours dans le champ de tir de leur carabine. Malheureusement, ils ignoraient presque tout de l'ours et ils étaient bien loin de savoir vraiment dans quoi ils s'étaient embarqués. Vouloir tuer un ours c'est une chose, le faire c'est autre chose. Jean l'apprit le premier; il blessa l'ours d'une balle, mais celui-ci disparut quand même dans la forêt. Michel blessa lui aussi un ours et le vit s'enfuir à pleines jambes. Ils découvrirent à leur plus grand regret sa résistance incroyable. Comble de malchance, la même chose m'arriva. Georges toussait trop et apeurait les ours; il m'avait demandé d'en tirer un pour lui. Tout comme les autres, je ne réussis pas à l'atteindre mortellement. Bien que blessé, il s'enfonça profondément dans la forêt et on fut incapable de le retrouver. Imaginez donc: 0 sur 3. Enfin, Luigi fut l'homme chanceux; il en tua un.

Au fond, tout ceci me faisait beaucoup de peine. Cela n'avait vraiment pas d'allure de blesser des animaux ainsi. J'avais ma leçon: fini la chasse. Désormais, je ferais de l'observation seulement. C'est donc à ce moment que j'ai décidé de ne plus tuer d'ours. Bien sûr, j'ai continué d'accompagner des gens en forêt, mais j'avais compris qu'il était beaucoup plus profitable de leur apprendre à connaître cet animal en l'observant vivant.

Ce soir-là, on se retrouva encore une fois au bar de l'hôtel. Bien sûr, chacun en avait long à raconter sur les événements de sa journée. Même si mes amis n'avaient pas tué d'ours, ils étaient tous bien contents pour Luigi.

- Jacques, leur as-tu raconté ce qui m'est arrivé aujourd'hui dans la tour?

- Ben non, Jean, j'ai pas encore eu le temps. Tu devrais leur raconter pour les faire rire un peu.

- Imaginez-vous donc que Jacques était venu me reconduire à ma tour. Moi, je monte et je fais le tour de ma plate-forme pour m'installer comme il faut. Tout d'un coup, j'ai entendu un craquement et j'ai juste eu le temps de m'agripper à une branche avant que la plate-forme ne s'écrase sur le sol, 20 pieds plus bas. J'étais suspendu entre ciel et terre et la seule chose que Jacques a trouvé à faire, c'est d'éclater de rire.

- C'est un peu normal que j'aie ri, tu étais tellement comique accroché à cette branche. Et puis, de toute façon, tu peux pas m'en vouloir, parce que je suis allé t'aider tout de suite après à replacer ta plate-forme.

- Ca doit être pour ça que j'ai manqué mon ours, continua Jean, la plate-forme devait être mal placée et elle a bougé quand j'ai tiré sur lui.

- Des excuses, des excuses! En tout cas, moi je suis bien content d'avoir visé juste! Ma femme n'aura pas le choix de me croire, pour une fois que j'ai la preuve que je suis allé à la chasse, dit Luigi.

La soirée se déroula bien joyeusement autour de cette table. On y but quelques bières et on a ri ensemble de bon coeur toute la soirée. Tout le monde était bien satisfait de sa fin de semaine, même si leur court séjour de chasse était déjà terminé. En effet, Luigi, Georges et Michel devaient retourner en ville le lendemain pour leur travail. Toutefois, je demandai à Jean de rester avec moi, parce que je venais d'avoir l'idée d'inviter, pour des vacances dans le bois, les collaborateurs de mon oeuvre d'évangélisation et je voulais que Jean en profite lui aussi. Il fut bien heureux de cette invitation, et on se promit quelques semaines de bon temps dans la forêt ensemble. Ainsi, dès le lendemain, j'offris à une dizaine de mes amis proches de venir observer l'ours en ma compagnie. C'est donc ainsi que débuta une série de recherches et d'études approfondies sur l'ours noir d'Amérique.

Nous avions choisi dix-sept emplacements précis où on allait porter régulièrement des restants de boucherie qui nous coûtaient à peu près rien. Un monsieur à Evain nous vendait des boîtes pleines, même parfois des gros contenants. A chacun de ces endroits, on avait construit une plate-forme dans les arbres qui, tout en nous cachant et en éloignant un peu notre odeur, nous donnait une très bonne vue des alentours. On avait aussi quelques places derrière des camps en plein bois, mais une plate-forme c'est encore mieux. En fait, on peut appâter à peu près n'importe où dans la forêt. Il s'agit de faire une petite éclaircie et une tour d'observation pas trop loin. Une fois tout cela en place, il ne manque plus que la patience et le silence qui feront de nous de bons observateurs. Si vous faites le moindre bruit, vous ne verrez jamais d'ours. Il faut vraiment, vraiment faire attention, je vous le dis.

Quand on n'était pas dans le bois à observer les ours, on était à l'hôtel d'Evain, car c'est là qu'on logeait pendant nos vacances. Presqu'à tous les jours, on se rejoignait au bar, on buvait là quelques bières et on partageait nos aventures d'ours. Il y avait avec nous un jeune homme de l'Abitibi, Paulo Guilbeault, qui avait grandi dans la région entourant le village d'Evain. Il faisait partie de notre organisation depuis un an déjà. Lui aussi avait laissé le monde de la drogue et s'était joint à nous pour faire l'expérience de la foi et de l'Evangile avec notre équipe de chrétiens. On l'avait embarqué dans nos aventures d'ours et il était venu passer quelques temps sur nos plates-formes. Il était très impressionné de savoir qu'il y avait autant d'ours si près de chez lui. Car croyez-le ou non, bien qu'il soit né en Abitibi, il n'en avait jamais vu un seul et on était pourtant dans les 10 ou 15 milles carrés autour de sa maison. J'étais en compagnie de Sylvain, Guy et Jean et j'étais en train de leur raconter cette anecdote, quand tout d'un coup, je vis Paulo se diriger vers la sortie. Je l'interpellai avant qu'il ne s'en aille.

- Hé! Paulo! Dis-moi donc, combien de temps as-tu habité ici?

- Une bonne vingtaine d'années, pourquoi me demandes-tu ça?

- Justement je leur racontais que tu avais habité dans le coin, en pleine nature au fond d'un rang, et que tu n'avais jamais vu d'ours.

- C'est vrai, même que je t'avoue que c'est avec toi, Jacques, que j'ai vu mes premiers ours. Par contre, j'ai vu des orignaux en masse. Il y en avait tellement autour de chez nous qu'on les "tirait" de la fenêtre de notre maison, et ce n'est pas des farces que je vous conte-là, les gars.

- En tout cas les amis, leur dis-je, ça prouve que c'est plein d'ours et que le monde ne les voit pas. C'est rare que quelqu'un rencontre un ours. Et ce n'est pas parce que l'ours a peur de l'homme, mais plutôt parce qu'il a de bonnes oreilles et un bon nez. Son ouïe est tellement fine et son odorat puissant, qu'il va s'apercevoir de votre présence à une distance incroyable sans même que vous ne vous doutiez de rien. Je me rappelle qu'une fois j'étais à la chasse au caribou à Schefferville, dans le nord du Québec, avec Marcel Dandonneau, l'un de mes amis. Après en avoir abattus quelques-uns à différents endroits, nous avons commencé à les éventrer et à les vider de leurs entrailles. Nous nous sommes donc promenés d'une colline à l'autre pour les ouvrir chacun leur tour. Puis, une fois qu'on a eu fini, nous sommes revenus au premier caribou que j'avais tué. Et bien, à notre plus grande surprise, tout autour des entrailles il y avait des pistes d'ours toutes fraîches. Un ours venait tout juste de manger le coeur ainsi que quelques autres parties du caribou, et s'était enfui dans la toundra à travers les collines. Ca ne faisait pas dix minutes qu'on l'avait éventré, et il était déjà venu manger. Un ours, c'est comme ça; ça va, ça vient, ça se promène. Il fait ce qu'il a à faire et on ne l'entend pas du tout. C'est pour ça que je l'ai appelé le "prince des ténèbres".

- Ouais, fit Sylvain, sauf que le vrai "prince des ténèbres", lui, ne se contente pas de voler de la viande de caribou. Le diable, lui, c'est un voleur d'âmes!

- C'est aussi un destructeur, dit Paulo. Ce que j'ai vécu dans mon passé m'a convaincu qu'il essayait de détruire ma vie.

- T'es pas le seul, Paulo, lui dis-je. J'ai connu du monde dont la vie était brisée, parce qu'ils avaient mis leur confiance dans des hommes. Il faut choisir nos amis, car Satan se sert aussi du monde pour nous influencer. Il faut faire attention, et c'est pour ça que c'est important de connaître les lois morales de Dieu, afin de ne pas se faire embarquer par des serpents, des vipères ou des gens de mauvaise vie qui nous influencent à faire le mal. Il faut être très attentif pour ne pas se mettre les pieds dans des pièges à ours.

- Qu'est-ce que tu veux dire par là, Jacques? me demanda Sylvain.

- Je veux dire par là que le seul et unique but de Satan, c'est de détruire les créatures de Dieu, de nous faire mourir spirituellement en nous faisant tomber dans toutes sortes de pièges diaboliques de son invention qui détruisent notre âme. Jésus nous dit même que "le diable a été meurtrier dès le commencement"[9], ce n'est pas pour rien.

- Saint-Paul nous dit que "nous sommes tous morts par nos offenses et par nos péchés"[10]. Ainsi, quand nous désobéissons aux lois divines, nous ne nous faisons pas seulement tort à nous-mêmes, mais nous mourons intérieurement. C'est un peu comme si vous vous mettez à manger des cailloux et à boire de l'essence pendant une semaine. Naturellement, votre physique qui a ses lois, sera gravement atteint. Il en est de même avec votre esprit: il a des lois et c'est dans la mesure où l'on respecte ces lois que l'on est vivant et heureux. C'est notre ignorance de Dieu qui nous met dans toutes sortes de mauvaises situations. Combien de fois sommes-nous blessés par le péché, par le diable qui nous fait du mal, qui nous angoisse et nous rend malheureux, simplement parce que nous n'écoutons pas la voix de notre conscience? Nous nous mettons souvent les deux pieds dans les plats, parce que nous ne connaissons pas le chemin de la vie.

Le jeu du diable, c'est de nous aveugler et de nous lier avec nos péchés. Ce n'est pas toujours avec de grosses affaires effrayantes qu'il nous prend dans ses filets. Au contraire, il nous séduit bien tranquillement en nous faisant accroire que nos mauvaises habitudes et nos petits défauts ne sont pas des péchés. On se compare aux autres et on ne se trouve pas si pire que ça. A la longue, à force de se rendre juste à nos yeux, on ne voit même plus nos péchés. C'est un peu comme la "boucane" de cigarette: quand on fume, on ne se rend pas compte de la mauvaise odeur qui est imprégnée partout sur nos vêtements et dans notre maison; par contre, ceux qui ne fument pas s'en aperçoivent. On a qu'à souffler la "boucane" dans un mouchoir blanc pour réaliser jusqu'à quel point c'est sale et que ça peut nous faire du tort.

Le diable nous manipule comme des marionnettes, et les petites ficelles qu'il met autour de notre cou sont si petites et si minces que la plupart du temps, on ne s'en rend même pas compte. Avec le temps, toutes ces ficelles ajoutées les unes aux autres forment une grosse corde bien solide et le diable fait ce qu'il veut avec nous.

- De plus, il n'est pas seul pour accomplir sa sale besogne. Les pharisiens du temps de Jésus l'appelait "Béelzébul, le chef des démons"[11].

- C'est vrai Paulo, il est loin d'être seul, car il est à la tête d'une armée qui est hautement organisée pour tourmenter les hommes et les femmes et les rendre esclaves de leurs méchancetés et de leurs vices. L'Apocalypse nous mentionne que "le diable a été précipité sur la terre, et ses anges furent précipités avec lui"[12]. C'est quand on n'a jamais appris à se méfier de Satan et qu'on ignore complètement comment il opère, qu'on devient facilement une proie.

- Mais Jacques, comment se défendre d'un ennemi qu'on ne connaît pas? C'est tout à fait impossible, s'exclama Guy.

- C'est pour ça qu'il faut apprendre à le discerner, afin de pouvoir lui résister, lui dis-je.

- Mais il faut drôlement être équipé si on veut combattre efficacement, ajouta Guy.

- Ce n'est pas seulement d'être équipé, mais il faut avoir Dieu avec nous. Pense aux Américains à la guerre du Vietnam. Ils étaient peut-être bien entraînés et armés jusqu'aux dents, mais tout cela fut bien inutile. Les Vietnamiens utilisaient des tactiques et des pièges qui leur étaient inconnus. De plus, ils connaissaient la jungle de fond en comble et pouvaient aisément s'y camoufler. Les soldats américains, au contraire, s'y sentaient plutôt désorientés et se faisaient tirer dessus par des ennemis que, la plupart du temps, ils n'avaient même pas vus. Evidemment, ils ont perdu la guerre.

Sans l'Esprit Saint et sans l'armure spirituelle de Dieu, leur dis-je, il est impossible de se défendre ou de comprendre ce monde spirituel, ce monde d'esprits qui sont tout aussi invisibles que les ours dans la forêt ou que les Vietnamiens dans leur jungle. C'est seulement avec l'oeil de la foi, ce sixième sens, ce sens spirituel, qu'on arrive à discerner le diable peu à peu et c'est avec la puissance de Dieu qu'on arrive à vaincre le malin.

- Moi, dit Paulo, je suis bien content de m'être engagé dans l'armée du Christ. Ce que j'essaie de faire, à tous les jours, c'est de me donner avec autant de zèle pour l'oeuvre de Dieu que j'ai pu le faire auparavant pour chercher mon plaisir et mon intérêt.

- En tout cas, les gars, il ne faut pas arrêter de se battre et il faut continuer d'aller aider les gens. Si les vices sont contagieux, la foi l'est aussi, ne l'oubliez pas. Et si dans la vie le bien paraît toujours peu de chose à côté de la grandeur du mal, ne vous inquiétez pas; car si le mal est décrit dans la Bible comme une énorme bête à sept cornes, le Saint-Esprit, lui, descend sous la forme d'une petite colombe. Et c'est pourtant la colombe qui vaincra la bête.

- Là tu parles, me lança Paulo, tout réjouit par ce que je venais de dire.

Ces dernières paroles mirent fin à notre petite discussion sur le diable. Tout cela était bien intéressant, mais je venais tout juste de jeter un coup d'oeil sur ma montre et je devais partir à l'instant pour aller chercher du monde qui m'attendait dans le bois. Paulo se porta volontaire pour m'accompagner. Il était toujours emballé de voir des ours de toute façon. On salua nos amis et on disparut à toute vitesse au volant de notre camionnette grise.

Le temps filait bien tranquillement et nous passions des nuits et des jours entiers sur nos tours d'observation à étudier les moeurs de l'ours noir. Mes amis et moi, on se relayait sans arrêt dans les endroits où l'activité de l'ours était régulière, afin de pouvoir mieux les observer en tout temps et de cette façon, mieux les connaître. Déjà deux semaines s'étaient écoulées depuis qu'une dizaine de mes amis étaient venus me rejoindre à Evain. Ils avaient passé de belles vacances et s'en retournaient pour céder la place à d'autres de mes compagnons de travail; je voulais à tout prix donner la chance à tous ces jeunes qui oeuvraient avec moi de vivre cette expérience fantastique.

J'ai aussi initié des gens de la place à ce nouveau sport. Je m'étais, entre autres, lié d'amitié avec le propriétaire de l'hôtel. On l'appelait Bébé Poisson. C'était un gars dynamique qui aimait bien la nature, la chasse et la pêche. Il venait passer de longues soirées avec moi dans la forêt, au point où il est devenu lui-même un passionné de l'ours. Ce qui l'impressionnait le plus, c'était de savoir qu'il y avait tant d'ours dans cette région. C'est la raison pour laquelle on a surnommé Evain: la capitale de l'ours noir d'Amérique. Mais ce n'est pas la seule place, bien sûr, où il y ait beaucoup d'ours; partout au Québec où il y a des grandes étendues de forêt, il y a des ours en grande quantité. Il y en a peut-être des milliers dans la seule province de Québec. Mais comme ce n'est pas un animal qu'on peut voir facilement, ce n'est que d'incalculables heures de silence et d'écoute patiente dans la forêt qui nous ont permis de pénétrer, petit à petit, dans le monde secret de l'ours noir.

---

1. Apocalypse, chapitre 12, verset 9
2. Première épître de Jean, chapitre 5, verset 19
3. Evangile selon Jean, chapitre 16, verset 11
4. Aggée, chapitre 1, versets 5 et 6
5. Evangile selon Marc, chapitre 8, versets 36 et 37
6. Evangile selon Jean, chapitre 8, verset 44b
7. Deutéronome chapitre 18, versets 10 à 12
8. Première épître de Jean, chapitre 3 verset 8
9. Evangile selon Jean, chapitre 8, verset 44a
10. Epître de Paul aux Ephésiens, chapitre 2, verset 1
11. Evangile selon Matthieu, chapitre 12, verset 24
12. Apocalypse, chapitre 12, verset 9b

CHAPITRE 12

LA FIÈVRE DE L'OURS BLESSÉ

Depuis quelques heures déjà, j'étais dans une tour d'observation avec Eileen. On était heureux d'être ensemble et on attendait bien tranquillement que notre ours vienne manger. C'était toujours le même qui venait à cet endroit ces temps-ci; c'était en fait l'ours que Michel avait blessé. Je l'avais entendu beugler pendant plus d'une semaine, même si j'étais à un mille d'où il se trouvait. Pendant tout ce temps, il n'était pas venu manger une seule fois à l'appât. Il souffrait tout seul dans son coin, et je savais qu'il ne faisait que boire de l'eau. Plus tôt cette semaine-là, j'étais même allé voir l'endroit où il avait beuglé. Et bien, toute la place où il s'était promené était piétinée sur environ 100 pieds carrés. Il avait tout piétiné la terre et l'herbe au complet. Il avait marché et marché pour essayer de faire passer sa fièvre. Maintenant, ça faisait quatre ou cinq jours qu'il était revenu à l'appât et qu'il avait commencé à manger tranquillement. Mais il était rendu tellement méchant et négatif qu'il ne laissait plus aucun ours manger à cet endroit. Il avait tout simplement pris le contrôle de l'appât.

Tout d'un coup, on le vit arriver. Notre ours marchait seulement sur trois pattes. Il avait été tiré dans la patte arrière, à la hauteur de la jointure de la hanche. Il avait les trois quarts de la patte arrachés et elle ne tenait plus que par une petite partie seulement. Même si j'avais décidé de ne plus tuer d'ours, je n'allais quand même pas laisser celui-là souffrir inutilement comme ça. Surtout qu'il était devenu dangereux et qu'on ne pouvait plus étudier les autres ours qui ne venaient plus manger à l'appât depuis que celui-ci les avait chassés. Je décidai donc ce jour-là, avec mon épouse, de l'abattre. On se mit d'accord pour tirer en même temps au même endroit, dans le coffre. C'est une partie vitale à l'avant de l'animal où se trouve la colonne vertébrale, le coeur, les poumons et le cou. L'ours est tombé raide mort, sans souffrir. Il faut dire qu'il était déjà très faible à cause des douleurs qu'il avait endurées depuis presque deux semaines.

Ca n'a pas été long qu'on l'a débité et on est retourné en ville avec la peau. Dans l'auto, je repensais à mon autre ours que j'avais blessé deux semaines passées avec Luigi, Jean et Georges. Je me demandais si je n'allais pas devoir l'abattre lui aussi. Mes amis l'avaient entendu beugler pendant dix jours. Comme l'autre, il devait être fiévreux et sûrement pas commode avec les autres ours. Arrivé en ville, je fis cadeau de la peau à mon ami Bébé Poisson. Je lui en promettais une depuis un bout de temps. On placota au bar pendant une heure ou deux puis on se retira, Eileen et moi, dans notre chambre pour la soirée. Après une bonne douche et un peu de lecture de la Bible, on disparut sous nos couvertures.

Le lendemain fut une journée un peu spéciale. En même temps que le départ de mes amis qui étaient là depuis une dizaine de jours, ce fut l'arrivée de ma deuxième équipe d'observateurs. Ils avaient quitté Montréal le matin et se pointèrent chez nous sur la fin de l'après-midi. Les autres étaient déjà partis depuis quelques heures. On était tous bien contents de se revoir et on avait bien des choses à se raconter. Comme il faisait beau, on décida de se rendre au casse-croûte, près de l'hôtel, et de s'installer au soleil sur les tables à pique-nique avec nos poutines et nos hot-dogs. Je me retrouvai assis en face de Denis.

- Pis, t'as pas trouvé ça trop pénible, huit heures de route? lui demandai-je.

- Ah! non. Ca m'a permis de mettre les choses au clair avec Gilles. On a jasé ensemble pendant une grande partie du voyage. Cela faisait trop longtemps qu'on avait une dent l'un contre l'autre.

- Tu sais bien comment c'est, continua Gilles. Ca ne prend pas grand-chose des fois pour allumer un grand feu. Il s'agit de garder rancune une seule fois pour ouvrir la porte à la haine et la première chose qu'on sait, c'est qu'on n'est plus capable de s'entendre avec la personne en question. Mais maintenant, c'est réglé. On a pris le temps de dialoguer et on a réalisé que c'était ce qui nous avait manqué le plus. On ne prenait plus le temps de se parler franchement, et c'est pour ça qu'on n'était pas capable de se pardonner.

- Ah! C'est donc vrai que c'est important de pardonner, lui répondis-je. Sinon, ce qui arrive, c'est qu'on perd notre paix et plus les jours passent, plus ça devient amer à l'intérieur de nous. C'est alors que peuvent naître les idées de vengeance, car on devient aussi très aveuglé. As-tu entendu parler aux nouvelles de cet homme qui s'était fait congédier d'une compagnie aérienne? Il était tellement rempli de haine et de vengeance envers son patron, qu'il l'a poursuivi jusque dans un avion pour le tuer. Aveuglé par sa folie, il a tiré sur son patron et sur le pilote. L'avion s'est écrasé tuant 250 passagers. Je sais très bien que vous n'en étiez pas rendus là, mais ça démontre bien jusqu'à quel extrême peuvent mener la haine et le manque de pardon. C'est sûr que pardonner, ce n'est pas toujours facile, mais avec un peu d'amour on arrive à le faire.

- Moi, continua Denis, c'est surtout ça que j'ai appris, que je manquais d'amour. J'ai pas cherché à comprendre Gilles, à voir que lui aussi avait ses faiblesses. Au lieu de le reprendre comme un frère et de l'aider à changer, j'ai été orgueilleux, je l'ai tout de suite jugé et méprisé. J'ai eu aucun sentiment de compassion à son égard. J'étais blessé en dedans et j'avais du mal à être neutre.

- Et Gilles, lui?

- Lui, il était trop orgueilleux pour reconnaître ses torts, parce que tu sais, dans cette histoire-là, on avait chacun nos torts. Mais en plus, c'était pas la première fois que quelque chose comme ça arrivait entre lui et moi, alors il avait de la misère à me pardonner.

- Rappelez-vous les gars ce que Jésus a dit un moment donné à Pierre quand il lui a demandé: "Seigneur, combien de fois mon frère péchera-t-il contre moi, et lui pardonnerais-je? Est-ce que je dois lui pardonner jusqu'à sept fois?" La réponse a été bien simple: "Je ne te dis pas jusqu'à sept fois, mais jusqu'à soixante-dix fois sept fois"[1]. Donc, il n'y a pas de limite! Il faut toujours pardonner. Personne n'est parfait, tout le monde peut se tromper, faire des gaffes et même faire du mal sans le vouloir. Quand quelqu'un réalise le mal qu'il a fait, qu'il regrette et qu'il est assez humble pour demander pardon, c'est juste normal qu'on lui donne une chance et qu'on lui pardonne vraiment. Parce que quand vient notre tour de faire des gaffes, on est bien content de savoir que les gens nous ont pardonnés et ne ramèneront plus sur le tapis les erreurs du passé. Le vrai pardon, au fond, c'est de savoir passer par-dessus les fautes des gens et de les oublier, en faisant des gestes qui prouvent qu'on n'a aucune arrière-pensée dans le coeur. C'est un peu comme lorsqu'on essuie une table après un repas, on la nettoie bien comme il faut pour pouvoir s'en servir à nouveau proprement.

- En tout cas, Jacques, quand on pardonne sincèrement, on se sent en paix avec soi-même et on est libéré, ça je peux te le dire!

Je passai le reste de la journée à leur faire visiter les environs. Le soir, on organisa un véritable tournoi de billard. Il faut dire qu'au nombre qu'on était, ce n'était pas long qu'on envahissait complètement un petit bar comme celui de l'hôtel. Ce n'est que quand je me retrouvai dans ma chambre avec Eileen que je repensai à mon ours blessé. Je ne savais pas trop quoi faire, et je demandai à ma femme si elle pensait qu'on devait le tuer lui aussi.

- Tu me connais, répondit-elle, tu sais que je n'aime pas tuer les animaux. Mais, d'un autre côté, s'il souffre et qu'il est devenu assez dangereux pour tuer quelqu'un, peut-être que c'est ce qu'on devrait faire... sinon, penses-tu qu'il a une chance de s'en sortir tout seul?

- Je ne sais pas, lui dis-je. On va peut-être le laisser vivre une autre semaine, l'observer et le tuer si on se rend compte que son état n'a pas changé. On sait jamais, on peut avoir des surprises. Je me souviens que lorsque j'étais petit, je travaillais chez mon oncle, Philippe Kennedy. C'était un cultivateur. On avait un chien qui s'appelait "Spot" parce qu'il était plein de "spot" blancs et noirs sur le dos. Il avait un oeil brun et un oeil blanc, un peu comme le chanteur David Bowie. Un jour, il disparut complètement. Je demandai à mon oncle où il pouvait bien être. Il me répondit qu'il le savait encore moins que moi, puisque le chien me suivait partout. Finalement, au bout de trois jours, on s'est rendu compte qu'il nous fallait chercher le chien.

Tout d'abord, j'eus l'idée d'aller jeter un coup d'oeil dans le chemin autour de la maison; peut-être une auto l'avait-il frappé? Comme de fait, je le retrouvai au fond d'un fossé sur le bord de la route. Il avait la hanche brisée et les vers s'étaient mis dedans. C'était pas beau à voir. Par chance, il était encore vivant, mais il souffrait beaucoup; il beuglait et pleurait sans arrêt. Une fièvre très forte l'avait atteint et il était très près de la mort. Il n'avait ni bu ni mangé depuis trois jours. On le ramena à la maison et, à force de le soigner, on vint à bout de le sauver. Peut-être qu'on a aussi une chance de sauver notre ours.

Aussi, pendant les sept jours qui suivirent, je passai la majeure partie de mon temps à l'observer. Il fit la même chose que l'autre: il n'acceptait aucun autre ours autour de l'appât. Il était tellement agressif qu'il était prêt à se battre avec n'importe quel ours qui osait s'approcher un peu trop. Le plus étonnant, c'est que c'était un petit ours qui ne pesait que 150 livres. Il y a même une journée où j'ai vu un ours de 500 livres lui tourner le dos et s'en aller, tellement le petit ours était prêt à laisser sa vie. Il était "marabout" et ne voulait rien savoir. Il fut donc le seul à manger là pendant sept jours, et il n'a pas quitté l'appât une seule minute, ni de jour ni de nuit, car il dormait là. C'est bien beau de manger, mais il ne pouvait sûrement pas manger 50 livres de viande pendant un mois, c'était impossible. Il fallait qu'il y ait quelque chose qui se passe. Eileen et moi étions les seuls qui pouvaient s'approcher lorsque nous lui apportions la nourriture. Et nous le faisions avec beaucoup de précautions. Deux personnes armées de 303 protégeaient du haut de la tour celui qui allait porter la viande. Puis, au bout du huitième jour, son attitude changea complètement. Toute son agressivité et sa méchanceté disparurent et il acceptait maintenant que les autres ours viennent manger. En fait, ce qu'on avait tant souhaité était arrivé, il était guéri, la nature avait fait son oeuvre. Je réalisai du même coup que, dans mon ignorance, j'avais tué le premier ours inutilement.

A partir de ce moment-là, il devint très ami avec les autres ours, même qu'ils s'amusaient tous ensemble. Je l'ai vu jouer avec huit ou neuf ours. C'était comme une famille. Il jouait avec les gros ours comme avec les petits et il était très content. C'était impressionnant de voir qu'une amitié et une chaleur s'étaient établies entre eux. C'était vraiment beau de voir jusqu'à quel point ils pouvaient s'entendre et se comprendre. Pendant le temps où il était blessé, aucun ours ne s'est battu avec lui. Tous lui ont tourné le dos et sont partis, le laissant seul à manger à sa place. Jour après jour, ils se sont détournés de lui, jusqu'à ce qu'il change. C'est pour vous dire à quel point la vie familiale de l'ours peut être solide; car généralement, à l'intérieur d'un même territoire, les ours ont un lien de parenté.

Encore une fois, la nature venait de nous donner une leçon: tous ces ours, bien qu'ils ne soient que des animaux, ont été capables de pardonner à l'un de leurs semblables et cela bien mieux que nous, les êtres humains, sommes capables de le faire. Je comprenais la joie de l'ours guéri, lorsqu'il jouait avec les autres. Quelle joie et quel soulagement en effet de se sentir pardonné! Malheureusement, nous sommes loin d'être spontanés comme les ours. C'est dommage, car combien de familles sont divisées parce que les gens ne sont pas capables de pardonner? Combien de soeurs et de frères ayant vécu pendant plus de quinze ans ensemble ne sont même plus capables de se voir et de se parler franchement? Il y en a même qui ont oublié pourquoi ils ne se parlent plus depuis des années. Ce sont là les conséquences du fait qu'on ne prend plus le temps de régler, sur-le-champ, les petites chicanes de famille. Les gens ont peur de se parler face à face et préfèrent se parler dans le dos, c'est bien plus facile.

Le monde manque de pardon parce qu'il manque d'amour, cela est bien simple et n'a rien de nouveau. L'amour nous donne, non seulement la force de pardonner et d'oublier, mais aussi de chercher à comprendre les autres, d'être sensibles à leurs souffrances. Quand un proche nous parle durement ou bien nous blesse intérieurement par ses actions, au lieu de le condamner et de le juger, on devrait plutôt chercher à comprendre pourquoi il agit ainsi; peut-être a-t-il des problèmes ou vit-il des peines. De plus, notre jugement est bien limité, parce qu'on ne se fie qu'à l'apparence et que, bien souvent, on ne voit que notre côté de la médaille. C'est comme cette femme qui critiquait toujours le linge de sa voisine étendu sur la corde. Elle disait qu'il était gris et sale et jugeait sa voisine comme étant malpropre. Un bon jour, une amie vint faire un tour chez la commère et naturellement, celle-ci ne manqua pas de critiquer sa voisine. Son amie s'approcha de la fenêtre pour examiner le linge sale et se tourna ensuite vers son amie pour lui dire: “Ce n'est pas le linge de ta voisine qui est sale, mais ce sont tes vitres à toi...”

Comme cette femme, nous sommes nous aussi plus souvent portés à regarder les défauts des autres que les nôtres. Pourtant, nous ne sommes pas des juges, au contraire. C'est nous qui comparaîtrons devant le tribunal de Dieu. "C'est pourquoi ne jugez pas, afin que vous ne soyez pas jugés: car, du jugement dont vous jugerez, vous serez jugés. Et pourquoi regardes-tu la paille qui est dans l'oeil de ton frère, et tu ne t'aperçois pas de la poutre qui est dans ton oeil? Hypocrite, ôte premièrement de ton oeil la poutre, et alors tu verras clair pour ôter la paille de l'oeil de ton frère."[2] Il y a une différence entre dire la vérité à quelqu'un dans son intérêt, pour qu'il puisse se libérer de ses problèmes, et penser quelque chose de mal de quelqu'un sans vraiment savoir si c'est fondé.

Quand je me retrouvai à l'hôtel ce soir-là, on se réunit cinq ou six d'entre nous dans ma chambre. Je leur racontai ce qui s'était passé à l'appât. Je n'étais pas le seul, d'ailleurs, à avoir quelque chose à raconter: après cette première journée en forêt, chacun avait ses commentaires à passer. Il y avait aussi parmi nous un gars que mes amis avaient rencontré en ville quelques semaines auparavant et à qui ils avaient offert de venir passer une retraite parmi nous. Je savais qu'il avait passé la majeure partie de sa journée à lire son Nouveau Testament.

- Alors Luc, lui demandai-je, tu as passé une belle journée? La lecture a été bonne?

- Oui, ça m'a fait beaucoup de bien, je suis très content. Mais pour être franc avec toi, Jacques, il y a une chose que je n'ai pas compris parfaitement. Pourquoi le Christ devait-il mourir sur la croix pour que Dieu nous pardonne?

- Vois-tu, Luc, lui répondis-je, c'est nous qui aurions dû mourir à sa place, étant donné que c'est chacun de nous qui est cent fois coupable d'avoir désobéi à Dieu. C'est donc sur nous qu'était la colère de Dieu et non sur Son Fils. Mais, comme il était devenu impossible aux hommes de s'approcher de Dieu à cause de leurs péchés et que nous étions tous condamnés, le Christ, dans son grand amour, a offert sa propre vie en sacrifice, pour subir à notre place le châtiment de nos désobéissances. C'est au prix de son sang qu'il a pu effacer de devant la face de Dieu nos péchés et nous réconcilier avec Lui. Laisse-moi te dire, Luc, que je ne connais personne qui aurait pu être animé d'un tel amour pour son prochain, "car à peine, pour un juste, quelqu'un mourra-t-il"[3]; encore moins donc pour quelqu'un de pas correct.

Mais, Jésus lui, est mort pour une "gang" de pécheurs, dans l'espoir de sauver tous ceux qui croient en lui dans le présent et dans le futur. Alors, sans dire un seul mot et sans se plaindre, il s'est laissé crucifier comme un agneau qu'on mène à la boucherie. Quand les clous rouillés lui entraient dans le corps, il aurait pu, s'il avait voulu, empêcher ses bourreaux de le mettre à mort, mais il est resté sur la croix et son sang a coulé pour nous offrir le salut, ce don si précieux qui nous vient de Dieu. Quand une personne meurt pour quelqu'un d'autre, la réaction naturelle de celui qui est épargné, c'est un profond attachement pour celui qui lui a sauvé la vie. Pour prouver son amour, Jésus est mort pour nous. Ainsi, pour Lui prouver le nôtre, nous devons vivre pour Lui.

Laisse-moi te raconter une petite histoire qui te fera encore mieux comprendre. Des frères jumeaux vivaient ensemble depuis longtemps. L'un était un chrétien engagé dans la foi, tandis que l'autre était plutôt engagé dans le monde du crime. Pendant des années, son frère lui avait prêché l'amour de Dieu, mais lui ne voulait rien savoir. Un jour, il tua quelqu'un et, pris de remords, il courut chez son frère pour tout lui raconter.

- La police me cherche et j'ai peur d'avouer mon crime.

Son frère lui répondit:

- Vite, déshabille-toi, donne-moi tes vêtements tachés de sang et va vite te cacher, je vais t'aider.

A peine eut-il fini de s'habiller que la police arriva et arrêta le chrétien qui déclara avoir commis le meurtre. On lui fit un procès et il fut condamné à la chaise électrique. Pendant ce temps, son frère se cachait. Mais un jour, n'y tenant plus, il sortit de sa cachette et alla tout avouer au juge. Malheureusement, il était déjà trop tard: son frère venait de mourir sur la chaise électrique. Le juge lui dit alors:

- Je ne peux te condamner pour ce crime, car ton frère a payé pour toi et tu es libre à l'égard de la loi maintenant. Sois donc reconnaissant envers lui et fais en sorte que son sacrifice ne soit pas inutile.

Touché par le geste de son frère, il changea de vie et devint un chrétien sincère. Quand ses anciens amis revinrent pour essayer de l'entraîner avec eux dans d'autres crimes, il leur déclara:

- Il y a quelqu'un qui est mort à ma place pour me permettre de recommencer une nouvelle vie. Mes fautes et mes péchés ayant donc été pardonnés, je ne veux plus faire ce que je faisais avant, car je suis devenu un homme nouveau.

C'est exactement ce que le Christ a accompli à l'égard de l'humanité en mourant sur la croix et en prenant sur Lui notre condamnation. Comme l'apôtre Jean nous le confirme: "Jésus est l'agneau de Dieu qui ôte le péché du monde"[4]. Nous sommes libérés de nos péchés et de notre culpabilité, parce que le Christ a versé son précieux sang pour nous purifier. C'est donc le seul moyen divin ayant le pouvoir d'effacer complètement la conséquence du péché dans notre conscience, et la puissance également de nous délivrer de notre esclavage à l'égard du péché. C'est en étant pardonnés de nos mauvaises oeuvres, que nous devenons libres de recommencer une vie nouvelle et sainte avec Dieu.

- Mais Jacques, il me semble qu'il y a du monde qui ne doivent pas avoir grand-chose à se faire pardonner. Qu'est-ce que t'en penses?

- Non Luc, tu ne peux pas dire ça. Peu importe quels sont nos péchés, il n'y a personne au monde qui peut prétendre n'avoir rien à se reprocher ou n'avoir jamais fait du mal. Dans le Nouveau Testament, on peut lire cette petite phrase: "il n'y a pas de différence, car tous ont péché et n'atteignent pas à la gloire de Dieu"[5]. Et c'est vrai à 100%. Qu'on ait péché dans nos pensées, dans nos paroles ou d'une manière qui semble pire aux yeux des hommes, pour Dieu, c'est du pareil au même. Nous avons tous besoin de nous libérer de l'emprise que le mal exerce dans nos vies et de goûter à la paix que procure la réconciliation avec Dieu. Son pardon nous libère aussi de notre passé, de nos erreurs et de nos remords. Il apaise les consciences tourmentées et nous libère du fardeau de nos péchés. Quant à ceux qui pensent que leurs péchés sont trop nombreux pour que Dieu puisse leur pardonner, et bien ils ne connaissent pas la profondeur de l'amour de Dieu.

- Je te remercie beaucoup, Jacques, de m'avoir expliqué tout ça, me dit Luc. Je te mentirais si je te disais que cela ne m'a pas fait réfléchir, mais il y a encore une autre chose qui me tracasse un peu. Quand on parle de pardon, je comprends qu'il faut que je pardonne à ma famille ou à mes amis, je trouve ça quand même faisable. Mais crois-tu vraiment qu'on doive pardonner aussi à nos ennemis qui nous haïssent et qui nous font du tort sans raison?

- En tout cas, l'exemple que Jésus nous a laissé avant de mourir nous enseigne que oui. Malgré tout le mal que ses bourreaux lui ont fait, il a quand même demandé à son Père de leur pardonner parce qu'ils ne savaient pas ce qu'ils faisaient. Jésus savait qu'ils étaient ignorants, c'est pourquoi il ne les a pas jugés mais il a plutôt prié pour qu'ils changent. De toute façon, Luc, si on ne pardonne pas aux hommes leurs fautes, Dieu agira pareillement avec nous et ne nous pardonnera pas non plus nos fautes.[6] La grande leçon de la Bible, c'est l'amour. Ca prend beaucoup de courage pour aimer les autres, mais au fond, c'est la seule chose qui puisse balayer toute la haine qu'on a dans le coeur.

- Tu sais, Luc, ajouta Eileen, si des animaux comme les ours sont capables d'aimer celui qui leur faisait tort et de le laisser faire en lui tournant le dos sans méchanceté, pourquoi ne serions-nous pas capables d'en faire autant avec nos semblables?

- T'as raison, approuva Luc, mais c'est tellement plus facile d'haïr que d'aimer, que ça nous prend absolument le Christ pour nous aider.

La soirée se termina ainsi. Un à un, on regagna nos chambres en méditant, bien entendu, sur ce que nous avions appris pendant

CHAPITRE 13

QUAND L'OURSE RENCONTRE L'OURS...

- Nicole, qu'est-ce qu'on fait ce soir? lui demanda soudainement Hélène.

- Sais-tu, j'aurais le goût d'aller en ville, répondit celle-ci. Il me semble que ça ferait du bien de se changer les idées; ça fait déjà une semaine qu'on est dans le bois.

- On va y aller avec vous autres, les filles.

- Non, non, les gars. Excusez-nous, mais on aime mieux sortir entre femmes ce soir, si ça vous dérange pas trop. Le seul homme qu'on emmène avec nous, c'est Jacques, parce qu'on a besoin d'un chauffeur...

- Qu'est-ce que vous voulez, les gars, leur lançai-je, tout souriant, ce sont elles qui m'ont choisi! En tout cas, quand vous serez prêtes, les filles, faites-moi signe.

- Et bien, nous sommes prêtes, Jacques, répondirent-elles en choeur, en m'entraînant aussitôt dehors par le bras.

Et nous voilà partis! Les filles étaient bien en forme ce soir-là et pour tout vous dire, leur joie me rendait joyeux moi aussi. Au fond, j'étais bien content de leur faire plaisir. Rouyn n'était qu'à une quinzaine de minutes de route et on eut vite fait de trouver un petit club qui faisait leur affaire. Je ne leur avais pas aussitôt payé une bière que mes deux filles avaient disparu dans le fond du club. Elles ont l'air bien décidées à passer leur soirée entre femmes, me dis-je à moi-même. Je restai donc au bar et ouvrit tout naturellement la conversation avec les quelques personnes qui étaient assises là. Cela ne m'empêcha pas toutefois d'observer mes deux amies du coin de l'oeil. Je remarquai alors que je n'étais pas le seul à les observer ainsi; en effet, le gars assis à la table d'en face les regardait pratiquement sans arrêt et avait l'air bien intéressé de faire leur connaissance. Je ne fus pas surpris quand, environ quinze minutes plus tard, je le vis se lever et se diriger vers leur table.

- Salut les filles, ça va? Savez-vous, je me demande depuis tout à l'heure, de quel endroit vous pouvez bien venir. Vous n'êtes pas de la place, c'est certain. Ca se remarque juste à votre manière de parler.

- Moi, je suis née en Gaspésie, lui répondit Hélène, et Nicole est de Montréal. On est en vacances ici depuis une semaine. Imagine-toi donc qu'on est venu pour observer les ours!

- Ha, oui? J'ai rencontré bien des chasseurs d'ours, mais des observatrices d'ours, je vais vous dire franchement, j'ai rarement vu ça. Ca doit être intéressant... Mais, dites donc les filles, je peux m'asseoir avec vous autres et vous offrir une bière?

- Ben oui, assieds-toi.

- Je m'appelle Andrew.

- Enchantée, Andrew, et merci pour la bière!

- Je voudrais pas être indiscret, mais vous êtes venues toutes seules en vacances?

- Non, lui répondit Hélène. On est venu avec dix gars.

- Ouais! Deux filles avec dix gars! Vous devez pas vous ennuyer, si vous voyez ce que je veux dire, répondit Andrew en les regardant, les yeux pleins de désir.

- C'est pas ce que tu penses du tout, Andrew. Malheureusement pour toi, et bien on est une "gang" de missionnaires qui travaillent et qui vivent ensemble depuis des années.

- Vous êtes pas sérieuses, vous autres. Des missionnaires! Celle-là, c'est la meilleure. Vous êtes bien les premières que je rencontre. C'est spécial votre affaire. Comme ça, vous vivez vraiment tout un paquet de monde ensemble? s'informa Andrew. Ca doit pas être facile certain d'avoir toujours du monde autour de vous autres.

- On est quand même pas ensemble 24 heures sur 24, répliqua Hélène. Pis contrairement à ce que tu peux penser, c'est super intéressant de vivre en communauté. C'est plein d'avantages même. Par exemple, comme on se partage les tâches de la maison, cela nous rend beaucoup plus libres dans notre travail. C'est très enrichissant aussi de partager nos connaissances et nos expériences de la vie avec toutes sortes de gens différents de nous autres. On s'encourage, on s'entraide mutuellement. C'est vraiment une grande force que d'être ensemble.

- Comme on dit, continua Nicole, l'union fait la force!

- En tout cas, les filles, je ne voudrais pas être curieux, mais moi j'ai toujours entendu dire que dans les communes, excusez-moi, les groupes comme le vôtre, chacun est libre d'avoir du sexe avec qui il veut. C'est pas vrai, ça?

- Non, ce n'est pas vrai pour nous, lui dit Hélène, parce que, premièrement, nous avons une base de vie chrétienne et que nous respectons tous les lois de Dieu. Deuxièmement, nous sommes comme des frères et des soeurs qui s'aiment d'un amour fraternel, c'est pourquoi il n'y a rien qui se passe entre nous à ce niveau-là. Vois-tu, Andrew, au lieu de ne regarder que l'apparence physique des gars, on a appris à voir leurs qualités intérieures. C'est en les regardant avec des yeux spirituels qu'on peut les considérer comme des frères, et cela nous évite d'avoir toutes sortes d'idées sur eux qui nous empêcheraient d'être pures de coeur et de vivre unis ensemble. C'est ainsi que c'est devenu normal pour nous de ne pas chercher à les séduire en s'habillant de façon provoquante, par exemple. On s'habille toujours le plus décemment et le plus simplement possible. Cela nous aide énormément à nous respecter et à entretenir une relation qui soit spirituelle et fraternelle. Et c'est exactement la même chose pour eux vis-à-vis de nous.

- Je vous trouve bien chanceuses, dit Andrew, d'être capables de vivre ainsi. Moi, je trouve ça tellement difficile d'avoir une relation amicale avec les filles. La plupart du temps, tout ce qui les intéresse dans un gars, ce sont des choses tellement superficielles comme par exemple, sa position sociale, son argent, sa voiture ou bien encore son allure. J'ai fréquenté beaucoup de belles femmes et si vous saviez combien d'argent j'ai dépensé pour elles, vous ne me croiriez pas. Malgré tout ça, aucune d'elles n'était assez sérieuse pour qu'on se marie.

- Je pense que le problème que tu as est le même que celui de tous les hommes en général. Ils accordent trop d'importance à l'apparence physique et désirent toujours des femmes qui soient belles et séduisantes, "modèle sport", comme on pourrait dire, et les femmes sont pareilles, elles aussi.

- Mais, Hélène, c'est normal pour un homme d'être plus attiré par les belles femmes. Je ne me verrais pas sortir avec une femme qui soit grosse ou laide. Tu imagines ce que mes "chums" penseraient de moi, s'ils me voyaient!

- Ah! c'est sûr, répliqua Hélène, que ça flatte votre orgueil à vous, les hommes, d'être vus en compagnie d'une belle femme. Mais, tu sais comme moi, que souvent elles ont tout dans le corps et rien dans la tête. "Une femme belle et dépourvue de sens, c'est comme un anneau d'or au nez d'un pourceau"[1], ou d'un cochon si tu aimes mieux.

- Où as-tu pris ça, cette expression-là? lui demanda Andrew en riant.

- Dans la Bible, au livre des Proverbes, lui répondit Hélène. Tu sais, Andrew, un jour la beauté est condamnée à se faner et à se rider tandis que la beauté intérieure, c'est-à-dire la beauté du coeur, est un bien beaucoup plus précieux et beaucoup moins fragile. Moi, j'ai constaté que les femmes qui se font beaucoup de souci pour leur apparence extérieure deviennent souvent orgueilleuses et vaniteuses, alors que celles qui ne s'en font pas trop avec ça, sont beaucoup plus humbles; en d'autres mots, elles ne se prennent pas pour d'autres et, crois-moi, c'est une très belle qualité.

- J'ai connu des femmes, continua Nicole, qui n'étaient pas des beautés fatales, mais qui avaient tellement de belles qualités intérieures que ça se reflétait sur leur visage et dans leur vie. J'estime que c'est ça, la vraie beauté.

- Mais quand un homme veut coucher avec une femme, ce ne sont pas ses qualités intérieures qui l'intéressent. Ce sont plutôt ses qualités extérieures, répondit Andrew d'un ton moqueur.

- Ah! les gars, soupira Nicole, vous êtes tous pareils. On dirait que tout ce qui vous intéresse dans une femme, c'est de l'utiliser afin de satisfaire vos désirs. Vous pouvez bien trouver vos relations limitées si tout ce qui vous intéresse en elle, c'est son corps.

- Hé! les filles! Vous savez bien que les femmes aiment ça montrer leur corps et se faire belles! Sinon, pourquoi prendraient-elles toutes ces heures pour se pomponner et s'habiller de beaux vêtements sexy? Tout ça pour nous agacer et nous séduire. Alors pourquoi, nous les hommes, on ne pourrait pas en profiter pour les admirer et pour les amener au lit? Si les hommes ont su et savent toujours déshabiller les femmes du regard, bien des femmes savent s'habiller pour qu'on ait envie de les déshabiller. Moi aussi j'en connais des proverbes, nous lança Andrew en éclatant de rire.

- Celui-là ne vient sûrement pas de la Bible, lui répondit Hélène. C'est peut-être comique de la façon dont tu le dis, mais je ne trouve pas ça drôle que l'homme profite de cette situation pour satisfaire ses convoitises et ses petits vices. Les femmes, elles, ne sont pas mieux. Il faut dire qu'elles ont grandi dans une société qui a fait d'elles des poupées qui séduisent, des objets sexuels qui attirent les regards. Elles sont tombées dans le piège de croire qu'elles seront valorisées à leurs propres yeux et à ceux des hommes en mettant leur corps en valeur. Malheureusement, elles ignorent que, parce qu'elles agissent ainsi, les hommes perdent le respect envers elles. Beaucoup trop de femmes, de nos jours, ont perdu leur vraie identité; beaucoup sont insécures et n'ont pas d'assurance, d'autres sont complexées parce qu'elles ne sont pas selon le modèle que la société propose. Te rends-tu compte comment c'est important l'apparence pour les gens? Une femme sensée doit absolument se libérer de cette fausse image que la société donne d'elle, une image trompeuse de séduction et de plaisirs charnels.

- Moi je trouve, Hélène, que tu généralises pas mal trop à mon goût. C'est pas toutes les femmes qui pensent comme toi. Il y en a qui sont bien contentes de donner cette image-là. Prends les danseuses nues, par exemple. Ca n'a pas l'air de les déranger...

- En as-tu déjà connues des danseuses? lui demanda Nicole. Sais-tu ce qu'elles vivent ces filles-là?

- Ben... non, dit Andrew, hésitant. Je les ai souvent regardées danser, mais je ne peux pas dire que je leur ai déjà parlé sérieusement.

- Moi, dit Nicole, j'en ai connu une dernièrement qui m'a raconté son histoire. C'est une jeune fille qui est arrivée chez-nous à Longueuil un soir, et qui est restée avec nous par la suite. Elle s'appelle Chantal. Elle n'avait que 15 ans quand elle a commencé à danser. A cet âge, elle avait lâché l'école et s'était retrouvée sur la rue St-Denis à Montréal à "tripper" avec ses amis et à prendre de la drogue. Danser, c'était pour elle la solution facile. Comme elle était belle, jeune et naïve, le patron de l'agence n'eut aucun problème à la séduire avec ses belles paroles. En moins de 10 minutes, il avait effacé toutes ses hésitations. Il l'assura que c'était sans danger, qu'il s'occupait de ses filles comme il faut, que son agence était "sérieuse" et ne choisissait que des filles "honnêtes" et lui promit qu'il la placerait sans difficulté dans les clubs les plus payants, aux quatre coins de la province. Il lui décrivit le métier de danseuse d'une manière si séduisante qu'elle avait même hâte de commencer.

- Elle m'a raconté également comment ça s'était passé le premier soir où elle est montée sur le "stage". Crois-moi, même après plusieurs années, c'était encore gravé dans sa mémoire. Elle avait bu une bière pour se calmer un peu, car elle était très nerveuse et très mal à l'aise. En fait, elle avait beau essayer de se faire accroire qu'il n'y avait rien là, elle entendait trop bien cette petite voix au-dedans d'elle qui lui disait qu'elle n'avait pas d'affaire à faire ça. Malgré tout, elle étouffa vite sa conscience, car c'était plus facile si elle ne l'écoutait pas. Elle finit par se convaincre que son travail était de plaire et de sourire à ces messieurs qui s'étaient déplacés pour voir de la peau, et c'est ce qu'elle fit. Ainsi, soir après soir, elle prit de l'expérience et de l'assurance et elle finit même par développer une certaine fierté d'être danseuse. Elle était la vedette du "stage" et exerçait un certain pouvoir sur les hommes. Avec un salaire pouvant aller jusqu'à 2000 dollars par semaine, elle pouvait maintenant s'offrir tout ce qu'elle voulait: vêtements, bijoux, beaux gars, drogue en abondance et surtout, une certaine indépendance. Elle avait fait aussi la connaisance d'une "gang" de motards. C'était peut-être bien amusant de se promener en "Harley Davidson" et d'avoir des gars qui la défendaient en public, mais en privé, ils la méprisaient et abusaient d'elle sans qu'elle n'ait d'autre choix que de se laisser faire. Elle se retrouva bientôt prise dans un tourbillon, un engrenage qui lui laissait rarement le temps de réfléchir sur la tournure que sa vie avait prise.

- C'est certain, l'interrompit Hélène, qu'avec les revenus qu'elle avait, ce n'était pas trop tentant de tout laisser tomber pour aller travailler à 4 dollars de l'heure. C'est quand elle nous a rencontrés qu'elle a vraiment pris conscience qu'argent ou pas, sa vie n'avait pas de sens. Je me rappelle encore ce qu'elle me disait: elle se sentait sale à cause de tout ce qu'elle faisait. Elle avait l'impression d'être comme une prostituée qui doit vendre son corps pour gagner sa vie. Elle avait été longtemps à essayer de se convaincre que c'était un travail comme un autre, mais elle ne pouvait plus se mentir à elle-même. Elle réalisait que, si elle continuait à vivre de cette façon, elle perdrait de plus en plus le respect d'elle-même. C'est à ce moment-là qu'elle a suivi l'appel de son coeur qui lui disait d'essayer Dieu.

- Elle ne l'a pas regretté, ajouta Nicole car, aujourd'hui elle est mariée, mère de famille et très heureuse d'avoir changé de vie.

- En tout cas, continua Andrew, je suis bien content pour elle, car j'imagine qu'il y a bien des danseuses qui n'auront jamais cette chance-là. Mais ce n'est quand même qu'une minorité de femmes qui vivent de telles situations. Les femmes sont bien plus libérées aujourd'hui qu'elles l'étaient avant.

- Avant de dire que les femmes sont libérées, Andrew, tu devrais regarder un peu plus ce qui se passe. C'est vrai qu'une femme ce n'est pas fait seulement pour laver, pour faire les repas, pour s'occuper des enfants, pour rester à la maison, mais dis-toi bien une chose, c'est pas parce que les femmes travaillent et qu'elles ont une vie sexuelle soi-disant plus libre, qu'elles sont nécessairement "libérées". Libérées de quoi? Faudrait peut-être se poser la question. C'est vraiment une illusion de croire que de coucher avec qui on veut, quand on veut, ça fait de nous autres quelqu'un de "libéré". Je pense que bien des femmes ont goûté à toutes les déceptions que cela amène dans la vie. C'est aussi une illusion de croire que, parce qu'on est pas "pogné" dans une maison avec des enfants pis un mari, à élever une famille, on est enfin "libérée". On est tellement mêlé dans toute cette histoire-là de libération Andrew, qu'on est même rendu à croire que l'avortement c'est normal et que ça fait partie de la liberté de la femme. Dis-toi bien qu'il y a quelque chose qui ne tourne pas rond à quelque part.

- Quoi? fit Andrew d'un ton sérieux. T'es pas d'accord avec ça, l'avortement? Les femmes sont bien libres de décider elles-mêmes si elles veulent un enfant ou bien si elles n'en veulent pas, non?

- L'intelligence, vois-tu, c'est d'y penser avant, continua

Hélène. Cela a peut-être l'air bien facile d'arracher un bébé de notre ventre, mais tu l'enlèves pas mal moins facilement de ta conscience. Parles-en à des femmes qui se sont faites avorter. Les femmes qui se retrouvent enceintes sont porteuses d'une autre vie; il ne s'agit donc plus seulement de leur propre corps.

- En tout cas, il y a bien du monde qui ont l'air de se fouter de ça, enchaîna Nicole. Juste dans une année, ici en Amérique, on en a tués 1,5 million de ces petits bébés avant qu'ils viennent au monde. Imagine-toi donc ce que ça doit être dans le monde!

- Faudrait quand même pas trop exagérer avec ça les filles. Qu'est-ce qui vous dit, dans le fond, que tous ces minuscules bébés sentent quelque chose?

- Bien oui, justement, ils sont très conscients de ce qui leur arrive, répliqua Hélène. J'ai même vu ça sur un film. C'est un film qui a été réalisé par l'organisation Pro-Vie aux Etats-Unis. Grâce à l'échographie, on voit exactement ce qui se passe dans l'utérus au moment de l'avortement. Crois-le ou non, et bien on discerne très clairement "la peur du foetus à l'approche des instruments". On assiste ensuite horrifié à "l'écrasement, la désarticulation, le démembrement de cette petite personne de 12 semaines"[2]. J'oublierai jamais ça. Tous ceux qui croient que ce n'est qu'un foetus et non un être humain devraient voir ça au moins une fois dans leur vie. Quand tu vois la vie se faire détruire comme ça, tu peux pas être d'accord, c'est impossible.

- J'ai toujours cru que c'était quelque chose de positif, l'avortement. Mais, avec ce que tu me dis là, je ne suis plus trop sûr. Je commence même à en douter sérieusement...

- Vois-tu, Andrew, lui dit Nicole, pour revenir à notre histoire de libération, la femme a bien gagné certains droits avec tout ça, mais elle n'est pas plus libre pour autant. En réalité, la femme s'est fait prendre au piège d'une fausse libération, une libération en surface et non en profondeur. Et elle n'est pas la seule d'ailleurs, car l'homme aussi s'est fait avoir.

- Explique-toi un peu, Nicole, questionna Andrew.

- Et bien, les hommes se sont faits avoir au piège de la facilité du sexe et du plaisir. Combien d'hommes, aujourd'hui, ont fui leurs responsabilités; ils ne veulent pas d'engagement, ils ne pensent qu'à s'amuser et à profiter des plaisirs de la vie. D'autres hommes sont devenus efféminés ou, si tu préfères, des mous qui se laissent entraîner facilement à toutes sortes de mauvaises passions et qui ont peur d'affronter la réalité telle qu'elle est. De toute façon, en basant leurs relations avec les femmes sur le sexe, au départ ils perdent la chance d'avoir de bons rapports avec elles.

- Franchement, là-dessus, les filles, je vous trouve vieux jeu. Moi, je me suis toujours dit que c'est quand on est jeune qu'il faut profiter de la vie pis du sexe aussi, bien sûr. Après ça, quand t'es marié, bien là, tu te tranquilises, puis tu te contentes de ta femme.

- Qu'est-ce qui te fait croire Andrew, dit Hélène, que tu as le droit de coucher avec les femmes avant de te marier? Ce n'est pas plus permis avant qu'après. C'est tout simplement contre les lois de Dieu d'avoir du sexe en dehors du mariage. La Bible appelle ça de la fornication.

- En tout cas, moi je trouve que cette loi-là n'a pas d'allure. Si c'est Dieu qui nous a donné le sexe, pourquoi on n'aurait pas le droit d'en profiter comme on veut?

- Même si c'est Dieu qui nous a donné la sexualité, ça ne veut pas dire qu'on doive s'en servir quand on veut et avec qui on veut, mais plutôt selon la règle établie. De même qu'un policier qui a en sa possession un revolver n'a pas plus le droit de tirer sur qui il veut, quand il le veut, de même aussi le sexe implique des conséquences trop importantes pour qu'on prenne cela à la légère. C'est dans l'intérêt des humains que Dieu a établi cette loi, parce qu'en plus, la fornication nous enlève le vrai sens de l'amour. Quand les gens s'amusent à aller d'un partenaire à l'autre, ils perdent de vue la noblesse de l'acte et abîment quelque chose de précieux. Pour eux, ça devient un plaisir au même titre que celui d'aller manger un "Big Mac" chez McDonald parce qu'on en a le goût; pourtant, il n'y a rien de plus intime et de plus personnel à un couple que les rapports sexuels.

- De plus Andrew, ajouta Nicole, on ne peut pas expérimenter l'amour par une relation sexuelle. Ce serait comme quelqu'un qui voudrait faire du parachute du haut d'une maison. Ce n'est pas suffisant pour que le parachute s'ouvre complètement. Moi, je peux te le dire pour l'avoir vécu: plus j'ai couché avec les gars et moins je me sentais capable d'aimer. Quand le sexe fait partie, dès le départ, de nos relations avec les autres, on devient de plus en plus centré sur soi-même, car on cherche toujours à se satisfaire. Et quand deux égoïstes vivent ensemble, crois-moi, tout ce qu'ils récoltent, c'est de l'insatisfaction et des chicanes.

- J'ai bien de la misère à accepter ce que vous me dites là, les filles. Je peux pas croire qu'il y ait quelque chose de mal à faire l'amour avec quelqu'un qu'on aime.

- Vois-tu Andrew, expliqua Hélène, Dieu nous a donné la sexualité comme cadeau. Il nous demande d'attendre avant de le développer, même si nous avons l'occasion de le faire avant. Ce qui est important avant d'arriver à cette étape, c'est d'apprendre à se connaître, à se faire confiance, à se parler avec vérité, à se pardonner, à s'entraider dans les moments difficiles, à aimer l'autre sans chercher son propre intérêt. Enfin, quand un homme et une femme sont assez matures pour s'engager ensemble pour la vie, c'est alors que l'acte sexuel prend tout son sens d'amour et que ça devient intéressant de découvrir et de profiter ensemble d'une sexualité qu'on a conservée saine et pure. Le sexe doit être ce qui complète un amour qui a déjà de profondes racines. Autrement, il occupe une part démesurée dans une relation et nous fait perdre de vue ce qui est essentiel de cultiver pour pouvoir vivre à deux.

- C'est bien beau ce que tu dis, mais quand deux personnes sont assez matures pour aller vivre ensemble sans être mariées, c'est toujours bien mieux que de coucher avec l'une puis l'autre, tu penses pas?

- C'est mieux, c'est sûr, mais c'est pas ça qu'est la loi de Dieu quand même. Aller vivre ensemble parce qu'on s'aime, c'est une chose. Se marier devant Dieu, pour la vie, c'est une autre chose pas mal plus sérieuse. Dieu, Lui, voit à long terme, et Il connaît le coeur de l'être humain; Il sait à quel point la chair est faible, à quel point le sexe c'est un piège qui est fort. Alors, Il nous a mis une loi pour notre bien, pour nous protéger. Dieu veut qu'on soit heureux, qu'on vive une vie harmonieuse, sans problème, où l'amour fleurit; Dieu se soucie des enfants aussi. Combien de gens soi-disant matures sont allés vivre ensemble à un moment donné, et ne sont plus ensemble aujourd'hui! Dieu sait exactement ce dont nous avons besoin. C'est pourquoi Ses lois sont bonnes. Nous n'avons qu'à les respecter et nous verrons nous-mêmes. Mais dis-toi bien une chose, lorsqu'on n'obéit pas à Ses lois, on engendre toutes sortes de conséquences néfastes. Et c'est nous qui souffrons. Si les gens respectaient les lois de Dieu sur le sexe, il n'y aurait pas tant de viols, de prostitution, de pornographie, de maladies vénériennes, d'avortements, de filles-mères, de divorces, d'adultères, il n'y aurait pas tant d'homosexualité et de lesbianisme non plus.

- Je voudrais pas être toujours en train de vous contredire, les filles, répliqua Andrew, mais je trouve que pour les homosexuels et les lesbiennes, c'est quelque chose de différent. Qu'est-ce que tu veux qu'ils fassent s'ils sont venus au monde comme ça? On peut pas dire qu'ils ont eu le choix, hein?

- Voilà justement l'erreur, Andrew. On ne vient pas au monde homosexuel. On le devient par libre choix ou suite à des influences. Malheureusement, beaucoup sont devenus homosexuels après avoir vécu des traumatismes affectifs, sexuels ou parentaux qui les ont déséquilibrés pendant leur enfance ou leur adolescence. D'autres, après avoir été déçus en amour, ont cru qu'un partenaire du même sexe saurait mieux les comprendre et satisfaire leurs besoins affectifs. Mais, très rapidement, les homosexuels deviennent vicieux; leur coeur et leurs pensées sont remplis de convoitises et de fantasmes qu'ils ne cherchent qu'à satisfaire. En réalité, l'homosexuel est malade dans sa conscience et c'est à ce niveau qu'il souffre, car on ne peut pas appeler le mal bien sans en supporter les conséquences dans notre vie.

- Pourtant, Hélène, l'interrompit Andrew, j'ai des amis qui sont homosexuels et qui ont l'air très heureux. Comment expliques-tu ça?

- Ils ont peut-être l'air, mais ils n'ont pas la chanson, crois-moi. Demande-leur comment ils se sentaient au tout début. Je suis convaincue que, s'ils sont honnêtes, ils te diront que certaines choses les répugnaient, mais qu'à force d'aller à l'encontre de leur conscience, ils ont fini par y trouver un plaisir obscène. La Bible, d'ailleurs, est très claire en ce qui concerne l'homosexualité: "C'est pourquoi Dieu les a livrés à des passions infâmes, car leurs femmes ont changé l'usage naturel en celui qui est contre nature; et les hommes aussi pareillement, laissant l'usage naturel de la femme, se sont embrasés dans leur convoitise l'un envers l'autre, commettant l'infâmie, mâles avec mâles, et recevant en eux-mêmes la due récompense de leur égarement"[3]. Ce n'est donc certainement pas là une voie à suivre pour être heureux. On ne peut pas se permettre, par seul plaisir, ce qui est défendu par l'ordre de la nature elle-même, car non seulement on viole les lois de cette nature créée par Dieu, mais on fait tort à notre âme qui ne trouve de paix que dans la soumission à son Créateur.

- L'autre jour, continua Nicole, je lisais un article dans la revue "l'Express" concernant le sida. Un médecin français expliquait que "le virus du sida doit être considéré comme l'une des formes les plus élaborées des machines à détruire l'homme et sa société"[4]. Moi, je me dis tout bonnement que si l'homosexualité a entraîné des conséquences aussi négatives sur le plan physique, c'est déjà une très bonne raison pour accepter que c'est quelque chose qu'on ne doit pas pratiquer.

Sur l'entrefaite, je me pointai le bout du nez dans le décor, histoire de m'assurer que tout allait bien. Cela faisait déjà tout de même près de deux heures qu'elles étaient là à jaser. Les filles me présentèrent à Andrew et je me retrouvai finalement attablé avec eux autres. Celui-ci tenait absolument à nous offrir une dernière bière avant qu'on s'en aille.

- Pis, Andrew, elles ne t'ont pas donné trop de misère, j'espère? lui demandai-je.

- Non, au contraire, ça faisait très longtemps que je n'avais pas eu une conversation aussi passionnante et aussi intelligente avec des femmes, répondit Andrew en riant. J'en ai appris des bonnes. Je crois que par bout, elles ont poussé un peu loin en ce qui concerne le sexe. Mais toi, Jacques, t'es un homme. Tu vas sûrement comprendre ce que j'ai essayé de leur expliquer. Ce que je leur ai dit, c'est que c'est impossible qu'un jeune gars comme moi, qui n'est pas prêt à se marier, puisse être capable de se priver de relations sexuelles.

- Bien moi, je te dis que oui, c'est possible, répondis-je. Tout d'abord, il faut s'enlever de la tête l'idée que les gens ont absolument besoin de sexe dans leur vie. C'est vraiment une illusion de croire que ce petit plaisir rapide assure notre bonheur. Si tel était le cas, ça ferait longtemps que le monde serait heureux. Vois-tu, si les jeunes d'aujourd'hui n'étaient pas si pressés de connaître le plaisir sexuel, ils pourraient prendre le temps de l'adolescence pour découvrir des valeurs comme l'amitié, la fraternité et pour se préparer à affronter leur vie future. Leurs expériences sexuelles ne leur serviront pas à affronter les problèmes de la vie, et ils ne pourront pas non plus avoir de bons rapports avec le sexe opposé s'ils n'ont pas tout d'abord respecté un certain cheminement. Ce qu'on devrait leur enseigner, c'est plutôt de chercher à acquérir, entre douze et dix-huit ans, une connaissance de soi-même, de la discipline, de la maturité et de la sagesse. Mais que veux-tu, le monde est à l'envers: les jeunes veulent vivre une vie d'adulte et les adultes veulent vivre leur vie de jeunesse. On devrait prendre exemple sur les animaux. Sais-tu pourquoi ils sont équilibrés et arrivent à vivre en harmonie entre eux?

- Non, mais je me doute bien que tu vas me le dire, répondit Andrew.

- Tout simplement parce qu'ils respectent les lois de la nature et que chacun d'eux remplit le rôle qui lui a été attribué. Prends les ours, par exemple. Il n'y a, entre eux, aucune relation sexuelle durant tout le temps où ils sont élevés ensemble. Ils passent leur jeunesse à s'amuser et à apprendre les choses nécessaires à leur survie. Ils atteignent la maturité sexuelle à quatre ans pour la femelle et vers cinq ans pour le mâle. Pendant leur adolescence, leur instinct leur enseigne que ce n'est pas le temps pour eux de s'accoupler, parce qu'ils ne sont pas prêts et ils sont naturellement soumis à cette loi.

- C'est fort ce que tu dis là Jacques, m'interrompit Andrew. Au fond, nous autres aussi on ressemble aux ours; je me souviens, quand j'étais jeune, comment c'était facile de bien s'entendre avec les filles. On se "foutait" bien de comment on était habillé et de ce qu'on avait l'air. Tout ce qui nous intéressait, c'était de jouer et d'avoir du plaisir ensemble. On n'avait pas trop de mauvaises idées à cette époque, parce qu'on ne connaissait pas encore le sexe. Je me rappelle aussi comment j'étais fier d'aider et de protéger les filles. Je dirais même que c'était juste normal pour moi d'agir ainsi; comme si c'était dans notre nature à nous les gars. En tout cas, c'est de valeur qu'on perde, en vieillissant, cette simplicité et cette innocence. Toi, Jacques, tu penses que c'est seulement à cause du sexe?

- Je pense que c'est en partie à cause du sexe et en partie à cause de l'influence néfaste d'une société qui ne respecte plus les lois de Dieu et qui permet et justifie ce qui est mauvais.

- Mais il reste un moyen, poursuivit Hélène, pour que l'homme et la femme puissent retrouver une harmonie dans leurs rapports mutuels. L'homme doit apprendre à connaître vraiment la femme et à la respecter, tandis qu'elle doit en faire autant en agissant d'une manière qui soit convenable à l'égard de l'homme.

- En tout cas, si les femmes avaient le caractère des femelles ours, elles n'auraient aucun problème à se faire respecter par les hommes, nous dit Jacques.

- Ah, tu m'intrigues là! dit Andrew. Mais, avant de m'expliquer ce que tu veux dire par là, j'aimerais ça que tu me dises comment on fait pour différencier une femelle ours d'un mâle. Tu dois sûrement savoir ça, toi.

- Premièrement, lui répondit Jacques, tu dois savoir que l'ourse n'est presque jamais seule, elle a ses petits avec elle. Il arrive même, que dans certaines situations, les femelles se regroupent et mettent leurs forces en commun. Elles se déplacent ensemble, accompagnées de leurs petits, et pendant que l'une mange ou se repose, l'autre s'occupe des oursons. Elles se méfient des gros ours solitaires. Deuxièmement, quand on connaît les ours, on sait que le caractère et le comportement sont aussi révélateurs de la nature mâle et femelle. La femelle a vraiment un bon caractère; elle est beaucoup plus douce et plus gentille que le mâle, tandis que lui, c'est un solitaire au caractère difficile et violent qui aime faire compétition avec les autres mâles. Par contre, il y a des exceptions, c'est bien certain.

Pour ce qui est de la force de caractère des femelles ours et bien, il m'est arrivé dernièrement d'en voir une qui ne s'est vraiment pas laissée impressionner par un mâle. Je me trouvais perché dans les arbres sur une plate-forme d'observation et peu de temps après m'être installé, j'eus la chance de voir s'approcher un gros mâle de l'appât. Le piquant de l'histoire, c'est qu'une femelle s'y trouvait déjà, surveillant son petit qui se nourrissait à pleines dents. Celui-ci pesait environ cinquante livres et c'était vraisemblablement un petit de l'année qui avait grossi rapidement, principalement à cause de la quantité abondante de nourriture que nous placions pour les attirer. Le mâle était environ à 2000 pieds de l'appât et s'approchait lentement par un chemin de terre qui passait juste à côté de nous. Alors que nous le voyions très bien à cause de notre position élevée, la mère, elle, ne le voyait pas du tout. Mais soyez assurés qu'elle avait senti sa présence. C'est alors que, sans même déranger son petit, elle traversa l'éclaircie où elle se trouvait, en parcourant une centaine de pieds, puis elle pénétra dans la forêt à la rencontre du visiteur qui avait quitté le chemin et disparu lui aussi à travers les arbres. C'était une grosse femelle qui pesait tout près de quatre cents livres, mais le mâle était énorme; il devait faire dans les six cents livres. Imaginez que vous pesez 150 livres et que vous décidez d'affronter un colosse de 225 livres! La femelle fit à peu près 200 pieds et c'est à ce moment-là qu'elle commença son numéro; un numéro qu'il m'a été donné d'entendre très peu souvent dans ma vie. Alors que le mâle était peut-être à 700 pieds de distance, elle se mit à frapper sur les arbres et à beugler avec une violence que vous pourriez difficilement imaginer. C'était épouvantable d'entendre les bruits venant de l'endroit où elle s'était enfoncée dans la forêt. Les arbres pliaient et craquaient, les branches cassaient, rien n'avait l'air de résister à la fureur de cette mère déchaînée. La rage et le caractère de cette femelle face à un mâle beaucoup plus gros qu'elle, avaient quelque chose d'impressionnant et de carrément épeurant. Je suis tout à fait sûr qu'elle était prête à se battre avec lui et même à le tuer, tellement elle était fâchée. Je n'aurais pas voulu me mettre dans son chemin pour tout l'or du monde. Ces bruits d'identification d'une mère qui protège son petit, furent un message très clair pour le gros ours qui fit demi-tour et sortit du bois 800 pieds plus loin. Tout en regardant derrière lui de temps à autre, il s'en alla tout doucement et disparut. Il avait compris qu'il valait mieux pour lui oublier tout ça et aller manger ailleurs.

C'est ainsi bien souvent que les ours communiquent entre eux, qu'ils s'identifient l'un à l'autre. Le son des arbres brisés et la violence du carnage révèlent la nature de celui qui est là, à l'autre qui s'approche. J'appris aussi, avec le temps, qu'un mâle va toujours respecter une femelle avec ses petits, même si elle est plus petite que lui, car il sait très bien qu'il peut être blessé et cela ne l'intéresse pas. De plus, lui aussi a été élevé par une mère qui lui a donné le meilleur d'elle-même et je suis certain qu'il ne peut pas oublier ça. Notre mère est donc revenue à son point de départ, c'est-à-dire à l'appât, puis ayant appelé son petit, elle est partie dans la forêt par une autre direction. Elle avait reçu de ce mâle le respect qui lui était dû. C'est un comportement qui, bien qu'il soit animal, nous fait sérieusement la leçon. En effet, la femme est bien loin de recevoir le respect qui lui est dû de la part des hommes qui sont supposément plus évolués que les ours.

- La situation de la femme est quand même différente et beaucoup plus délicate que celle de la femelle ours, dit Hélène. Elle a beau tout casser dans la maison pour faire valoir ses droits, elle risque fortement de se faire démolir à son tour. Elle n'a pas la force de se défendre physiquement et c'est là la source de bien des drames. On n'a qu'à s'arrêter un instant sur le nombre de femmes qui souffrent d'être battues, violées, exploitées ou méprisées, pour en être convaincu. La violence faite aux femmes dans notre société montre à quel point beaucoup d'hommes manquent sérieusement de matière grise à quelque part entre les deux oreilles. Au Canada, trois femmes sur cinq sont victimes d'agression sexuelle et la situation est à peu près la même, sinon pire, dans le monde entier. Il est temps que ça change et que les hommes et les femmes apprennent à se regarder avec des yeux spirituels.

- Mais comment avez-vous fait pour changer et voir la vie de cette manière? questionna Andrew.

- C'est tout simplement en ayant la foi, répondit Hélène.

- Mais je ne comprends pas. Il me semble que la religion est loin d'avoir libéré les femmes. Si tu veux mon avis, je crois même qu'elle les a toujours abaissées.

- Je ne te parle pas de la religion, Andrew, continua Hélène, parce que moi, personnellement, je ne veux rien savoir de ça. C'est de Jésus-Christ que je te parle, car Il est non seulement le seul libérateur spirituel de la race humaine, mais Il est aussi le plus grand libérateur de la femme de toute l'histoire; celui qui l'a vraiment libérée de tous les préjugés, tous les tabous et toutes les traditions qui faisaient d'elle une inférieure. Il y a 2000 ans, la femme était considérée comme une espèce entre l'homme et l'animal. On disait même qu'elle n'avait pas d'âme. Le Christ n'a pas eu peur de prendre position pour elle et de lui donner la place qui lui revenait. Il la respectait et la considérait comme l'égale de l'homme, parce qu'Il savait bien qu'aux yeux de Dieu la femme a la même valeur que l'homme.

- Oui, mais alors, pourquoi n'a-t-il pas choisi des femmes comme apôtres? demanda Andrew.

- Ce n'était pas leur rôle, tout simplement, répondit Nicole. Par contre, une grande foule de femmes étaient disciples et répandaient la Bonne Nouvelle. C'est en lisant les Evangiles qu'on découvre que Jésus a toujours été entouré de femmes de toutes les classes sociales. En effet, parmi celles qui l'accompagnaient et travaillaient avec lui dans son ministère, il y avait des femmes de qualité qui l'assistaient de leurs biens, d'autres étaient des femmes qu'Il avait guéries de maladies et d'infirmités et d'autres encore, comme Marie-Madeleine, étaient d'anciennes prostituées. Jésus était donc toujours en compagnie de femmes mais, au lieu de les mépriser ou de les condamner comme le faisait la société de l'époque, ou encore de les exploiter comme bien des hommes l'auraient fait, Il les a aidées à se sortir des problèmes qu'elles avaient. Ainsi, la vie de toutes ces femmes qui l'ont suivi a été complètement transformée.

- Et nous faisons aujourd'hui exactement le même travail qu'elles: celui de suivre Jésus-Christ en répandant la Bonne Nouvelle, conclut Hélène.

- Bon, bien, il commence à se faire tard. Il faudrait bien rentrer si on veut être en forme demain matin pour aller visiter les ours, ajoutai-je tout en me levant de ma chaise.

- Je suis vraiment content de vous avoir rencontrés, nous dit Andrew. Ca m'a permis de découvrir un côté de la femme que je ne connaissais pas et même de me rappeler un bon côté de moi-même auquel je n'attachais plus vraiment d'importance. Je vais peut-être arrêter de suivre les traces de Don Juan et me mettre à chercher sérieusement la perle rare...

- Tu ferais bien, lui conseillai-je. Don Juan n'avait vraiment rien qu'on puisse lui envier. Je l'ai bien connu, c'était le plus malheureux, le plus inquiet et le plus faible des hommes. Mais prends l'amour au sérieux et cherche derrière les rangs pressés des femmes trop libres, des âmes plus pudiques qui hésitent à révéler leur douceur et à donner leur confiance. Et quand le temps sera venu, fais de tout ton coeur serment de fidélité pour la vie à celle qui te semblera digne.

- Tu sais Andrew, ajouta Hélène, dans la Bible les Proverbes nous disent que le prix d'une femme vertueuse, c'est-à-dire d'une femme joyeuse, honnête, vaillante, courageuse et patiente "est bien au-delà des rubis"[5]. Ils nous disent encore que "la grâce est trompeuse et que la beauté est vanité; mais la femme qui respecte Dieu, c'est elle qui sera louée"[6].

- Vos fameux Proverbes de la Bible, demanda Andrew, ne mentionnent-ils pas quelque chose à propos des hommes?

- Bien sûr, répondit Nicole, ils nous disent que "ce qui attire dans un homme, c'est sa bonté"[7]. Alors efforce-toi de t'approcher de Dieu et de respecter Ses lois et Il va t'aider à devenir un gars plein de bonté.

- Ca nous a fait plaisir de jaser avec toi mais on doit rentrer maintenant. Si tu veux nous revoir, on campe à l'hôtel d'Evain jusqu'à la fin du mois. Tu es le bienvenu n'importe quand.

Et c'est ainsi qu'après avoir salué chaleureusement notre ami, on partit, Hélène, Nicole et moi vers le campement, laissant derrière nous un Andrew bien songeur...

---

1. Proverbes 11, verset 22
2. L'Express, Mai 1989
3. Epître de Paul aux Romains, chapitre 1, versets 26 et 27
4. L'Express, Janvier 1989
5. Proverbes 31, verset 10
6. Proverbes 31, verset 30
7. Proverbes 19, verset 22

CHAPITRE 14

LA SAISON DES AMOURS

Juin était déjà arrivé, et pour les ours, c'était la saison des amours. J'espérais bien que j'allais avoir la chance d'observer leurs ébats amoureux. On m'avait dit que cette période d'accouplement qui ne dure qu'un mois par année, de la mi-juin à la mi-juillet, était quelque chose d'unique à voir. Je connaissais deux endroits fréquentés par des mâles et des femelles où j'étais presque certain qu'ils se rencontreraient. Ma femme et moi, on s'installa à l'un de ces endroits, dans une tour d'observation; et Guy et Hélène s'installèrent à l'autre, où se trouvait un petit camp. Ils étaient contents de pouvoir profiter, eux aussi, de cette saison des amours pour se retrouver seuls tous les deux. Ils étaient mariés depuis sept ans et pour eux, c'était comme un petit voyage de noces. Je les connaissais depuis le début de leur mariage, et j'avais vu leur amour et leur compréhension l'un envers l'autre grandir au travers des problèmes et des épreuves qu'ils avaient traversés. Ils donnaient l'exemple d'un couple qui avait bâti leur mariage sur le roc, c'est-à-dire que la foi et les lois de Dieu étaient les fondations de leur union.

Après que Guy et Hélène eurent passé trois jours dans le bois, je me doutais bien qu'il ne devait plus leur rester de viande pour appâter les ours et que leurs provisions devaient aussi être épuisées. Je décidai donc d'aller leur rendre visite tout en faisant ma tournée quotidienne de ravitaillement. Ce jour-là, j'étais accompagné de Manon, une de mes compagnes de travail. Après avoir stationné notre camion sur le bord de la route, on entra dans le bois et on marcha pendant environ un mille avant d'arriver sur le bord du lac où était situé le chalet. On fut accueilli avec joie car, comme de fait, ils avaient épuisé leurs réserves de nourriture le matin même et ils avaient bien hâte de voir apparaître quelqu'un dans le décor. Ca ne faisait pas cinq minutes qu'on était arrivé, que Guy commença à nous raconter en détail une de leurs aventures avec les ours:

- Imagine-toi donc que j'étais perché dans mon arbre depuis trois heures de l'après-midi, et ce n'est que vers six heures que je vis le premier ours sortir du bois. Il était tout noir et devait peser environ 225 livres. Très méfiant, il marchait doucement comme s'il était sur un toit de paille qu'il aurait eu peur de défoncer. Ses oreilles allaient de tout bord tout côté, comme un vrai radar. Son museau aussi était de la partie, essayant de détecter toutes sortes d'odeurs. Mais pour le moment, son principal objectif était la nourriture. Ce qui me surpris un peu, c'est que je n'avais fait aucun bruit et lui, tout de suite en sortant du bois, regarda dans ma direction, ayant aussitôt détecté mon odeur. De là, jusqu'à ce qu'il prenne la première bouchée, il dut bien s'écouler environ une demi-heure. L'appât était composé de gras de viande et d'os; j'entendais les os se faire broyer sous ses mâchoires. Je n'aurais pas voulu pour rien au monde lui enlever son assiette! Il était assis sur son derrière et mangeait avec ses deux pattes de devant: il dégustait le tout comme un roi déguste un festin. Tout à coup, il s'arrêta brusquement de manger et regarda vers le bois. Il était comme paralysé et ne bougeait plus d'un poil. Puis, il lâcha sa bouchée et se plaça entre la nourriture et l'intrus qui s'approchait lentement mais sûrement. C'était un gros teddy-bear d'environ 350 livres. Le premier ours essaya de faire fuir le nouveau venu, mais comme l'autre continuait d'avancer sans même faire attention à lui, il finit par s'enfuir en courant dans la direction opposée.

Pendant que le plus gros finissait de manger, je vis l'autre ours faire un demi-tour dans le bois et revenir vers le camp, juste en-dessous de moi. Il s'avança sur le perron et regarda à l'intérieur, par la fenêtre. A ce même moment, ma femme ouvrait le rideau pour regarder dehors et elle se retrouva face-à-face avec notre ami l'ours, une mince vitre les séparant. Je ne sais pas comment ma femme a accompli ce tour de force, mais sans crier et sans même que l'ours réalise quoi que ce soit, elle referma le rideau.

- Mais chéri, l'interrompit Hélène, si je n'ai pas crié, c'est parce que je n'ai pas eu peur. J'ai eu un petit choc, mais je me suis ressaisie tout de suite. J'ai même été devant la fenêtre de la porte pour mieux le voir. C'est certain que je n'ai pas pu m'empêcher de verrouiller la porte...

Le déclic que cela produisit le fit se retourner vers l'échelle de ma tour d'observation. C'est là qu'il commença à la faire bouger. Croyez-moi, j'avais ce qu'on appelle des sueurs froides sur tout le corps, accompagnées de battements de coeur très rapides; disons que c'est très difficile de rester calme quand on sait qu'un ours a entrepris de monter dans l'échelle qui mène à notre plate-forme. Très malheureusement, il n'y avait pas assez de place pour nous deux. Vous voyez ce que je veux dire? Je me retournai donc en faisant du bruit, en espérant qu'il s'enfuirait. Comme de fait, il eut peur et se sauva; et cela en même temps que l'autre qui était encore en train de manger. En tout cas, on peut dire que je l'ai échappé belle!

- Quand je l'ai vu redescendre, pâle comme un mort, je n'ai pas pu m'empêcher d'éclater de rire, raconta Hélène. Je crois qu'il a eu la peur de sa vie.

- Tout ça, reprit Guy, s'est passé pendant notre première journée ici. Les deux autres jours furent plus tranquilles. Le plus petit arrivait toujours le premier et de plus en plus de bonne heure, afin d'avoir davantage de temps pour manger. Mais le plus gros n'était pas fou et il arrivait lui aussi de plus en plus tôt. Je n'ai pas vu d'autre ours. Pas de trace de femelle dans les parages.

- Inquiète-toi pas, Guy, le rassurai-je. Elles vont sûrement venir faire leur tour bientôt.

- Eileen et toi, est-ce que vous en avez vues?

- Oui, on a vu des mâles et des femelles venir manger à l'appât. C'est la première fois que je voyais ça. C'est bien parce que c'est le temps des fréquentations, car d'habitude, le mâle est toujours seul. C'est durant cette seule période de l'année qu'ils vivent ensemble. Ma femme est toujours là d'ailleurs, et j'irai la rejoindre après ma tournée.

- Et toi, Manon, lui demanda Guy, comment ça va? Tu ne parles pas fort, ce n'est pourtant pas ton habitude.

- Manon? Elle doit être en train de penser à son futur mariage avec André Filion. Il faut dire que depuis quelque temps, ça la préoccupe beaucoup.

- Ah! Ca, c'est une bonne nouvelle! Je suis bien contente pour vous deux.

- Merci, Hélène. Mais je dois pourtant vous avouer que même si je l'aime beaucoup, on dirait que j'ai quand même un peu peur de m'engager. Je ne cesse de penser que je n'aurai plus la même liberté, puisqu'il y aura toujours quelqu'un pour me dire quoi faire et pour me surveiller.

- C'est normal que tu te poses certaines questions et que tu aies des hésitations, lui répondit Guy, mais je t'assure que si ton mariage est construit sur une base chrétienne, il est impossible que tu ne sois pas épanouie et heureuse pleinement. Le vrai mariage, c'est l'union de deux êtres différents qui vont apprendre, au cours de leur vie commune, à se compléter et à devenir une seule chair. Bien entendu, ça ne se fait pas du jour au lendemain, ni sans rencontrer certaines difficultés, car c'est le travail de toute une vie. Mais inquiète-toi donc pas! Tu ne te sentiras pas prisonnière comme tu sembles le croire. Au contraire, tu te sentiras heureuse et encore plus libre, car tu auras quelqu'un avec toi pour t'aider à demeurer sur le bon chemin et à éviter bien des pièges.

- C'est sûr que les premiers temps, poursuivit Hélène, il y a une adaptation et c'est là qu'il faut être sincère. Pendant des années, on a vécu seul et on était habitué de penser pour soi et de fonctionner en solitaire. Quand on se marie, il faut juste se réajuster, car désormais on est deux et on doit tout partager, même nos petits secrets que l'on croit personnels. Il faut apprendre à discuter franchement de ce qu'on vit. Moi, au début, même si j'aimais mon mari, j'avais peur de m'ouvrir à lui, et cela nous a empêchés de nous rapprocher intimement l'un de l'autre.

- Moi aussi, répliqua Guy, j'étais un peu renfermé. Si j'avais eu la franchise de parler à Hélène de mes pensées et de mes besoins, non seulement on aurait pu connaître la joie de faire plaisir à l'autre, mais ça nous aurait évité bien des problèmes.

- Tu comprends Manon, continua Hélène, si on ne vit pas parfaitement dans la lumière, en d'autres mots, si on ne prend pas bien soin à tous les jours de "vider notre sac" comme on dit, et bien on accumule des petites rancunes, des frustrations, et les disputes éclatent de plus en plus fréquemment. Au lieu de laisser l'amour grandir, on le laisse mourir à petit feu. Mais que veux-tu, on a appris et on s'est corrigé, c'est ça qui est important. Il faut apprendre de nos erreurs et ne pas rester toujours au même point; il faut les régler, nos problèmes.

- Et c'est ainsi qu'au fil des jours, dis-je, à mesure que notre confiance en l'autre grandit, on devient des amis, des partenaires qui peuvent s'épauler et remplir leur devoir l'un envers l'autre. On comprend alors ce que c'est que de devenir une seule chair.

- Mais quelles sortes de responsabilités le mari et la femme ont-ils l'un envers l'autre? demanda Manon.

- Je vais t'expliquer, tu vas voir c'est bien simple, lui répondis-je. De même que Dieu a institué le mariage, il a aussi donné un devoir à remplir à chacun des époux pour qu'il y ait un équilibre dans le couple. Celui de l'homme est expliqué dans l'épître aux Ephésiens: "Les maris doivent aimer leurs propres femmes comme leurs propres corps; celui qui aime sa propre femme s'aime lui-même. Car personne n'a jamais haï sa propre chair, mais il la nourrit et la chérit"[1]. Donc, cela est bien clair: le premier devoir d'un mari est d'agir avec sa femme comme il agit envers son propre corps, et cela dans les moindres détails, pour assurer son bonheur et sa joie. Il doit se conduire envers elle de la même façon qu'il aime qu'on se conduise avec lui. Le mari doit aider sa femme à corriger ses défauts, non pas dans son propre intérêt, mais toujours pour le bien de leur union et de leur communion avec Dieu. Il faut aussi que le mari respecte sa femme et que, dans ses pensées elle soit la seule femme aimée par lui. Ainsi, il doit regarder les autres femmes comme des soeurs. Je laisse Hélène t'expliquer le devoir de la femme.

- Je crois que pour bien comprendre, il faut retourner au début de la création. La Genèse explique "qu'il n'était pas bon que l'homme soit seul et Dieu décida de faire à l'homme une aide qui lui corresponde"[2]. C'est là le premier rôle de la femme: elle doit aider son mari et l'appuyer. La femme fait partie de la vie de l'homme et il a besoin d'elle pour l'aider à se réaliser pleinement; sa douceur et sa tendresse, entre autres, balancent le tempérament et la froideur de l'homme. Avec elle, il acquiert aussi de la maturité. Une bonne épouse doit faire du bien et non du mal à son mari, tous les jours de sa vie. Par sa joie et son amour, elle doit l'encourager à devenir un homme droit et bon. Elle doit respecter son autorité et ouvrir une oreille attentive pour que le "coeur de son mari se confie en elle"[3].

- Comme il est écrit dans l'épître aux Corinthiens, ajoutai-je, "ni la femme n'est sans l'homme ni l'homme sans la femme dans le Seigneur"[4]. C'est ensemble et dans l'amour de Dieu qu'ils pourront s'épanouir. Bien sûr, cette union spirituelle avec Dieu ne grandit pas tout seul. On doit forcément prier et lire la Parole de Dieu ensemble à tous les jours. C'est ce qui fait toute la force d'un mariage. Vois-tu, dans un couple chrétien, ce n'est ni l'homme ni la femme qui fait la loi ou qui porte les culottes, mais Dieu. C'est comme un triangle: Dieu est à la tête et le mari et la femme à la base, l'un vis-à-vis de l'autre, à la même hauteur. Il faut donc apprendre à vivre cette communion avec Dieu dans notre vie quotidienne pour arriver à être parfaitement unis dans un même sentiment, dans un même esprit. Quand mari et femme aiment Dieu et cherchent continuellement à Lui plaire en mettant Sa Parole en pratique, leur mariage est plus intéressant et non pas pénible à vivre. De plus, "la corde triple ne se rompt pas vite"[5].

- Qu'est-ce que tu penses, Jacques, me demanda Manon, des couples qui n'ont pas de base chrétienne dans leur mariage ou dans leur relation à deux? Il me semble que certains ont l'air de bien aller quand même.

- Oui, mais ça ne veut pas dire qu'ils auront la force de passer à travers toutes les tempêtes de la vie ensemble, et c'est à cela qu'on reconnaît si une union est solide ou pas. C'est comme cet homme qui a bâti sa maison en posant les fondations sur le sable. "Quand une bonne tempête, un orage ou une inondation frapperont cette maison, elle risque de s'écrouler totalement, même si apparemment, elle avait l'air très solide"[6].

- Malheureusement, poursuivit Guy, ce qui manque dans le coeur de bien des gens de nos jours, c'est l'amour de Dieu qui est le roc sur lequel on doit bâtir notre union. Trop souvent, ce qu'ils éprouvent envers leur conjoint repose sur des choses aussi superficielles que son apparence ou sa position sociale. Ou encore sur les sentiments, ce qui fait qu'ils pouvaient bien s'aimer passionnément au début mais plus le temps passe, plus le feu s'éteint. L'amour véritable n'est pas une question de feeling ou de coup de foudre. Au contraire, l'amour est une semence que l'on s'efforce de faire grandir à tous les jours en posant des actions bien concrètes. La plus belle définition de l'amour, Manon, je l'ai trouvé encore une fois dans le Nouveau Testament. Je vais te la lire si tu veux.

- Oui, oui, Guy, vas-y.

"L'amour ne fait point de mal au prochain, il est plein de patience et de bonté, il n'est pas envieux; l'amour ne se vante pas, il ne s'enfle point d'orgeuil, il ne fait rien de malhonnête, il ne cherche point son intérêt, mais plutôt celui de l'autre. L'amour ne s'irrite pas et ne soupçonne pas le mal, il ne se réjouit pas de l'injustice, mais il se réjouit de la vérité. L'amour supporte tout, croit tout, espère tout, endure tout"[7]; et ce qui le rend encore plus précieux dans un mariage, c'est qu'il ne périt jamais. C'est pourquoi il n'y a que la mort qui puisse séparer un couple chrétien.

- Aimer sans souffrir, Manon, lui dis-je, c'est impossible, car l'amour implique du renoncement, des efforts. Le mariage nous enseigne à éliminer l'égoïsme de notre vie et à renoncer à nous-mêmes pour l'amour de l'autre. Aujourd'hui, les gens qui se marient recherchent plutôt la facilité et le plaisir. Ils ne sont souvent pas prêts à affronter les côtés exigeants du mariage. Quand surviennent les temps durs, ils aiment mieux aller voir ailleurs plutôt que de faire des concessions.

- C'est vrai que beaucoup croient qu'en allant voir ailleurs, ils régleront leurs problèmes, continua Guy. Mais l'adultère commence d'abord dans le coeur, c'est-à-dire qu'à force de regarder les autres femmes et parfois de les désirer, on en vient un jour à tromper sa femme. La fidélité commence tout d'abord dans nos pensées. Si on n'a jamais combattu à ce niveau, comment pourrait-on résister et être fidèle aussi dans nos actions? L'esclavage des vices sexuels rend les gens malheureux, détruit le mariage et il le jette à terre comme un château de cartes. De plus, si on a jamais appris à être fidèle avant de se marier, ce n'est pas le fait d'être marié qui changera quelque chose à nos habitudes.

- Ca doit pas être facile, dit Manon, d'être marié avec quelqu'un qui n'a pas la foi, quand on est un chrétien sincère...

- En fait, lui répondis-je, un croyant sincère ne devrait jamais se marier avec un non-croyant, car il risque ou bien de perdre sa chrétienté ou bien de s'embarquer dans un moyen bateau de souffrances si l'autre ne veut pas devenir chrétien. Car quelle communion peut-il y avoir entre quelqu'un qui aime Dieu et l'autre qui ne l'aime pas, soyons réalistes. Bien des gens l'ont essayé et ont versé beaucoup de larmes. Ils se sont laissés guider par leurs sentiments humains au lieu d'être patients et d'attendre que Dieu les guide vers quelqu'un de spirituel. C'est ce que nous devrions tous faire, d'ailleurs. Si l'on compte sur Dieu, ne préparera-t-Il pas Lui-même ceux qu'Il veut unir, à Son moment, quand Il les aura formés pour cela?

- Mais qu'arrive-t-il Jacques, si la conversion de l'un ou l'autre dans un couple survient en cours de route? demanda Manon.

- Là, c'est différent, bien sûr. Dieu nous offre alors deux solutions, les voici: "Si un frère a une femme non-croyante (dans les églises chrétiennes, les hommes et les femmes sont frères et soeurs dans la foi), et qu'elle consente à habiter avec lui, qu'il ne l'abandonne pas; et si une femme a un mari non-croyant, et qu'il consente à habiter avec elle, qu'elle n'abandonne pas son mari. Car le mari non-croyant est sanctifié par la femme, et la femme non-croyante est sanctifiée par le mari. Car que sais-tu, femme, si tu ne sauveras pas ton mari? Ou que sais-tu, mari, si tu ne sauveras pas ta femme?"[8] Il est donc possible que la vie à deux soit réalisable après la conversion de l'un des deux; qui sait, il peut même arriver qu'avec le temps, le non-croyant se convertisse aussi. Il faut savoir user de patience et de sagesse pour semer la foi dans son coeur dans l'espoir qu'il ou elle ouvrira la porte à Dieu.

Mais il se peut aussi que le non-croyant, au fil des mois et des années s'endurcisse face à Dieu en rejetant carrément la foi et la Parole de Dieu, à un point où cela ne soit plus vivable du tout. Car en rejetant Dieu et en ne voulant pas changer son coeur, il deviendra sûrement de plus en plus méchant, il risque de devenir violent même. S'il refuse le bien, il y a de fortes chances qu'il s'enfonce davantage dans le mal. St-Paul, dans ce cas-là, nous dit ce qui suit: "Si le non-croyant s'en va, qu'il s'en aille; le frère ou la soeur ne sont pas liés dans ces cas-là. Dieu nous a appelés à vivre dans la paix"[9]. Ainsi, lorsqu'il se retrouve seul, il ne doit pas chercher à se marier, mais il "doit demeurer dans l'état où il était lorsqu'il a été appelé"[10] .

Les hommes et les femmes ne doivent pas se permettre de prendre à la légère le mariage, sinon c'est toute la société qui s'en trouve pénalisée, car le couple est, en fait, la base de la société. Si on méprise la loi de Dieu en commettant adultère ou en divorçant, ce sont des millions d'enfants que l'on fait souffrir en les exposant à la honte, la dépression, la délinquance, la toxicomanie et le suicide... sans parler des conséquences que cela peut avoir sur celui ou celle avec qui on s'était engagé. Jésus nous disait: "Ce donc que Dieu a uni, que l'homme ne le sépare pas"[11]. Ainsi, selon la loi de Dieu, "une femme est liée aussi longtemps que son mari est vivant; mais si le mari meurt, elle est libre de se marier avec qui elle veut, seulement que ce soit dans le Seigneur"[12] . Et il en est de même pour l'homme.

- En tout cas Manon, toi tu sais dans quoi tu t'engages, constata Guy. Ce qui est très bon aussi, c'est que vous avez pris le temps,

André et toi, de vous connaître, de vous assurer de la sincérité de l'autre, de la pureté de sa vie et de grandir dans la foi chacun de votre côté avant de vous engager. Le jour où vous poserez ce geste inoubliable, ce sera un geste réfléchi et béni par Dieu. Ca dit dans les Proverbes: "Celui qui a trouvé une femme a trouvé une bonne chose et il a obtenu faveur de la part de l'Eternel"[13] . Et c'est aussi vrai pour la femme qui a trouvé un bon mari.

- Je suis bien contente d'avoir parlé avec vous autres. Ca m'a rassuré et ça m'a montré beaucoup de bons côtés du mariage auxquels je n'avais pas pensé.

- Bon, je crois bien qu'il faudrait que j'aille retrouver Eileen, car comme je la connais, elle doit commencer à avoir hâte que je revienne. On vous laisse, les amoureux. On reviendra dans trois jours vous porter d'autres provisions.

- Salut, et merci d'être venus...

A ma grande surprise, ma femme était loin de s'être ennuyée. Elle me raconta, tout énervée, que le mâle et la femelle se rapprochaient de plus en plus. Elle avait passé la journée à observer le mâle faire la cour à sa belle. On passa les deux jours qui suivirent dans notre tour et croyez-moi, ce fut loin d'être pénible. Car malgré la courte durée de cette période de rapprochement, la manière de se comporter de ces animaux pourtant si gros et si forts a quelque chose de vraiment touchant. Ma femme et moi sentions que c'était presqu'un privilège d'être les témoins silencieux de pareilles scènes. La délicatesse et la chaleur dont le mâle fait preuve à l'égard de la femelle sont vraiment étonnantes. Le mâle, voyez-vous, est bien loin de s'imposer; il doit au contraire gagner son coeur. Cela n'a rien d'une charge sauvage ou d'un viol. Ainsi, c'est avec beaucoup de tendresse que le mâle va entreprendre la conquête de sa douce moitié. Il la lèche gentiment, l'embrasse, la serre tout contre lui. Les deux sont très doux l'un envers l'autre.

Tous les humains devraient au moins une fois dans leur vie voir un film sur la saison des amours des ours. Certains hommes seraient tellement impressionnés qu'ils changeraient probablement d'attitude envers leur épouse. Ils seraient sans doute beaucoup plus doux envers elle. Moi, ça m'a pris du temps avant de comprendre que la femme est beaucoup plus tendre et beaucoup plus sensible que l'homme. Je ne réalisais pas, au début de mon mariage, à quel point je pouvais bouleverser ma femme et même lui gâcher sa journée, seulement avec quelques paroles dures. Ma femme m'a même avoué que quand je me mettais en colère et que je lui parlais durement, ça lui rentrait par une oreille et lui ressortait par l'autre. Mais si je lui expliquais ce que j'avais à lui dire doucement, elle était aussitôt toute disposée à m'écouter bien attentivement.

Trop souvent, nous, les hommes, on méprise les sentiments de nos femmes et on ne tient pas compte de leur sensibilité. Le Nouveau Testament nous enseigne que "la femme est un vase plus fragile, plus faible, c'est-à-dire féminin"[14]. Ce n'est pas une question d'infériorité, loin de là. Mais c'est que nos femmes ont besoin d'attention, d'affection, de tendresse, de douceur, de compréhension, de délicatesse, choses qui sont pour elles des marques de l'amour qu'on leur porte. L'homme doit donc apprendre à dépasser sa froideur naturelle, sa dureté ou sa rudesse, pour comprendre ce qu'une femme vit au-dedans d'elle.

Les désirs de l'homme sont aussi différents de ceux de la femme en ce qui concerne la sexualité. Normalement, les hommes en demandent plus, parfois ils en demandent trop. Il leur arrive de se satisfaire en oubliant de satisfaire leur épouse. Ils sont trop pressés quoi! Parfois aussi, la femme refuse à son mari ce dont il a simplement besoin. En tout cas, il ne faut pas que le sexe devienne une occasion de chute ou de dispute, mais il faut que le couple trouve un terrain d'entente. La Parole de Dieu, bien qu'elle soit discrète là-dessus, nous dit quand même ceci: "Que le mari rende à la femme ce qui lui est dû, et pareillement aussi la femme au mari. La femme ne dispose pas de son propre corps mais c'est le mari, et pareillement aussi le mari ne dispose pas de son propre corps, mais la femme. Ne vous privez pas l'un de l'autre, si ce n'est d'un commun accord pour un temps, afin de vaquer à la prière; puis, retournez de nouveau ensemble, de peur que Satan ne vous tente en raison de votre manque de maîtrise"[15]. C'est important de satisfaire les besoins de l'autre, car ainsi on le met à l'abri de bon nombre de tentations d'aller voir ailleurs.

La Parole de Dieu nous apprend à entourer d'un respect sérieux et profond tout ce qui touche à la transmission de la vie. La bénédiction qui se rattache à ce pouvoir merveilleux qu'a le couple de créer la vie, a pour contrepartie une responsabilité très grande. "C'est pourquoi il faut s'appliquer à garder le lit sans souillure"[16], et à ne pas faire du sexe un plaisir égoïste, mais un véritable acte d'amour envers notre conjoint, en ne perdant jamais de vue qu'un enfant naîtra peut-être de notre union. On doit pouvoir lui offrir un milieu de vie où il puisse s'épanouir.

Un enfant, c'est fragile, c'est comme une terre vierge. C'est aux parents qu'est confiée la responsabilité de semer de bonnes valeurs spirituelles et morales dans son coeur pour qu'il prenne un bon départ dans la vie. Et pour cela, ils doivent eux-mêmes commencer par mettre Dieu dans leur vie quotidienne. Ils pourront ensuite éduquer leurs enfants selon ce qu'enseigne Sa Parole. Si les parents vivent une bonne vie chrétienne équilibrée, et bien les enfants ont toutes les chances de vivre une vie équilibrée eux aussi.

Pas besoin pour cela de leur laver le cerveau ou de leur imposer des croyances, il suffit seulement de leur donner l'exemple. Les enfants sont toujours le reflet de leurs parents. Si ces derniers sont orgueilleux, avares, menteurs, voleurs ou alcooliques, comment voulez-vous que les enfants n'imitent pas leurs défauts? Les péchés des parents retombent presque toujours sur les épaules de leurs enfants. Mais si, au contraire, ils sont témoins de l'amour que leurs parents ont pour Dieu et pour les autres, comment pourraient-ils ne pas les imiter?

---

1. Epître de Paul aux Ephésiens, chapitre 5, versets 28 et 29
2. Genèse, chapitre 2, verset 18
3. Proverbes, chapitre 3l, versets 11 et 12
4. lère épître de Paul aux Corinthiens, chapitre 11, verset 11
5. Ecclésiaste, chapitre 4, verset 12b
6. Evangile de Matthieu, chapitre 7, versets 24 à 27
7. Première épître de Paul aux Corinthiens, chap. 13, versets 4 à 8
8. lère épître de Paul aux Corinthiens, chap. 7, versets 12, 14 et 16
9. Première épître de Paul aux Corinthiens, chapitre 7, verset 15
10. Première épître de Paul aux Corinthiens, chapitre 7, verset 20
11. Evangile de Marc, chapitre 10, verset 9
12. Première épître de Paul Corinthiens, chapitre 7, verset 39
13. Proverbes, chapitre 18, verset 22
14. lère épître de Pierre, chapitre 3, verset 7
15. Première épître de Paul aux Corinthiens, chap. 7, versets 3 à 5
16. Epître de Paul aux Hébreux, chapitre 13, verset 4

CHAPITRE 15

E.T. TÉLÉPHONE MAISON

J'observais les ours depuis presque deux mois déjà et à toutes les deux semaines environ, nous continuions de faire une rotation pour permettre à tout le monde de l'équipe de vivre cette expérience. J'avais malheureusement constaté, pendant ces deux mois, que les filles étaient plutôt rares et que c'était presque toujours uniquement des gars qui venaient. Je me doutais bien que l'idée de passer du temps en forêt était loin de leur plaire. J'avais donc mis un peu de pression et les avais obligées à venir quand même, à leur plus grand regret.

C'est ainsi que du jour au lendemain, je me retrouvai entouré d'une dizaine de filles qui n'avaient pas trop d'expérience dans le bois et qui ne savaient vraiment pas à quoi s'attendre. Je leur expliquai qu'elles n'avaient pas à se casser la tête pour rien et que ce serait comme des petites vacances pour elles. Le travail qu'elles faisaient les tenait bien occupées toute l'année, et je savais bien qu'un petit temps d'arrêt dans la nature ne leur ferait pas de tort du tout, au contraire. De plus, si je tenais tellement à ce qu'elles vivent cette expérience, c'est que je savais qu'elles avaient toujours vécu en ville et que cette formation dans le bois leur serait utile.

Elles se firent donc à l'idée que ce n'était pas si terrible que ça et même qu'un bon nombre d'entre elles étaient finalement contentes de pouvoir vivre cette aventure. Dès le lendemain de leur arrivée, mes dix demoiselles étaient prêtes pour leur plongeon dans la nature. Quelques-unes, toutefois, n'étaient pas trop enchantées, mais au point où elles en étaient, elles n'avaient plus trop le choix. Je fis donc tout mon possible pour les rassurer tout en les avertissant que si elles souhaitaient voir des ours, elles devaient absolument respecter le plus grand silence. J'en déposai quatre dans un chalet en plein bois, tout près duquel nous attirions des ours. Puis, je divisai les autres en trois équipes de deux, que j'installai tour à tour sur des plates-formes dans les arbres. Tous ces endroits étaient visités régulièrement par des ours depuis un petit bout de temps, mais ils étaient toujours méfiants, surtout lorsque c'était une nouvelle odeur. A la longue, les ours s'habituent à l'odeur des gens quand ils les côtoient régulièrement et qu'il n'y a jamais eu de danger.

Cette première soirée d'observation fut sans succès. Nos jeunes filles de la ville n'avaient pu résister à la tentation de parler et de bouger. Je les encourageai tout de même en leur disant qu'il fallait être patientes et qu'à bout de persévérance et de silence surtout, elles finiraient sans aucun doute par voir des ours. L'expérience se répéta pour une deuxième journée; j'allai les déposer vers les trois heures de l'après-midi et je les recueillis au début de la soirée. Les ours attendent normalement la tombée du jour pour commencer à bouger. S'ils se sentent en sécurité et que tout est calme, ils pourront se montrer le bout du nez un peu avant le coucher du soleil, alors qu'il fait encore bien clair; sinon ils attendront la noirceur.

La deuxième journée, malheureusement, fut elle aussi sans fruit. Non seulement toutes mes équipes n'avaient rien vu mais pire encore, une des équipes, apeurée par les bruits de la forêt et par les ours qu'elle n'avait même pas vus, avait tout abandonné pour retourner à la ville sur le pouce. Cela s'annonçait plutôt mal; mes chères demoiselles non seulement n'arrivaient pas à rester silencieuses, mais quelques-unes d'entre elles manquaient de courage. Le plus beau du tour, c'est que les ours finissaient toujours par venir quand même, car le lendemain lorsque je retournais déposer la viande, elle avait été mangée. Le problème était donc au niveau de la plate-forme, pas chez les ours.

Après une troisième soirée identique aux deux autres, j'eus l'idée de placer les deux plus peureuses sur une plate-forme de plus de vingt pieds de haut et je décidai aussi qu'il serait beaucoup mieux d'en installer quelques-unes seules. C'est donc ce que je fis le quatrième soir, en espérant qu'elles ne s'enfuiraient pas de peur. Le problème du placotage étant ainsi réglé, elles auraient sûrement plus de chance de voir quelque chose. Je décidai aussi de les laisser sur leur plate-forme un peu plus longtemps, en me gardant bien de leur dire, car je savais que ce soir-là la lune serait pleine. Mon but était tout juste que ça réussisse; je savais à quel point alors ce serait une expérience inoubliable pour elles. Il était rendu neuf heures le soir quand j'envoyai Sylvain chercher les filles à ma place. J'étais depuis quelques heures en pleine discussion sur la foi avec un jeune homme que j'avais rencontré à l'hôtel du village, et je ne pouvais pas m'en aller ainsi.

Croyez-le ou non, quand elles revinrent, la plupart des filles avaient vu des ours. En fait, il n'y avait que les quatre filles que j'avais laissées dans le chalet trois jours auparavant qui n'avaient rien vu. Elles m'avouèrent bien humblement qu'elles avaient parlé sans arrêt et qu'elles avaient même chanté de peur que l'ours ne vienne! Leurs amies, quant à elles, étaient vraiment fières de leur exploit; elles avaient réussi à surmonter leur peur naturelle de la forêt et des ours. Elles étaient toutes emballées; on aurait dit de vrais petits enfants et pourtant, elles étaient toutes dans la vingtaine. En tout cas, elles en avaient long à dire. Tout en prenant une bière, on riait de bon coeur à les entendre raconter leur journée.

- Pis, Carole? lui demandai-je. T'as pas eu l'idée de faire du pouce quand tu as vu que je ne venais pas te chercher à la même heure que d'habitude?

- Non, je me sentais en sécurité aujourd'hui. Il faut dire qu'une plate-forme de vingt pieds de haut, c'est plus rassurant qu'une plate-forme de trois pieds de haut. L'autre jour, j'ai bien pu avoir peur; c'était la première fois de ma vie que je me retrouvais en plein bois. Le pire, ce fut quand j'ai réalisé que c'était un vrai ours qui allait venir manger à quelques pieds de moi. Je ne pouvais pas m'empêcher de penser à toutes les histoires terribles qu'on raconte sur les ours, et je n'avais aucune envie d'être la victime de la prochaine histoire. C'est là que j'ai convaincu Johanne de s'en aller avec moi sur le pouce.

- C'est moi qui ai pris ta place aujourd'hui sur la plate-forme de trois pieds de haut, lui dit Sylvain. Si tu savais ce qui m'est arrivé, je crois que tu serais encore mille fois plus heureuse d'avoir passé la journée sur celle de vingt pieds.

- Qu'est-ce qui s'est passé? lui demanda Carole.

- J'étais étendu bien calmement sur ma plate-forme, expliqua Sylvain, quand, aux alentours de six heures, j'ai entendu des petits craquements de branches. Je savais qu'il y avait un animal dans les parages. J'étais très nerveux mais je ne bougeais pas; je ne voulais surtout pas faire le moindre petit bruit. Pendant environ quarante-cinq minutes, j'ai entendu le bruit se rapprocher tranquillement. C'est alors que tout à coup, j'ai senti quelque chose me toucher les pieds et me renifler. Puis, au même moment, j'ai vu un bébé ours passer sous la plate-forme, un autre à ma droite et enfin la mère à gauche.

- Pas vrai! s'exclama Johanne qui n'en revenait pas. Tu entends ça, Carole? Une chance que c'était pas nous autres qui étaient là, on serait bien mortes de peur! Qu'est-ce que tu as fait, Sylvain?

- Il n'y avait pas grand-chose à faire, mais je peux vous dire que je priais le bon Dieu d'éloigner le petit fouineux qui jouait avec mes orteils! Je sais bien qu'une mère ourse avec ses petits est très peu sociable, et qu'elle les défend même jusqu'à la mort. Je ne tenais pas à réveiller son instinct de défense, c'est pourquoi j'ai laissé faire le petit ourson et je suis demeuré immobile. Je n'ai pas eu à patienter longtemps. La maman ourse lâcha un grognement qui voulait sûrement dire que c'était l'heure du lunch et le petit ourson qui était obéissant, heureusement pour moi, se dirigea immédiatement vers l'appât, à vingt pieds de moi. Je respirais déjà plus facilement, croyez-moi. Je les ai observés ensuite pendant une bonne demi-heure. Les trois petits se régalaient et jouaient ensemble pendant que maman ourse, qui devait bien peser autour de 300 livres, veillait sur eux très attentivement.

Elle marchait lentement autour des petits, en regardant partout, en reniflant et en tendant l'oreille. Après trois tours, assurée que tout était sous contrôle, elle prit une grosse bouchée qu'elle tenait dans ses pattes avant, s'assit sur son derrière, mais continua quand même à monter la garde. Après sa bouchée, sa méfiance naturelle lui fit refaire encore deux ou trois tours. A un moment donné, elle s'arrêta et me regarda droit dans les yeux. Heureusement que je ne suis pas cardiaque! Je ne sais pas comment j'ai pu faire, mais je suis tout de même demeuré parfaitement immobile et silencieux. Elle dut croire que j'étais une statue ou bien elle me fit grâce, je ne sais pas trop, mais elle continua finalement sa tournée. Il m'a fallu ensuite affronter un autre problème. Depuis un bon bout de temps déjà, j'avais envie d'aller aux toilettes. J'étais alors rendu à mon extrême limite, je ne pouvais plus attendre. Je ne voulais pas risquer de faire fuir les ours, et encore moins d'avoir des problèmes avec la mère. J'ai donc choisi de passer le reste de la soirée dans l'humidité...

- Ah! Je comprends maintenant pourquoi tu es revenu ici de bonne heure! lui dis-je en riant. D'habitude, tu ne te fais pas prier pour passer la soirée sur ta plate-forme, mais ce soir, c'était un peu trop te demander...

- Je l'ai pas regretté en tout cas. J'ai passé une soirée dont je me souviendrai toute ma vie.

- Moi aussi Sylvain, dit Isabelle, j'ai passé dans le bois, des moments inoubliables, même s'ils ont été moins mouvementés que les tiens. Les trois premiers jours, je n'ai pas vu d'ours mais ce n'était pas grave. Le premier jour, j'ai observé les allées et venues de deux renards; le lendemain, j'ai vu un castor transporter du bois, et il y a même un chevreuil qui est venu boire au ruisseau près de ma tour. En plus, dans le calme de la forêt, j'ai vraiment pu me reposer comme ça faisait longtemps que je n'en avais pas eu la chance!

- En tout cas, moi, dit Johanne, ça faisait un bon bout de temps que je n'avais pas vu un coucher de soleil aussi beau que celui de ce soir. J'ai trouvé ça bien spécial aussi de voir un ours en liberté; c'est mieux que de les voir au zoo, couchés dans leurs cage à ne rien faire. Du haut d'une plate-forme, en pleine nature, ce sont toutes leurs petites habitudes de vie qu'on peut observer.

- C'est drôle hein, reprit Isabelle, mais ce petit séjour en forêt a ramené à ma mémoire beaucoup de souvenirs de jeunesse. Je me suis rappelée comment, quand nous étions petits, mon père s'occupait beaucoup de mon frère, ma soeur et moi. Il nous amenait souvent prendre des marches dans la forêt ou encore à la pêche; il nous faisait découvrir la nature, les oiseaux, etc. Il tenait tellement à ce qu'on ne manque de rien qu'il faisait toujours tout pour nous faire plaisir et nous rendre heureux. J'ai vraiment été chanceuse d'avoir de bons parents.

- C'est vrai que tu as été chanceuse, lança Carole d'un ton triste. Moi, s'il avait fallu que je compte sur mon père pour m'aider à m'épanouir, je serais encore très malheureuse.

- On dirait que tu l'as pas eu facile, toi... remarqua Johanne.

- Non, c'est pas facile d'avoir eu un père qui t'a maltraitée et qui a même abusé de toi sexuellement. C'est loin d'être un bon départ dans la vie. Je peux vous dire que le temps a effacé le mal physique, mais que c'est plus difficile d'oublier la souffrance morale et la profonde humiliation que j'ai subies quand je n'étais encore qu'une petite fille. Le pire dans tout ça, c'est que je suis loin d'être la seule à avoir vécu cette situation. Au Québec, je sais que plus de 20,000 enfants sont battus chaque année, et imagine-toi que la population n'est que de six millions! En plus, saviez-vous qu'à tous les mois, 3000 cas d'abus sexuels de toutes sortes envers des enfants sont rapportés aux services sociaux? Mais eux sont complètement dépassés par ce problème et n'ont ni le personnel, ni les budgets, ni l'appui voulu de la loi pour intervenir rapidement et pour prendre la défense de ces enfants qui souffrent le martyre.

- C'est épouvantable! l'interrompit Johanne. D'autant plus qu'il faut ajouter à ces chiffres tous ceux qui n'osent pas parler parce qu'ils vivent dans la terreur, et ceux qui ont honte de dire ce qui s'est passé ou ce qui se passe encore...

- Aujourd'hui, le monde est assez capoté, ajouta Sylvain, qu'on enlève même des enfants pour les faire jouer dans des films pornographiques. Moi, quand je pense à ces adultes qui maltraitent des enfants, j'aurais juste envie de les battre ben comme il faut une fois dans leur vie, pour leur donner une leçon qu'ils n'oublieraient jamais. J'ai même entendu dire qu'il y en a qui offrent des enfants en sacrifice au diable. C'est grave ce que le diable peut faire faire au monde. C'est vraiment révoltant de voir ça.

- Je crois, continuai-je, qu'il faut être très méchant et très lâche pour profiter de la naïveté et de la faiblesse d'un enfant, en abusant de son corps pour satisfaire ses bas instincts. Je pense aussi que quiconque se tait sur les souffrances d'un enfant, alors qu'il pourrait dire ou faire quelque chose, est coupable lui aussi. Malheureusement, combien de mères n'osent pas mettre en lumière les vices sexuels de leur mari ou la violence qui règne dans la maison, par peur ou par honte? Combien d'adultes ne sont pas assez à l'écoute et pas assez proches de leurs enfants, pour discerner qu'ils vivent quelque chose qui les bouleverse?

Un enfant qui a été maltraité ne pourra que souffrir. Il souffre parce qu'il a manqué d'amour. De plus, il risque d'être marqué pour la vie. Il deviendra agressif, révolté ou renfermé et à coup sûr, il haïra l'autorité, que ce soit celle de l'école ou de la société. Il sera aussi beaucoup plus vulnérable à la drogue, à l'alcool, aux mauvaises influences et à la délinquance, car on l'a rejeté. Et ces délinquants créés par un monde d'adultes seront à forte dose les criminels et les drogués de demain. Quand on prend le temps d'aller voir les gens qui sont derrière les barreaux, on se rend compte qu'un grand nombre ont été ou bien mal aimés, ou pas aimés du tout.

- On dirait quasiment que c'est ma vie que tu racontes-là, Jacques, dit Carole. Moi, j'ai quitté la maison à 12 ans; j'en avais assez d'endurer mon père, je ne voulais pas non plus faire de peine à ma mère en lui racontant ce qui se passait, et de toute façon, j'avais trop honte. Je me suis donc retrouvée dans la rue, seule et sans ressource. Ca n'a pas été long que les services sociaux m'ont ramassée. Je suis alors passée en cour juvénile; et bien, crois-moi, crois-moi pas, j'ai eu l'impression que c'était moi la coupable. Ils m'ont placée ensuite dans un centre d'accueil. Je me souviens comment j'étais assoiffée d'amour et d'attention; les gens qui travaillaient là, même si c'était pour la plupart du bon monde, ne m'aimaient pas comme j'aurais eu besoin qu'ils m'aiment. Ils avaient leur propre famille à s'occuper, et je ne sentais que trop qu'ils ne m'aidaient que parce que cela faisait partie de leur job, un point c'est tout. Je peux vous dire que j'en ai passés des soirs à pleurer. Quand je sortais et que je croisais des familles qui avaient l'air unies, je ne pouvais pas m'empêcher d'envier ceux qui avaient des parents.

J'étais triste et de plus en plus renfermée. Par la suite, je me suis promenée de famille d'accueil en famille d'accueil, et là j'en ai vu de toutes les couleurs. Quelquefois, je sentais que le chèque que mes tuteurs recevaient pour me garder comptait plus que moi. Combien d'injustices j'ai subies parce qu'il y avait toujours les vrais enfants, et moi qui n'était pas tout à fait des leurs! Même si, à un moment donné, je me suis retrouvée avec une bonne famille, on aurait dit qu'après tout ce que j'avais vécu, je n'étais plus capable d'être correcte avec le monde; j'étais devenue endurcie et rebelle. Je rêvais souvent de rencontrer des gens qui m'auraient acceptée et aimée comme leur propre fille, mais la réalité était tout autre; je recevais plus d'indifférence que de marques d'affection.

A dix-huit ans, on m'a dit que j'avais atteint l'âge de raison. Je me suis donc retrouvée sur le marché du travail, seule encore une fois, dans le centre-ville de Montréal. Quand on n'a pas d'instruction ni personne pour nous guider ou nous reprendre dans le mal, on est une proie facile; et ce n'est pas trop long qu'on se fait emporter dans le courant de la vie. C'est ce qui m'est arrivé. Pendant cette période de ma vie, j'avais ma gang de "chums" qui étaient presque tous comme moi, c'est-à-dire abandonnés à eux-mêmes. Nous avions une solidarité entre nous qui me sécurisait énormément; cela ressemblait beaucoup à la famille que je n'avais jamais eue. Et c'est la drogue, la boisson et le sexe qui compensaient notre vide d'amour. L'important, c'était que nous n'étions plus seuls. Je suis pas mal certaine que j'aurais fini par me retrouver en prison un jour ou l'autre, parce que nous étions tous des voleurs, mais, heureusement pour moi, je vous ai rencontrés avant d'en arriver là.

Ce qui m'attriste beaucoup, c'est que dans les villes du monde entier, je sais que les rues, les toilettes publiques, les métros, les clubs sont pleins de jeunes filles ou de jeunes hommes qui ont été comme moi maltraités ou abusés sexuellement, et qui se retrouvent dans la rue à vendre leur corps parce qu'ils ont besoin d'argent et que des adultes sont prêts à leur en donner pour abuser d'eux. Et on se fout bien qu'ils soient malheureux, torturés intérieurement, drogués, abandonnés. On se fout qu'ils soient à la recherche d'amour, d'affection, d'estime, c'est-à-dire ce dont ils ont manqué le plus.

- T'as raison Carole, c'est bien triste de voir toute cette misère morale, lui répondis-je. Je me rappelle avoir accueilli un soir, dans l'un de nos centres, un jeune garçon de quatorze ans, Patrick, qui faisait de la prostitution homosexuelle dans le métro. Quand je l'ai amené chez moi, il était malade, il n'arrêtait pas de vomir. Croyez-le ou non, il vomissait du sperme. Je l'ai gardé près de moi et je l'ai traité comme mon fils en lui donnant le plus d'amour possible. Petit à petit, je lui parlais de la foi, de l'importance d'être ami avec Dieu, de faire le bien. Mais cela n'était pas facile. On ne répare pas en quelques semaines les souffrances de toute une enfance. Il avait été tellement battu et on avait tellement abusé de lui que cela allait prendre des années d'amour, de patience, de foi, pour qu'il reprenne confiance en lui et dans la vie.

Jésus aimait les enfants et c'est ce qu'il nous demande à nous aussi. C'est pour ça qu'il disait: "Quiconque reçoit en mon nom un petit enfant, me reçoit moi-même."[1] Ainsi, lorsqu'il nous dit de nous aimer les uns les autres, ce ne sont pas des paroles en l'air qu'il veut, mais des actions concrètes. Qu'est-ce qui empêche les gens d'accueillir ces orphelins de la rue chez eux et de leur donner cet amour dont ils ont été privés? Ils ont besoin de vrais parents, comme tous les autres enfants. L'amour de Dieu, quand on l'a réellement dans notre coeur, nous pousse à faire des actions comme celles-là. Il nous donne un coeur qui comprend la souffrance de ces enfants.

- Une chose dont je suis certaine, Jacques, continua Carole, c'est que Dieu vous a mis sur mon chemin et qu'Il m'a donné la chance de connaître ce que c'est qu'une vraie famille. Ca m'a prouvé qu'il y avait quelqu'un là-haut qui voyait ma souffrance et qui a pris ma défense. Il y a un verset dans les Psaumes qui dit: "Quand même mon père et ma mère m'auraient abandonné, l'Eternel me recueillera"[2]. Quand Dieu m'a recueilli comme sa fille, j'ai découvert que je pouvais aimer et pardonner même si j'avais vécu une enfance troublée. Peut-être que si j'avais été élevée dans la richesse ou dans un foyer normal, je n'aurais pas eu à coeur de chercher si intensément le sens profond de la vie.

C'est pourquoi, aujourd'hui, je n'en veux pas à mon père. Je lui ai pardonné, ainsi qu'à tous ceux qui ont profité de moi, et c'est ce qui m'a permis de me libérer de la haine et de la rancune qui me tenaient prisonnière du passé. C'est alors que j'ai pu recommencer une vie nouvelle avec Dieu. Aujourd'hui, mon père est décédé, mais j'avais vraiment prié pour qu'il se convertisse avant sa mort; je continue de le faire pour tous ceux qui ont été méchants et injustes envers moi au cours de mon adolescence. Car je sais maintenant comment le Christ va juger sévèrement tous ceux qui profitent de la naïveté des jeunes et de leur besoin d'affection, pour les manipuler et les entraîner dans le sexe ou dans quelqu'autre mauvaise voie. L'autre jour justement, je lisais l'Evangile, pis je suis tombé sur ce bout de phrase-là: "Mais si quelqu'un scandalise un de ces petits qui croient en moi, il vaudrait mieux pour lui qu'on suspende à son cou une meule de moulin et qu'on le jette au fond de la mer. Prenez donc garde de ne pas mépriser un seul de ces petits, car leurs anges dans les cieux voient continuellement la face de Dieu"[3]. Ca fait réfléchir en tout cas...

- Au lieu de les mépriser et de leur faire du mal, continua Johanne, on devrait plutôt prendre exemple sur eux. Les enfants sont joyeux, souriants, toujours prêts à donner de l'amour et à pardonner facilement, sans jamais garder de rancune. Ils ne se jugent pas entre eux et se font des amis rapidement. Leur simplicité leur fait apprécier les petits plaisirs de la vie. En fait, si notre foi envers notre Père céleste ressemblait davantage à la confiance aveugle et sans limite qu'a un enfant en ses parents, la vie serait belle et très facile à vivre. On arrêterait de s'inquiéter de ce qu'on va manger, de comment on va être habillé et encore moins du futur. On retrouverait ainsi la simplicité et l'humilité des petits enfants, et on s'approcherait de Dieu aussi.

- C'est exactement ce que Jésus disait à ses disciples, Johanne: "Si vous ne vous convertissez, et si vous ne devenez pas comme les petits enfants, vous n'entrerez pas dans le royaume des cieux"[4]. On comprend par ça que la solution du Christ est quelque chose de très simple: il faut juste retrouver la pureté de coeur et de pensée qu'on avait lorsqu'on était enfant. Sais-tu, ça me fait penser au film E.T. que j'ai vu il y a quelques semaines.

- Ah, oui? fit Johanne, surprise.

- Ouais, c'est vraiment un beau film pour les enfants, et toute une leçon pour les adultes en même temps. C'est l'histoire d'E.T., ou extra-terrestre, un être bizarre et très laid, venu d'une autre planète, qui débarque sur la terre. Il est recueilli par des enfants qui l'acceptent tout de suite tel qu'il est, sans se préoccuper de son apparence. Pendant que les adultes le cherchent pour l'examiner scientifiquement, les enfants, eux, le protègent et le cachent tout naturellement. Ils l'aiment vraiment et ils deviennent vite ses amis. Tout au long du film, ils vont le garder chez eux et s'amuser avec lui en toute confiance. A la fin, les enfants unissent leurs forces pour aider E.T. à retourner chez lui, malgré tous les dangers que cela comporte, car les scientifiques se sont finalement emparés de lui.

Toute cette histoire d'E.T. pour moi, c'est vraiment une figure du Christ: vois-tu, les enfants l'ont aimé et l'ont accepté tout de suite sans raisonnement, et ainsi ils ont pu profiter de ses pouvoirs, car il avait de grands pouvoirs ce E.T. Les adultes que nous sommes devraient apprendre de cela à accepter le Christ sans trop raisonner, sans trop chercher à tout comprendre, de la même façon que ces enfants ont accueilli E.T. C'est ainsi que nous recevrions de Lui toutes les bénédictions qu'Il a à nous offrir.

- Jacques, m'interrompit Carole brusquement. As-tu une idée où peut bien être Lise? Il me semble que je ne l'ai pas vue de la soirée...

- Oh non! J'ai oublié d'indiquer à Sylvain la plate-forme où je l'avais laissée. Je vais y aller tout de suite. J'espère qu'elle n'a pas eu l'idée de s'en revenir à pied...

- On se reverra demain, Jacques, me dit Isabelle. Il est déjà plus de minuit et je crois qu'on va toutes être couchées à ton retour.

- O.K., salut tout le monde et bonne nuit, leur lançai-je en me dirigeant vers la porte.

. Lorsqu'après une demi-heure de route je parvins à la plate-forme en question, à ma grande joie Lise était toujours là, bien sage et un peu déçue, non pas à cause de mon retard, mais parce qu'elle n'avait pas encore vu d'ours. Et pourtant, elle avait respecté le plus grand silence. Elle avait bien entendu mille et un craquements, mais les ours ne s'étaient pas montrés le bout du nez. J'allai jeter un coup d'oeil sur l'appât et il était intact. Comme elle tenait absolument à en voir un avant son départ, on décida d'attendre encore un peu. On s'installa donc confortablement sur les "foams". Lise avait les yeux rivés sur l'appât et moi sur la lune. Elle était de toute beauté ce soir-là et nous éclairait tellement qu'on y voyait très clair.

J'étais si bien étendu sur mon "foam", qu'au bout d'une quinzaine de minutes je m'endormis profondément et me mis à ronfler très fort. Pas besoin de vous dire que mon amie était plutôt découragée. Avec tout ce bruit, elle croyait avoir perdu sa dernière chance de voir un ours. Malgré tout, elle me laissa dormir. Mais, environ dix minutes après que j'eus commencé à ronfler, quelle ne fut pas sa surprise de voir soudainement une mère et ses deux oursons s'approcher timidement de l'appât. Cette fois-ci, elle ne put s'empêcher de me réveiller et de me montrer la petite famille qui s'approchait.

- Les mères, d'ordinaire, sont plus craintives que cela, lui dis-je à voix basse.

Elle avait sûrement reconnu mon odeur. En fait, c'était presque toujours moi qui apportais la viande à cet endroit. De plus, elle savait bien que je dormais. Elle devait donc se sentir doublement en sécurité. Cette petite famille nous offrit un spectacle que nous n'étions pas prêts d'oublier. Les deux oursons suivaient leur mère pas à pas et faisaient exactement les mêmes gestes qu'elle. Elle s'arrêtait, reniflait autour d'elle et les oursons prenaient la même position que leur mère, le museau dans le vent. Elle prenait une bouchée de viande, ses petits la regardaient faire et se hâtaient de reproduire son geste.

Toutefois, peu de temps après, les deux oursons commencèrent à s'exciter et à sauter sur la nourriture comme de vrais petits bouffons. Ils s'enfonçaient le nez dans la viande et se disputaient le même morceau. La mère, elle, était bien calme et mangeait sans presque bouger. C'est alors qu'un des petits se mit à vouloir jouer avec elle en lui enlevant sa nourriture. La mère, qui ne semblait pas vouloir s'amuser du tout, lui donna aussitôt une bonne tape sur les fesses qui le fit rouler jusqu'à un arbre à quelques pieds de là. Soyez sûrs que le petit ourson a vite compris qu'il devait respecter sa mère et se tenir tranquille à l'heure des repas. Une fois qu'ils furent repartis, on commença à jaser ensemble. Il faut dire que Lise était tellement heureuse que son désir de voir des ours se soit réalisé, qu'il aurait été difficile pour elle de garder le silence et de contenir sa joie plus longtemps. Les oursons l'avaient vraiment amusée. Elle me posait toutes sortes de questions à leur sujet.

- Quel âge crois-tu que pouvaient bien avoir les deux petits?

- Je dirais pas plus de six mois. Vois-tu, c'est habituellement entre la mi-janvier et le début de février que naissent les oursons, car c'est pendant son long sommeil hivernal que l'ourse accouche. D'après leur poids, ceux-ci doivent être des petits de l'année. Je ne pense pas qu'ils devaient peser plus de trente livres.

- Je me demande ce qu'ils peuvent bien avoir l'air à la naissance. En as-tu déjà vus, toi, Jacques?

- Non, j'ai jamais eu cette chance, mais j'ai lu qu'ils font à peu près la taille d'un petit écureuil et pèsent environ une livre. Ils n'ont ni poil ni dent, et leurs yeux sont clos. Au bout d'une semaine, la peau de l'ourson se couvre d'un léger duvet; à six semaines, ses yeux s'ouvrent et à deux mois, ses dents de lait sont sorties et il commence à marcher. Mais, il est encore chancelant sur ses pattes, c'est pourquoi il se contente, comme terrain de jeux, d'escalader le corps de sa mère à la fourrure douce et chaude. Lorsqu'il sort pour la première fois de la tanière, entre la mi-avril et le début de mai, il pèse environ dix livres et, à la fin de la première année, il peut peser jusqu'à soixante livres.

- Sais-tu que c'est surprenant qu'un si gros animal puisse être si petit à la naissance, me dit Lise. Mais ce qui m'a le plus surprise, c'est de voir l'attitude que la mère avait avec ses petits. On dirait qu'un lien étroit les unit. T'as vu comment les oursons imitaient fidèlement tout ce que l'ourse faisait?

- C'est de cette manière qu'ils vont apprendre tout ce qu'ils ont besoin de savoir pour vivre dans la forêt et pour subsister: quoi manger, où le trouver, comment se préparer une tanière, quels animaux éviter, etc. L'éducation de l'ours, c'est l'une des choses les plus formidables que j'ai jamais vues dans la forêt. La mère réussit à se faire comprendre par toutes sortes de sons et de bruits que l'ourson apprend à connaître; il y a vraiment un langage précis entre les deux. Quand l'ourson entend un certain son, il vient tout de suite vers sa mère. J'ai pu observer ça à plusieurs reprises du haut de mes tours.

- Elle ne manque pas non plus de discipliner ses oursons, me dit Lise. On en a eu une petite démonstration tout à l'heure.

- Et l'ourse est d'une grande fermeté à part ça, lui expliquai-je. Elle est sans pitié jusqu'à ce que les oursons lui obéissent. Avec le temps, et bien rapidement d'ailleurs, va naître une véritable obéissance et une fidélité étonnante entre eux. Car l'ourse est aussi une mère très douce, très patiente qui, bien qu'elle exige une obéissance stricte de ses petits, leur donne en retour beaucoup d'amour et d'attention.

- Dis-moi donc Jacques, est-ce que les oursons passent une grande partie de leur vie avec la mère ou s'ils s'en vont dès qu'ils sont capables de se débrouiller? me demanda Lise.

- Les oursons passent leur jeunesse et leur adolescence avec leur mère, même si, à l'âge de six mois, ils seraient capables de subvenir à leurs besoins et de se débrouiller seuls en forêt. Et lorsqu'à deux ans ils finissent par la quitter, ils vont quand même demeurer dans le même territoire pour un petit bout de temps. Ainsi, la maman ourse peut veiller à l'éducation de ses petits avec beaucoup de soin.

- Est-ce que c'est vrai, Jacques, que les ourses deviennent très féroces si on s'attaque à leurs petits?

- Ah! ça, c'est certain. Elles ne craindront pas de défendre leur famille contre les gros mâles, contre les loups et aussi contre les humains. L'attachement et l'instinct de protection que la femelle manifeste envers ses petits sont vraiment remarquables. Si jamais un danger les menace, elle les fait monter dans un grand arbre, puis, elle monte la garde près du tronc. S'il lui faut quitter les lieux, elle restera quand même assez près pour pouvoir intervenir. Cet instinct maternel de l'ourse, malgré sa férocité, nous laisse vraiment exemple à nous les humains. Et ce qui est le plus étonnant, c'est que l'ourse n'a pas d'esprit, cela est bien évident. Mais son instinct maternel est tellement développé, que vous ne verrez jamais une mère ourse abandonner son ourson tant et aussi longtemps qu'il aura besoin d'elle. Je me demande toujours comment une femme qui, elle, a un esprit, peut en arriver à abandonner son enfant?

- C'est sûrement parce qu'elle ne réalise pas l'ampleur des conséquences, me répondit Lise. Tu sais, Jacques, en voyant ces petits oursons, je n'ai pas pu m'empêcher de penser à mes deux enfants. Ils n'ont pas eu la chance de connaître l'équilibre d'un foyer où le père et la mère sont tous les deux présents et unis. J'étais seule pour les élever. Ca n'a pas été facile, ni pour eux, ni pour moi.

- C'est vrai ce que tu dis là, Lise. Les enfants ont vraiment besoin d'un père et d'une mère dans la vie: ce que chacun a à lui apporter est bien différent et ils ont besoin autant de l'un que de l'autre. De nos jours, on dirait que les gens ne prennent pas assez à coeur la responsabilité qui leur est confiée. Même dans les familles dont les parents ne sont ni séparés ni divorcés, les enfants sont souvent négligés. Les gens sont trop occupés ailleurs, et ne prennent pas le temps de parler avec leurs enfants et de vraiment les connaître. Ils ont encore moins le temps de les discipliner convenablement.

- Moi, je sais bien que c'est un service à leur rendre que de les discipliner, mais je trouve ça difficile d'être ferme. Des fois, ce sont mes sentiments qui m'en empêchent et d'autres fois j'aurais le goût de dire: "Faites donc ce que vous voulez, j'en ai assez!" Mais je sais bien qu'il me faut penser à leur intérêt, et que l'un des plus grands torts que je pourrais leur faire, ça serait de les abandonner à eux-mêmes et de les laisser faire ce qu'ils veulent.

- C'est d'ailleurs, dis-je, ce que la Bible nous enseigne: "Celui qui épargne la verge (discipline ferme) hait son fils, mais celui qui l'aime met du zèle à le discipliner"[5]. Il y a une différence entre battre un enfant et lui donner une discipline équilibrée. Une bonne discipline est celle qui aide un enfant à changer et à s'améliorer.

Pour cela, on doit apprendre à connaître l'enfant pour savoir quelles seront les punitions qui auront le plus d'effet sur lui, car d'un enfant à l'autre, c'est différent. La discipline physique est parfois nécessaire, et alors il faut être très prudent. Il s'agit seulement d'être juste en tant que parents et de punir l'enfant selon la sévérité du mal qu'il a fait et selon ce qu'il peut comprendre; car, quand ils vieillissent, on peut de plus en plus leur expliquer.

Les enfants, comme nous, ont un côté spirituel qui est l'ange à l'intérieur de chacun d'eux, et un côté animal qui, lui, a besoin d'être dompté. Si on commence à le faire alors qu'il n'a pas encore un an, l'enfant apprendra vite que ce n'est pas lui qui a le contrôle dans la maison. On doit se faire respecter, non pas dans la terreur, mais en gagnant leur estime et leur amour ainsi que par notre bon exemple. Il ne sert à rien non plus de s'emporter, de crier après eux. Une discipline constante, appliquée avec amour ne peut faire autrement qu'enseigner le droit chemin aux enfants, car ils ont besoin d'être dirigés dans le bien. Il ne faut surtout pas les surprotéger, car on ne les aide vraiment pas en agissant de cette façon.

- Ah, la surprotection! s'exclama Lise. Cela a toujours été le problème des mères en général de garder leurs enfants sous leur jupe. C'est pas bon pour l'enfant, car ça l'empêche de s'épanouir, ça fait des enfants dépendants et trop fragiles. Les enfants ont besoin d'une certaine liberté, d'une certaine autonomie.

- Ce qui est essentiel de leur donner, dis-je, ce sont des valeurs morales solides et la foi, pour donner un sens spirituel à leur vie. Quand on apprend aux enfants à respecter Dieu et Ses lois, ils comprennent le respect et l'obéissance qu'ils doivent à leurs parents. Bien des parents donnent à leurs enfants tout ce qu'ils ont besoin au niveau matériel, intellectuel et affectif, mais ne prennent pas soin de leur dimension spirituelle et c'est là une négligence qui entraîne de lourdes conséquences.

- Ce que j'ai appris, me confia Lise, au cours de toutes ces années passées avec mes enfants, c'est qu'on ne doit pas se penser supérieur à eux. Il ne faut pas avoir peur de s'ouvrir et de leur partager nos expériences de vie. Il faut reconnaître devant eux nos erreurs quand on en a faites. Si, dès leur plus jeune âge, on a su se mettre à leur niveau, on évolue ensemble, et un lien étroit nous unit qui nous permet de poursuivre notre relation avec eux, même après leurs dix-huit ans. Avec le temps, on devient des amis, des conseillers. Une confiance et un respect s'établissent d'un côté comme de l'autre. Combien de jeunes, malheureusement, n'ont plus aucun contact avec leurs parents, ou ne vont les voir que parce qu'ils se sentent obligés, ou encore par tradition le dimanche.

- Au fond, Lise, ce qu'il faudrait que les gens comprennent, c'est que les enfants nous sont prêtés par Dieu pour un temps. Ils sont confiés aux parents pour qu'ils les guident dans la vie et pour qu'eux-mêmes apprennent plein de choses en vivant à leurs côtés, des choses comme la patience, le renoncement à eux-mêmes, la douceur, la justice, ...

- Oui, t'as bien raison, Jacques. On a tellement de choses à apprendre les uns des autres...

Au terme de cette petite discussion, la nuit étant fort avancée, on décida finalement de rester sur notre plate-forme jusqu'au matin pour voir le lever du soleil. On ne regretta pas notre décision, car aux premières lueurs de l'aube, les ours vinrent nous rendre visite à nouveau. Mon amie Lise était aux petits oiseaux. C'étaient des choses toutes simples de la vie, mais elles nous réjouissaient le coeur. Lorsqu'on s'en retourna à l'hôtel ce matin-là, nous étions peut-être fatigués, mais nous étions heureux comme des enfants. La nature nous avait offert, une fois encore, plus qu'on ne l'aurait espéré. Ces aventures et ces joies d'une nuit allaient certainement réjouir les filles aussi. Le moins qu'on puisse dire, c'est que Lise brûlait d'impatience de raconter ce qu'elle venait de vivre et c'est ce qu'elle s'empressa de faire bien sûr à la table du petit déjeuner.

---

1. Evangile selon Matthieu, chapitre 18, verset 5
2. Psaumes 27, verset 10
3. Evangile selon Matthieu, chapitre 18, versets 6 et 10
4. Evangile selon Matthieu, chapitre 18, verset 3
5. Proverbes 13, verset 24

CHAPITRE 16

LE MIROIR DE L'ORGUEIL

Au fil des semaines et au fil de toutes ces aventures avec l'ours qui se succédaient les unes aux autres, nous en étions maintenant à la fin de l'été. Un été tout simplement incroyable qui nous en avait fait voir de toutes les couleurs. Toutefois, j'avais encore quelques-uns de mes amis qui n'avaient rien vu de tout cela. Bien sûr, ils en avaient entendu parler par les autres, mais ce qu'on entend dire des ours et ce que l'on vit comme émotions quand on les côtoie dans la nature, ce sont deux choses bien différentes.

J'avais donc avec moi, ce jour-là dans la camionnette, André Forget et Marc qui étaient arrivés de Montréal la nuit précédente, et qui allaient vivre très bientôt leurs premières heures d'observation. Alors que nous roulions dans le chemin de pénétration en direction des appâts, je leur racontai quelques-unes des aventures amusantes qui nous étaient arrivées durant l'été, histoire de les mettre dans l'ambiance un peu. Puis, comme à l'habitude aussi, je ne manquai pas de leur donner quelques petits conseils de base:

- Les amis, une chose est certaine, si vous désirez voir un ours, vous devez garder le silence le plus parfait; vous ne devez surtout pas vous lever ou marcher sur votre plate-forme. Si vous voulez bâiller ou vous gratter, faites-le bien doucement. Soyez aussi immobiles que les arbres autour de vous et, surtout, armez-vous de patience!

- Mais voyons donc, Jacques, dit Marc, on est pas pour faire les statues ou bien pour agir comme Richard quand il est venu au début de l'été!

- Qu'est-ce qui est arrivé à Richard? lui demandai-je.

- Ha! je croyais que tu en avais entendu parler. C'était tellement drôle! ricana Marc. Tu le connais Richard, tu sais comment il est, c'est un genre très consciencieux et très zélé. Quand il est venu, il voulait absolument voir un ours. Il a donc écouté tous tes conseils à la lettre.

- Mais, c'est normal, Marc. Il voulait juste profiter de mon expérience, lui dis-je.

- Oui, mais le plus comique là-dedans, c'est que quand il s'est retrouvé dans le bois, il s'est fait sérieusement attaquer par une bande de maringouins enragés. Comme tu lui avais dit de ne pas bouger, il t'a écouté minutieusement. Seulement, il est presque devenu fou à force d'être immobile et de se laisser piquer pendant des heures. Il avait l'air d'une éponge rose quand il est sorti du bois, et je pense qu'il n'avait même pas vu d'ours.

André interrompit brusquement son rire moqueur.

- Comme d'habitude, tu exagères Marc. Il me l'a racontée son histoire, et ce n'était pas si pire que ça. O.K., il s'est fait piquer un peu par les maringouins, mais il en avait tiré pour lui-même une bonne leçon. C'est certain qu'au début, il avait été tenté de se mettre en colère contre les "bibittes", mais qu'est-ce que ça lui aurait donné? Au contraire, il a enduré patiemment et à un moment donné, les maringouins se sont tannés et l'ont laissé en paix. Pour lui, c'était comme une tentation qu'il avait finalement réussi à surmonter. Puis à part de ça, il en a vu des ours et il était très content de sa semaine.

- Il me semble que c'est à peu près ça que j'ai dit, non? répliqua Marc.

- O.K. les gars, vous êtes rendus. C'est ici que vous débarquez. Toi, André, va-t-en tout droit, à 300 pieds environ; tu vas voir une tour, elle doit avoir environ vingt pieds de hauteur. C'est là que tu vas t'installer. Toi, Marc, t'es juste en face d'André, vous pouvez même vous voir de loin. Il y a une distance d'environ mille pieds entre vous deux. Le ruisseau qui traverse le terrain qui vous sépare est aussi la frontière de deux territoires d'ours. En tout cas, les amis, c'est ici que je vais vous laisser. Soyez attentifs, gardez les yeux ouverts et vous ne serez pas déçus. Prenez le temps de méditer un peu aussi, ça fait toujours du bien.

- O.K. Jacques, je vais suivre tes conseils et je suis sûr que ça va marcher, me dit André.

- Inquiète-toi pas, Jacques. J'en ai déjà vus des ours et c'est pas aussi difficile que tu le dis, me lança Marc, sûr de lui.

- Tu ne nous avais jamais dit ça que tu avais déjà vu des ours! lui dis-je, surpris.

- Pourtant j'en ai déjà parlé avant, mais ça devait être à d'autres que vous deux je suppose. J'en ai même tiré un d'une balle en plein coeur. Je ne veux pas me vanter, mais moi, ça fait longtemps que je connais ça, la chasse et la pêche.

- En tout cas, on verra bien si tu es un bon observateur d'ours. Soyez ici vers neuf heures, je vous attendrai. Salut et bonne journée, leur souhaitai-je avant de les quitter.

Mes deux amis se dirigèrent vers leur plate-forme respective, et moi je m'en retournai en ville où je devais aller chercher la viande pour les appâts. Sur la route d'Evain, je repensai à Marc et je me promis bien d'avoir une discussion avec lui le soir même. C'était assez évident qu'il avait un sérieux problème d'orgueil et je voulais l'aider. Ca faisait au moins trois ans que je le connaissais et il avait toujours eu de la misère avec ça. Ah, l'orgueil! Qui peut bien se vanter de ne pas être orgueilleux! Non, mais farce à part, c'est un sérieux problème qu'ont la plupart des gens et qui n'a rien de nouveau d'ailleurs. La première faute de Lucifer fut justement de penser qu'il était meilleur que Dieu; depuis sa chute, il se sert de l'orgueil dont notre nature humaine est imprégnée, pour qu'on se rebelle contre notre Créateur et qu'on s'en éloigne, comme il a autrefois influencé les anges à le faire.

De nos jours, beaucoup de gens croient qu'ils n'ont pas besoin de Dieu et qu'ils sont capables de faire leur vie tout seuls, en se fiant sur leurs propres idées. C'est pourquoi l'orgueil est un obstacle à la vie spirituelle, car il bâtit un mur entre Dieu et nous, un mur si épais qu'on finit par croire qu'il n'y a pas de Dieu, car Sa lumière ne nous atteint pas. Pourtant, c'est nous qui sommes emmurés et qui sommes comme des aveugles qui affirment que la lumière n'existe pas sous prétexte qu'ils ne la voient pas. Bien entendu, l'orgueil débute dans nos pensées, mais il se manifeste dans nos gestes et nos paroles. L'orgueilleux fait généralement beaucoup de bruit; il aime se montrer, se faire valoir, prouver sa force, "flasher". C'est le trip de la "balloune" soufflée: au premier regard, le ballon semble impressionnant, mais en réalité, ce n'est que du vent. L'orgueilleux n'accepte surtout pas qu'on le reprenne et qu'on mette le doigt sur ses bobos. L'orgueilleux est la source de nombreuses querelles, parce que son idée est la plupart du temps meilleure que celle des autres. Parce qu'il reconnaît très difficilement ses torts, qu'il est souvent arrogant et moqueur, cela crée des disputes, des conflits, des jalousies et même des bagarres. Et oui, l'orgueilleux est violent aussi, surtout lorsqu'il est équipé de gros bras.

L'orgueil empêche les gens d'être eux-mêmes et leur fait porter des masques, afin que les autres ne s'aperçoivent pas de la sorte d'êtres qu'ils sont réellement. Ainsi, ils se camouflent, sont hypocrites et souvent, ils racontent des mensonges pour laisser aux autres une belle image d'eux-mêmes. Les gens des pays riches, en général, s'enorgueillissent de ce qu'ils ont de plus que les autres à côté d'eux; et à cause de cela, ils se permettent de les mépriser et de les écraser. Ainsi, parce qu'ils ont de l'argent et une position sociale importante, ou qu'ils possèdent ceci ou cela, parce qu'ils sont diplômés ou cultivés, ou qu'ils sont célèbres, ils se croient meilleurs que les autres.

Comme ceux qui se croient supérieurs parce qu'ils ont tel ou tel talent, ces gens sont tombés dans un piège que la Bible nomme "l'orgueil de la vie". On devrait pourtant réaliser que tous les talents que nous pouvons posséder, bien que nous ayons pu les développer, nous viennent de notre Père céleste. "Qu'as-tu que tu n'aies reçu?" disait Saint-Paul avec justesse. "Et si aussi tu l'as reçu, pourquoi te glorifies-tu comme si tu ne l'avais pas reçu?"[1]. On ne devrait jamais s'enorgueillir ou se vanter d'un talent qui nous a été donné. Nous sommes simplement différents les uns des autres et nous devrions plutôt être au service de notre prochain.

Le moins qu'on puisse dire, c'est qu'en étant dominés par leur nature humaine qui est orgueilleuse, les hommes se condamnent eux-mêmes à avoir des relations avec les autres qui sont loin d'être authentiques et harmonieuses. L'orgueil est la base d'une multitude de vices et ouvre la porte toute grande à la méchanceté, car il rend notre prochain méprisable à nos yeux. Ah! oui, me dis-je à moi-même, c'est donc triste de voir des gens mépriser les autres et les abaisser comme pour s'élever eux-mêmes. En tout cas, va falloir que je parle à mon ami Marc, me répétai-je finalement.

J'avais déjà parcouru la distance qui me séparait de la ville et je dus naturellement sortir de mes pensées et revenir à la réalité. J'avais une autre bonne journée de promenage devant moi. J'allai tout d'abord voir le boucher qui, comme à l'habitude, m'avait gardé trois grosses chaudières de restants de viande. Il était toujours bien content de me voir, et à chaque fois, il ne manquait pas de m'interroger sur mes aventures avec les ours. C'était toujours avec regret qu'il me laissait partir.

Ce jour-là, je lui racontai comment j'étais arrivé face à face avec un ours, la veille. J'étais parti faire la tournée de mes appâts et il pleuvait. J'allais mener une chaudière de viande en dessous d'un arbre plié, et lorsque j'arrivai là en courant, l'ours ne m'avait pas entendu à cause du sol qui était très mouillé et du bruit de la pluie. Surpris, il s'est levé debout sur ses deux pattes arrière et moi, en le voyant, j'ai échappé ma chaudière et je me suis jeté complètement sur le côté, dans les branches. Quand l'ours a vu que c'était de la nourriture que je lui apportais, il retomba sur ses 4 pattes, me sentit et s'en alla tranquillement dans la forêt tout en me regardant de temps en temps. J'avoue que j'ai eu peur car il était quand même assez gros; il devait bien peser dans les 250 livres.

Cela m'est arrivé une autre fois aussi, avec un ours que je ne connaissais pas. Lorsque cet ours me vit arriver à l'appât, il se mit à courir après moi. Laissez-moi vous dire que j'ai décollé comme une fusée. Il m'a poursuivi sur une soixantaine de pieds environ et, au moment où il allait me rejoindre, il s'est arrêté net, s'est détourné et a disparu dans la forêt. Je n'ai jamais compris pourquoi il avait fait ça. Deux autres enjambées et il m'avait. Je peux vous dire que j'ai vraiment couru vite cette fois-là.

Je passai le reste de l'après-midi à déposer la viande aux différents postes d'observation et y laissai aussi quelques personnes qui étaient toujours enthousiasmées à l'idée de passer la journée dans la forêt. Ce jour-là, je terminai ce que j'avais à faire un peu plus tôt que prévu et j'arrivai donc en avance au rendez-vous. Comme il n'était que sept heures, je marchai jusqu'à la plate-forme d'André. Marc, quand il me vit, ne tarda pas à venir nous rejoindre.

- Et puis, Marc, tu as passé une belle journée?

- Ah, c'était assez plate! Les mouches étaient super fatigantes, elles ne m'ont pas lâché de la journée. Je ne pense pas que tu nous avais amenés dans une bonne place. Les ours ne viennent jamais manger si près de la route, voyons donc! Moi, il me semble que j'aurais mis la viande plus dans le bois, comme ça, on aurait eu plus de chance d'en voir un.

André, arrivé sur l'entrefaite, lui demanda:

- Marc, tu n'as pas vu d'ours aujourd'hui toi? C'est impossible! Sais-tu combien j'en ai vus, moi?

- Non.

- Imagine-toi donc que j'en ai vus quatre! Et ça, c'est juste après que j'ai vu l'orignal près de ta tour. Je te trouvais même chanceux, parce qu'il était plus proche de ta tour que de la mienne.

- Mais, c'est impossible André, moi je n'ai rien vu!

- Hein! Qu'est-ce que tu faisais, Marc? Tu t'es endormi sur ta plate-forme? lui demandais-je en riant.

- Non, non. J'avais les yeux bien ouverts. Ca doit être André qui a tout inventé ça, cette histoire-là.

- Mais voyons donc, Marc, pourquoi je raconterais des mensonges? Moi-même je suis surpris. Je ne me serais jamais attendu à voir tant de choses dans une même journée, mais c'est pourtant la vérité. J'ai été chanceux, je suppose. Il faut dire que j'ai passé les deux premières heures sans faire le moindre bruit, les yeux quasiment sortis de la tête tellement je voulais voir un ours et puis, l'orignal est arrivé. Je n'en croyais pas mes yeux. Ca devait être un jeune parce qu'il était petit. Je l'ai regardé boire pendant environ cinq minutes, puis il est parti. Après ça, j'étais encore plus motivé à garder le silence le plus parfait pour pouvoir voir des ours. Je me sentais très reposé aussi et je trouvais ça vraiment agréable d'être juste là, bien tranquille dans la nature, même si je n'avais pas vu d'ours encore.

Tout d'un coup, j'ai entendu du bruit venant du coin où était la viande et quand j'ai regardé vers l'appât, il y avait là deux oursons que je n'avais même pas entendus arriver. Ils grignotaient la viande et s'amusaient ensemble. Quelques instants plus tard, la mère est arrivée et elle a commencé à manger elle aussi. Ils sont restés seulement une quinzaine de minutes et ils sont repartis la bouche pleine de viande. J'étais vraiment content de les avoir vus! Mais c'est pas tout: trois quarts d'heure après, j'ai entendu un craquement, puis plus rien. J'étais persuadé que c'était un autre ours, aussi j'ai gardé les yeux braqués dans la direction d'où, logiquement, il sortirait du bois. Comme de fait, vingt minutes plus tard, il sortit comme prévu par l'endroit où je regardais. Ce que je n'avais pas prévu, c'est qu'il se dirigeait droit sur moi, car la viande était à dix pieds de l'arbre où j'étais installé. Et cette fois, c'était un gros ours. J'avais vraiment peur: pendant deux minutes, je l'ai imaginé en train de grimper dans mon arbre et rien que d'y penser, mon coeur débattait. Je ne voulais pas qu'il sache que j'étais là, mais on aurait dit qu'il le savait quand même.

- C'est sûr! lui dis-je. Il t'avait senti. Mais, quand ils ne sont pas affamés, ils ne sont pas méchants. Même s'il avait grimpé, tu n'aurais eu qu'à demeurer immobile et il ne t'aurait pas touché.

- Pour être immobile, ça, je l'étais, continua André. Mais je ne pouvais pas m'empêcher de respirer aussi vite que quelqu'un qui vient de courir le marathon, j'avais trop peur! Je n'avais rien pour me défendre et c'est ça qui me faisait perdre mon calme. Quand l'ours a tranquillement fait demi-tour, j'ai commencé à reprendre mon souffle. Il s'est promené dans le chemin, puis finalement, il est rentré dans le bois. J'étais content de l'avoir vu, mais j'étais encore plus content de le voir partir.

- J'ai de la misère à croire qu'André ait vu tous ces animaux et que moi, qui avais exactement le même champ de vision que lui, je n'aie rien vu, dit Marc, apparemment très mécontent.

- On va tout de suite t'en donner les preuves, Marc, en allant voir la viande.

Rendu à l'appât, Marc semblait de plus en plus mal à l'aise, car il manquait à peu près la moitié de la viande. C'est alors que je lui dis:

- Pis, Marc? Penses-tu que ce sont des moineaux qui sont passés par ici? André, dis-moi donc où tu l'as vu, ton orignal.

- C'est là-bas, près du ruisseau et pas tellement loin de la tour de Marc. Je vais aller voir s'il y a des pistes.

André partit en courant et nous cria une fois rendu:

- Venez voir, c'est plein de pistes d'orignal!

- Je ne sais pas ce que tu faisais, Marc, mais il y a vraiment des animaux qui sont venus ici et c'est toi qui ne les as pas vus. Te regardais-tu le nombril?

- Ben non! Je me suis peut-être assoupi un petit dix minutes par-ci, par-là...

- Vois-tu comment tu es, Marc? T'aimais mieux insinuer qu'André racontait des histoires plutôt que d'avouer que tu avais sommeillé une bonne partie de la journée. Ca ne me surprend pas vraiment qu'il te soit arrivé une pareille aventure aujourd'hui, et j'espère que tu vas en tirer une petite leçon. Vois-tu, avant qu'on arrive aux plates-formes, tu étais le premier à te vanter et à dire que toi, les ours, tu connaissais ça. Tu ne voulais pas écouter les conseils de personne et tu te pensais bien bon. Tu te permettais même de ridiculiser et de mépriser Richard qui, lui, a humblement fait ce qu'on lui avait dit. Il a vu des ours, lui, au moins, tandis que toi, t'en as pas vu un seul et pourtant, ils étaient à côté de toi.

- Bon, j'ai pas vu d'ours et puis après... y a rien là! Je ne vois pas où tu veux en venir.

- Ce que j'essaie de te dire, continuai-je, c'est que t'es orgueilleux, ça se voit dans tous tes moindres faits et gestes. Ce que j'espère, par exemple, c'est que tu ne l'es pas au point de refuser d'admettre les vérités que j'ai à te dire, parce que l'orgueil, c'est ce que ça fait: ça nous empêche de nous voir tel qu'on est réellement. Je t'encourage à écouter ce que j'ai à te dire et à admettre, pour une fois, tes erreurs et tes faiblesses. C'est pour ça que tu n'avances pas dans ta vie spirituelle: tu vois les défauts des autres, tu es même toujours en train de les critiquer, mais tes défauts, par exemple, tu ne les vois pas. Comment veux-tu t'améliorer? Le pire, c'est que bien souvent, ce que tu vois dans les autres et qui t'agace, ce sont là tes propres défauts. Le miroir de l'orgueil projette toujours la réalité pour qu'elle soit à notre avantage; il ne la reflète pas telle qu'elle est réellement. Commences-tu à comprendre un peu mieux, Marc?

- Voyons donc, Jacques, je ne suis pas si orgueilleux que ça! Il me semble que j'ai changé et que je suis moins pire qu'avant. Demande à ceux qui vivent avec moi, ils vont te le dire eux autres.

- Justement, parlons-en de ceux qui vivent avec toi, lui répondis-je. Ils m'ont dit que tu n'écoutais jamais ce qu'ils te disaient, qu'il fallait que tu fasses toujours à ta tête, car sinon tu n'étais jamais content, et qu'en plus, tu avais été la source de bon nombre de petites disputes. Autrement dit, ce n'est que depuis que tu es ici que la paix règne dans la maison là-bas.

- Mais, Jacques, je peux tout t'expliquer. C'est pas moi...

- Arrête là tout de suite, Marc, je n'ai pas l'intention d'entendre toutes tes explications. Je sais bien que les orgueilleux ont toujours mille et une excuses pour justifier leur comportement, et qu'ils sont toujours les derniers à reconnaître leurs torts. André, qu'est-ce que tu penses de tout ça, toi? Tu as été avec lui pendant plus d'un mois, tu dois bien avoir remarqué des choses.

- Je trouve que c'est vrai ce que Jacques te dit là, Marc. Qu'on le veuille ou non, on ne peut pas passer à côté de la vérité indéfiniment, car elle finit toujours par faire surface, tout comme un bout de bois qu'on essaie d'enfoncer dans l'eau. Moi aussi, je m'étais rendu compte que tu étais très orgueilleux, mais j'ai été trop timide pour t'en parler. J'ai eu peur de ta réaction et je ne t'ai rien dit. Tu vois, moi aussi je me fais prendre au piège de l'orgueil, parce que la timidité, c'est en fait une forme subtile d'orgueil.

Dans le passé, j'étais un gars qui ne parlait presque pas, car j'avais toujours la crainte que le monde se moque de moi. J'avais de la misère à parler aux gens face à face, tellement j'étais préoccupé de ce qu'ils penseraient de moi. Je me cachais derrière ma timidité pour que les autres pensent du bien de moi et ça marchait, tu peux me croire. Les gens disaient que je ne parlais jamais pour rien dire, que j'étais un bon gars toujours à sa place, souriant, et qui ne se disputait jamais avec personne. Par contre, personne ne voyait ce qui se passait dans ma tête, parce que je n'osais jamais dire ce que je pensais vraiment. J'étais vraiment lié par la gêne et je me sentais toujours mal à l'aise avec tout le monde. Quand j'ai lu, dans l'Apocalypse, que les "timides n'entreraient pas dans le Royaume de Dieu"[2], ça m'a convaincu qu'il fallait que je lutte et que je réussisse à casser ces chaînes. Ne sois pas rebelle, Marc, et humilie-toi donc. Tu te sentirais mieux si tu faisais les efforts nécessaires pour chasser l'orgueil de ta vie.

La discussion se poursuivit dans la voiture, sur le chemin du retour. Marc, lui, était plutôt silencieux...

- En tout cas, Marc, lui dis-je, tu es chanceux d'avoir des amis qui t'aiment assez pour te reprendre et t'encourager à changer, car c'est pas tout d'avoir honte, c'est de changer qui est important. Rappelle-toi que "Dieu résiste aux orgueilleux et qu'Il donne sa grâce aux humbles."[3] L'humilité, c'est le commencement de la vie spirituelle. On doit tous réaliser, un jour ou l'autre, notre petitesse devant Dieu, sans qui on ne pourrait pas même exister. Et quand on arrête de se comparer aux autres pour se comparer au Christ, crois-moi, l'orgueil en prend un coup: on voit bien qu'on a du chemin à faire avant même de lui arriver à la cheville. L'exemple qu'il nous a laissé nous montre que l'humilité est la vraie grandeur. "Celui qui s'abaisse sera élevé."[4]

Le Christ est venu sur la terre sous une forme qui n'avait rien de glorieux, Lui qui était pourtant le Roi de l'univers. Dans le corps de la jeune vierge Marie, il a été réduit à l'état de simple embryon et a passé neuf mois dans l'utérus pour ensuite voir le jour dans une étable. Son père était un simple ouvrier et lui-même devint charpentier, membre d'une classe sociale sans culture. Malgré la grande puissance spirituelle qui était en lui, il n'a jamais cherché les honneurs; il a refusé la gloire que les gens voulaient lui attribuer en la retournant toujours à Dieu. A un moment donné, il a lui-même lavé les pieds de ses douze apôtres pour leur montrer à être serviteurs les uns des autres. Il a côtoyé les pauvres, les gens simples, les rejetés de la société. Il s'est mis à leur niveau sans jamais se prendre pour un autre. Enfin, lorsqu'il a été condamné injustement à la fin de sa vie, il a supporté la moquerie et l'humiliation sans dire un mot. La véritable humilité, c'est l'amour de Dieu jusqu'au mépris de soi. N'oubliez jamais cet enseignement de Jésus à ses disciples: "Que celui qui veut être le premier parmi vous, soit le dernier de tous et le serviteur de tous."[5] Dieu n'a pas égard à l'apparence et pour Lui, il n'y a pas d'acception de personnes. A Ses yeux, nous sommes tous des êtres spirituels d'égale valeur. Nous avons besoin de Lui pour vaincre notre orgueil et avoir des pensées et un coeur humbles.

- J'aurais une bonne histoire à vous raconter qui parle justement de l'orgueil, dit André.

- Raconte-la donc! Ca va peut-être me faire rire un peu, répondit Marc.

- C'est l'histoire d'une grenouille qui n'arrêtait pas de se vanter. Tantôt elle se vantait de faire des bonds prodigieux, tantôt de demeurer sous l'eau aussi longtemps qu'elle le voulait, tantôt d'avaler des tonnes d'insectes par jour, tantôt de faire ceci, tantôt de faire cela. Un jour, un oiseau, fatigué de toutes ses vanteries, lui lança:

- Oui, mais tu n'es pas capable de voler comme nous!

- C'est ce que tu crois! lui répondit-elle aussitôt. Je te dis que je peux voler moi aussi.

- Eh bien! Montre-le nous! lui répliqua l'oiseau en riant à gorge déployée.

Notre amie la grenouille réfléchit quelques minutes, puis s'adressa à nouveau à l'oiseau:

- Cela est bien simple: prends une branche dans ton bec, et que ton ami l'oiseau fasse la même chose. Je me tiendrai donc avec ma bouche au milieu de la branche, et ainsi nous volerons tous trois ensemble.

Et les voilà partis. Alors qu'ils survolaient le marais, les animaux, tous émerveillés par cette équipe volante leur crièrent:

- Mais qui a eu cette brillante idée?

A l'instant même, notre chère grenouille s'écria:

- C'est moi ah ah ah.....

Et elle s'écrasa sur le sol.

- Tu vois, Marc, poursuivis-je, un jour ou l'autre, notre orgueil finit toujours par nous jeter à terre, peu importe qui nous sommes. Et plus on tombe de haut, plus cela fait mal. De grandes personnalités et de grands royaumes se sont effondrés à cause de l'orgueil. "L'orgueil précède la chute,"[6] nous dit Salomon dans les Proverbes.

Alors, au lieu de regarder ta vie dans le miroir de l'orgueil qui te ment et ne rend pas une juste image de toi-même, regarde-toi plutôt dans le miroir de l'âme qu'est le Nouveau Testament. Il te montrera fidèlement ce que tu es vraiment, et il te dira fidèlement aussi ce que tu dois faire: "Mets la Parole en pratique, et ne l'écoute pas seulement, te séduisant toi-même. Car si quelqu'un écoute la Parole et ne la met pas en pratique, il est semblable à un homme qui regarde dans un miroir son visage naturel et qui, après s'être regardé, s'en va et oublie aussitôt comment il est. Mais celui qui aura regardé de près dans la loi parfaite, celle de la liberté, et qui aura persévéré, n'étant pas un auditeur oublieux mais un faiseur d'oeuvres, celui-là sera bienheureux dans son faire"[7]. Ce bout-là vient de l'épître de Jacques et ça dit bien ce que ça veut dire.

Après un silence qui dura peut-être une demi-heure, Marc prit finalement la parole:

- Je vous remercie les gars de m'avoir prévenu comme vous l'avez fait. Je vais sérieusement prendre en considération ce que vous m'avez dit, parce que dans le fond, je sais que c'est vrai, nous avoua-t-il d'un ton triste.

- En tout cas, lui dis-je, la seule façon de combattre l'orgueil, c'est de s'humilier comme tu le fais maintenant. Décourage-toi pas Marc, et fais attention à ce que tu dis; tourne ta langue sept fois avant de parler, car c'est elle qui te fait tomber dans l'orgueil bien souvent.

---

1. Première épître de Paul aux Corinthiens, chapitre 4, verset 7
2. Apocalypse, chapitre 21, verset 8
3. Epître de Jacques, chapitre 4, verset 6
4. Evangile de Luc, chapitre 14, verset 11
5. Evangile de Marc, chapitre 9, verset 35
6. Proverbes, chapitre 16, verset 18
7. Epître de Jacques, chapitre 1, versets 22 à 25

CHAPITRE 17

LE JEÛNE DE L'OURS

Il y avait plusieurs heures que j'avais quitté l'Abitibi, en compagnie de Nicole et François Séguin, un couple que j'aimais bien. Après le parc de la Vérendrye, nous traversions maintenant les Laurentides qui nous offraient un spectacle de toute beauté et de toutes couleurs. C'était bien entendu loin d'être notre premier automne, mais ce n'était pas moins un plaisir pour les yeux que de regarder toutes ces montagnes revêtues des teintes les plus riches sous un ciel bleu sans nuage.

- Je me suis toujours demandé, dit Nicole, pourquoi les feuilles changeaient de couleur à l'automne. Le sais-tu, toi, Jacques?

- C'est quelque chose qui m'a déjà intrigué, lui répondis-je, aussi j'avais fait mes petites recherches là-dessus. Je vais t'expliquer, tu vas voir c'est bien simple. Vois-tu, la substance qui donne la coloration verte aux feuilles dépend d'une protéine. L'air frais et sec des mois d'automne déclenche une série de modifications dans l'arbre, et les protéines qui les nourrissent se transforment pour s'accumuler dans le tronc et les racines, en prévision des longs mois d'hiver. Comme les feuilles en sont privées, le vert s'estompe et on voit apparaître d'autres couleurs. Ainsi, les saisons se succèdent l'une à l'autre et tout est organisé, soigneusement pensé, de façon à ce que rien ne meure. Tout est en continuelle transformation, en fonction de ce qui est à venir.

- C'est très intéressant, affirma François. La nature est tellement extraordinaire qu'on ne peut s'empêcher d'être en admiration devant ses mille et une fantaisies.

- T'as raison, lui dis-je. Prends les ours, par exemple, pour eux aussi le temps est venu de se préparer pour le long sommeil de l'hiver. Chaque année de la vie d'un ours commence et finit avec l'hiver. Ainsi, pour s'adapter à ces longs mois de froidure où la nourriture est rare, l'ours a trouvé un moyen: il tombe dans un très long et très profond sommeil. Pendant longtemps on a cru que l'ours noir hibernait durant l'hiver, mais ce n'est pas tout à fait ça. Dans le cas d'une véritable hibernation, l'animal a très peu de contrôle sur la température de son corps et son métabolisme est réduit au strict seuil de la survivance. Le métabolisme de l'ours diminue également, mais beaucoup moins. En fait, s'il n'en était pas ainsi, la croissance des oursons dans le ventre de leur mère cesserait durant toute cette période et, même s'ils parvenaient malgré tout à terme, ils mourraient de froid ou de faim. Au lieu de cela, l'ours entre dans un état profond de léthargie prolongée, ce qui veut dire plus simplement qu'il dort.

- C'est sans doute pourquoi l'ours consacre tant de temps à manger durant l'été, dit Nicole. Il accumule ainsi des réserves de graisse dont il aura besoin pour passer tout un hiver sans se nourrir.

- C'est exact, continuai-je, et lorsque les feuilles sont tombées et que le froid est arrivé, l'ours commence à se purger. A ce moment-là, il ne mange que des herbes, il boit beaucoup d'eau et il se promène jusqu'à ce que ses intestins soient complètement vides. Cela peut prendre environ une semaine.

- Quand est-ce que l'ours prépare sa ouache? me demanda alors François.

- Dès les premières neiges. Il peut s'installer dans une grotte, une crevasse dans le roc, un tronc creux, une souche retournée ou encore, il se creusera un trou en-dessous des branches basses d'un sapin. Il prendra bien soin que le trou ne fasse pas plus de deux fois sa grosseur. Les femelles tapissent le sol de leur abri avec des feuilles, de la mousse et de l'herbe tandis que les mâles ne se donnent pas cette peine. Lorsque la ouache est terminée, l'ours attendra patiemment une bonne tempête de neige pour s'enfoncer dans sa demeure souterraine.

- Je me suis toujours demandé, dit François, si les ours reprenaient la même ouache d'une année à l'autre. Est-ce que tu le sais,toi, Jacques?

- Il leur arrive quelquefois de reprendre la même ouache, lui répondis-je, mais normalement, ils s'en font une nouvelle à chaque année. Ce qui m'étonne le plus, c'est que jamais tu ne trouveras une ouache sur le flanc nord d'une montagne. Fantastique, n'est-ce pas? Comment l'ours peut-il bien savoir que le flanc sud dégèle et fond toujours avant le flanc nord? Bien simplement parce que l'Eternel Dieu des cieux a implanté dans l'ours une boussole naturelle. Il sait donc, hors de tout doute, la différence entre le nord et le sud et peut ainsi se protéger du vent froid du nord pendant son long sommeil.

- Moi, dit Nicole, je me demande bien comment ils peuvent respirer quand la neige recouvre l'entrée de leur ouache.

- Il y a tout de même un petit trou, lui expliquai-je, une entrée qui permet à l'air de circuler un peu. Lorsqu'il fait froid, on peut même voir une petite vapeur sortir par le trou. Il m'est arrivé au printemps, dans le nord du Québec, d'explorer en motoneige le flanc sud des montagnes à la recherche d'une ouache. Mon oeil, bien sûr, guettait la petite vapeur qui s'élève presque toujours de ce fameux petit trou.

- Il me semble qu'ils doivent avoir froid, remarqua Nicole, surtout qu'ils ne bougent presque pas...

- Aussi surprenant que cela puisse sembler, lui répondis-je, l'ours est bien au chaud et bien au sec tout l'hiver, protégé par un épais coussin de neige. La seule chaleur de son haleine gardera sa ouache dans un climat tempéré même au plus fort de l'hiver. Imaginez donc, il produit sa propre chaleur! Durant ce long sommeil, son poil va même continuer à pousser et, fait étonnant, il en ressort au printemps presqu'aussi gras que lorsqu'il est entré.

- Hé, Jacques, me demanda Nicole, est-ce que ça arrive des fois que les ours se réveillent pendant l'hiver?

- Oui, cela peut arriver lorsqu'il y a des périodes de temps doux ou encore à cause d'un gros bruit. On en a déjà vus sortir de leur ouache, se promener autour et s'étirer comme s'ils évaluaient le temps qu'il leur restait encore à passer dans leur abri.

- Les ours hibernent combien de temps? s'informa François.

- La durée de l'hibernation dépend fortement de la situation géographique, lui répondis-je. L'ours polaire mâle n'hiberne pas du tout; il va pêcher, il mange des phoques et tout ce qu'il peut attraper, alors que la femelle hiberne de quatre à cinq mois, surtout quand elle doit avoir des petits. L'ours noir américain ne dort que deux ou trois mois par année, à cause de la courte durée de l'hiver dans son territoire. L'ours canadien, c'est-à-dire les ours noirs qu'on retrouve jusqu'en bas du quarante-cinquième parallèle, passent de quatre à cinq mois dans leur ouache. Quant à l'ours nordique, la durée de son hibernation est de huit à neuf mois. Comme il dort beaucoup plus longtemps que les autres, il a moins de temps pour manger et quand il sort, il a beaucoup plus faim. C'est pourquoi il est plus dangereux, vorace et effronté. Lui, quand il a faim, il mange et n'a pas peur de l'homme. Il est très malin et il n'y a rien à son épreuve. C'est un ours nageur aussi. Il nage de lac en lac, d'île en île et il n'y a rien qui l'arrête. Moi, j'en ai vus traverser à la nage au moins deux ou trois fois dans les régions de Schefferville et les grands lacs du coin.

- En tout cas, remarqua Nicole, il y a de quoi s'émerveiller devant cette puissance de la nature qui permet à des animaux comme l'ours, de s'arrêter pendant de longs mois sans rien manger du tout.

- Le jeûne, lui dis-je, est quelque chose de tout à fait naturel chez beaucoup d'animaux de nos forêts et de nos cours d'eau. Les animaux savent, par instinct, les effets guérisseurs du jeûne. Quand une bête est blessée ou malade, elle s'arrête de manger et ne boit que de l'eau et elle arrive ainsi à faire passer l'infection ou la fièvre. J'en ai déjà eu la preuve avec un ours que j'avais blessé en Abitibi.

- Et qui n'a pas entendu parler du jeûne des saumons? ajouta François. Les animaux connaissent les bienfaits du jeûne alors que nous, on ne les sait même plus. On devrait peut-être aller à l'école des animaux pour découvrir comment ça peut nous faire du bien à nous aussi, et cela non seulement au niveau physique mais surtout au niveau spirituel.

- T'as bien raison, approuvai-je. Tout au long de son histoire, la Bible nous montre des hommes et des femmes, parfois même des peuples entiers qui ont jeûné. Considérant les résultats positifs qu'ils ont obtenus, on se demande pourquoi tant de chrétiens négligent ce précieux outil spirituel. Le jeûne, c'est tout d'abord un moyen de faire entendre notre voix jusqu'à Dieu, la voix de nos prières, de nos supplications, de notre repentance. C'est également un moyen de s'approcher de Lui dans une plus grande sainteté de coeur et d'esprit. Moïse, Elie, Esther, David, les premiers chrétiens, tous les vrais hommes et les vraies femmes de Dieu savaient bien la force et le poids qu'un jeûne ajoute à la prière qu'on adresse à Dieu; un poids auquel Il ne demeure jamais insensible, car c'est un sacrifice qui Lui plaît. Le jeûne et la prière sont d'ailleurs inséparables; on peut, bien sûr, prier sans jeûner mais on ne peut pas jeûner sans prier, sinon on perd le vrai sens du jeûne et une grande partie de ses bienfaits.

- Avez-vous entendu parler, nous demanda Nicole, des cliniques de jeûne? Il semble que ce soit de plus en plus populaire. Sous les directives de médecins et de divers spécialistes, les gens endurent des souffrances en espérant qu'ils régleront leurs problèmes de poids et de santé. Au lieu d'en profiter pour se purifier spirituellement en demandant l'aide de Dieu, ils ne se purifient que physiquement. Quand ils retournent chez eux, à peu près rien n'a changé dans leur vie, sinon leur poids.

- Le prophète Esaïe, dit François, reprochait aussi aux gens de son temps de ne pas avoir compris le vrai sens du jeûne: "Voici, au jour de vos jeûnes vous cherchez votre plaisir, et vous exigez durement tout ce qui vous est dû. Vous ne jeûnez pas maintenant pour faire entendre votre voix en haut. Est-ce un jeûne comme celui-là que j'ai choisi, un jour où un homme afflige son âme?"

- Jésus, lui, continuai-je, nous disait de ne pas ressembler aux hypocrites qui prennent un air défait lorsqu'ils jeûnent pour que les hommes les voient, car ils ont déjà leur récompense. On ne doit pas jeûner pour être bien vu des autres et pour s'en faire une gloire, mais pour s'humilier devant Dieu. Le Christ nous conseille de parfumer notre tête et de laver notre visage, afin de passer inaperçu. En fait, c'est la même chose que la prière; on ne prie pas pour être vu et entendu par les autres mais on se retire dans le silence pour parler à notre Père céleste: "entre dans ta chambre, et ayant fermé ta porte, prie ton Père qui demeure dans le secret; et ton Père qui voit dans le secret, te récompensera"[2], nous dit encore Jésus.

- Moi, je me rappelle, nous raconta Nicole, la première fois que j'ai décidé de jeûner; j'étais certaine que parce que je me privais de nourriture, je me sentirais à moitié morte! Mais au contraire, à part que j'ai eu le goût de manger à quelques reprises, cela avait très bien été. Quand j'en arrachais, je priais, je lisais mon Nouveau Testament et le calme revenait. Pour sûr, la lecture de la Bible est vraiment la recette pour entreprendre un jeûne. Pour moi, jeûner, c'est un excellent moyen de garder un contact avec Dieu et surtout, un moyen d'entendre clairement Sa voix dans ma conscience. A chaque fois que j'ai offert ce petit sacrifice à Dieu, j'en suis ressortie fortifiée et renouvelée intérieurement.

- Moi, dit François, j'ai de la misère à jeûner; peut-être que mon amour pour Dieu est encore limité... Mais je sais bien que le jeûne est une clé qui nous ouvre bien des portes spirituelles, alors je ne me laisse pas arrêter par les difficultés que j'éprouve.

- Tu fais bien, lui dis-je, car même si ce n'est pas toujours facile de le faire, c'est pourtant le meilleur moyen pour mettre notre chair à sa place et l'empêcher de nous entraîner dans ses convoitises. C'est important de savoir dire non aux désirs de notre nature animale car ils font la guerre à notre nature spirituelle. Il ne faut surtout pas laisser notre chair dominer sur notre esprit car on en devient bien vite esclave. L'apôtre Paul nous disait avec sagesse: "Si vous vivez selon la chair vous mourrez, mais si par l'esprit, vous faites mourir les actions du corps, vous vivrez"[3]. Le jeûne est donc le moyen de laisser notre nature spirituelle reprendre le dessus dans notre vie.

- C'est quand même loin d'être facile, reprit François. Si je m'étais écouté, je crois que je n'aurais jamais jeûné de ma vie. On n'a qu'à en émettre l'idée pour que notre chair commence à trembler, à s'agiter et à s'inventer mille et une excuses. Elle n'aime pas du tout se faire priver de son miam, miam. Elle va même jusqu'à essayer de nous faire accroire qu'on ne peut pas jeûner. Le diable hait le jeûne, il hait son odeur de pureté, d'humilité et de prière qui s'élève vers Dieu. D'autant plus que ça diminue énormément l'emprise que lui, le diable, a sur notre chair.

- Moi, quand je jeûne, dit Nicole, j'ai toutes sortes d'idées de nourriture qui me viennent en tête. C'est ce que je trouve le plus difficile.

- C'est normal d'avoir de telles idées, lui dis-je, mais il ne faut pas les alimenter, au contraire, il faut plutôt les chasser. C'est au niveau de nos pensées qu'il faut combattre et on doit faire la même chose pour toute tentation qui survient dans notre vie. Le jeûne est, en fait, une sorte d'exercice qui nous renforcit et nous prépare pour les combats plus sérieux.

- Une chose est certaine, ajouta François, c'est que si j'en ai souvent arraché pendant mes jeûnes, j'ai toujours été content des résultats et c'est pour ça que j'ai toujours continué à jeûner sur une base régulière. Dans mon cheminement avec Dieu, je me suis parfois heurté à certains de mes défauts qui étaient tellement enracinés en moi, qu'il me paraissait impossible de m'en défaire. C'est en jeûnant et en demandant de l'aide à Dieu que je suis parvenu à me libérer de l'orgueil, du découragement et de bien d'autres de mes faiblesses.

- C'est toujours, lui dis-je, ce que nos jeûnes devraient être: des victoires sur le péché, le mal, la tentation, car c'est ce qui est agréable devant Dieu: "N'est-ce pas ici le jeûne que j'ai choisi, qu'on rompe les chaînes de l'iniquité (un même péché répété), qu'on fasse tomber les liens de la servitude et qu'on renvoie libres les opprimés?"[4] Le jeûne doit donc nous libérer des liens des péchés dont nous sommes esclaves et doit changer notre vie; on aura, bien sûr, des efforts à faire mais ce ne sera jamais au-delà de nos forces. Même Jésus a eu de nombreuses tentations pendant son jeûne, car il ne faut pas oublier que, lui aussi avait une chair animale comme la nôtre. Il s'est quand même abstenu de toute nourriture non pas pendant une, deux ou trois journées mais pendant quarante jours. Et oui, quarante jours où il n'a rien mangé du tout. Ce fut un jeûne qui lui permit de se purifier pour se préparer au ministère qui l'attendait. On peut lire dans les Evangiles qu'à la fin de ces quarante jours, alors qu'il avait faim, le diable s'acharna contre lui pour le tenter mais il résista. Et "c'est dans la puissance de l'Esprit que Jésus s'en retourna en Galilée et sa renommée se répandit par tout le pays d'alentour"[5]. Il est donc sortit de son jeûne victorieux et nous a laissé un exemple de la puissance de l'Esprit sur le monde de la chair et du mal.

- Jacques, j'ai souvent rencontré des gens qui pensaient que jeûner pouvait être mauvais et même dangereux pour leur santé. Qu'est-ce que tu en penses, toi? demanda Nicole.

- Il n'y a vraiment aucun danger, lui assurai-je, à moins qu'on ne fasse un jeûne absolu, c'est-à-dire sans nourriture ni eau. Un tel jeûne ne devrait pas durer plus de trois jours sinon, il pourrait y avoir des conséquences physiques dangereuses. Le corps peut se passer de nourriture pendant longtemps mais pas d'eau. Normalement, pendant un jeûne, on doit se priver aussi bien de pilules, de cigarettes que de sexualité. Tout ce qu'on peut consommer, c'est de l'eau. En fait, on a droit à deux sortes d'eau car cela a la propriété de purifier; ainsi, l'eau qu'on boit permet à notre corps de se nettoyer et d'éliminer le mauvais tandis que l'eau spirituelle de la

Parole de Dieu nettoie notre conscience et notre coeur. Quand on nourrit notre esprit, ça nous fait du bien car ça nous fortifie intérieurement.

- Une chose est certaine, affirma Nicole, c'est que la joie et la paix que l'on ressent d'avoir cette étroite communion avec Dieu est vraiment quelque chose d'unique. Dans ces temps de privation, on comprend aussi beaucoup plus facilement la Parole de Dieu. Le jeûne est également le meilleur tranquilisant que je connaisse et il n'y en a pas d'aussi inoffensif en pharmacie! Il vient à bout de tous les stress, les inquiétudes et les tourments.

- Savez-vous les amis, leur dis-je, qu'on peut aussi faire des jeûnes partiels en se privant volontairement, pendant un temps déterminé, de choses qu'on aime. Ca peut être l'alcool, le chocolat, les pâtisseries, le tabac, les pilules, les joints, le sexe... On apprend par de tels exercices à être toujours plus maître de nos désirs et à ne pas nous laisser mener par eux par le bout du nez. Des jeûnes peuvent aussi être entrepris dans le but de libérer les gens qui nous entourent et qui sont esclaves et prisonniers de la violence, la drogue, l'alcool, le sexe, etc. Jésus lui-même disait à ses disciples que certains mauvais esprits qui lient les gens "ne sortent en aucune façon, si ce n'est par la prière et le jeûne"[6]. Si nous prions avec foi en jeûnant pour ces personnes tourmentées, soyez certains qu'elles guériront.

Il ne faut donc pas avoir peur de jeûner pour les autres, pour un parent ou un frère qui souffre, qui est malade, pour un ami perdu et malheureux et même pour un peuple entier. Gandhi, (le père d'Indira Gandhi, l'ancienne première ministre de l'Inde) était un homme qui jeûnait régulièrement. Cet homme plein de foi et de conviction influença même à plusieurs reprises tout le peuple de l'Inde à des journées de jeûne et de prières pour pousser le gouvernement britannique, qui régnait sur les Indes à cette époque, à changer et à accorder aux Indiens les libertés auxquelles ils avaient droit. Pour lui, ce n'étaient pas des journées de grève, mais des journées de jeûne qui paralysaient toute l'activité du pays. Il utilisa cette arme pendant de longues périodes pour faire cesser la violence dans son pays et les guerres de religions entre musulmans, chrétiens et hindous. Et son action ne fut pas vaine: elle changea le sort des Indes en provoquant le départ des Britanniques et le pays devint indépendant. Dieu a été sensible aux jeûnes de Gandhi. Il a été puissant pour intervenir afin que la justice soit établie, car Gandhi et son peuple s'étaient tournés vers Lui.

- Nos dirigeants nord-américains, dit François, font face à des problèmes moraux et sociaux quasi insolubles. Ils devraient prendre exemple sur Gandhi et jeûner eux aussi pour obtenir la faveur de Dieu et la parfaite solution à leurs problèmes. Une seule nuit de prière et de jeûne en commun, partagée par les chefs des divers pays, ferait plus pour la paix dans le monde que des centaines de conférences aux Nations-Unies.

- Je suis d'accord avec ça, approuvai-je. Je sais que Dieu ouvre une oreille attentive à tous ceux qui s'humilient devant Lui avec jeûne et prière, comme il l'a fait pour le peuple de Ninive.

- Parles-tu de ce qui est arrivé à Jonas et au peuple que Dieu voulait détruire parce qu'ils étaient trop méchants? me demanda Nicole.

- Oui, lui répondis-je. Toute cette histoire s'est déroulée autour des années 800 avant Jésus-Christ. Les habitants de la ville de Ninive vivaient dans la corruption. Dieu avertit alors Jonas qu'Il détruirait la ville et tout ce qu'elle contenait. Lorsque Jonas trouva le courage d'aller annoncer cela dans la ville, le roi ainsi que tout le peuple crurent Dieu et proclamèrent un jeûne depuis les plus grands d'entre eux jusqu'aux plus petits. "Et il se fit une publication dans Ninive: Que les hommes ne goûtent rien et ne boivent pas d'eau et qu'ils crient à Dieu avec force; et qu'ils reviennent chacun de leur mauvaise voie et des actes de violence dont leurs mains sont coupables. Qui sait? Dieu se repentira et reviendra de l'ardeur de sa colère, et nous ne périrons pas. Et Dieu vit leurs oeuvres, qu'ils revenaient de leur mauvaise voie; et Dieu se repentit du mal qu'Il avait parlé de leur faire, et Il ne le fit pas"[7].

- Je crois que si le monde d'aujourd'hui avait un peu plus la crainte de Dieu, ils jeûneraient eux aussi, dans l'espérance de voir s'accomplir la miséricorde de Dieu plutôt que son jugement.

- Mais que veux-tu, François, les gens ne lèvent plus les yeux au ciel. Ils espèrent toujours que les choses s'arrangeront d'elles-mêmes.

On discuta encore quelques moments puis, chacun se retira dans ses pensées, contemplant le coucher du soleil. Dans moins d'une heure, nous serions arrivés à Montréal. Nicole commença alors à chanter tout doucement puis, François et moi, on l'accompagna de nos voix graves. Quoi de mieux à faire après un si beau voyage?

---

1. Esaïe, chapitre 58, versets 3 à 5
2. Evangile de Matthieu, chapitre 6, verset 6
3. Epître de Paul aux Romains, chapitre 8, verset 13
4. Esaïe, chapitre 58, verset 6
5. Evangile de Luc, chapitre 4, versets 13 et 14
6. Evangile de Marc, chapitre 9, verset 29
7. Jonas, chapitre 3, versets 8 à 10

CHAPITRE 18

MORT, CENDRES, ET POÊLES À BOIS

Après avoir séjourné à Montréal pendant trois jours, je partis d'un nouvel élan, en compagnie de ma femme Eileen, vers la région de Chicoutimi pour visiter d'autres amis du groupe; question aussi de faire ma tournée habituelle. Tous étaient contents de notre arrivée inattendue, car on apportait avec nous, à chaque fois, de nouveaux bagages d'expériences et d'aventures. Pierre et Daniel venaient tout juste d'acheter un poêle à bois, vu les temps froids qui s'approchaient à grands pas, et ils étaient en train de l'installer dans le sous-sol. J'allai donc aider les gars en bas, tandis que ma femme en profitait pour jaser avec les filles dans la cuisine. On n'eut pas aussitôt terminé, qu'on s'empressa d'allumer un bon feu. Il faut dire que les gars s'étaient préparés à l'avance; ils coupaient du bois depuis déjà une semaine et avaient ramassé toutes sortes de restants de planches que des compagnies leur avaient donnés à gauche et à droite. On invita les filles à venir nous rejoindre. C'était vraiment un plaisir pour nous de pouvoir se retrouver ainsi tous ensemble à bavarder.

- Rien ne peut égaler un bon feu de bois, dis-je, ni sa chaleur, ni sa flamme, ni son odeur, ni sa présence. Tout au long de ma vie, j'ai côtoyé régulièrement les poêles à bois; à la campagne bien sûr, mais surtout quand je me retrouvais dans la nature. Là, au coeur de la forêt, le poêle à bois règne en roi, du moins dans une forêt comme celle du Québec où les rigueurs des quatre saisons nous en font voir de toutes les couleurs. C'est l'âme de tous les campements et le compagnon indispensable. Sans lui, les nuits froides, les jours de pluie et l'hiver glacial deviennent un enfer insupportable. La chaleur, en effet, est un besoin fondamental de la vie. Ah! Combien d'heures douces et réconfortantes ai-je passées devant un poêle à bois, à savourer sa chaleur pénétrante, alors qu'il réchauffait mon corps gelé ou mouillé! Combien de nuits à me laisser bercer par le crépitement du bois qui brûle!

Les hommes de bois que j'ai connus m'ont non seulement appris à aimer les poêles à bois, mais ils m'ont aussi fait découvrir ses vertus cachées. Saviez-vous que la chaleur d'un poêle à bois est une médecine étonnante pour soulager les rhumatismes, l'arthrite, les hémorroïdes, la fièvre, les maux de dents, et bien d'autres choses encore? J'en ai moi-même fait l'expérience à maintes et maintes reprises et croyez-moi, ça marche. En fait, la nature est pleine de petits secrets comme celui-ci, bien simples, qu'on découvre lorsqu'on prend le temps d'y vivre; une richesse dont notre société moderne se prive trop souvent.

Les poêles à bois m'ont apporté aussi un autre genre de bienfait. Ils m'ont fait méditer sur la fragilité de la vie et sur les fins dernières. Plus d'un matin, en effet, je me suis retrouvé silencieux devant la porte ouverte de mon poêle à bois, à contempler le lit de cendres qui s'y trouvait. Là, devant moi, étaient les restes insignifiants de ce qui avait été auparavant un arbre plein de vie et de force. Bûche après bûche, lentement mais sûrement, il avait été consumé par le feu et n'était aujourd'hui qu'un petit tas de cendres. Combien de fois ai-je pensé à ce que serait mon pauvre corps lorsque, privé de vie, il deviendrait lui aussi poussière. Car c'est bien la fin de toute vie; ma vie et la vôtre n'auront pas un sort bien différent de celui-là. A toutes les fois qu'il m'arrivait de méditer devant les cendres du poêle à bois, inévitablement ces paroles des Ecritures me revenaient à l'esprit, comme un éternel refrain: "Car tu es poussière et tu retourneras à la poussière"[1].

- En parlant de poussière et de cendres, m'interrompit André, te souviens-tu Jacques, de la fois qu'on avait fait un gros feu à Schefferville?

- Tu parles que je m'en rappelle! On avait décidé tous ensemble, à l'occasion de la fête de la Saint-Jean, d'organiser un feu qui en mettrait plein la vue aux habitants de Schefferville, histoire de faire rougir les visages pâles! Avec l'aide d'un groupe d'amérindiens de la place, on amassa pendant plus de quatre jours une quantité incroyable de bois. 450 traverses de chemin de fer imbibées d'huile composaient le centre de cette espèce de pyramide. Elles étaient entourées par deux séries d'environ 150 arbres: la première de bois sec, et la seconde de bois vert, qui formaient autour de ce ramassis de poutres entremêlées une tente gigantesque qui s'élevait à plus de soixante pieds dans les airs.

- C'était vraiment spécial, ajouta André, d'autant plus qu'on avait fait presque tout le travail à bras! Lorsqu'on a posé le dernier arbre, le soir du 24 juin, il était plus de neuf heures. On était tous vidés de nos forces, mais la joie du travail accompli nous avait fait oublier notre fatigue.

- Même le soleil était de la partie ce jour-là, poursuivis-je, car croyez-le ou non, on le voyait encore à l'horizon. En fait, on l'a vu jusqu'à 10:30 à peu près. C'est que le 24 juin est l'une des plus longues journées de l'année, et quand on est haut dans le nord comme à Schefferville, ça paraît vraiment. La lueur du soleil a été visible toute la nuit.

- Pis en plus, on leur en a fait briller tout un soleil nous aussi, me lança André.

- Ouais, c'est le cas de le dire. On a arrosé tout ce tas de bois avec 45 gallons d'huile et 45 gallons de gaz, et quand on l'a allumé, les flammes se sont étendues partout en quelques secondes. La chaleur était tellement forte que les gens ont dû reculer d'au moins cinquante pieds. Je ne vous mens pas, le grondement du feu faisait presque vibrer le sol.

C'était le plus grand feu de joie qu'il m'avait été donné de voir de toute ma vie. Les gens fêtèrent toute la nuit. J'en garde un souvenir inoubliable. Ce qui est aussi resté gravé dans ma mémoire, c'est ce qui se passa le lendemain au lever du jour, lorsqu'accompagné de mon ami Vincent et de son petit garçon de cinq ans, nous sommes allés jeter un coup d'oeil sur ce qui pouvait bien rester de cet immense brasier. Et bien, il ne restait que des cendres... un si petit tas de cendres que je n'en croyais pas mes yeux. Notre montagne de bois était devenue un petit peu de poussière. Je me souviens que le petit Salomon avait dit à son père que les arbres s'étaient envolés. Il lui avait répondu qu'un jour ou l'autre, tout s'envole en poussière, même nous. Et oui, aussi vivants sommes-nous aujourd'hui, un jour viendra où nous ne serons que de la poussière...

Je voyais que mes propos sur la mort avaient l'air de rendre Sylvie un peu soucieuse. Cette jeune fille avait trempé dans le monde de la drogue. Elle était venue un soir coucher à l'une de nos maisons et, petit à petit, on l'avait aidée à changer. Depuis quelques semaines, elle vivait avec nous.

- Qu'est-ce qui se passe Sylvie? lui demandai-je. T'as l'air bien songeuse tout d'un coup.

- Parler de la mort, moi, ça me donne des frissons, me répondit-elle.

- Il n'y a pourtant rien de morbide là-dedans, lui dis-je. Au contraire, réfléchir sur la mort c'est même très sain. Pourquoi? Parce que c'est pendant notre vie ici-bas que nous décidons où nous irons après la mort. C'est donc important de pouvoir y faire face. La vie sur terre n'est qu'une préparation à la vie qui suivra.

- Comment peux-tu en être aussi certain? questionna Sylvie.

- Il faut comprendre que le corps et l'esprit ont des développements qui ne sont pas seulement séparés, mais qui sont aussi contradictoires. A mesure que nous vieillissons, notre corps dépérit et notre esprit s'enrichit. Esprit et corps sont comme deux voyageurs: l'un fait l'ascension d'une montagne et l'autre en descend. Ils voyagent dans des directions opposées. Quelle est la logique qui me fera croire que, lorsque le corps est arrivé au pied de la montagne, à son déclin final, l'esprit va s'éteindre avec lui? N'est-il pas plus possible que "l'esprit retourne à Dieu qui l'a donné"[2], comme nous le dit Salomon? De plus, même si les morts ont disparu de devant nos yeux, cela ne veut pas dire qu'ils n'existent plus.

- En tout cas, moi, dit Sylvie, je suis allée une fois voir un mort et jamais plus je n'y retournerai; ça m'a tellement fait peur que j'en ai même fait des cauchemars.

- Pourtant, il n'y a rien d'épeurant là-dedans, lui dis-je. Les corps morts ne sont que des enveloppes vides. St-Jean Chrysostome, un homme du Moyen-Age ayant consacré sa vie à Dieu, donna un jour ce conseil qui peut sembler étonnant mais croyez-moi, il est plein de vérité: "Pour mieux voir ce que vous êtes, allez visiter les tombeaux!" Puis, il raconte cette petite histoire à propos de St-François de Borgia, un chrétien d'Espagne: "Lorsqu'on ouvrit le cercueil de l'impératrice Isabelle, l'horrible état du cadavre et la puanteur qu'il exhalait, mirent tout le monde en fuite. Mais St-François, guidé par la lumière divine, s'arrêta à contempler dans ce cadavre la vanité du monde et il s'écria en le regardant: "Quoi! Est-ce donc vous qui êtes mon impératrice? Vous, devant qui tant de grands personnages se prosternaient par respect? O illustre Isabelle! Où s'en est allée votre majesté, votre beauté?" Puisque c'est là, conclut-il en lui-même, qu'aboutissent les couronnes et les grandeurs de la terre, je veux désormais servir un maître qui ne puisse plus m'être enlevé par la mort. Dès cet instant, il donna sa vie à Dieu et devint religieux quelque temps après, lorsque sa femme mourut."

Moi, je n'ai pu m'empêcher de suivre le conseil de St-Jean Chrysostome. Je suis allé sur les lieux, en plein coeur d'un cimetière, pour voir la mort d'aussi près que possible.

- Hein, t'es-tu sérieux? s'exclama Sylvie. Comment t'as pu faire? Les cimetières cachent tellement bien leurs morts; lorsqu'ils ne sont pas soigneusement enterrés, ils sont solidement emmurés.

- Rassure-toi, lui dis-je, je n'ai rien déterré à la faveur de la nuit, mais un employé compréhensif m'a aidé. Cet homme, vois-tu, avait la tâche assez spéciale, osons le dire, de déterrer à la demande de la famille, le corps de l'un des leurs pour le déposer dans un compartiment de ciment, à l'intérieur de l'un des mausolées fraîchement construits sur le site même du cimetière. On leur avait vendu l'idée fantastique que le mort serait plus à son aise dans cet endroit sec et propre. Sans commentaire...

Ce monsieur m'avait permis d'assister au spectacle. Je n'avais qu'à jouer le jeu d'un officiel du cimetière qui veillait à ce que tout soit bien fait. Le spectacle était horrible, à vous glacer le sang dans les veines. Armé de longs gants de caoutchouc, il devait empoigner ces corps qui ne se tenaient presque plus, du fond d'une tombe en lambeaux, et les déposer dans un coffre de métal. Tous ces corps avaient reposé dans la terre pendant plusieurs années et étaient sérieusement ravagés par la décomposition. La plupart du temps, il ne pouvait que saisir des morceaux de corps, de bras, de jambes, et les déplacer délicatement d'un endroit à l'autre. D'autres corps qui n'avaient pas été atteints par l'eau, étant donné qu'ils étaient enterrés sur une butte, se transformaient en poussière aussitôt qu'on ouvrait le cerceuil et qu'on y touchait. C'est avec une petite pelle qu'il devait ramasser le tout.

- Croyez-le ou non, la famille devait assister à la manoeuvre. De la vraie torture mentale! Devant ces cadavres en pourriture, très peu de gens étaient insensibles: j'en ai vus vomir, j'en ai vus s'évanouir, j'en ai vus quitter les lieux après quelques secondes seulement, parce qu'ils n'en pouvaient déjà plus. En tout cas, tous ceux que j'ai vus étaient tellement bouleversés, qu'à la fin il m'était devenu impossible de ne pas les encourager. Je priais avec eux, puis je leur parlais de l'espérance de cette vie meilleure que Dieu nous offre après la mort. Au moins, quelqu'un leur avait présenté l'autre côté de la médaille. Le moment était certainement bien choisi. Cette expérience me marqua moi aussi, c'est un peu normal, mais ma foi en est ressortie fortifiée. Ma certitude d'appartenir à Dieu dans la vie comme dans la mort, m'enlevait toute peur.

- Moi, dit Daniel, ce qui m'impressionne toujours quand je me mets à songer à la mort, c'est qu'elle ne fait pas de distinction. Elle ne respecte ni la fortune, ni la puissance, ni la beauté. Elle frappe petits et grands, jeunes et vieux, rois et serviteurs, riches et pauvres, avec la même dureté et la même froideur. En fait, c'est le commencement de la justice de Dieu qui, Lui, ne fait pas acception de personnes. De plus, la mort dépouille de tout ce qui appartient à ce monde. C'est pourquoi le jour de la mort est pour beaucoup de gens un jour de perte, parce que tous les biens de la terre, richesses, plaisirs, honneurs, sont perdus.

- En réalité, ajouta Pierre, nous ne pouvons pas les appeler nos biens, puisque nous ne pouvons pas les emporter avec nous dans l'autre monde; il n'y a que les vertus qui nous y accompagnent.

- Il faut travailler pour la fortune qui demeure, non pour celle qui périt. Voilà la sagesse. Il faut s'amasser un trésor qui ne rouille pas et qui n'est pas détruit par la mort.

- Quand je songe à tout le mal, les peines, le travail, les sacrifices que les gens s'imposent pour se procurer une maison confortable où il fait bon vivre, je me demande pourquoi ils sont si insouciants au sujet de la demeure qu'ils occuperont éternellement. Qu'est-ce que cette vie si courte en comparaison de l'éternité qui suit la mort? "Elle n'est qu'une vapeur qui paraît pour un peu de temps et puis disparaît."[3] Le salut de notre âme est vraiment la chose la plus importante de cette vie. Le négliger est aussi la plus grande folie.

- Tu as bien raison, André, lui dis-je. Même que St-Augustin a écrit: "Celui qui croit à l'éternité et ne vit pas en saint devrait être enfermé dans une maison de fous".

Imaginez un instant que l'on vous offre en cadeau, comme propriété, autant de terrain que vous pourrez en parcourir dans une journée, ou si vous aimez mieux, autant d'argent que vous pouvez en compter. Quels efforts ne feriez-vous pas? Et bien, sachez ceci: vous pouvez acquérir à chaque instant des trésors éternels, mais vous ne devez pas perdre de temps.

- Ca me fait penser à une petite histoire, m'interrompit Johanne. On raconte qu'un homme marchait dans l'obscurité le long d'une rivière. Ayant trébuché sur un petit sac rempli de pierres, il le ramassa. Pour passer le temps, il jetait de temps à autre une pierre dans la rivière. Le bruit qu'elles faisaient en tombant dans l'eau l'amusait. Arrivé chez lui, il ne lui restait plus que deux pierres dans le sac. Ouvrant le sac, il s'aperçut alors que c'était des diamants! Les minutes qui nous sont accordées sur cette terre ont autant de valeur que ces diamants, et pourtant bien des gens les gaspillent tout aussi inutilement.

- Une chose est certaine, c'est que la vie présente ne nous a pas été donnée pour nous reposer ou pour nous amuser, mais bien au contraire pour travailler à notre salut, continuai-je. Ceux qui ont peur de la mort, c'est fort probablement parce qu'ils ne sont pas prêts à l'affronter. Comme dit la chanson: tout le monde veut aller au ciel, mais personne ne veut mourir. La mort, si elle trouve l'homme endormi, c'est-à-dire insouciant de Dieu et de l'état de son âme, vient comme un voleur, le dépouille, le tue et le jette dans le gouffre de l'enfer; mais si elle le trouve vigilant, elle le salue comme une envoyée de Dieu avec ce message: "Le Seigneur vous attend aux noces".

- Moi, dit Johanne, je vais régulièrement dans les hôpitaux et les foyers pour visiter les vieillards et je leur parle souvent de la mort. Je n'en reviens pas combien il y en a beaucoup qui ne sont pas prêts à l'affronter. On dirait qu'ils n'acceptent pas de devoir mourir.

- Quand on rencontre des gens qui sont à la veille de mourir, lui dis-je, soit à cause de la vieillesse, soit à cause d'une maladie mortelle, l'important, c'est de les encourager à profiter de cette période d'attente ou de souffrance pour nettoyer leur coeur et se mettre en ordre avec Dieu. Au lieu de s'endurcir et de se révolter, ils doivent plutôt crier à Dieu de tout leur coeur et s'assurer d'avoir obtenu Son pardon avant d'entreprendre ce dernier voyage.

Je me rappelle qu'il m'est arrivé, il y a quelques années, une aventure un peu spéciale. Je venais de tirer un gros ours qui pesait environ 700 livres. Il s'en est allé dans le bois et a lâché trois gros cris de mort. Ces cris-là étaient tellement épouvantables que quiconque les aurait entendus aurait eu peur. C'était vraiment émouvant la puissance du son qui s'est échappé de lui. Il a crié trois fois et je suis certain que, dans les quatre milles à la ronde, tous les animaux de la forêt l'ont entendu. C'était tellement fort et épeurant que tu frémissais et que tu tremblais en dedans de toi. La même chose se passe quand un ours meurt de vieillesse. En général, sa vie dure de quinze à dix-huit ans. Il sait quand son temps est arrivé: ses dents deviennent brunes, il a de gros problèmes à manger, ses dents se cassent et ça lui fait mal et il a également de la misère avec sa digestion. Quand il sent sa mort venir, il s'en va crier et beugler des cris de mort pour avertir que c'est sa fin. Il crie vraiment fort. Il avertit toute la forêt. Je pense qu'il n'est pas obligé de crier comme ça, mais il délivre son âme en agissant ainsi.

Quant à nous, les humains, pour tous ceux qui sont en paix avec leur Créateur, la mort est aussi une délivrance. Ce n'est qu'une autre étape de la vie, le moment tant attendu où ils seront libérés de leur corps pour aller rencontrer Dieu. Ils ne sont pas affligés d'inquiétudes et de tourments comme ceux qui sont dans l'ignorance, parce qu'ils ont obéi à Dieu pendant leur séjour sur la terre. Ils sont comme ce navigateur qui, après avoir traversé tant de périls et tant de tempêtes, est près d'aborder au port et se réjouit. Je me rappellerai toujours de ce que mon ami Sylvain Sévigny m'a dit, peu de temps avant de mourir de la leucémie, à l'âge de 24 ans: "Tu sais, Jacques, je suis heureux d'avoir été malade, parce que ça m'a permis de guérir mon esprit qui était rongé par le cancer du péché. Vois-tu, je ne suis pas inquiet du tout, car je sais que pour un ami du Christ, la mort n'est pas une catastrophe, mais plutôt le début d'une vie nouvelle et éternelle avec Dieu. C'est une promesse de Jésus-Christ et je suis convaincu qu'il ne peut pas mentir, car lui-même a vaincu la mort."

- Ce que j'ai appris, continua Manon, en voyant mon frère affronter la mort avec autant de confiance, c'est que ce n'est pas la mort qu'il faut craindre, mais le péché, car c'est lui qui rend la mort mauvaise. Le cancer n'emmène personne en enfer, le péché, oui. Lorsqu'on vit dans le mal, la mort ne peut que tourmenter notre esprit malade et le terrifier.

- La mort a le fâcheux défaut de survenir au moment où on s'y attend le moins, leur dis-je. C'est pourquoi il ne faut pas remettre à demain ce que l'on peut faire aujourd'hui. On peut tous mourir subitement, sans aucun avertissement. Aujourd'hui est le jour du salut, demain il sera peut-être trop tard. S'il vous faut quitter le péché, pourquoi ne pas le quitter tout de suite? Une chose est certaine, c'est que si on manque le ciel, il aurait mieux valu qu'on ne vienne même pas au monde.

Je vous dirai également qu'il est très difficile de faire, au moment de la mort, ce qu'on n'a pas fait durant sa vie. L'arbre, lorsqu'on le coupe, tombe du côté où il penche. De quel côté penchez-vous? Il faut craindre Dieu, s'éloigner du péché, et la mort sera le plus beau moment de votre vie. Pensez-y les amis, si vous deviez mourir maintenant, que voudriez-vous avoir fait?

---

1. Genèse, chapitre 3, verset 19
2. Ecclésiaste, chapitre 12, verset 7
3. Epître de Jacques, chapitre 4, verset 14

CHAPITRE 19

LES BLUE JEANS DE LA MODE

Une fois de plus, je regardai ma montre. Il était onze heures. J'étais assis dans l'auto depuis six heures du matin et j'avais de plus en plus le goût de m'arrêter quelques minutes. J'étais rendu à la hauteur de St-Jovite, quand soudain mon attention fut attirée par des panneaux qui annonçaient l'ouverture d'une nouvelle église. Tous étaient bienvenus et si je me dépêchais un peu, j'allais pouvoir arriver à l'heure convenue. J'étais content de saisir cette occasion de me dégourdir les jambes. J'aurais sûrement la chance aussi de faire de nouvelles rencontres.

Arrivé sur place, je fus surpris du nombre d'automobiles qui encombraient le stationnement. La petite église toute blanche était bâtie tellement simplement, que ça me réjouit le coeur. A l'intérieur, c'était plein de monde et l'accueil qu'on me fit fut chaleureux. On m'invita à m'asseoir, mais j'insistai toutefois pour rester debout. Avant l'arrivée du pasteur, j'engageai une conversation avec mes voisins de droite et de gauche. Ils étaient bien contents d'entendre parler de la façon dont je m'étais rendu à leur réunion. Leur publicité n'avait pas été inutile. Ils me racontèrent aussi, en peu de mots, tous les efforts que cela leur avait coûtés pour établir cette communauté chrétienne, combien de patience et de persévérance cela leur avait pris pour planter des semences de foi dans le coeur de ceux qui se trouvaient aujourd'hui réunis. Leurs prières, me dirent-ils, avaient été entendues, car ils avaient maintenant un lieu où ils pourraient désormais se rencontrer. Ils m'expliquèrent aussi que ce lieu serait ouvert sept jours sur sept et que le pasteur et sa femme s'étaient installés à l'arrière des bâtiments, afin d'être disponibles 24 heures sur 24 à quiconque viendrait cogner à leur porte. Que des pasteurs soient ainsi dévoués à leurs brebis est quelque chose qu'il me fit vraiment plaisir d'entendre.

J'étais justement en train de me dire que j'avais bien hâte de rencontrer ce pasteur quand, tout-à-coup, il monta sur la petite estrade et s'adressa à l'assemblée:

- Bienvenue à tous, dit-il. Je suis heureux de voir autant de visages souriants devant moi aujourd'hui. J'espère que vous êtes toujours comme ça durant la semaine.

Ce petit commentaire changea les sourires en éclats de rire général. L'atmosphère était détendue et tout le monde avait l'air bien joyeux. Après les présentations et les remerciements d'usage, on nous distribua à chacun un petit livre de chants, et une jeune fille s'assit au piano dans l'intention bien évidente de nous faire ouvrir la bouche. Les paroles et la musique étaient très belles; tout le monde chantait avec coeur, nos voix remplissaient le lieu et mettaient une ambiance de fête. Une fois la chanson terminée, tout devint silencieux. Le pasteur demanda à tous de se fermer les yeux afin de se recueillir, et il fit une petite prière bien simple. Puis, il s'adressa à l'assemblée:

«Mes frères et soeurs, j'aimerais pour commencer, vous raconter une petite histoire. "Le jour des rameaux, quand le Seigneur entra à Jérusalem, monté sur un âne, il y fut reçu avec des cris de joie "Hosanna, fils de David" et avec des rameaux de palmiers que tous brandissaient. Ce soir-là, l'âne raconta à son camarade âne dans l'étable: "Si seulement tu avais pu voir avec quels honneurs j'ai été acclamé à Jérusalem! Ils m'ont appelé "Fils de David", "Roi des Juifs". Jamais auparavant je n'avais su le nom de l'âne qui est mon père. J'ai été content de savoir qu'il s'appelait David. Et la foule paraissait très déterminée à me faire roi. Ils jetaient leurs vêtements sur le sol pour que je puisse marcher sur quelque chose de doux. Je suppose qu'ils viendront demain pour me faire monter sur le trône. J'imagine que, quand un âne devient roi, on lui donne abondance de foin et qu'on ne lui fait plus porter de fardeaux!"

Pauvre âne! Il ne savait pas que toute la fête avait été en l'honneur de Jésus et non pas pour lui-même. Il y a beaucoup d'ânes de ce genre. Les pasteurs sont portés à croire que les honneurs doivent leur revenir. Un prédicateur doit être humble et son sermon doit être le fruit du travail d'une vie chrétienne toute entière, non pas d'une préparation de quelques minutes, ni même de quelques heures. Le sermon ne doit pas non plus contenir de belles paroles compliquées, mais il doit simplement être utile pour enseigner, pour corriger et pour encourager. C'est pourquoi je vous serai reconnaissant de ne pas m'élever sur un piédestal, ni de me féliciter pour mes sermons, car je ne suis qu'un simple serviteur dont Dieu se sert.

J'ai choisi comme premier thème d'enseignement, les sept églises dont nous parle l'Apocalypse. Puisque nous posons les fondations spirituelles de notre église, il est important qu'elles soient solides, c'est-à-dire appuyées sur l'autorité divine de la Parole de Dieu, afin que chacun de nous soit des colonnes inébranlables dans le temple de Dieu. Dans les premiers chapitres de l'Apocalypse, le Christ s'adresse à sept églises chrétiennes qui existaient au temps de l'apôtre Jean. Mais ce qui est important de mentionner ici, c'est qu'étant donné que l'Apocalypse est un livre sur les derniers jours de l'humanité, il est tout à fait normal que les sept églises mentionnées représentent à la fois celles du temps de la fin. Il faut bien comprendre aussi que la Parole de Dieu s'adresse à chacun de nous individuellement, et que les reproches faits aux églises peuvent tout aussi bien nous être adressés.

Nous allons voir, avec regret, que seulement deux églises sur un total de sept ont gardé l'enseignement du Christ. Cinq d'entre elles ont, en effet, abandonné le sentier tracé par les apôtres et elles se sont laissées corrompre par les hommes. Elles ont toutes dévié de la pureté du message évangélique, et le Christ les avertit sérieusement qu'elles doivent se repentir et changer pendant qu'il en est encore temps, sinon elles seront tout simplement rejetées par Lui. Le Christ est notre Berger, et c'est avec sévérité qu'Il doit nous reprendre s'Il veut nous remettre dans le droit chemin. S'il nous exhorte, "c'est pour notre profit, afin que nous participions à sa sainteté"[1].»

Enfin, un pasteur qui ne manquera pas de dire la vérité à ses brebis, pensai-je en moi-même.

«Voici ce qu'il dit à la première église: "Je connais tes oeuvres, et ton travail, et ta patience, et que tu ne peux supporter les méchants; et tu as éprouvé ceux qui se disent apôtres et ne le sont pas, et tu les as trouvés menteurs; et tu as patience, et tu as supporté des afflictions pour mon nom, et tu ne t'es pas lassé; mais j'ai contre toi que tu as abandonné ton premier amour. Souviens-toi donc d'où tu es déchu, et repens-toi, et fais les premières oeuvres; autrement, je viens à toi et j'ôterai ta lampe de son lieu, à moins que tu ne te repentes. Mais tu as ceci, que tu hais les oeuvres des Nicolaïtes, lesquelles moi aussi je hais"[2].

Ce sont donc des chrétiens qui sont patients pour travailler à l'oeuvre de Dieu, qui haïssent le mal et les fausses doctrines, et même qui n'ont pas eu peur de souffrir pour Dieu. Mais le Christ a quelque chose de très sérieux à leur reprocher: "ils ont abandonné leur premier amour". Vous rappelez-vous, mes frères et soeurs, cette période qui suivit immédiatement votre conversion et pendant laquelle vous étiez remplis de joie et de zèle pour Dieu? Ce moment inoubliable où l'on reçoit le don du St-Esprit qui nous montre l'immense amour de Dieu pour nous et, en même temps, l'horreur que représente le péché à Ses yeux. Souvenez-vous de l'ardeur que vous aviez pour rejeter le péché et le désir que vous ressentiez de parler de Lui à tout le monde. Ca, c'est notre premier amour. Généralement, c'est une période de notre vie spirituelle où l'on est très humble et très soumis à nos frères et soeurs dans la foi, car on ne connaît rien de Dieu et l'on sait qu'on a besoin d'eux pour grandir dans la foi. Voilà exactement comment il nous faut être tout au long de notre vie spirituelle jusqu'à la mort même: humbles en toutes choses, simples comme des enfants, au service de tous, soumis à la volonté de Dieu, remplis de zèle et d'amour pour les âmes, et prêts à n'importe quel sacrifice pour plaire à notre Père céleste.

Malheureusement, après quelques années de vie spirituelle, beaucoup trop de chrétiens deviennent orgueilleux de la vérité qu'ils ont découverte. Parce qu'on connaît la Bible ou qu'on a quelques années dans la foi, on se croit meilleur ou supérieur aux gens qui nous entourent. Bien souvent, notre oeil devient méchant et on en vient à mépriser et à juger les autres. L'orgueil spirituel éteint rapidement ce brûlant amour que nous avions au début de notre conversion et nous empêche de grandir dans la foi. A la longue, on tombe dans le piège subtil de croire que nous sommes quelqu'un, tandis qu'en vérité, nous sommes aveuglés et privés de la grâce de Dieu. "Souviens-toi donc d'où tu es déchu et repens-toi", nous dit le texte. Ne laissez pas vos coeurs redevenir durs et ingrats comme auparavant; revenez à votre premier amour avec humilité, et faites les premières oeuvres sinon vous perdrez vos bénédictions.»

Tandis que je regardais autour de moi, je vis que les visages avaient totalement changé d'allure. Depuis que le pasteur avait commencé son sermon, beaucoup de têtes s'étaient baissées, les gens éprouvant sûrement de la honte et du regret. Plus personne n'avait le goût de rire, mais au contraire, tous les visages étaient sérieux et attentifs. Quant à moi, et bien je sentais tout l'amour que le pasteur avait pour son troupeau. Il ne craignait pas de leur dire des vérités, même au risque de devenir leur ennemi. Je savais trop bien jusqu'à quel point il est important pour un pasteur de savoir reprendre le mal. Lorsqu'on néglige cette responsabilité que Dieu nous a confiée, non seulement on laisse entrer le diable dans notre église, mais on devient responsable de l'état lamentable dans lequel beaucoup de nos brebis se trouvent. Le véritable amour chrétien, c'est tout d'abord de se soucier du bien-être spirituel des gens. En tout cas, j'étais bien content de voir une telle radicalité de la part d'un pasteur chrétien. J'étais impatient d'entendre la suite.

«La prochaine église, poursuivit-il, en est une qui est persécutée: "Je connais ta tribulation, et ta pauvreté (mais tu es riche), et l'outrage de ceux qui se disent être Juifs; et ils ne le sont pas, mais ils sont la synagogue de Satan. Ne crains en aucune manière les choses que tu vas souffrir. Voici, le diable va jeter quelques-uns d'entre vous en prison, afin que vous soyez éprouvés: et vous aurez une tribulation de dix jours. Sois fidèle jusqu'à la mort et je te donnerai la couronne de vie"[3].

Nous avons tout à apprendre de cette église souffrante; elle est beaucoup plus riche spirituellement que nous même si, matériellement, elle est pauvre et rejetée. N'oublions pas que la souffrance fait grandir notre amour et notre foi en Dieu. Il existe, dans plusieurs pays de l'Est, une église silencieuse qui est torturée à mort. Ce sont de vrais saints, car ils endurent et supportent tout pour Celui qu'ils aiment. Les croyants de cette église acceptent d'être battus, humiliés, torturés, emprisonnés, privés de leur famille pour leur foi. Et vous, mes frères et soeurs, si on vous accusait d'être chrétien, y aurait-il assez de preuves pour vous condamner?

Soyons comme cette église purifiée, vivons à l'heure de la sainteté et préparons-nous davantage à la souffrance chaque jour de notre vie. Même si nous devons vivre dans la pauvreté, dans le deuil, dans la maladie, dans les difficultés familiales, réjouissons-nous d'être éprouvés et soyons victorieux par notre foi. N'ayons pas peur de porter la croix avec le Christ et de subir les moqueries et les injures, même de la part de nos proches. N'ayez aucune honte de souffrir comme chrétien. "Car il vaut mieux, si la volonté de Dieu le voulait, souffrir en faisant le bien qu'en faisant le mal."[4] Si nous supportons la souffrance lorsque nous faisons ce qui est bien, c'est une grâce devant Dieu, mais la souffrance et l'affliction sans relation avec la croix est pareille à un chèque sans signature: elle n'a pas de valeur. Acceptez les épreuves et les peines avec joie et si vous en êtes incapables, acceptez-les avec patience. "Ne crains en aucune manière les choses que tu vas souffrir", nous rappelle le verset. Soyons donc fidèles à travers n'importe quoi et persévérons jusqu'à la fin, car ce n'est qu'ainsi que nous recevrons la couronne de vie.»

J'étais vraiment reconnaissant envers Dieu de m'avoir amené à cette église. C'était édifiant d'entendre prêcher ainsi. Rarement dans nos églises chrétiennes avons-nous pris conscience de nos frères martyrisés à l'autre bout du monde. Pourtant, ils sont tous un modèle de foi et de persévérance dans la souffrance, et ils nous rappellent aussi la réalité de la vie chrétienne. Il faut savoir qu'en acceptant de faire partie du corps du Christ, nous devons accepter également de souffrir pour Lui. "Tous ceux qui veulent vivre pieusement dans le Christ Jésus seront persécutés", nous dit bien l'apôtre Paul [5]. Voilà à quoi devraient se préparer tous les vrais croyants, et ne jamais oublier que l'épreuve est la condition normale de la vie chrétienne, et de la sainteté aussi.

«Voyons maintenant ce qui en est de la troisième église, continua-t-il. "Je sais où tu habites, là où est le trône de Satan; et tu tiens ferme mon nom, et tu n'as pas renié ma foi, même dans les jours dans lesquels Antipas était mon fidèle témoin, qui a été mis à mort parmi vous, là où Satan habite. Mais j'ai quelque chose contre toi: c'est que tu as là des gens qui tiennent la doctrine de Balaam, lequel enseignait à Balac à jeter une pierre d'achoppement devant les fils d'Israël, pour qu'ils mangeassent des choses sacrifiées aux idoles et qu'ils commissent la fornication. Ainsi tu en as, toi aussi, qui tiennent la doctrine des Nicolaïtes pareillement. Repens-toi donc; autrement je viens à toi promptement, et je combattrai contre eux par l'épée de ma bouche."[6]

Ceci me rappelle les églises traditionnelles, remplies de cultes cérémoniaux et de traditions, mais parmi lesquelles il y a des croyants qui aiment sincèrement Dieu et qui ne renieront jamais leur foi. Certains ont très peu de connaissance des Ecritures Saintes, mais ils aiment le Seigneur et s'efforcent d'amener d'autres gens à L'aimer et à Le respecter. Cependant, il y a beaucoup de chrétiens qui se permettent de juger ceux qui n'ont pas les mêmes doctrines qu'eux ou qui ne portent pas la même étiquette. Au lieu de regarder leur foi et leur amour, ils les méprisent et les condamnent. Pourtant, nous devrions savoir que, même s'il y a plusieurs membres dans le corps du Christ, nous sommes un seul corps. Dieu a placé chacun des membres du corps comme Il l'a voulu. Or nous, qui sommes les membres du corps du Christ, avons chacun une fonction différente, c'est pourquoi nous n'avons pas le droit, avec notre conscience à nous, de juger la conscience de nos frères.

Il ne faut jamais s'arrêter aux dénominations, ni provoquer une guerre de religions ou de versets bibliques entre chrétiens. Par contre, il faut rester ferme dans les doctrines de base de la Bible qui, elles, ne changent jamais. En étant sage, en passant même quelquefois par-dessus des traditions ou des enseignements humains auxquels elle tient, on peut même amener une personne à découvrir, dans sa vie, une vérité plus importante. Ce n'est pas en se chicanant avec le monde qu'on va les attirer à Dieu, au contraire, c'est en se mettant au même niveau qu'eux qu'on peut toucher leur coeur et les faire cheminer tranquillement dans la vie spirituelle. C'est un peu comme un pêcheur expérimenté qui utilise des appâts et des hameçons différents selon les poissons qu'il veut attraper. Soyons comme Paul, lorsqu'il évangélisait: "Car bien que je sois libre à l'égard de tous, je me suis rendu le serviteur de tous, afin de gagner le plus grand nombre. Avec les Juifs, j'ai été comme Juif, afin de gagner les Juifs; pour ceux qui étaient sous la loi, comme si j'étais sous la loi, n'étant pas moi-même sous la loi, afin de gagner ceux qui étaient sous la loi; pour ceux qui étaient sans loi, comme si j'étais sans loi (non que je sois sans loi quant à Dieu, mais je suis justement soumis à Christ), afin de gagner ceux qui étaient sans loi."[7] L'important, mes amis, c'est d'amener les gens à croire en Dieu, peu importe les moyens que nous utilisons, outre le péché bien entendu; l'essentiel, c'est qu'ils découvrent la foi. Par contre, quand c'est le temps de reprendre le péché et de combattre contre le mal, il ne faut pas avoir peur de prendre position pour la vérité. Nous ne devrions jamais craindre le méchant car "le juste qui chancelle devant le méchant est une fontaine trouble et une source corrompue"[8].

Passons maintenant à la prochaine église: "Je connais tes oeuvres, et ton amour, et ta foi, et ton service, et ta patience, et tes dernières oeuvres qui dépassent les premières. Mais j'ai contre toi, que tu laisses faire la femme Jésabel qui se dit prophétesse; et elle enseigne et égare mes esclaves en les entraînant à commettre la fornication et à manger des choses sacrifiées aux idoles. Voici, je la jette sur un lit, et ceux qui commettent adultère avec elle, dans une grande tribulation, à moins qu'ils ne se repentent de leurs oeuvres."[9]

Avant de commenter ce texte, laissez-moi vous raconter quelque chose qui m'est arrivé il y a de cela cinq ans, alors que j'étais pasteur à Lachute. Un dimanche matin, une belle jeune fille se présenta à notre église. Elle était vêtue d'un jeans moulant et d'une blouse plutôt décolletée. Je ne vous mentirais pas en vous disant que son arrivée provoqua chez plusieurs frères des pensées pas trop spirituelles. Le pire de tout ça, c'est que j'appris, à la fin de la réunion, qu'elle était chrétienne depuis trois ans. C'était malheureusement loin d'être la première fois que je voyais une telle indécence chez des chrétiens. Pour moi, c'est l'exemple parfait de ce que l'apôtre Jean nous dit à propos de Jésabel. Dans l'Ancien Testament, Jésabel était une belle reine étrangère qui avait entraîné le roi d'Israël à servir des idoles et à commettre des choses abominables. Elle haïssait les prophètes de Dieu et les tuait. Elle était corrompue et n'a jamais voulu s'humilier devant Dieu; elle est morte dévorée par des chiens. De nos jours, beaucoup de chrétiens et de chrétiennes ressemblent à Jésabel; par leur comportement charnel, ils séduisent les gens, les influencent à être comme eux et les détournent ainsi de la vérité. Quand les membres d'une église accordent trop d'importance à leur apparence et à leurs vêtements, sous prétexte d'être bien vus ou d'être à la mode, qu'ils s'habillent de façon trop indécente, ils tombent dans un piège de vanité et d'orgueil qui ne fait que flatter leur chair. Mais le pire, c'est qu'ils deviennent des occasions de chute et font pécher les autres, car ces esprits de séduction ne viennent jamais seuls; ils ouvrent la porte à la convoitise, aux affections déréglées, à la fornication, et même à l'adultère.

Le sexe est un si grand piège que même de grands hommes de Dieu s'y sont laissés prendre. Ce n'est pourtant pas ce genre de fruits que devraient porter des chrétiens. Mais malheureusement, à cause du silence des pasteurs et des frères et soeurs dans la foi sur un tel style de vie, la convoitise règne en maître dans bien des églises. Le Christ leur reproche "qu'ils laissent faire la femme Jésabel". Imaginez-vous deux minutes le mauvais exemple qu'ils donnent à ceux qui viennent à eux pour connaître Dieu. C'est pour cela aussi qu'on peut lire dans la suite du texte sur la troisième église "et je ferai mourir de mort ses enfants"[10], car, comme leurs enfants dans la foi et tous ceux qui suivent leur enseignement n'ont pas sous les yeux une bonne conduite spirituelle à observer, ils grandissent dans l'égarement et sont faibles pour combattre le mal, autant dans leur propre vie qu'autour d'eux. Vivre dans le péché, c'est la mort pour n'importe quel chrétien, même s'il va à l'église plusieurs fois par semaine.

Pour en revenir à notre jeune fille, je l'ai prise à part ce même jour et lui expliquai franchement et simplement que sa façon de s'habiller n'était pas celle d'une chrétienne. Sur le coup, elle s'est fâchée, elle ne voulait pas accepter ce que je lui disais, ayant comme justification que, si son pasteur ne lui avait jamais rien dit auparavant, je n'avais, moi, aucun droit de lui faire des reproches. Je lui expliquai que son pasteur était coupable de ne pas l'avoir avertie, mais la Bible était quand même très claire à ce sujet. Nous avons lu ensemble l'épître de Timothée: "De même aussi que les femmes se parent d'un costume décent, avec pudeur et modestie, non pas de tresses et d'or, ou de perles, ou d'habillements somptueux, mais par de bonnes oeuvres, ce qui convient à des femmes qui font profession de servir Dieu."[11]

Je lui fis comprendre qu'une femme qui se dit chrétienne doit se distinguer des autres en étant habillée simplement et décemment, sans décorations. Il n'y a pour elle aucune utilité à se maquiller ou à se couvrir de bijoux, car c'est avec la beauté du coeur qu'elle doit plaire au Seigneur avant tout. A la fin de notre entretien, je l'encourageai à se débarrasser sans tarder de tous ses vêtements indécents et de ne pas oublier ses blue jeans sexy... C'est ce qu'elle fit le soir même, et le lendemain, elle revint me voir vêtue bien différemment de la veille. Elle aurait pu, comme bien d'autres l'auraient fait à sa place, raisonner sur ce que je lui avais dit ou bien ne plus revenir à l'église et s'en chercher une autre qui aurait fait son affaire, mais elle l'avait accepté avec foi par amour pour le Christ. Elle m'avoua qu'elle avait senti que ce geste était un point tournant dans sa vie spirituelle. Combien d'entre nous sont prêts à faire de tels gestes de foi par rapport à leur vie personnelle? Le Christ rappelle à tous ceux qui ont suivi Jésabel: "c'est moi qui sonde les reins et les coeurs; et je vous donnerai à chacun selon vos oeuvres."[12] Ne résistez pas quand Dieu vous montre ce que vous devez changer; et que toutes vos actions démontrent que vous recherchez la pureté de l'Evangile.»

Voilà le genre d'amour dont toutes les églises chrétiennes auraient besoin, pensai-je. Ce pasteur n'était vraiment pas du genre à jouer une pièce de théâtre; son sermon n'était pas enrobé d'émotions religieuses et il n'essayait pas non plus d'atteindre son monde avec les sentiments. Au contraire, il proclamait la vérité toute simple, car on voyait bien que son seul désir était de chasser le mal de son église. "Un homme qui a de l'intelligence est d'un esprit froid"[13], nous disent justement les Proverbes.

«Lisons maintenant ensemble ce que nous enseigne la prochaine église: "Je connais tes oeuvres, que tu as le nom de vivre, et tu es mort. Sois vigilant, et affermis ce qui reste, qui s'en va mourir, car je n'ai pas trouvé tes oeuvres parfaites devant mon Dieu. Souviens-toi donc comment tu as reçu et entendu, et prends garde et repens-toi. Si donc tu ne veilles pas, je viendrai sur toi comme un voleur, et tu ne sauras point à quelle heure je viendrai sur toi. Toutefois, tu as quelques noms à Sardes qui n'ont pas souillé leurs vêtements; et ils marcheront avec moi en vêtements blancs, car ils en sont dignes."[14]

De nos jours, il y a des croyants qui ne sont chrétiens que de nom. A leurs propres yeux, ils se croient justes car ils connaissent beaucoup de versets, mais ils s'en servent toujours pour viser les autres et ils ont négligé de regarder leur propre vie à travers l'Evangile. Malheureusement, au cours des années, beaucoup de chrétiens se sont séduits eux-mêmes avec leur savoir; leurs pensées ont été détournées de la simplicité quant au Christ et ils ont fini par éteindre l'Esprit Saint qui avait été déposé en eux. Comme le verset nous le dit: "Tu as le nom de vivre et tu es mort". Quand ils évangélisent, leur message, qui est souvent le même, ne transforme rien parce qu'étant morts, ils ne peuvent apporter la vie. Ce ne sont pas des versets appris par coeur qui touchent le coeur des gens mais l'Esprit-Saint. "La lettre tue mais l'Esprit vivifie"[15], nous dit St-Paul.

Sachez que les gens écoutent ceux dont la conduite est à la hauteur de leurs paroles. Je crois que, si tant d'incroyants rejettent l'Evangile, c'est peut-être parce que certains chrétiens ne mettent pas en pratique le message du Christ. Regardons-nous attentivement: sommes-nous devenus des chrétiens d'apparence qui aiment plus Dieu avec leur bouche qu'avec leur coeur? Il ne faut pas aimer en paroles seulement, mais en actions. Bien entendu, quand notre coeur est attaché aux biens matériels et que nos pensées, nos projets, nos actions sont trop investis en fonction de cela, les oeuvres que nous faisons pour Dieu sont bien limitées. Il faut être attentif à l'exhortation de l'apôtre Jean: "N'aimez pas le monde, ni les choses qui sont dans le monde; si quelqu'un aime le monde, l'amour du Père n'est pas en lui"[16]. Combien de ceux qui se disent chrétiens vivent exactement de la même manière que ceux qui ne connaissent pas Dieu, et passent plus de temps à travailler pour satisfaire leurs désirs, plutôt qu'à travailler pour Dieu et pour les choses spirituelles? A tous ceux-là, le Christ dit: "Je n'ai pas trouvé tes oeuvres parfaites devant mon Dieu".

Ceux qui pensent qu'ils sont bénis par Dieu parce qu'ils sont dans l'abondance et le confort matériel, ne comprennent pas que tout cela est totalement inutile pour nous rapprocher de Dieu. Les vraies bénédictions sont spirituelles et ce sont les vertus chrétiennes. Puisque la définition du mot “chrétien” signifie “Christ en soi”, il doit donc y avoir une distinction évidente entre le chrétien et le monde. L’apôtre Jacques disait même: “Adultères! ne savez-vous pas que l’amour du monde est inimitié contre Dieu?”[17] Que celui qui a des oreilles écoute ce que l’Esprit dit aux assemblées. Il faut être attentif mes amis, à la voix de Dieu. Il faut veiller à ce que notre vie spirituelle soit conforme à ce que nous dit l’Evangile, et non pas transformer l’Evangile pour qu’il soit conforme à notre vie. C’est facile de se promener avec une Bible dans les mains, mais ce n’est pas ce qui fait de nous de vrais chrétiens. Je vous exhorte sérieusement à la vigilance.»

Il a bien raison, me dis-je. Il faut être vigilant. St-Bernard disait: “Il faut toujours s’accrocher à Dieu seulement, car il n’y a pas de sécurité nulle part. Au ciel, les anges sont tombés alors qu’ils étaient en présence de Dieu, Adam est tombé au milieu des délices du paradis terrestre, et Judas est tombé à l’école de Jésus-Christ”.

«Nous sommes maintenant rendus à parler d’une église à laquelle le Christ n’avait rien à reprocher. Je vous encourage tous, mes frères et mes soeurs, à vraiment vous efforcer d’être comme ces chrétiens courageux et persévérants. Ce sont ceux-là qui marchent le plus près du Seigneur et qui travaillent le plus dur pour Lui qui seront prêts pour son retour. Allons donc lire ce que le Christ avait à dire à cette église: “Je connais tes oeuvres. Voici, j’ai mis devant toi une porte ouverte que personne ne peut fermer, car tu as peu de force, et tu as gardé ma parole, et tu n’as pas renié mon nom. Parce que tu as gardé la parole de ma patience, moi aussi je te garderai de l’heure de l’épreuve qui va venir sur la terre habitée tout entière, pour éprouver ceux qui habitent sur la terre. Je viens bientôt; tiens ferme ce que tu as, afin que personne ne prenne ta couronne.”[18]

Non, personne ne peut leur enlever ce qu’ils ont parce que ce sont des oeuvres spirituelles. Les véritables chrétiens, ce sont tous ceux qui se disciplinent eux-mêmes pour appliquer la doctrine du Nouveau Testament dans leur vie personnelle et qui n’ont qu’un seul but: imiter Jésus. Ne pensez pas que cela soit impossible car Jésus lui-même nous a dit: “Le disciple n’est pas au-dessus de son maître, mais tout homme accompli sera comme son maître”[19]. Alors, si Jésus-Christ a vécu sur la terre en renonçant à sa volonté et même à sa vie pour sauver des âmes, qu’attendons-nous pour être zélés pour l’évangélisation nous aussi? Toute sa vie, Jésus s’est dévoué pour les autres; tous les jours il prêchait dans les synagogues, les rues, les places publiques et les maisons; il allait de ville en ville, à la campagne, parmi les gens de mauvaise vie, chez les riches, les pauvres, en fait, partout où Dieu le conduisait. Il nourrissait les brebis, les fortifiait, les encourageait, les reprenait inlassablement car il savait qu’il n’y a rien de plus précieux qu’une âme. Qu’en est-il pour nous? Avons-nous les âmes à coeur?

Lorsque Jésus a quitté cette terre, il nous a laissé un commandement plutôt clair: "Allez dans tout le monde et prêchez l'Evangile à toute la création"[20]. Arrêtons de nous trouver des excuses, car l'évangélisation est non seulement un commandement du Christ, mais aussi une condition essentielle pour être en bonne santé spirituelle. On peut comparer notre vie spirituelle à un lac dont l'eau est pure et limpide à condition qu'elle puisse se déverser vers d'autres étangs d'eau. Mais, si elle ne peut s'écouler nulle part, elle devient polluée et tout ce qui vie en elle, autant les poissons que les plantes, meurent. Ainsi, quand un chrétien garde en dedans de lui la Parole de Dieu sans la propager à son entourage, il devient de plus en plus lié et pollué. "L'âme qui bénit sera engraissée et celui qui arrose sera lui-même arrosé"[21], nous disent les Proverbes.

On reçoit de Dieu dans la mesure où l'on se donne. N'évangélisons pas seulement en laissant l'exemple puisque c'est tout à fait normal qu'on le fasse, mais parlons ouvertement du témoignage de notre vie transformée. N'ayons pas peur non plus de déranger le monde: faut quand même pas oublier que c'est pour le salut de leur âme qu'on leur parle! Si la maison de votre voisin passait au feu à trois heures du matin, vous n'auriez pas peur de le déranger, mais vous le réveilleriez sans perdre de temps pour lui sauver la vie. Vous ne le laisseriez sûrement pas mourir sans rien dire! Lorsqu'on a été sauvé d'une mort éternelle et qu'on y croit vraiment, comment peut-on ne pas faire tout notre possible pour essayer d'avertir et d'éclairer nos semblables! Moi, je ne peux pas croire au salut d'un chrétien qui ne travaille pas au salut de son prochain. Le jour où tous les chrétiens voudront mettre au service de Dieu autant d'énergie que d'autres en mettent au service du mal, ce jour-là les forces du bien pourront enfin triompher!

Même si nous rencontrons des obstacles et des adversaires sur notre route, nous ne devons pas craindre car le Christ nous dit: "J'ai mis devant toi une porte ouverte que personne ne peut fermer". Il y a plein d'occasions partout autour de nous pour témoigner de notre foi et c'est le Christ lui-même qui ouvre le chemin devant nous. Rien n'empêchera sa volonté de s'accomplir. N'ayons donc pas honte de parler de Lui et ne soyons pas non plus une honte pour Lui. Si nous l'aimons vraiment, nous ne renierons jamais son nom, au contraire, nous serons toujours heureux de faire connaître aux autres notre Sauveur. Quand Dieu s'est révélé à nous, Il nous a transformés afin que nous soyons des porteurs de fruits pour la vie éternelle, et c'est d'ailleurs à ces fruits qu'on reconnaît de vrais chrétiens. Nous sommes tous appelés à être des témoins de Dieu et à conduire les autres à Lui, le faisons-nous? Au service de Dieu, ce qui compte le plus, c'est notre disponibilité.

Lorsqu'on combat dans l'oeuvre de Dieu, il y a toujours de la souffrance, des efforts, des privations, du renoncement qui sont d'un grand prix à Ses yeux. Si rien de tout cela ne fait partie de notre vie chrétienne, c'est qu'elle ne vaut pas grand-chose. Il y a des soldats qui s'en vont en guerre et acceptent une multitude de sacrifices, incluant même celui de leur vie, pour défendre leur pays. Combien plus, nous les chrétiens, devrions mener une vie de sacrifices en renonçant à nous-mêmes et à nos possessions, afin d'hériter de biens meilleurs et d'une cité céleste. Soyons des ouvriers dans la moisson du Seigneur et soyons zélés pour travailler à son oeuvre d'évangélisation.

Et maintenant, la dernière église: "Je connais tes oeuvres, que tu n'es ni froid ni bouillant. Je voudrais que tu sois ou froid ou bouillant! Ainsi, parce que tu es tiède et que tu n'es ni froid ni bouillant, je vais te vomir de ma bouche. Parce que tu dis: Je suis riche, et je me suis enrichi, et je n'ai besoin de rien; et que tu ne connais pas que, toi, tu es le malheureux et le misérable, et pauvre, et aveugle, et nu, je te conseille d'acheter de moi de l'or passé au feu, afin que tu deviennes riche, et des vêtements blancs, afin que tu sois vêtu et que la honte de ta nudité ne paraisse pas, et un collyre pour oindre tes yeux, afin que tu voies. Moi, je reprends et je châtie tous ceux que j'aime; aie donc du zèle et repens-toi."[22]

Le Christ nous demande de nous repentir de notre tiédeur et de notre aveuglement, sinon il va nous "vomir de sa bouche". Soyez certains qu'il le fera, car de nos jours trop de chrétiens sont tièdes et n'ont pas de sel en eux-mêmes; ils sont tellement fades dans leur chrétienneté, qu'ils ne donnent pas le goût à personne de croire en Dieu. Notre vie donne-t-elle soif aux autres de l'eau de vie? Bon nombre de chrétiens auraient besoin "d'un collyre pour oindre leurs yeux", c'est-à-dire d'un médicament qui puisse nettoyer leurs yeux afin qu'ils voient la vie d'un oeil spirituel. Ils sont aveugles et pensent qu'ils sont sauvés parce qu'ils appartiennent à une église quelconque, ou bien qu'ils sont corrects parce qu'ils lisent la Bible. Ils se sont assis sur leur salut en pensant qu'ils n'ont plus rien à accomplir, du moment qu'ils ont accepté Jésus comme leur Sauveur personnel. Malheureusement, "ils ne connaissent pas qu'ils sont malheureux, misérables, pauvres, aveugles et nus" car bien qu'ils prétendent aimer Dieu, ils Le servent à leur façon à eux et non pas comme Lui voudrait qu'ils le fassent, dans leur vie quotidienne. Ils ne sont pas prêts à s'engager pour Dieu.

Avant de recevoir notre salut, on pouvait rester assis à ne rien faire, mais maintenant qu'on a reçu ce cadeau du ciel, c'est là que le travail commence et on devrait être bouillant pour accomplir des oeuvres qui prouvent notre changement de vie. Quand on est rempli du feu de Dieu, on ne peut pas faire autrement qu'être actif et zélé pour l'oeuvre. Chaque jour, on s'efforce de plaire davantage à notre Sauveur et on ne se lasse jamais de parler de Lui. On essaie par tous les moyens d'aller donner un peu de chaleur à tous ceux qui étaient jusqu'alors complètement froids ou si vous aimez mieux, indifférents face à la spiritualité.

Mes amis, comme l'apôtre Paul nous le dit: "Travaillez à votre propre salut avec crainte et tremblement"[23]. Cela ne veut pas dire de vivre dans la peur constante de perdre notre salut, mais plutôt, considérant la puissance de notre Dieu, d'accomplir avec un très grand respect Sa volonté dans notre vie personnelle. On doit faire tout notre possible pour ne pas l'offenser ou l'attrister par notre mauvaise conduite. Malheureusement, beaucoup de chrétiens n'ont pas la crainte de Dieu. Ils pensent que tout est parfait dans leur vie personnelle et ils ne veulent pas accepter les conseils des autres croyants pour avancer dans la foi. Ils se disent: "Je suis riche, et je me suis enrichi et je n'ai pas besoin de rien". Pourtant, le Christ nous "conseille d'acheter de Lui de l'or passé au feu afin qu'on devienne riche, et des vêtements blancs". Les vêtements blancs sont toujours une figure de pureté et de sainteté.

La sanctification personnelle est la première oeuvre que Dieu nous demande d'accomplir pour Lui et pour cela, je crois qu'aucun conseil ou aucune aide ne sera jamais de trop. Nous devons, par la grâce de Dieu, éliminer toute trace de péché dans notre vie et devenir des saints, comme Pierre nous le dit dans le Nouveau Testament: "comme celui qui vous a appelés est saint, vous aussi soyez saints dans toute votre conduite"[24]. Peut-être que la plupart d'entre vous se diront, pour se justifier de leurs faiblesses: "mais personne n'est parfait!" Pourtant, Jésus lui-même exige de nous la perfection: "Soyez parfaits comme votre Père céleste est parfait"[25]. Sûrement que c'est plus facile de croire qu'il est impossible d'y arriver. Cependant, si nous disons aimer Dieu, pourquoi ne pas chercher à atteindre le but qu'Il nous a fixé? Ce ne sont pas ceux qui se sont résignés toute leur vie à être imparfaits, sous prétexte qu'ils sont pécheurs, qui entrent dans le Royaume de Dieu, mais ceux qui sont saints, revêtus d'une robe blanche.

J'ai une petite histoire à vous raconter à ce propos: Un jour, un jeune homme était assis seul chez lui et envisageait la possibilité de partir pour Vancouver. Pendant plusieurs heures, il resta là à envisager cette possibilité sous tous ses angles et à se tourmenter en pensant aux trois mille milles qu'il devrait parcourir sur le pouce. Et plus il se tourmentait, plus son projet lui semblait irréalisable et moins son voyage lui semblait intéressant. Dès la minute où il se leva et fit un pas en cette direction, non seulement tous les obstacles semblèrent s'effacer, mais il était déjà plus près de sa destination. C'est la même chose pour nous, mes frères et soeurs. Dès l'instant où on se décide à croire à la sainteté et à la perfection spirituelle et où l'on commence à faire des efforts pour avancer sur ce chemin, on est déjà engagé vers la victoire. Je ne vous dis pas que cela se fait du jour au lendemain, mais c'est en se pratiquant à renoncer à notre “je, me, moi” qu'on approche graduellement de la sainteté. Comme il n'y a que la partie vide d'une chambre ou d'un récipient qui peut servir, ainsi on doit nous aussi, se défaire de tout ce qui empêche le Christ de prendre toute la place en nous. Alors, chacun de nous sera “un vase à honneur, sanctifié, utile au maître, préparé pour toute bonne oeuvre”[26].

Pendant toute notre vie chrétienne, on doit, comme de “l'or passé au feu”, être débarrassé de toutes nos impuretés pour qu'au jour où l'on devra comparaître devant le Christ, notre époux, on soit comme des vierges sages qui se sont préparées à Sa venue. Prenez l'Evangile de Matthieu au chapitre 25: “Alors le royaume des cieux sera fait semblable à dix vierges qui, ayant pris leurs lampes, sortirent à la rencontre de l'époux. Et cinq d'entre elles étaient prudentes, et cinq folles. Celles qui étaient folles, en prenant leurs lampes, ne prirent pas d'huile avec elles; mais les prudentes prirent de l'huile dans leurs vaisseaux avec leurs lampes. Or, comme l'époux tardait, elles s'assoupirent toutes et s'endormirent. Mais, au milieu de la nuit, il se fit un cri: Voici l'époux; sortez à sa rencontre. Alors, toutes ces vierges se levèrent et apprêtèrent leurs lampes. Et les folles dirent aux prudentes: Donnez-nous de votre huile, car nos lampes s'éteignent. Mais les prudentes répondirent, disant: Non, de peur qu'il n'y en ait pas assez pour nous et pour vous; allez plutôt vers ceux qui en vendent, et achetez-en pour vous-mêmes. “Or, comme elles s'en allaient pour en acheter, l'époux vint; et celles qui étaient prêtes entrèrent avec lui aux noces; et la porte fut fermée. Ensuite viennent aussi les autres vierges disant: Seigneur, Seigneur, ouvre-nous! Mais lui, répondant, dit: En vérité, je vous dis: je ne vous connais pas. Veillez donc; car vous ne savez ni le jour ni l'heure.”[27]

Les vierges représentent bien sûr les chrétiens, puisqu'il n'y a que nous qui allons appeler Jésus: Seigneur, Seigneur. Pourtant, le Christ en renie certaines et refuse même de leur ouvrir la porte. Qu'est-il donc arrivé pour que ces vierges soient ainsi rejetées par l'époux? Ce n'étaient tout de même pas des putains... On nous précise que ces “vierges étaient folles parce qu'elles n'avaient pas pris d'huile avec elles”. Malheureusement, beaucoup de chrétiens de nos jours, tout comme ces vierges folles, sont insouciants et négligent de faire des oeuvres spirituelles pour le Seigneur. Sans doute ont-ils abandonné de gros péchés et ne pèchent-ils plus comme autrefois; sans doute lisent-ils la Bible et vont-ils à l'église, mais ils n'ont pas travaillé à ce que leur lumière luise toujours davantage devant les hommes pour les attirer à Dieu. Il leur avait bien été donné une lampe mais ils n'ont pas pris soin de l'entretenir pour ne pas, subitement, se retrouver dans le noir. En effet, même si le Christ nous a un jour tous éclairés, ce sont nos oeuvres qui nous permettent d'entretenir cette flamme.

Dans ma vie spirituelle, plus j'ai veillé à ma sanctification, plus j'ai mis d'ardeur pour plaire à Dieu, plus je me suis donné à Lui pour qu'Il m'utilise dans Son Oeuvre, plus je me suis senti près de Lui. Aux yeux des hommes, bien des chrétiens sont du bien bon monde, mais le Christ, Lui, connaît leurs oeuvres qui sont les seules preuves de leur amour pour Lui. Comme il l'a fait avec les vierges folles, Il n'ouvrira pas la porte à tous ceux qui se présenteront devant Lui en disant: "Seigneur, regarde mes mains, elles sont blanches car je n'ai jamais rien fait de malhonnête". "Sans doute, leur répondra-t-il, mais elles sont vides!" Soyons donc comme ces vierges prudentes qui ne sont pas arrivées les mains vides et marchons comme le Christ a marché, en tenant le flambeau de vie dans nos mains.»

Le sermon se termina par des encouragements. On voyait bien sur tous les visages que les paroles du pasteur avaient touché leurs coeurs et leurs consciences. Moi-même j'étais plus qu'heureux d'avoir entendu cet homme de Dieu nous rappeler notre mission et notre engagement envers Dieu. En reprenant la route, ce soir-là, je méditais bien sûr sur ce qui avait été dit et je pensais en moi-même que ce qui manquait le plus aujourd'hui chez les chrétiens, c'était d'être chrétien. Cette pensée me fit sourire.

---

1. Epître de Paul aux Hébreux, chapitre 12, verset 10
2. Apocalypse, chapitre 2, versets 2 à 6
3. Apocalypse, chapitre 2, verset 9 et 10
4. Première épître de Pierre, chapitre 3, verset 17
5. Deuxième épître de Paul à Timothée, chapitre 3, verset 12
6. Apocalypse, chapitre 2, versets 13 à 16
7. lère épître de Paul aux Corinthiens, chapitre 9, versets 19 à 22
8. Proverbes 25, verset 26
9. Apocalypse, chapitre 2, versets 19 à 22
10. Apocalypse, chapitre 2, verset 23
11. Première épître de Paul à Timothée, chapitre 2, versets 9 et 10
12. Apocalypse, chapitre 2, verset 23b
13. Proverbes 17, verset 27
14. Apocalypse, chapitre 3, versets 1b à 4
15. Deuxième épître de Paul aux Corinthiens, chapitre 3, verset 6b

16. Première épître de Jean, chapitre 2, verset 15
17. Epître de Jacques, chapitre 4, verset 4
18. Apocalypse, chapitre 3, verset 8, 10 et 11
19. Evangile de Luc, chapitre 6, verset 40
20. Evangile de Marc, chapitre 16, verset 15
21. Proverbes 11, verset 25
22. Apocalypse, chapitre 3, versets 15 à 19
23. Epître de Paul aux Philippiens, chapitre 2, verset 12
24. Première épître de Pierre, chapitre 1, verset 15
25. Evangile de Matthieu, chapitre 5, verset 48
26. Deuxième épître de Paul à Timothée, chapitre 2, verset 21
27. Evangile de Matthieu, chapitre 25, versets 1 à 13

CHAPITRE 20

L'HISTOIRE DE JOSEPH

Il faisait très froid en ce mois d'avril 1984, au moins vingt-cinq en bas de zéro, peut-être encore plus froid avec le vent. J'étais rendu à Schefferville, une ville située à plus de quatre cents milles au nord de Sept-Iles et j'attendais patiemment le train en compagnie de deux Indiens de la place, Fortunat et Jean-Marie. Ici, les vendredis étaient toujours un jour de fête. Il n'y avait que cette journée-là que le train arrivait en ville avec du nouveau monde et du ravitaillement pour tous les goûts.

J'étais installé dans cette ville minière depuis au moins quatre mois. Je faisais partie des deux mille habitants qui restaient de cette ville fermée; je dis fermée, car à part le train et l'avion, aucune route carrossable ne s'y rendait. J'avais eu l'occasion unique d'acheter deux maisons pour la modique somme d'un dollar chacune. Cela était dû au fait que plus de douze mille personnes avaient subitement quitté la ville quand celle-ci avait été dans l'obligation de fermer ses mines de fer en 1982. Une ville qui était prospère jadis, était soudainement devenue presqu'une ville fantôme.

Cela faisait longtemps que je connaissais cet endroit; j'y étais venu quelquefois dans le passé pour chasser et pêcher. J'avais été témoin aussi de l'incroyable problème d'alcool des Indiens. C'était d'ailleurs la raison pour laquelle j'étais venu m'établir à Schefferville; j'avais résolu cette année-là de les aider à se désintoxiquer, en me servant de mes maisons comme centres de thérapie. Il faut dire aussi que je traversais une dure épreuve: ma femme Eileen, avec qui j'étais marié depuis huit ans, venait tout juste de mourir et il n'y avait qu'en m'occupant des autres que je parvenais à oublier un peu de ma peine et de ma solitude. J'étais quand même content de vivre parmi les Indiens; c'était peut-être des gens qui étaient difficiles à percer et à rejoindre, et qui n'étaient pas trop "jaseux" non plus, mais au moins ils ne parlaient pas pour rien, et on avait appris à les aimer tels qu'ils étaient.

Ils nous respectaient beaucoup aussi, car le genre de vie de famille et de partage que je menais avec mes amis ressemblait beaucoup à la leur. Il faut dire que sur une réserve indienne, il y a beaucoup d'entraide, et même si c'est la classe sociale la plus défavorisée au Québec, personne ne manque de l'essentiel. La plupart des Indiens survivent grâce à la chasse et à la pêche. Le chef de bande a le rôle de veiller à ce que la nourriture soit distribuée à toutes les familles qui sont dans le besoin. Toutes les tâches sur une réserve sont partagées, afin que tous les membres participent au développement de la communauté. C'est en vivant avec eux que j'ai appris à les connaître davantage et que j'ai réalisé que c'était un peuple qui avait beaucoup souffert.

Leurs malheurs ont commencé bien entendu, au moment précis où les hommes blancs se sont mis à envahir leur territoire. Eux dont les ancêtres avaient leur propre culture et leurs propres traditions et qui vivaient sur de vastes territoires où ils pêchaient et chassaient en toute liberté, sont maintenant réduits à vivre sur des réserves, un peu comme du bétail qu'on aurait retiré des grandes prairies pour les enfermer dans un petit enclos.

Le gouvernement les a bien entretenus avec de l'argent et de belles promesses, mais à un moment donné il s'est rendu compte trop tard, que ce n'était pas si bon que ça de les avoir stationnés sur des réserves pendant si longtemps. En fait, au lieu d'apprendre des Indiens en les considérant à part égale et de partager honnêtement avec eux tous les profits des barrages qu'on a construits sur leurs terres, les hommes blancs les ont complètement méprisés et exploités.

Aujourd'hui, 80% des Indiens vivent sur l'aide sociale et leur moyenne de vie ne dépasse pas quarante-cinq ans, tandis que pour nous, les blancs, elle est de soixante-dix ans. Malheureusement, les jeunes apprennent plus vite les vices des hommes blancs que l'enseignement des anciens. Le pire de tout ça, c'est que non seulement ils ne sont plus nombreux et que la plupart d'entre eux ont à peine vingt ans, mais ils n'ont pas connu le mode de vie de leurs parents. Ils sont dépendants presque totalement des blancs et s'ils ne font rien pour s'en sortir, bientôt il ne restera plus de peuple indien.

Toutefois, malgré toute cette triste situation et tout le racisme existant entre les deux races, beaucoup d'Indiens sont devenus mes amis. Pendant notre séjour dans le nord, mes amis et moi, on les éloignait des bars en les amenant avec nous dans le bois. Cela faisait partie de notre thérapie, car c'est en passant du temps avec eux dans la tranquilité de la nature qu'on pouvait mieux leur parler de la foi. En retour, nous étions bien contents de nous laisser enseigner par eux et de profiter de leur connaissance de la forêt.

Malheureusement, les résultats étaient souvent décevants. Une fois, un Indien avait passé l'après-midi chez nous. On avait jasé en masse avec lui. Il était tout content d'entendre parler de Dieu et il s'était même confié à nous. Il est parti souper chez lui, tout joyeux.

Quand on l'a vu revenir vers huit heures le soir, il était complètement saoul. Ce n'était plus le même homme; il était méchant et j'ai même dû le mettre à la porte. Les filles trouvaient ça triste, elles n'en revenaient pas et il faut dire que moi non plus.

Comme à mon habitude, je m'étais arrangé pour que tous les membres de mon organisation puissent vivre cette aventure dans le grand nord. A tous les mois, une rotation se faisait et j'attendais maintenant à la gare les nouveaux arrivants. Après douze heures de train, j'étais sûr qu'ils devaient être impatients d'arriver. Finalement, avec trois heures de retard le train fit son entrée dans la ville. Cette fois-ci la "gang" n'était pas nombreuse: Manon et André Filion, Denis et Isabelle Thériault, deux couples mariés; Gilles Boivin, Patricia Dufour, Pierre Sévigny et "Kid" qui s'était faufilé pour une deuxième venue. Ils étaient tous enchantés de leur voyage et ils étaient bien pressés d'en découvrir davantage.

Je les conduisis tout d'abord à la maison où se trouvait François et Nicole, pour qu'ils puissent être mis au courant de nos habitudes quotidiennes. Aussitôt entrés dans la maison, la multitude de plants de légumes que nous avions semés dans des boîtes de bois leur fit réaliser qu'ils n'étaient pas venu ici en vacances. Evidemment, nous étions en train de nous préparer une serre; cela déclancha une série de questions. En réalité, le but de ce stage était qu'ils apprennent à survivre dans le bois au rythme de la nature. La plupart de ceux qui venaient était des gens élevés à la ville et ils avaient besoin de se désintoxiquer des facilités de la vie moderne et d'apprendre à se débrouiller avec l'essentiel. Je leur offrais donc la chance de vivre comme au temps de nos arrière-grands-parents, alors qu'il n'y avait pas d'appareils électro-ménagers ni magasins de toutes sortes à la portée de la main. C'était une expérience unique. Par la même occasion, on avait amplement le temps de s'occuper des Indiens, qui de toute façon, vivaient pratiquement chez nous...

Le lendemain midi, toujours accompagné de mes deux amis indiens, j'allai mener dans le bois les nouveaux arrivants. Nous avions, à trente milles de la ville, un camp en forêt situé près d'un grand lac. J'expliquai à André comment il est important, quand on se bâtit une habitation dans le bois, d'avoir de l'eau potable à proximité. L'eau est un élément essentiel à la survie. Le fait que ces systèmes d'eau entourant notre campement soient abondants en poissons est très important aussi. En toute saison, vous aurez un garde-manger à la portée de la main. Je lui racontai également que l'emplacement du camp n'est pas à négliger non plus. C'est certain qu'il faut y penser avant de se bâtir. Si vous êtes découverts aux quatre vents, il sera plus difficile de chauffer la place en hiver, vous aurez donc besoin de plus de bois de chauffage, ce qui signifie plus de "bûchage" à faire.

- Il ne faut pas bâtir quelque chose de trop gros, leur dis-je, avec beaucoup de divisions, car vous aurez de la difficulté à chauffer toute la place. De toute façon, vous allez voir de quoi ça a l'air un bon camp, nous voilà arrivés. Amenez tous vos bagages et suivez le sentier.

En empruntant le sentier qui menait à la maison, ils furent surpris de voir tous les chiens qui étaient attachés aux arbres.

- Oh, wow! C'est super beau ici, s'exclama Manon en arrivant. Dis donc Jacques, combien y a-t-il de chiens ici?

- Il y en a au moins une vingtaine. Ce sont presque tous des "huskie sibériens"; il y a quelques "malamuth" à travers ça aussi. Ce sont de bons chiens de traîneaux. Ce sera d'ailleurs votre moyen de transport pour vous déplacer dans les environs et pour transporter votre bois.

- Quoi, t'es-tu sérieux? répliqua Gilles. Tu veux dire qu'on n'a même pas de motoneige ni d'auto? Même pas pour aller en ville?

- Ben non. La motoneige, je l'emploie seulement en cas d'urgence ou pour aller explorer de nouveaux territoires ou bien pour installer des relais de chasse et de pêche. De toute façon, vous n'en aurez pas besoin. Vous irez à la chasse tout près d'ici. Kid va vous montrer comment tracer des sentiers pour poser des collets et des pièges. Vous allez devoir les visiter régulièrement pour ne pas perdre vos prises qui attireront sûrement les loups et les renards aimant la bonne chair. Vous pouvez tout faire ça en raquettes.

Demain, je vais en amener deux avec moi pour les déposer sur un lac situé à soixante milles d'ici. Nous y avons déjà installé une petite tente avec un poêle à bois. Je vais aller vous reconduire, car comme vous n'avez pas l'expérience des chiens de traîneaux pour aller vous promener trop loin, je préfère partir avec la motoneige pour cette fois-ci. Plus tard, quand vous serez habitués avec les chiens, vous allez être très contents de partir en expédition avec eux.

- Nous autres, les filles, qu'est-ce qu'on va faire pendant ce temps-là? me demanda Isabelle.

- Vous n'aurez pas le temps de vous tourner les pouces, croyez-moi. Premièrement, vous allez être en charge de l'entretien de la maison et deuxièmement, de la nourriture pour vos hommes, de quoi vous tenir occupées une bonne partie de la journée. Pis il va vous falloir apprendre assez vite à faire votre pain vous-mêmes. Les Indiens appelle ça de la "banik". C'est le pain des gars de bois, car on le fait facilement cuire dans une poêle. En tout cas, vous allez vous apercevoir que quand un gars coupe du bois toute la journée, ça lui ouvre l'appétit!

- Quoi! Il faut aussi couper notre bois? lancèrent en même

temps Gilles et Denis, un peu découragés.

- N'oubliez pas les amis que vous êtes ici pour apprendre à survivre. Vous allez découvrir assez vite que si vous ne chauffez pas votre poêle à bois vingt-quatre heures sur vingt-quatre, vous allez mourir gelés. Vous n'avez pas l'air de vous rendre compte qu'on est en plein nord ici, et que la température baisse parfois jusqu'à moins cinquante en bas de zéro. Ce n'est pas des farces que je vous fais; vous allez devoir vous débrouiller tout seuls avec ce que vous avez! Les filles aussi, vous allez devoir apprendre à chauffer votre poêle à bois; toute votre nourriture en dépend de toute façon. Je ne sais pas si vous avez remarqué, mais ici vous n'avez pas d'électricité!

- J'ai remarqué aussi qu'il n'y avait pas de toilette, s'inquiéta Isabelle.

- Oui, il y en a une, c'est la chaudière blanche à l'intérieur du camp, remplie de branches de sapin. Elle est mobile, vous pouvez la vider vous-mêmes, lui lançai-je en farce.

Vous allez voir les amis, ce n'est pas si pire que ça. Ca va prendre quelques jours pour vous habituer et vous allez découvrir tous les bienfaits de la vie en forêt. Encore une chose, pour l'eau, vous devez aller la chercher sur le lac; n'oubliez pas d'amener une hache, surtout le matin, car le trou est gelé. Les filles vont se faire des bras, car c'est à elles que revient cette tâche.

- A moins qu'un bon gars nous rende ce service, ajouta Patsy en souriant.

- Avec toutes ces émotions, je commence à avoir faim. Qu'est-ce qu'il y a à manger Jacques? demanda Manon en ouvrant toutes les armoires.

- Comme vous devez vous imaginer, il n'y a pas de magasin d'alimentation dans le coin. On a donc prévu de grosses quantités de nourriture de base que vous pouvez conserver très longtemps en bon état. Venez par ici les filles, je vais vous montrer ce qu'on a en "storage". Nous avons tout mis dans des chaudières en plastique hermétiques; ça évite les petits voleurs comme les rats et les souris. Voilà la farine, le gruau, le lait en poudre, le riz, les pois, les lentilles, les fèves, les nouilles, les fruits séchés. Par ici, il y a du beurre de "peanuts", du miel et de la margarine. En dessous de l'armoire, il y a des épices pour varier le goût des aliments. Il y a aussi une bonne quantité d'huile végétale et de poudre à pâte, car c'est ce que vous allez ajouter à la farine pour faire votre pain.

- Mais Jacques, on va sérieusement manquer de vitamines si on n'a pas de fruits et de légumes, s'inquiéta Isabelle.

- C'est justement pour cela que nous sommes équipés en graines variées, c'est pour faire de la culture intérieure. A défaut de serres, nous faisons germer des graines dans un petit récipient sur le bord d'une fenêtre. J'ai demandé à nos amis, en ville, d'expérimenter la culture de légumes à l'intérieur de la maison, dans des boîtes remplies de terre pour voir si on peut arriver à récolter quelque chose.

- Si je comprends bien, ça veut dire qu'on va être obligés de s'arranger avec ce qu'on a, conclua tristement Manon. Quand je pense que je n'ai jamais été capable de faire autre chose que ce qui était écrit sur les boîtes et les "cannages"... Quelle malchance!

- Ne te décourage pas Manon, tu n'es pas toute seule et puis regarde, il y a un livre de recettes dans le tiroir. Tu vas voir que quand t'as faim, tu apprends vite. Quant à la viande, ce sera ce que les gars pourront vous ramener.

- Espérons qu'ils seront chanceux, car nous risquons de manger des pois et des nouilles souvent, lança Patsy d'un ton moqueur.

- J'allais oublier quelque chose d'important, continuai-je. Sur le côté du camp à gauche, il y a une grosse boîte en bois, c'est votre congélateur. À tous les jours, vous devez vous assurer qu'il y a de la glace dans la boîte et mettez-y aussi du brin de scie, ça conserve la glace plus longtemps. Si tu vas voir tout de suite Manon, tu pourras ramener deux gros saumons que Fortunat a pêchés il y a quelques jours.

- Je crois que je ferais mieux de l'accompagner, ajouta Jean-Marie, elle risque d'amener les poissons blancs qu'on donne aux chiens!

- A part de ça, les filles, ajoutai-je, dans la chambre à coucher, vous avez une belle planche à laver. Naturellement, on ne se change pas de vêtements à tous les jours. Si vous voulez avoir un peu d'humidité dans le camp, vous faites sécher le linge à l'intérieur. Et puis vous avez du fil, des aiguilles et de la laine en cas de petites réparations.

- Surtout ne jetez rien, nous dit Fortunat, si vous vous servez de votre imagination, vous pouvez faire toutes sortes de petites choses utiles avec vos cannes, vos sacs et vos bouteilles.

- Jacques, j'ai un petit problème là, me dit Manon, en entrant avec les saumons dans les bras. Je n'ai jamais fait cuire un poisson de toute ma vie. Comment fait-on?

- Moi, je vais te montrer, lui offrit Fortunat, il n'y a rien de plus simple que ça.

- Pendant que vous allez préparer le dîner, j'amène les gars visiter les environs, leur dis-je, en les entraînant dehors. Venez par ici, les gars. Dans ce petit hangar, vous avez à peu près de tout ce que vous pouvez avoir besoin comme outils: marteaux, haches, scies, clous, vis, broches, etc. Il y a aussi une bonne réserve de toutes sortes de matériaux et articles divers dont vous aurez besoin: tôle, fibre de verre, cuir, cordes, toiles, tentes, quelques poêles à bois, chandelles, allumettes, couteaux, pierres à aiguiser, bottes, imperméables et trousse de premiers soins. En fait, toutes ces choses sont indispensables en forêt.

Puis, j'allai leur montrer les traîneaux et les harnais et je leur expliquai comment atteler les chiens.

- Si vous voulez qu'ils vous écoutent, leur dis-je, vous devez les discipliner et en prendre bien soin. Ils mangent de la moulée ou du poisson s'il y en a, une fois par jour, vers l'heure du souper... Ne les oubliez pas, eux aussi travaillent fort pour transporter le bois jusqu'ici. A tous les jours, vous devez nettoyer autour de l'arbre leurs excréments. Les filles sont capables de faire ça. A part de ça, pour apprendre à les conduire, vous devez vous pratiquer. Vous ne devriez pas avoir trop de difficulté, car vous n'êtes pas les premiers à venir ici, les chiens connaissent leur route. Vous n'avez qu'à les laisser aller, tout en gardant le contrôle de votre traîneau. Kid va pouvoir vous donner quelques trucs pour les discipliner.

Ici, les gars, vous vivez avec le soleil. Vous vous levez en même temps que lui, vers trois heures trente du matin et vous vous couchez en même temps que lui, vers six ou sept heures le soir. Nous avons des chandelles et une lampe à l'huile, mais je crois que vous serez bien contents de dormir après votre journée de travail. Encore une chose, c'est très important, vous le direz aux autres: ne partez jamais seul quand vous allez en expédition ou en ville, même pour une simple promenade en forêt; si vous ne connaissez pas le coin, vous pouvez vous perdre très facilement. Ayez toujours des allumettes et un petit couteau dans vos poches, c'est très pratique. N'oubliez surtout pas d'amener vos raquettes quand vous partez en "ski-doo". On ne sait jamais ce qui peut arriver. Si vous êtes pris pour revenir à pied et que vous enfoncez dans la neige jusqu'au cou, vous allez trouver votre retour assez pénible. Vous savez, c'est sérieux quand même de vivre dans le nord, si on est imprudent, on peut perdre la vie. Alors soyez fidèles dans les moindres petits détails et tout ira bien pour vous.

- En passant Jacques, as-tu amené beaucoup d'armes à feu? demanda André.

- Oui, j'en ai amenées plusieurs et aussi une bonne réserve de munitions, mais il faut faire très attention quand on les utilise. Ce n'est pas n'importe qui qui peut les prendre, soyez prudents quand vous les tenez entre vos mains. J'ai des fusils de calibre 22, ceux-là sont bons pour tuer la plupart des petits animaux. Mais j'ai aussi des calibres un peu plus gros comme une 270, une 300 et une 303.

- De toute façon, ajouta Kid, ce n'est pas nécessaire d'avoir un calibre pour éléphant. Je suis sûr que vous ne voulez pas pulvériser vos prises en viande hachée mêlée de poils, d'os et de sang, c'est un peu dur à digérer.

Après qu'on eût fait le tour des environs, Patsy vint nous prévenir que le dîner était prêt.

- Ca sent vraiment bon, lança Kid en entrant, je vois que vous êtes déjà à l'aise dans votre nouvelle cuisine, les filles.

- Ca, tu peux le dire, répondit Patsy. On s'est occupé du riz et je crois qu'il n'est même pas assez cuit. Ce n'est pas du riz minute; on n'est pas habitué avec cette sorte-là. Une chance que c'est Fortunat qui s'est occupé du poisson, sinon...

- Vous êtes bien chanceux les gars de savoir faire la cuisine, remarqua Gilles en s'adressant à nos deux indiens. Vous devez connaître aussi plein de trucs intéressants sur la survie, j'imagine?

- Oui, car nos pères nous ont enseigné plein de choses, répondit-il. Ils ont, comme premier devoir, de nous transmettre en héritage tout leur savoir et leur expérience. Dès mon plus jeune âge, j'ai été initié à la chasse, à la pêche, à l'entretien des peaux, des pièges; en fait à tout ce qui concerne la culture amérindienne et la survie, car pour nous, c'est vraiment une question de vie ou de mort. Malheureusement, aujourd'hui, les jeunes se sont laissés influencer par le poison des blancs et ils ont oublié ce qu'ils savaient. Ils ont aussi perdu leur identité et leurs coutumes. Un peuple qui était vaillant et débrouillard autrefois est en train de mourir à petit feu. Je peux vous dire que moi aussi, je me suis laissé influencer, car j'étais rendu un alcoolique. Mais depuis que j'ai rencontré Jacques, au jour de l'an de cette année, j'ai décidé de profiter de son aide pour me désintoxiquer. Cela fait quatre mois que je ne bois plus et je suis très heureux d'avoir retrouvé le respect de moi-même et d'avoir renoué contact avec la nature et Celui qui l'a créée.

- En tout cas, Fortunat, ça me fait vraiment plaisir d'entendre ça et j'espère que ton exemple va influencer les autres indiens, l'encouragea Isabelle. Mais dis-moi, est-ce que le gouvernement vous aide à mettre sur pied des projets sociaux pour aider les jeunes?

- Non, le gouvernement nous dit de s'arranger avec nos problèmes internes, car lui, ça ne le regarde pas. Si on pouvait seulement vivre sur un territoire plus vaste, on pourrait recommencer à vivre selon notre vrai mode de vie.

- Mais qu'est-ce que vous voulez que le gouvernement fasse pour vous? questionna Manon.

- Tout ce qu'on veut, répondit Jean-Marie, c'est un gouvernement autonome et le partage du territoire québécois. Nous voulons récupérer sept cents milles carrés de nos terres ancestrales, afin d'y vivre en paix avec nos propres lois. Mais le gouvernement n'est pas pressé de nous les rendre. En attendant, l'armée pratique leurs manoeuvres militaires sur nos plus beaux territoires de chasse et de pêche, tandis que des entreprises de toutes sortes polluent et dégradent l'environnement. Et nous, nous sommes tenus prisonniers d'une ville abandonnée.

- C'est bien triste et révoltant toute cette injustice, déclara Isabelle, mais j'espère que vous avez le droit de pêcher et de chasser dans les environs au moins.

- Oui, au moins on a ce droit, répondit Fortunat.

- Vous devez sûrement connaître de bons coins? s'informa Gilles.

- En effet, mais j'avoue bien humblement, continua Jean-Marie, que c'est très facile pour nous tout ça, car ces activités étaient nos seuls jeux d'enfance. De plus, avec le temps, tu prends de l'expérience. Quand tu as parcouru un lac de fond en comble, tu découvres où se tiennent les poissons le plus souvent et tu le notes sur une carte; tu sauves ainsi de précieuses heures. C'est la même chose avec le gibier. C'est pourquoi, quand nous allons chasser ou pêcher, nous ramenons toujours de la viande; ce n'est pas parce que nous sommes chanceux, c'est que nous connaissons bien notre territoire.

- Imaginez-vous qu'ils ont même essayé, à un moment donné, de me faire accroire que c'était leur odeur d'indien qui attirait le gibier; car toutes les fois qu'ils m'ont amené avec eux, nous ne sommes jamais revenus les mains vides. Je ne savais pas trop si je devais les croire, leur dis-je en riant.

- De plus, reprit Fortunat, pour pouvoir être efficace en ce qui concerne le poisson, on se doit d'être mobile sur le lac car le poisson n'attendra pas au bout de notre hameçon; il se déplace dans l'eau à la recherche d'ombre et de nourriture. Une embarcation solide et peu versante est très importante aussi pour transporter des bagages et du gibier sans prendre l'eau. Si le lac est très grand, tu apprécies volontiers un petit moteur, sans oublier de prévoir une réserve d'essence et des pièces de moteur de rechange, surtout quand vous partez pour quelque temps. Naturellement, il faut penser aux cannes à pêche et aux hameçons de toutes sortes pour la variété et la grosseur des poissons que vous voulez pêcher.

- Je pense que l'hiver on n'utilise pas les mêmes accessoires? demanda André.

- Non, c'est encore plus simple, répondit Fortunat. Ca te prend tout simplement des bouts de bois avec du fil à pêche et quelques hameçons. Il faut aussi prévoir une perceuse à glace manuelle, ainsi que des raquettes ou des skis de fond pour pouvoir te déplacer facilement.

- En tout cas, interrompit Isabelle, avec toute cette nourriture que le bon Dieu a mise dans la nature, il est important d'avoir avec nous des livres sur les moyens de conservation de la viande et du poisson, le "cannage", le fumage, le séchage. Si on ne sait pas préserver nos aliments de la pourriture, c'est du vrai gaspillage, surtout avec toute la misère qu'on se donne pour aller la chercher. Je crois que nous allons vivre une belle aventure ici et qu'on va en ressortir enrichis, même si je sais que ce ne sera pas facile.

- T'as bien raison, lui dis-je. Il ne faut surtout pas croire que vous serez comme Adam et Eve et que vous n'aurez qu'à vous étirer le bras pour avoir poissons, gibiers ou toute autre nourriture. La nature a beau nous offrir toutes les choses essentielles, bien peu d'entre nous saurait y survivre, à moins d'être préparés d'avance et équipés. Tout ce que nous allons apprendre ici va nous servir un jour ou l'autre; pour l'instant, ce n'est qu'une formation, mais un temps viendra où nous serons dans l'obligation de nous organiser de façon à pouvoir vivre sans l'aide de personne pendant au moins une année ou peut-être davantage. On ne sait jamais ce qui peut nous arriver. Du jour au lendemain, on peut se retrouver comme les pays pauvres. On n'est pas à l'abri de rien.

Supposez que demain matin, l'argent n'a plus de valeur; qu'est-ce que vous feriez? C'est déjà arrivé après une guerre, alors rien n'est impossible. Dans les temps qu'on vit, c'est important d'être préparé à toute éventualité. Les gens, en général, ne sont pas prêts à vivre un désastre; ils se croient en sûreté dans leur maison confortablement moderne et ça ne prend pas grand-chose pour paralyser leurs petites habitudes de vie. Prenez juste une panne d'électricité; regardez comment les gens deviennent totalement impuissants face à ces imprévus. Imaginez-vous s'il n'y avait plus d'électricité ou d'eau pendant une semaine dans la ville de Montréal, comment les gens seraient désorientés et complètement perdus.

(Regardez ce qui est arrivé à St-Basile-le-Grand lorsque des entrepôts de déchets industriels toxiques (B.P.C.) ont passé au feu. Les gens n'étaient pas préparés du tout à subir un tel accident écologique. Ils ont failli tout perdre en une seule heure. Ils ont trouvé le temps long en tout cas, à vivre malgré eux entassés dans des écoles ou dans des chambres de motel; encore chanceux que ce n'était pas toute la population du Québec qui avait à vivre ainsi pendant des années! Imaginez un peu de quoi ça aurait l'air...)

- C'est pourquoi il faut se préparer mentalement à renoncer d'avance à notre confort matériel, car lorsqu'on dépend trop de nos commodités pour être heureux, on est complètement désemparé et malheureux quand elles viennent à manquer. Rappelez-vous toujours que si vous faites cette expérience, c'est afin d'apprendre à vivre sans les nécessités de la vie moderne, sans eau chaude, sans téléphone, sans laveuse-sécheuse, sans lave-vaisselle, sans microonde, pour revenir à la base d'une vie simple, dépourvue de confort et de luxe. Il faut apprendre tout de suite à renoncer au superflu et à se contenter du nécessaire, sinon quand une catastrophe survient, on est incapable de passer au travers. Il faut sérieusement se préparer, car on vit des temps de trouble partout dans le monde et je crois qu'il y a de grandes épreuves en avant de nous.

- Qu'est-ce qui te fait dire ça, Jacques? demanda Fortunat, soudainement devenu plus attentif.

- C'est à cause des prophéties que Jésus a faites, il y a deux mille ans et qui s'accomplissent aujourd'hui, que je vous dis cela. Un jour que Jésus était assis avec ses disciples sur la montagne des Oliviers, ceux-ci s'approchèrent et lui posèrent cette question: "Dis-nous quand ces choses auront lieu et quel sera le signe de ta venue et de la consommation du siècle?" Et le texte ajoute: "Et Jésus répondant leur dit..."[1] Jésus, voyez-vous, a répondu à la question de ses disciples. Toutefois, bien des gens de nos jours, alors qu'on leur parle des prophéties bibliques concernant la fin des temps, nous disent qu'il est impossible de savoir quoi que ce soit sur la fin des temps ou le retour du Christ, puisque Jésus a dit lui-même: "Mais quant à ce jour-là et à l'heure, personne n'en a connaissance, pas même les anges des cieux"[2]. Sans savoir le jour ni l'heure, nous pouvons quand même nous mettre à l'écoute des signes dont le Christ a lui-même parlé à ses disciples. Si nous n'avions pas eu à savoir ce qui se passerait dans les jours de la fin, et bien, Jésus n'aurait tout simplement pas répondu à la question de ses disciples.

Ainsi, non seulement Jésus a très bien répondu à cette question, mais les réponses qu'il a données sont d'une très grande clarté, de sorte qu'il nous est possible de discerner aujourd'hui que ces jours-là sont à notre porte. Dieu agit ainsi pour avertir ses enfants des événements qui surviendront sur la terre.

- Mais comment sais-tu que ces signes-là ne se sont pas déjà produits dans le passé? demanda Jean-Marie.

- C'est impossible, lui dis-je, car le premier événement, devant marquer le début des temps de la fin, est le retour du peuple juif dans leur terre d'origine. Quand cela s'est produit, une prophétie vieille de sept cent cinquante ans avant Jésus-Christ s'est réalisée. Il est écrit au livre d'Esaïe: "Fera-t-on qu'un pays enfante en un seul jour? Une nation naîtra-t-elle en une fois?"[3] Voilà exactement ce qui s'est passé le 15 mai 1948 quand plus de cinquante pays ont reconnu l'Etat d'Israël. Jésus aussi a parlé d'Israël dans un petit texte où il fait mention du figuier, l'un des symboles historiques de la nation hébreue; il dit ce qui suit: "Mais apprenez du figuier la parabole qu'il vous offre: quand déjà son rameau est tendre et qu'il pousse des feuilles, vous connaissez que l'été est proche. De même aussi vous, quand vous verrez toutes ces choses, sachez que cela est proche, à la porte"[4].

Lorsqu'après deux mille ans d'exil et de persécutions sans merci, Israël est redevenu une nation, le "figuier" a poussé ses premières feuilles. De plus, non seulement les prophéties nous parlent du rétablissement des Juifs, mais elles révèlent aussi que le désert et tout le sol d'Israël sera d'une fertilité étonnante. Voici ce que nous révèle le prophète Esaïe: "Je ferai couler des rivières sur les hauteurs et des fontaines au milieu des vallées, je changerai le désert en un étang d'eau et la terre aride en des sources jaillissantes"[5]. Depuis 1948, Israël a pu amener l'eau du Jourdain dans toute la région désertique du Neguev, au sud de Jérusalem; on a arrosé le sol des années durant, grâce à un système d'irrigation hautement efficace. Un immense réseau de pipelines sillonne, depuis de nombreuses années déjà, tout le désert d'Israël et arrose le sol jour et nuit de sorte que, conformément à la prophétie, on voit couler "des fontaines au milieu des vallées" et le désert est devenu un "étang d'eau".

Esaïe poursuit sa description de la terre d'Israël en ces mots: "Car l'Eternel consolera Sion; il consolera tous ces lieux arides et fera de son désert un Eden et de son lieu stérile comme le jardin de l'Eternel"[6]. Ailleurs, il ajoute: "Dorénavant Jacob prendra racine, Israël fleurira et poussera et remplira de fruits la face du monde"[7]. En 1948, les Palestiniens avaient 85,000 acres de terres cultivées dans la région d'Israël. En 1980, les Juifs en avaient 195,000, plus que le double. Israël est devenu l'une des six nations dans le monde qui produit plus de nourriture que son propre marché peut en consommer. Il faut vraiment voir la terre d'Israël pour se rendre compte que ce qui n'était qu'un désert aride il n'y a pas si longtemps, est devenu un jardin florissant. Encore une fois, la prophétie de la Parole de Dieu s'est accomplie. Aujourd'hui, conformément aux prédictions bibliques, "ce désert" ruisselle de fruits et de plantes de toutes sortes; toutes les variétés inimaginables de fruits et de légumes poussent à profusion. Présentement, Israël se classe sans aucune difficulté parmi les cinq premiers exportateurs d'agrumes au monde.

- Il ne faut pas oublier, ajouta Isabelle, la culture des fleurs. J'ai lu une prophétie dans le livre d'Esaïe qui dit que "le lieu stérile fleurira comme la rose, il fleurira abondamment"[8]. Je sais qu'on y fait pousser des millions et des millions de fleurs; tellement, qu'Israël fournit à l'Europe, durant tout l'hiver, des quantités inépuisables de fleurs. Ils en produisent des centaines de variétés, mais c'est surtout des oeillets et des roses.

- En tout cas, je ne savais pas que la Bible était aussi précise que ça, nous avoua Fortunat. Mais continue donc, Jacques. Ca m'intéresse de connaître toutes ces autres prophéties qui sont dans la Bible.

- Et bien, il y en a plusieurs, Fortunat. Il y a celle-ci, par exemple, dans l'Evangile de Marc: "Prenez garde que personne ne vous séduise; car plusieurs viendront en mon nom, et ils en séduiront plusieurs."[9] Depuis 40 ans, les faux prophètes et les nouvelles religions n'ont pas cessé de se multiplier et aujourd'hui, plus que jamais, les sectes et les fausses doctrines abondent. Ces "séducteurs" présentent des fables agréables au lieu de la vérité pure et simple; en fait, ils abaissent l'idéal aux exigences de l'homme.

Malheureusement, en plus d'être nombreux, ils exercent une grande influence pour détourner les gens de la vraie foi. L'apôtre Paul nous dit dans l'une de ses épîtres: "Car il viendra un temps où les hommes ne supporteront pas la saine doctrine; mais ayant la démangeaison d'entendre des choses agréables, ils se donneront une foule de docteurs selon leurs propres désirs, détourneront l'oreille de la vérité et se tourneront vers les fables."[10] En effet, les nouvelles doctrines "agréables" à entendre qui poussent comme des champignons, sont bien des fables, car elles sortent tout droit de l'imagination de ceux qui les prêchent. Les extra-terrestres et les Pyramides, Eckankar, l'astrologie, Nostradamus, les Rose-Croix, la Franc-Maçonnerie, la Fraternité Blanche Universelle, les Mormons, Ron Hubbard et la scientologie, Maharishi Mahesh Yogi et la méditation transcendantale, Krishna, Bouddha, Mahomet, Guru Maharaji, Moon, Raël, ne sont que quelques-uns des faux prophètes et des faux christ qui polluent l'esprit des gens et les séduisent. Il faut être vigilant pour ne pas se faire avoir!

- Il y a une autre prophétie, continua André, dans l'Evangile de Matthieu, où Jésus nous dit: "Vous entendrez parler de guerres et de bruits de guerres; prenez garde que vous ne soyez troublés, car il faut que tout arrive; mais la fin n'est pas encore"[11]. Depuis la fin de la deuxième guerre mondiale, il n'y a jamais eu autant de révolutions, de coups d'Etat, de révoltes, de guerres civiles, d'émeutes, de tueries. Jamais auparavant l'humanité n'a entendu parler d'autant de guerres qui se déroulent partout dans le monde. C'est un autre signe que nous sommes parvenus à la fin des temps. Jésus nous a parlé aussi qu'il y aurait des "tremblements de terre en divers lieux"[12].

- Mais André, l'interrompit Jean-Marie, il y a toujours eu des tremblements de terre, non?

- C'est exact, lui dit-il, mais si on se fonde sur les statistiques publiées par l'office de géologie des Etats-Unis (science qui a pour objet l'histoire du globe terrestre et l'étude de la structure et de l'évolution de l'écorce terrestre), il n'y en a jamais eu comme il y en a aujourd'hui. Selon eux, depuis les trente dernières années, nous avons eu plus de tremblements de terre destructeurs que depuis les derniers siècles. "Le nombre de tremblements de terre qui se sont produits dans les derniers dix ans confirme une augmentation constante et considérable des séismes, et cela même dans des régions qui ne connaissaient jusqu'alors que de rares tremblements de terre", peut-on lire dans l'une de leurs publications.

- Je m'excuse de t'interrompre André, dit Gilles, mais j'ai entendu dire que les grands tremblements de terre se produisent habituellement lorsque la rotation journalière de la terre ralentit et que le Pôle Nord se déplace de sa position normale par rapport aux cieux. Et bien, la rotation de la terre a ralenti d'un millième de seconde à chaque jour dans les derniers cinq ans et le Pôle Nord, lui, s'est déplacé d'environ quinze pieds! Les conditions sont donc de plus en plus propices pour des tremblements de terre majeurs à l'échelle mondiale.

- Une autre cause de ces séismes, ajouta André, c'est qu'avec tous leurs essais nucléaires et leurs bombes qu'ils font exploser un peu partout, cela peut bien ébranler l'écorce terrestre et la faire trembler.

- En tout cas, ça ne doit pas aider la situation, nous lança Denis.

- Quand on regarde tout ça, enchaîna André, on dirait bien que c'est pas trop des bonnes nouvelles. C'est comme cette prophétie de Jésus, qui dit qu'il y aurait des "famines et des pestes"[13]. C'est bien ce qui se passe avec le Tiers-Monde. On dit le Tiers-Monde, mais en réalité ça regroupe à peu près 3 milliards de monde. Et bien, sur tous ces gens, il y en a un tiers actuellement qui n'a pas de quoi se nourrir.

- Tous ces gens, dis-je, meurent d'un long supplice, de longues douleurs que nous, les habitants des pays riches, avons bien du mal à nous représenter. Pour tout vous dire, l'Occident, avec le quart de la population mondiale, consomme plus des trois quarts de la production alimentaire du monde entier. Ainsi, selon l'UNICEF, dans la seule année de 1988, 15 millions d'enfants sont morts de la faim dans tous les pays pauvres de la planète. Et là, on ne parle pas des adultes. La famine et la sécheresse font des ravages partout. Et c'est la même chose pour les pestes. D'année en année, malgré les progrès de la science et de la médecine, les nouvelles maladies et les épidémies dévastent la planète. Et pas seulement dans les pays sous-développés; les pays riches sont frappés eux aussi. Le problème aujourd'hui, entre autres, c'est que la planète est polluée comme elle ne l'a jamais été dans toute l'histoire humaine. Les eaux, le sol, l'air sont tellement remplis de déchets toxiques et de produits chimiques, que ça ne peut pas faire autrement que créer des maladies.

- Justement, l'autre jour, reprit Manon, j'ai lu un article d'un médecin américain, le Dr. Samuel Epstein, qui disait qu'un américain sur cinq meurt de l'épidémie du cancer et que, selon lui, 70 à

90% des cas sont dûs aux produits chimiques contenus dans l'environnement. Ceci est très probable, quand on sait que les trois premiers cas de cancer, en 1895, furent trois travailleurs d'une usine de produits chimiques. A cette époque, on avait prédit que ce serait la maladie du 20e siècle.

- Faudrait pas oublier le sida non plus là-dedans, lança alors André. C'est toute une épidémie qui frappe notre planète, ça.

- Ouais, t'as ben raison, continuai-je. Toute cette histoire de maladies et de pestes, ça me fait penser à une autre prophétie de Jésus qui parle elle aussi de maladie, mais d'une maladie d'un autre genre. Ecoutez bien ce que ça dit: "A cause de l'accroissement de l'iniquité, l'amour du plus grand nombre sera refroidi"[14]. La maladie du péché, en v'là une autre épidémie qui frappe notre monde actuel. Mais ce qui est fort dans ce verset-là, c'est le dernier bout qui dit qu'à cause du péché, l'amour du monde va se refroidir. Quand tu regardes comment le monde sont rendus aujourd'hui, et ben tu te rends compte à quel point une prophétie comme celle-là c'est quelque chose de précis. On dirait que la bonté naturelle qui est là, dans l'être humain, a été complètement remplacée par la crainte et la méfiance. Au lieu d'aimer le monde, on a peur de lui. On ne se parle pas, on n'ose à peine se regarder, chacun fait sa petite affaire, tout le monde est sur ses gardes, on se méfie de l'autre. On n'ose plus faire monter quelqu'un dans sa voiture quand il fait du "pouce". On préfère le laisser sur le bord de la route de peur que quelque chose nous arrive. On n'ouvre plus la porte de notre maison à un étranger, on répond par la fenêtre ou par le petit haut-parleur qu'on a soigneusement installé à l'extérieur. On a peur de se promener dans nos rues le soir.

En tout cas, c'est bien évident que, dans les dernières vingt-cinq années, nos villes modernes sont passées d'un extrême à l'autre. La réalité, voyez-vous, c'est que le mépris des lois de Dieu chez l'homme est devenu finalement un mépris de toutes les lois, autant celles de l'homme que celles de la société. L'homme d'aujourd'hui est rendu à un point où il a rejeté la notion de moralité elle-même. C'est donc pas surprenant si le taux de criminalité est le pire qu'on n'ait jamais eu, lui aussi. Laissez-moi vous lire la prophétie que l'apôtre Paul a fait là-dessus, vous n'en croirez pas vos oreilles: "Or sache ceci, que dans les derniers jours, il y aura des temps difficiles. Car les hommes seront égoïstes, amis de l'argent, vantards, hautains, blasphémateurs, rebelles à leurs parents, ingrats, irréligieux, insensibles, déloyaux, calomniateurs, intempérants, cruels, n'aimant pas le bien, traîtres, emportés, enflés d'orgueil, amis des plaisirs plutôt qu'amis de Dieu"[15].

- Je n'en reviens pas, murmura Fortunat qui était "bouche bée", après tout ce qu'on venait de lui dire.

- Tu en voulais des prophéties, mon Fortunat, et bien en voilà une autre. C'est Jésus qui l'a faite et elle est très remarquable celle-là aussi: "Et cet Evangile, la bonne nouvelle du royaume, sera prêchée dans le monde entier pour servir de témoignage à toutes les nations, alors viendra la fin"[16]. C'est fou comment une petite parole qui pouvait sembler complètement exagérée il y a 2000 ans, soit devenue tout simplement possible aujourd'hui. Et oui, avec les moyens dont nous disposons aujourd'hui, l'Evangile est devenu accessible à 98% de la population du globe. Grâce aux missions chrétiennes et évangéliques qui ont pris une extension extraordinaire, grâce au nombre impressionnant de prédicateurs qui répandent l'Evangile non seulement chez eux mais dans une foule de pays du monde, et grâce enfin à l'imprimerie, à la radio, à la télévision, aux disques, aux bandes enregistrées, aux films, etc., la Bible est, ni plus ni moins, devenue le "best-seller" mondial. Même dans les pays communistes athées où la répression religieuse et l'élimination des livres religieux sont des pratiques devenues courantes, la Bible réussit à pénétrer; bien souvent par les mêmes méthodes que les produits clandestins pénètrent dans nos pays libres. L'Evangile a donc été annoncé à tous les hommes avant que l'humanité vive les prophéties de la fin, "pour servir de témoignage à toutes les nations". Tous les individus et toutes les races auront donc eu ainsi une chance d'accepter l'Evangile et de se tourner vers le Seigneur.

- C'est vraiment extraordinaire ce que tu dis là, Jacques, s'exclama Fortunat. C'est la première fois de ma vie que quelqu'un me parle si simplement des prophéties bibliques. Je n'aurais jamais cru qu'on était rendu là.

- Et oui Fortunat, on est bien là, à la toute fin de l'histoire humaine.

- Mais dis-moi donc une chose Jacques, il y en a d'autres bonshommes comme le Christ qui en ont fait des prophéties sur la fin des temps, eux aussi?

- Et oui, il y en a plein dans la Bible, premièrement dans l'Ancien Testament. Tantôt, quand on parlait de la renaissance d'Israël, on a cité des textes d'Esaïe. Mais il y a des prophéties dans les livres de Jérémie, d'Ezéchiel, Daniel, Osée, Joël, Amos... Ah! oui, Amos. En v'là un justement qui a fait une prophétie bien spéciale. Je vais te la lire: "Voici des jours viennent, dit le Seigneur l'Eternel, où j'enverrai une famine dans le pays; non une famine de pain, ni une soif d'eau, mais d'entendre les paroles de l'Eternel. Et ils erreront d'une mer à l'autre, et du nord au levant; ils courront çà et là pour chercher la Parole de l'Eternel, et ils ne la trouveront pas. En ce jour-là, les belles vierges et les jeunes gens défaudront de soif"[17]. Quand on observe et qu'on côtoie un peu la jeunesse actuelle dans le monde, on se rend compte tout de suite qu'elle vit une faim et une soif spirituelles qui ne se sont jamais vus auparavant.

Les jeunes, bien souvent, sans trop savoir ce qui leur manque, cherchent en fait ce Dieu inconnu qui les a créés. C'est pourquoi des millions et des millions de jeunes et d'adultes parcourent la planète dans toutes les directions depuis 1948. Et croyez-moi, ce n'est pas seulement parce que les moyens de transport sont devenus modernes et accessibles à tous, que les gens voyagent tellement; pour plusieurs, en réalité, ce n'est pas autre chose qu'une recherche spirituelle. Que penser des millions de jeunes d'Amérique du Nord et d'Europe ayant voyagé en Orient à la recherche d'un nouveau prophète ou "guru" ou d'un maître spirituel quelconque? Les Beatles eux-mêmes l'ont fait, comme pour donner l'exemple. Inconsciemment, ils ont obéi à la prophétie d'Amos qui précisait que les gens voyageraient "du nord au levant" c'est-à-dire du nord aux pays de l'Est, ou d'Orient. N'est-il pas extraordinaire qu'un prophète hébreu, ayant vécu 3000 ans avant notre époque, ait pu parler d'un événement aussi caractéristique et précis que les voyages en Orient? La frénésie du voyage, du déplacement, du goût de voir d'autres pays, d'autres gens, d'autres moeurs, de changer d'air, de s'exiler au soleil dans des régions inconnues ou exotiques, voilà une maladie du 20è siècle qui est très répandue! Et cela, non seulement chez les classes de gens qui ont beaucoup d'argent, mais encore chez les petits salariés qui veulent aussi goûter à ce plaisir autrefois réservé à une classe privilégiée.

L'évidence est là, les gens n'ont jamais aussi bien couru d'un endroit à l'autre que dans cette génération qui est la nôtre, conformément à la prophétie d'Amos. On ne s'est jamais autant tourné vers les voyages pour combler le vide de nos existences insatisfaites par la surabondance matérielle et l'excès des plaisirs. On cherche, au travers des voyages, une solution, un remède, une réponse à toutes nos questions, un "je ne sais quoi" qui nous manque au plus profond de nous. Ce vide, toutefois, ne se comblera jamais, même par des milliers de voyages, car il est spirituel et ne peut être comblé que par Dieu lui-même. Malgré cela, on continue toujours de voyager pour changer le mal de place, mais on traîne avec soi son cancer spirituel et cela jusqu'au bout du monde. Et la jeune génération d'aujourd'hui l'a bien apprise à ses dépens. Après avoir parcouru la planète de long en large, elle a bien réalisé que, malgré la beauté et l'émerveillement qu'apportent les nouveaux pays et les nouveaux paysages, on en revient tout aussi vide qu'au départ et sinon davantage. Tel que l'a dit Amos, les gens, "courront çà et là pour chercher la Parole de l'Eternel et ils ne la trouveront pas".

Je t'ai parlé de Daniel tout à l'heure. Ecoute bien l'une des prophéties qu'il a faites. Elle est toute petite, mais crois-moi, elle en dit long sur les jours actuels: "et la connaissance sera augmentée"[18]. Et oui, le gars a écrit ça, il y a plus de 2500 ans, et il vivait dans le "fin" fond de l'Orient à Babylone. C'est pas croyable quand même à quel point c'est précis. Depuis le début de 1900, c'est une explosion de connaissance qu'on a vécue. En effet, l'homme a découvert des choses aussi variées que l'automobile, le rayon X, la photographie, l'avion, le moteur à explosions, le radar, la télévision, la pénicilline, le pilotage automatique, l'avion à réaction, l'hélicoptère, la fission nucléaire puis le réacteur nucléaire, la bombe atomique, la bombe thermo-nucléaire, le rayon lazer, etc. Les progrès scientifiques sont aux frontières de l'inimaginable. Jamais l'humanité n'a su autant de choses. Elle a exploré tous les domaines et poussé les sciences à un degré inespéré de perfection. Prenons seulement la puissance extraordinaire des ordinateurs. Ils sont d'une efficacité toujours surmultipliée et cela dans des dimensions de plus en plus réduites. Et pourtant, malgré tout cela, malgré toutes ces belles choses, malgré toutes ces belles découvertes et sa science, l'homme est sur le point de vivre l'un des temps les plus difficiles de son histoire.

- Voilà ce qui me "chicote" depuis un petit bout de temps Jacques, c'est la suite de tout ce que tu m'as dit, parce qu'il y a une suite certainement, me lança alors Fortunat qui me dévisageait comme il ne l'avait pas fait depuis le début de notre conversation.

- Et bien, la suite Fortunat, c'est exactement ce dont les gens ne veulent pas qu'on leur parle. Le point dérangeant de toute cette réalité de la fin des temps.

- Et bien moi, je veux que tu m'en parles, insista Fortunat.

- La suite, c'est la guerre. Une guerre doit avoir lieu avant que le Christ revienne. Etant donné l'époque dans laquelle on vit, ce conflit sera, bien sûr, nucléaire et les conséquences seront désastreuses: famines, pestes, radiations, tremblements de terre, transports et communications paralysés, etc. La survie sera très difficile.

- Oui, mais on peut se préparer! remarqua Jean-Marie. Il suffit de s'organiser pour pouvoir survivre.

- Ca, c'est une question de foi, lui dis-je. Ceux qui seront attentifs aux signes de la fin des temps comprendront que Dieu nous avertit par ce moyen des épreuves à venir. Il n'en tiendra qu'à eux d'avoir la sagesse qu'a eu Joseph, lorsque Dieu lui révéla que surviendraient sept années de famine en Egypte.

- Je m'excuse Jacques, m'interrompit Fortunat, mais il faut que tu m'expliques un peu plus qui est ce Joseph-là dont tu nous parles. Moi, je connais pas son histoire.

- Son histoire est racontée dans les premiers chapitres de l'Ancien Testament. Vois-tu, Joseph n'avait pas encore vingt ans quand ses frères, qui le jalousaient, le vendirent aux Egyptiens.

Mais déjà, à cet âge, il avait mis sa confiance en Dieu. Dans tout ce qu'il faisait, Dieu était avec lui, si bien que ceux qui l'employaient lui confièrent des tâches importantes, ayant bien remarqué que tout ce qu'il faisait prospérait. Il subit des injustices et vécut des épreuves, mais j'imagine qu'il savait bien que Dieu avait Son plan et que lui-même se faisait former à travers tout ce qu'il vivait.

Le Pharaon eut un jour un songe que personne ne pouvait interpréter. Joseph avait déjà révélé à un de ses hauts officiers, le sens d'un rêve qu'il avait fait; celui-ci se souvint de Joseph et l'emmena devant le Pharaon. A cette époque, Joseph était en prison pour un crime qu'il n'avait pas commis. C'est donc cet Hébreu, vendu par ses frères et accusé injustement, qui allait expliquer au puissant roi d'Egypte le sens de son rêve, car Dieu lui avait donné une grande sagesse.

Le Pharaon expliqua à Joseph qu'il avait vu sept vaches grasses se faire dévorer par des vaches maigres et laides, telles qu'il n'en avait jamais vues de semblables auparavant. Puis, comme dans un 2è volet, le songe s'était répété et le Pharaon avait vu, cette fois-ci, sept épis bons et gras qui poussaient sur une même tige se faire dévorer à leur tour par sept autres épis pauvres et desséchés. Joseph dit au Pharaon que les sept vaches grasses représentaient sept années, tout comme les sept épis d'ailleurs. Ces sept années seraient, en fait, sept années de grande abondance qui allaient venir sur toute l'Egypte. Puis, malheureusement, ces sept années seraient suivies par sept autres années de très grande famine, d'une intensité telle que l'abondance serait totalement oubliée et le pays ravagé par la famine. Le fait que le songe soit répété deux fois était pour Joseph le signe que Dieu se hâtait d'accomplir cette chose.

Joseph, en homme pratique et sage, fit au Pharaon une proposition qu'il ne put refuser car elle était trop pleine de bon sens. Voici ce qu'il lui dit: "Et maintenant, que le Pharaon se cherche un homme intelligent et sage, et qu'il l'établisse sur le pays d'Egypte. Que le Pharaon fasse cela, et qu'il prépose des commissaires sur le pays, et qu'il lève le cinquième du pays d'Egypte pendant les sept années d'abondance; et qu'ils rassemblent toutes les vivres de ces bonnes années qui viennent, et qu'ils amassent le blé sous la main du Pharaon pour nourriture dans les villes, et qu'ils le gardent. Et les vivres seront une réserve pour le pays, pour les sept années de famine qui seront dans le pays d'Egypte, et le pays ne sera pas détruit par la famine"[19].

La sagesse de cette décision toucha tellement le Pharaon, qu'il établit Joseph à la tête de tout le pays d'Egypte et lui trouva même une épouse. De pauvre prisonnier qu'il était, il se retrouva tout d'un coup l'homme le plus puissant après le Pharaon.

Ainsi s'accomplit le songe. La terre rapporta à pleines mains pendant les années abondantes et Joseph rassembla les vivres dans chacune des villes, selon les champs qui les entouraient. Et l'abondance fut telle qu'il "amassa du blé comme le sable de la mer, une immense quantité, jusqu'à ce qu'on cessa de compter, parce qu'il était sans nombre"[20]. Ensuite, comme Dieu l'avait annoncé par la bouche de Joseph, la famine s'abattit sur l'Egypte. Pour dire vrai, elle s'abattit sur tout le monde habité de l'époque. Et Joseph ouvrit alors tous les lieux de dépôt et vendit du blé aux Egyptiens et à tous les peuples de la terre qui venaient à lui. C'est ainsi que l'Egypte fut sauvée de la famine, ainsi que beaucoup d'autres nations.

- Je pense, dit Fortunat, qu'on aurait bien de la misère à convaincre le gouvernement actuel de s'amasser des provisions en cas de guerre...

- C'est sûr que la préparation s'annonce plutôt personnelle, lui répondis-je. Ca n'empêche pas les gens qui le veulent de se regrouper avec d'autres personnes. Chose certaine, c'est maintenant qu'il faut commencer à se préparer. Ceux qui vivent dans les villes devraient avoir, en réserve dans leur sous-sol, de la nourriture et toutes sortes d'autres choses nécessaires en cas de temps difficile. Tous ceux qui ont des chalets ou des camps devraient y ranger une grande quantité de produits de base et être équipés convenablement pour être en mesure d'y habiter longtemps sans dépendre de personne.

- Comme vous êtes installés ici, remarqua Jean-Marie, c'est juste parfait pour ça!

- J'espère sérieusement que les gens vont être attentifs à ce qui se passe autour d'eux, ajouta André.

- Jésus, lui, nous laisse cet avertissement: "Prenez garde à vous-mêmes, de peur que vos coeurs ne soient appesantis par la gourmandise, par l'ivrognerie, et par les soucis de la vie, et que ce jour-là ne vous surprenne à l'improviste; car il viendra comme un filet sur tous ceux qui habitent sur la face de toute la terre. Veillez donc, priant en tout temps, afin que vous soyez estimés dignes d'échapper à toutes ces choses qui doivent arriver"[21].

- En tout cas, reprit André, ça me donne le goût de me pratiquer à la survie pendant mon séjour ici. Au moins, je vais avoir un peu d'expérience quand les mauvais jours vont arriver.

- Je reviendrai vous voir demain, les amis. Reposez-vous bien, car vous avez une bonne journée d'ouvrage qui vous attend. Bonne nuit tout le monde!

1. Evangile de Matthieu, chapitre 24, versets 3 et 4a
2. Evangile de Matthieu, chapitre 24, verset 36
3. Esaïe, chapitre 66, verset 8b
4. Evangile de Matthieu, chapitre 24, versets 32 et 33
5. Esaïe, chapitre 41, verset 18
6. Esaïe, chapitre 51, verset 3
7. Esaïe, chapitre 27, verset 6
8. Esaïe, chapitre 35, versets 1 et 2a
9. Evangile de Marc, chapitre 13 versets 5 et 6
10. Deuxième épître de Paul à Timothée, chapitre 4, versets 3 et 4
11. Evangile de Matthieu, chapitre 24, verset 6
12. Evangile de Matthieu, chapitre 24, verset 7b
13. Evangile de Matthieu, chapitre 24, verset 7b
14. Evangile de Matthieu, chapitre 24, verset 12
15. Deuxième épitre de Paul à Timothée, chapitre 3, versets 1 à 4
16. Evangile de Matthieu, chapitre 24, verset 14
17. Amos, chapitre 8, versets 11 à 13
18. Daniel, chapitre 12, verset 4b
19. Genèse, chapitre 41, versets 33 à 36
20. Genèse, chapitre 41, verset 49
21. Evangile de Luc, chapitre 21, versets 34 à 36

CHAPITRE 21

LES DEUX FRÈRES

Très tôt le matin, Pierre et moi étions partis en motoneige en direction des lacs gelés de l'Attikamagan, une région située à environ quatre-vingts milles au nord de Schefferville. Je jetais de temps en temps un coup d'oeil sur mon compagnon, pour voir si tout allait bien et si le froid ne le dérangeait pas trop, mais à chaque fois il me répondait par des sourires et des gestes qui en disaient long sur la joie qu'il ressentait. Il n'était arrivé que depuis quelques jours et on voyait bien qu'il prenait plaisir à ce nouveau décor qui l'entourait, à toute cette nature qui s'étendait là, devant lui, à perte de vue. Quant à moi, le nord et toutes ces vastes étendues m'étaient de plus en plus familiers; je me sentais chez nous.

La région où nous nous rendions était délimitée par des montagnes sans arbres que les Amérindiens appellent les "montagnes blanches". Elles étaient déjà à l'horizon quand tout à coup, j'aperçus au loin, à gauche, deux animaux qui couraient. Je ne pouvais pas distinguer de quoi il s'agissait à cette distance, aussi j'accélérai et me dirigeai droit sur eux. A ma grande surprise, c'étaient des loups, des "Timber Wolf", les plus gros et les plus dangereux. Je continuai de foncer en ligne droite sur eux. Pierre me suivait mais comme mon "ski-doo" était plus rapide, je pris une avance sur lui d'environ un demi mille. Les loups se suivaient à environ 500 pieds l'un de l'autre. L'un d'eux réussit à s'échapper dans la forêt; l'autre, plus gros, s'enfonçait dans la neige, étant ainsi ralenti dans sa course. J'étais vraiment content de voir des loups, car depuis longtemps je voulais en attraper un vivant. Mon idée était de l'accoupler avec mes femelles huskies, afin d'avoir une bonne race solide de chiens de traîneau. Je fonçai donc tout droit sur celui qui courait toujours devant moi. En le frappant légèrement j'espérais tout simplement l'étourdir un peu et le ralentir dans sa course. Je finis par le frapper.

Alors qu'il se relevait, encore un peu sous le choc, Pierre arriva à son tour derrière moi et le heurta à nouveau. On s'arrêta alors près de lui. Le loup était assis, la langue pendante. On l'avait épuisé au maximum et fort probablement blessé à quelque part. On réfléchit quelques instants pour trouver un moyen de l'emmener avec nous. Comme il avait des crocs d'à peu près un pouce et demi de long, je dis à Pierre qu'il nous fallait à tout prix de la corde pour lui attacher la gueule. On avait emmené avec nous cinq "canisses" de cinq gallons et on dut se servir d'une des cordes qui les retenaient ensemble, car c'était là tout ce qu'on avait sous la main.

Après que j'eus enroulé la corde autour de la gueule du loup, je l'assis entre mes deux jambes sur le "ski-doo" et on repartit, mais cette fois c'est Pierre qui prit les devants. Ca devait bien faire une demi-heure qu'on roulait à travers la toundra, quand soudain je me rendis compte que la corde n'était plus autour de la gueule du loup. Il avait fini par la ronger. Et il ne m'avait même pas mordu! Quoi qu'il en soit, au moment où je réalisai ce qui se passait, je crus que mon coeur arrêterait de battre. Je réussis quand même à garder mon calme; je ralentis le "ski-doo" et je précipitai le loup dans la neige.

Je pris donc une autre corde et je le rattachai. Le reste du trajet se fit sans problème et on arriva finalement au chalet après une heure et demie de route. Naturellement, la surprise de ceux qui étaient restés là fut grande. Il faut dire que notre "invité" devait faire environ trois pieds et demi de haut sur ses quatre pattes et six pieds debout. Il était donc plutôt impressionnant. On trouvait tous bien dommage qu'il soit si mal en point. On lui apporta de la nourriture et de l'eau et on le laissa se reposer. Pierre et moi, on raconta en détails à nos amis, comment on avait réussi à le capturer.

- C'est quand même rare, dit Gilles, de voir deux loups tout seuls. Ces deux-là devaient sûrement s'en aller rejoindre leur "gang".

- Sans doute, fis-je, parce que la meute, c'est ce qui fait la force des loups. C'est pourquoi, habituellement, ils sont toujours de six à huit ensemble.

- J'ai entendu dire qu'il existe une hiérarchie à l'intérieur des meutes de loups. Est-ce que c'est vrai, ça? demanda Patsy.

- Bien sûr que c'est vrai, lui répondis-je. Tout est organisé de manière à ce que chacun ait un rôle différent à remplir. Le chef est toujours le loup le plus gros et le plus fort; il se tient la queue en l'air en signe d'autorité, alors que tous les autres ont la queue basse. Quand les loups vont chasser, le chef envoie un éclaireur qui revient lorsqu'il a trouvé une piste. Puis, toute la bande avec le chef en tête, va former un V dans lequel ils essaient de faire entrer leur proie. Lorsque l'animal y est, ils attaquent. Ca, c'est juste pour t'expliquer comment ils ont entre eux des règles précises.

Ils sont aussi très unis; par exemple, tous les membres se relaient auprès des louveteaux pendant que les parents sont à la chasse. La meute peut occuper pendant l'été, un impressionnant territoire allant de 90 à 250 milles carrés. Ils délimitent leur domaine par de l'urine, avertissant ainsi les étrangers de ne pas s'aventurer. Bien qu'ils ne chassent habituellement que les bêtes les plus faibles parmi les espèces comme l'orignal, le cerf, le moufflon; les loups se montrent très hostiles envers le cougar, l'ours et le coyotte. Il ne faut pas que ceux-ci aient le malheur de se trouver dans leurs parages.

- Il me semble, remarqua Pierre, qu'un ours c'est pas mal trop gros pour avoir à craindre de se faire attaquer par un loup, non?

- Ah! tu sous-estimes leur ruse Pierre, lui dis-je. Ce qu'ils font, c'est qu'ils se mettent trois, quatre ou cinq et s'arrangent pour faire grimper l'ours dans un arbre. Ils restent là, en faisant une rotation pour aller boire, jusqu'à ce qu'il soit déshydraté et faible et que, n'en pouvant plus, il descende de l'arbre. Alors, les loups sautent dessus. C'est pour çà que les ours ont peur même d'un seul loup, car ils savent que s'il y en a un, la meute n'est pas bien loin. Le loup, c'est l'ennemi numéro un de l'ours.

- Je me rappelle d'une fois, commença à nous raconter Gilles, où j'étais dans une de nos tours d'observation en Abitibi, deux ours étaient là en train de manger. Un qui devait peser environ cent livres et la mère qui en pesait environ trois cents. Puis, j'ai vu un loup s'avancer dans le sentier. Il a juste fait un petit hurlement, un petit "aoûu" de rien du tout et il était pourtant loin d'où les ours étaient, mais ça été assez pour eux. Ils ont regardé en direction d'où le son provenait et ils se sont aussitôt sauvés, l'un au nord, l'autre au sud. Je n'avais jamais vu quelque chose de semblable!

- En tout cas, ça prouve que l'ours craint le loup, dis-je.

Quand on entendit Isabelle nous crier que le repas était servi, cela mit un terme à la conversation. Avant d'aller manger toutefois, j'allai jeter un petit coup d'oeil à notre loup. Il n'avait pas touché à la nourriture; il s'était contenté de boire un peu d'eau. J'essayai de l'inciter à manger, mais il chercha à me mordre. Après ce que je lui avais fait, c'était un peu normal. Comment aurais-je pu lui en vouloir? Je le laissai donc tranquille et j'allai retrouver mes amis à la table du souper. Après quelques heures à bavarder de choses et d'autres, je décidai d'amener notre loup faire une petite promenade en ville. Il fallait bien que je montre ça à tous mes amis. Après l'avoir solidement muselé, je l'embarquai dans le camion et m'engageai dans la route menant à la ville. Il n'y avait qu'une seule route de toute façon.

Celui que j'allai voir en premier, c'est le gars qui, quelques semaines auparavant, s'était moqué de moi parce que je lui avais dit que je prendrais un loup vivant. Il était très bon chasseur et attrapait des loups au collet; mais il n'avait jamais pu en prendre un vivant. Il fut très étonné et je crois que ce jour-là, je gagnai un peu de son estime. Quant aux Indiens, et bien, ils n'en croyaient pas leurs yeux. Le loup est un animal qu'ils honorent pour sa force, sa ruse et sa vive intelligence. Comme j'avais eu le dessus sur lui, ils eurent alors, à partir de là, un plus grand respect pour ce Dieu qui faisait partie de ma vie et dont je leur avais parlé à plusieurs reprises. Le lendemain matin, j'allai voir le vétérinaire pour qu'il soigne le loup. Malheureusement, le choc des deux motoneiges l'avait laissé à moitié paralysé. Je lui suggérai alors de l'amener à Sept-Iles, la ville d'importance la plus proche, mais il n'y avait vraiment rien à faire; il n'était pas opérable. Ainsi, même si je n'en avais pas envie du tout, je dus l'abattre. Cela me fit beaucoup de peine. Pour finir, je fis cadeau de la peau à l'un de mes amis.

Après cet événement, la vie reprit bien simplement son cours normal. Dans cette ville isolée du grand nord, il faut dire que la vie en général était plutôt paisible. Il n'y avait que les bars naturellement où c'était très mouvementé. Quelques semaines s'écoulèrent donc jusqu'à ce qu'un bon jour, je sentis que je devais m'en aller ailleurs. Où? Comment? Pourquoi? Je ne savais pas trop, mais j'avais cette certitude au-dedans de moi que je devais quitter Schefferville.

Cela faisait déjà un an que je m'étais retiré dans le nord et, pendant ce temps, Denis et Jean avaient acquis suffisamment d'expérience pour que je puisse leur confier la maison. J'étais certain qu'ils étaient en mesure de veiller à ce que tout fonctionne bien. Je partis donc pour Montréal, sans la moindre idée de ce qui m'y attendait. C'est alors qu'au fil des jours, une conviction de plus en plus sérieuse prit racine en moi: celle de me rendre en Israël. C'était comme un appel intérieur auquel je ne pouvais résister. Assuré en moi-même que Dieu avait certainement Son plan dans tout cela, je pris la chose bien simplement par la foi et fit donc les démarches pour me rendre là-bas. Si bien que, dans le temps de le dire, je me retrouvai à bord d'un avion à destination de la Terre Sainte.

Le séjour que j'y fis fut très positif, même si je dus faire face à une violente opposition, autant de la part des Juifs que des Arabes. Il faut dire que dans un pays où c'est illégal de parler de Jésus-Christ, il fallait bien s'y attendre. Toutefois, Dieu était là pour me guider et quand j'étais attentif et fidèle pour écouter Sa voix, je m'en tirais avec quelques crachats ou quelques injures qui ne m'empêchaient jamais de dire ce que j'avais à dire. Je m'étais loué une petite chambre où je pouvais, dans la tranquilité, refaire mes forces. Chaque matin, au bruit de mes pas sur le pavé, les oiseaux s'envolaient et c'est toujours dans la direction qu'ils indiquaient que je partais. C'était là un signe entre Dieu et moi.

Je prêchais dans les rues, sur les places publiques et aux différentes portes de la ville. Des autobus entiers de touristes venus des quatre coins du monde pour visiter tel ou tel site, et pour qu'on leur raconte des événements du passé, avaient droit en plus à un tout autre message. Je leur parlais d'un Jésus toujours vivant qui avait autrefois souffert pour eux dans cette ville et qui leur demandait aujourd'hui encore d'obéir à Sa Parole.

Un matin toutefois, je partis dans la direction opposée à celle qu'indiquaient les oiseaux. Tout se passa bien jusqu'à l'heure du dîner. Sans que je m'en sois rendu compte, je me retrouvai alors entouré par toute une bande d'Arabes, armés de couteaux. En effet, si les Juifs eux, vont plutôt injurier, cracher au visage ou même, comme j'en avais déjà eu l'expérience, lancer des pierres, les Arabes ont des méthodes plus radicales. Je ne voyais pas d'autre solution que de m'enfuir; la poursuite s'engagea aussitôt.

Le problème, c'est que je ne connaissais pas très bien les rues étroites de Jérusalem, alors qu'il me semblait qu'elles n'avaient pas de secret pour eux. Ils connaissaient les raccourcis et je les voyais surgir de tous bords, tous côtés. A un moment donné, j'eus la chance de me retrouver seul dans une ruelle pour quelques secondes et j'en profitai pour me jeter sous une voiture stationnée là. Immédiatement après, j'entendis des bruits de pas, des voix, puis je vis des pieds tout près de moi. Il semblait bien que les Arabes se bousculaient, ne sachant plus quelle direction prendre. Je les entendis s'éloigner. J'attendis une bonne quinzaine de minutes, puis je sortis en courant de ma cachette. J'arrivai face à un mur de pierres que j'escaladai en vitesse, et lorsque j'atterris de l'autre côté, ma surprise fut totale. J'avais devant les yeux une magnifique vallée où un jeune berger faisait paître son troupeau. Les bruits de la ville semblaient loin derrière; ici, tout était calme et paisible. Après l'agitation que je venais de vivre, ce décor et ce silence avaient vraiment quelque chose d'irréel. Je demeurai là, immobile, savourant ce qui était pour moi comme un cadeau du ciel. A ma plus grande joie, les moutons s'approchèrent tout près de moi. Ils me dévisageaient avec des yeux curieux, et certains d'entre eux eurent même l'audace de venir me renifler un peu. Je ne puis dire combien de temps je passai ainsi dans la vallée, car on aurait dit que le temps s'était arrêté. Cela fut une leçon pour moi.

Quelques jours après cette aventure, je me rendis à l'aéroport pour aller chercher quelques-uns de mes amis qui étaient venus me rejoindre avec empressement, après que je les eus invités. Nous avions décidé de se mettre à plusieurs pour évangéliser dans les rues de Jérusalem. En tout cas, j'étais bien content d'être à nouveau parmi mes frères et mes soeurs. On passa la journée ensemble. J'en profitai pour leur expliquer ce qui les attendait et leur donner des conseils. Naturellement, les Juifs et les Arabes les inquiétaient un peu.

- Inquiétez-vous de rien, les rassurai-je. J'ai passé deux mois ici et il ne m'est rien arrivé de grave. La seule fois où ça aurait pu être vraiment dangereux, c'est parce que je n'avais pas été fidèle à obéir à ce que Dieu m'avait inspiré. Soyez fidèles et il n'y aura pas de problème.

- Moi, dit Gino, je n'en reviens pas que les Arabes et les Juifs soient encore en guerre. Ils sont pourtant tous des descendants d'Abraham, un homme de paix, et ils devraient vivre ensemble comme des frères!

- Je ne savais pas que les Arabes étaient eux aussi les descendants d'Abraham, dit Sylvain.

- C'est pourtant vrai, lui répondit Gino. L'histoire de leurs origines nous est racontée au livre de la Genèse. Tu te rappelles, Sylvain, l'histoire de Sara, la femme d'Abraham qui était stérile? Dieu lui avait promis qu'"un héritier sortirait de ses entrailles"[1], mais Sara manqua de foi et de patience et proposa à son mari d'aller vers leur servante, Agar l'Egyptienne, pour avoir un héritier. C'était là une coutume chez les Juifs à cette époque. Agar devint donc enceinte et Dieu lui dit: "Je te multiplierai beaucoup ta semence et elle ne pourra se nombrer à cause de sa multitude"[2]. Il révéla aussi à Agar les traits de caractère de ce peuple innombrable, lui disant que ce serait un peuple du désert formé de guerriers courageux. Ismaël, le fils d'Agar, était âgé de treize ans quand Sara enfanta à Abraham un fils, Isaac. Ces deux enfants grandirent ensemble pendant quelques années puis, comme Ismaël se moquait de son demi-frère, Sara décida de chasser la servante et son fils. Quand Abraham voulut interdire à Sara d'agir ainsi, Dieu lui ordonna de laisser partir la servante et son fils. Ismaël habita donc le désert et devint tireur d'arc. Il se maria plus tard avec une Egyptienne. Lui et sa femme sont les ancêtres du peuple arabe.

- Ce qui est important de comprendre, ajoutai-je, c'est que dans ce qui semble être une banale querelle de famille, Dieu avait un plan bien précis et une mission différente pour chacun des enfants d'Abraham. Ismaël et les douze tribus du désert qui sont issues de lui, devaient peupler le désert et vivre paisiblement sur un vaste territoire. Quand à Isaac et à sa semence, les douze tribus d'Israël, Dieu les avait choisis pour qu'ils soient un témoignage pour les autres nations par les merveilles qu'Il ferait parmi eux et les prophètes qu'Il susciterait d'entre ce peuple.

- Ce qui est dommage, dit François, c'est que deux peuples ayant reçu en héritage une foi aussi précieuse que celle qu'avait Abraham et ayant chacun la bénédiction de Dieu reposant sur eux, soient aujourd'hui divisés à un point tel, qu'ils n'ont même plus la même religion.

- C'est à se demander, dit Nicole, ce qui a bien pu se passer au cours des siècles pour qu'ils en arrivent là, car j'imagine que cette division ne date pas d'hier.

- T'as bien raison, Nicole, ça remonte loin dans l'histoire. Vois-tu, lui expliqua Guy, dans les solitudes du désert, les Arabes ont fini par abandonner le Dieu qui avait béni Ismaël. Ils se sont inventé des centaines d'idoles et de faux dieux, et ils ont oublié la promesse faite à Abraham, leur père, que Dieu bénirait tous ceux qui garderaient Son enseignement.

- Quant aux Juifs, dis-je, même si Dieu prit la peine de leur envoyer Moïse et de leur donner des lois, ils y ajoutèrent tellement de traditions humaines et s'enorgueillirent tellement du fait qu'ils étaient un peuple "élu" qu'ils se laissèrent, eux aussi, complètement éloigner de la foi simple et sincère d'Abraham. Puis quand Dieu envoya celui qui devait ramener les Juifs de leur égarement et les réconcilier avec Lui, ils ne le reconnurent pas. En fait, pendant 2000 ans, les prophètes avaient annoncé la venue de cet envoyé. La Torah et l'Ancien Testament renferment plus de 300 prophéties et figures qui ont toutes été réalisées par Jésus de Nazareth.

- Peut-être que ce serait intéressant, me proposa Pierre, de reviser un peu ces prophéties ensemble. Je crois qu'on va certainement les utiliser beaucoup dans notre évangélisation auprès des Juifs et des Arabes.

- Mais oui Pierre, fis-je. C'est une excellente idée. D'ailleurs, c'est toujours un plaisir pour moi d'examiner les prophéties de la Bible. On dirait qu'on ne se fatigue jamais de les relire. Surtout lorsqu'on est ici en Israël; on est si proche des lieux où tout ça s'est passé. J'ai justement ma Bible à côté de moi. Regardons tout d'abord ce qu'avait annoncé le prophète Michée à propos du lieu de naissance du Messie: "Et toi, Bethléem Ephrata, bien que tu sois petite entre les milliers de Juda, de toi sortira pour moi celui qui doit dominer en Israël, et duquel les origines ont été d'ancienneté, dès les jours d'éternité"[3].

Ainsi, ce Jésus né dans la ville de Bethléem avait en lui l'Esprit de Dieu. Toutefois, sa domination sur Israël n'a pas été celle à laquelle les Juifs s'attendaient. Au lieu d'être un libérateur politique qui aurait chassé les Romains contrôlant alors la Palestine, le Christ fut, au contraire, un Roi spirituel qui devait tout d'abord libérer les coeurs de l'esclavage du péché. Moïse avait bien libéré les Hébreux de la domination des Egyptiens et cela ne les avait pas empêchés de désobéir à Dieu par la suite. Il était donc nécessaire qu'un changement plus profond survienne: une alliance capable d'unir Dieu et les hommes. Jérémie d'ailleurs avait annoncé à l'avance cette nouvelle alliance: "Voici, des jours viennent, dit l'Eternel, et j'établirai avec la maison d'Israël et avec la maison de Juda une nouvelle alliance, non selon l'alliance que je fis avec leurs pères au jour où je les pris par la main pour les faire sortir du pays d'Egypte, mon alliance qu'ils ont rompue, quoique je les eusse épousés, dit l'Eternel. Car c'est ici l'alliance que j'établirai avec la maison d'Israël, après ces jours-là, dit l'Eternel: Je mettrai ma loi au-dedans d'eux, et je l'écrirai sur leur coeur, et je serai leur Dieu, et ils seront mon peuple"[4].

- Est-ce qu'il y a un texte, me demanda Pierre, qui montre clairement que le Messie ne demeurerait pas éternellement sur terre à sa première venue? Moi, je pense que c'est ce que bien des Juifs ont souvent de la difficulté à comprendre. Ils ne savent pas que ce n'est qu'à la fin des temps que le royaume du Christ sera établi sur terre.

- Plusieurs textes en parlent, mais il y a un passage dans le livre de Daniel, lui répondis-je, où il est précisé très exactement, à quel moment le Christ devait retourner vers Son Père. Ce texte, en fait, parle de la mort violente du Messie. Beaucoup de biblistes l'ont appelé la "grande" prophétie de Daniel, car c'est une prophétie plutôt spéciale. Ecoute bien Pierre: "Soixante-dix semaines ont été déterminées sur ton peuple et sur ta sainte ville, pour clore la transgression, et pour en finir avec les péchés, et pour faire propitiation pour l'iniquité, et pour introduire la justice des siècles, et pour sceller la vision et le prophète, et pour oindre le Saint des saints. Et sache, et comprends: Depuis la sortie de la parole pour rétablir et rebâtir Jérusalem, jusqu'au Messie, le Prince, il y a sept semaines et soixante-deux semaines... et après les soixante-deux semaines, le Messie sera retranché"[5].

Ce total de soixante-neuf semaines sont des semaines d'années; en effet, le mot hébreu "septante" signifie une période de sept ans. Soixante-neuf semaines égalent donc 483 années. Les années prophétiques dans la Bible n'ont que 360 jours, alors si on convertit 483 ans en jours, cela nous fait un total de 173,880 jours précisément.

Le point de départ de ce calcul est la "sortie de la parole pour rebâtir Jérusalem". Cette autorisation historique a été donnée par le roi Artaxerxès 1er, dit Longue-Main, à Néhémie le prophète, le 1er Nissan 446 av. J.-C. (14 mars 446 av. J.-C.). Et bien, croyez-le ou non, si on calcule ces 173,880 jours à partir du 14 mars 446 av. J.-C., on arrive au 7 avril de l'an 30 (ce calcul est fait selon notre calendrier, en y ajoutant les années bissextiles qui reviennent à tous les quatre ans et auxquelles on ajoute une journée de plus). Et c'est à cette date précise, selon la plupart des historiens, qu'est mort Jésus de Nazareth. Eclairons un peu tout cela à l'aide d'un petit tableau:

De 446 av. J.-C. à l'an 30, il y a 476 années. Donc

476 x 365 j. = 173,740 jours

Du 14 mars au 7 avril, jour de la mort de Jésus,
il y a (incluant les deux dates):

25 jours

Ajouter 115 jours pour les années bissextiles et nous obtenons un total de:

```
173,740
     25
 +  115
173,880 jours!!!
```

L'année prophétique de la Bible étant de 360 jours, les 69 semaines d'années de cette prophétie de Daniel sont:

```
     69
  x   7
    483
  x 360
173,880 jours
```

Donc, le temps donné par Daniel depuis l'ordre de "RECOMMENCER A RECONSTRUIRE JERUSALEM jusqu'au MESSIE... RETRANCHE", arrive exactement et parfaitement jour pour jour.

Comme le mentionnait la prophétie, sa mort était un sacrifice offert pour les péchés. Voilà pourquoi il devait mourir et retourner à Dieu. Le chapitre 53 du livre d'Esaïe raconte comment le Christ devait souffrir et être rejeté par le peuple. Fait étrange, ce chapitre est omis volontairement lorsque les rabbins font la lecture du livre d'Esaïe et cela dans toutes les synagogues du monde. Ce texte est jugé trop compromettant; selon eux, le "serviteur souffrant" décrit ressemble trop au Jésus des chrétiens.

- Ca n'a aucun sens, enchaîna Gino, que des hommes décident de passer par-dessus un texte que Dieu Lui-même avait inspiré à l'un de ses serviteurs.

- Malheureusement, ajoutai-je, les dirigeants religieux juifs ont passé et passent encore aujourd'hui par-dessus un très grand nombre de textes prophétiques de l'Ancien Testament à propos du Messie. D'ailleurs, ce même Esaïe les avait aussi avertis que le Messie serait "une pierre d'achoppement et un rocher de chute"[6] pour plusieurs, et c'est bien ce qui arriva. Les religieux du temps observaient minutieusement des lois et des traditions, et à cause de cela ils se croyaient justes devant Dieu. Plutôt que de regarder l'amour que Jésus avait et son zèle pour aider les pécheurs à changer, ils n'ont remarqué que le peu d'importance qu'il accordait aux traditions et cela les scandalisa. Il était là pour les reprendre, pour leur enseigner un amour qui dépasse le cadre des lois, mais ils préférèrent le condamner plutôt que d'avouer qu'ils avaient besoin de changer.

- De nos jours, même s'ils nient toujours que Jésus était bien l'envoyé de Dieu, dit Guy, les Juifs ne peuvent tout de même pas nier que son message avait quelque chose d'unique. Spinoza, un écrivain juif, a déclaré: "Jésus est le plus haut symbole de la sagesse juive". En fait, les Juifs ont besoin de Jésus, leur Roi; et tout comme un essaim d'abeilles séparé de sa reine n'a plus rien pour le guider dans la bonne direction, ainsi n'ont-ils plus, sans Lui, personne pour les conduire dans les voies de Dieu.

- Les Arabes eux non plus n'ont pas reconnu Jésus comme le Christ, poursuivis-je. Six cents ans après sa mort s'éleva un prophète, Mahomet, qui les a égarés par son enseignement. Le message du Christ contenait la solution pour que l'humanité entière puisse vivre en paix. En contredisant certains points de ce message, Mahomet rétablissait des lois d'hommes imparfaites, qui ne contribueront jamais à faire vivre comme des frères et des soeurs tous les peuples de la terre. Par exemple, il a affirmé: "Allah aime ceux qui combattent pour sa cause. Les braves tombés sur les champs de bataille montent au ciel". Combattre les ennemis de l'Islam est une morale guerrière et violente bien loin de l'amour et du pardon que doit mettre dans notre coeur la vraie religion. A quoi bon dire que l'on aime Dieu si l'on est incapable d'aimer nos semblables? Jésus a dit: "Aimez vos ennemis, bénissez ceux qui vous maudissent, faites du bien à ceux qui vous haïssent, et priez pour ceux qui vous font du tort et vous persécutent"[7]. En supprimant même toute vengeance, le Christ nous a enseigné la voie pour que nous ne soyons pas surmontés par le mal, mais pour que le bien triomphe.

- Les musulmans ont aussi changé les lois de Dieu sur le mariage, dit François. Jésus avait dit à ses disciples que c'est à cause de la dureté de coeur des Juifs, au temps de Moïse, que celui-ci leur avait permis de renvoyer leur femme. Le Christ, Lui, a défendu aux hommes de renvoyer leurs femmes pour ensuite en épouser une autre. Il considérait la femme l'égale de l'homme et ne permettait pas à l'homme de la traiter en inférieure. Dans la religion musulmane, la femme est réduite à un rôle secondaire et humiliant. "Dans son plus récent rapport sur la population mondiale, le Fonds des Nations-Unies a estimé que les sociétés musulmanes tendaient à maintenir la femme en état de dépendance"[8]. De plus, en ayant plusieurs épouses, je me demande comment un mari peut arriver à rendre pleinement heureuses toutes ses femmes. Pour sûr, ils manquent une grande bénédiction: celle de connaître le bonheur de faire une seule chair. Tel était d'ailleurs le projet de Dieu pour le couple dès la création du monde.

- J'ai rencontré, il y a quelque temps, dit Guy, un musulman qui m'a avoué que la tradition d'avoir plusieurs femmes avait pris naissance en temps de guerre, alors que plusieurs femmes avaient perdu leur mari et éprouvaient des difficultés à survivre, n'ayant pas de métier ni de soutien financier.

- Il y a une chose qu'il ne faut cependant pas oublier, dit Nicole, c'est qu'il y a, autant parmi les musulmans que parmi les Juifs, des hommes et des femmes qui cherchent Dieu et qui peuvent même nous donner, à nous qui sommes chrétiens, quelques leçons. Par exemple, le fait que les musulmans se prosternent devant Dieu cinq fois par jour devrait nous inciter à nous recueillir plus souvent.

- Je suis bien d'accord avec toi, dit Gino. Cependant, avant de venir prêcher à des musulmans, j'ai pris le temps d'étudier à fond leurs rituels et leurs croyances et j'aimerais ça te parler un peu de ce que j'ai appris. Vois-tu, en ce qui concerne la prière, il faut que tu saches que c'est d'abord pour eux un devoir, un commandement et une obligation. Le musulman a l'attitude d'un esclave envers son maître, car il craint la colère de Dieu. Prier ainsi par soumission, sans que cela vienne du coeur, ne rapproche pas de Dieu, au contraire, ça nous tient loin de Lui. Tout comme les Juifs se sont peu à peu détournés de la simplicité dans leur relation avec Dieu, ainsi en est-il des musulmans. Bien que je ne doute pas de leur sincérité, ce n'est pourtant pas ce qui va les amener à la vérité.

- Et qu'est-ce que tu sais du fameux "jeûne du Ramadan"? demanda Nicole. J'ai entendu dire que cela durait pendant un mois, est-ce que c'est vrai?

- Effectivement, ça dure trente jours, lui répondit Gino, mais c'est moins impressionnant quand on sait que chaque soir, à partir du crépuscule, les musulmans ont le droit de manger. Ainsi, autant le jeûne que la prière ont bien une apparence de piété, mais quand on y regarde de près, ça ressemble plus à de simples ordonnances. L'Islam est une religion qui met l'accent sur ce que l'homme doit faire pour Dieu. Les musulmans jeûnent, prient et respectent tous les rituels de leur religion, parce qu'ils considèrent qu'ils ont une dette envers Dieu et qu'ils croient obtenir le paradis par tous leurs sacrifices. Selon eux, l'homme doit faire des oeuvres pour se sauver, alors que le message de l'Evangile parle de ce que Dieu a fait pour sauver l'humanité. Le message du Christ apporte aussi la paix de l'âme, car il parle du pardon que Dieu accorde à ceux qui se repentent. Les fidèles de l'Islam, eux, doivent être sûrement tourmentés de ne jamais savoir si oui ou non, Allah leur pardonnera, ou si leurs oeuvres suffiront à les racheter.

- Moi, dit Guy, ce qui m'a toujours étonné, c'est que les musulmans prétendent qu'Allah n'aime que les musulmans.

- Une chose est certaine, les amis, leur dis-je, c'est qu'il ne faut pas juger et mépriser les autres à cause de leurs erreurs, mais plutôt les reprendre avec amour et douceur.

- Et la résurrection du Christ, s'informa Pierre, qu'est-ce qu'il dit de ça, Mahomet?

- Il dit que ce n'est pas Jésus-Christ qui a été crucifié, mais un autre à sa place; donc il ne croit pas à la résurrection. En plus de contredire toutes les prophéties écrites à ce sujet, il se permet de donner son avis sur un événement qui s'est passé 600 ans avant lui. Les apôtres, qui ont vécu avec le Christ, ont un témoignage qui pèse bien plus lourd. Jésus-Christ a été ressuscité d'entre les morts pour montrer aux nations du monde que c'est Lui que Dieu avait choisi. Mahomet est mort de maladie comme n'importe quel homme. Son tombeau, que de nombreux fidèles visitent à chaque année, en est la preuve. Au fond, le problème c'est que Mahomet n'a jamais compris qui était le Christ, car il était bien plus qu'un simple prophète. Il a bien reconnu dans le Coran (3,40) qu'il est le Verbe de Dieu et un de ses familiers, mais il n'a jamais voulu admettre qu'il était le Fils de Dieu, sous prétexte que Dieu ne peut avoir couché avec une femme.

Ce qu'ils ignorent, continuai-je, c'est que le mot "fils" a aussi un autre sens. La Bible parle des "fils des prophètes" pour désigner leurs disciples. Jésus aussi est fils dans un sens tout à fait particulier. Il était si plein d'amour, si bon, si saint, que ceux qui l'ont le mieux connu pensèrent de Lui: si Dieu était sur terre sous la forme d'un homme, Il serait comme Jésus! N'ayant pas de mot pour désigner une personne comme lui, ils l'appelèrent Fils de Dieu.

- C'est dommage, dit François, que toute la sincérité qu'ont pu avoir les Juifs et les musulmans dans leur amour pour Dieu n'aient jamais pu venir à bout de toute la haine et la violence qui déchirent ces peuples depuis des années. Ca n'a vraiment pas d'allure de se chicaner de même!

- Est-ce qu'il y a quelqu'un qui pourrait m'expliquer, demanda Sylvain, pourquoi exactement ils se font la guerre? Moi, je suis un peu perdu dans toute cette histoire...

- Je peux bien essayer de t'éclairer un peu là-dessus, dit François. Vois-tu, tout a commencé avec la création de l'Etat d'Israël en 1948 alors que tous ceux qui habitaient la Palestine se sont retrouvés dans l'obligation de quitter le pays. Aujourd'hui, après bien des événements qui seraient beaucoup trop longs à t'expliquer, tous ces gens sont réfugiés dans des camps à Jérusalem-Est, en Cisjordanie et sur ce qu'on appelle la Bande de Gaza. Sur ces territoires occupés par les Israéliens, les gens ont commencé, en décembre 1987, à se révolter. C'est ce qu'on appelle l'Intifada, le soulèvement des 1,7 million de Palestiniens contre la présence des militaires israéliens, les couvre-feux, la fermeture des écoles, les emprisonnements, etc. Ce qu'ils réclament: un état indépendant et souverain avec Jérusalem-Est comme capitale.

- Si je ne me trompe pas, François, dit Sylvain, leur porte-parole c'est Yasser Arafat, hein?

- Oui, c'est ça. Il a d'abord été le chef de ce qu'on appelait l'OLP, l'Organisation pour la Libération de la Palestine; ce mouvement utilisait entre autres, le terrorisme comme moyen de pression et avait pour but de détruire Israël. Toutefois, au mois de novembre 1988, lors d'une réunion à Alger, au cours de laquelle il a proclamé un Etat palestinien indépendant dans les territoires occupés, Arafat a déclaré abandonner toute forme de terrorisme et a reconnu l'Etat d'Israël. Autrement dit, si Israël acceptait de leur donner les territoires qu'ils réclament, les Palestiniens accepteraient de vivre à leurs côtés sans plus vouloir les anéantir. De nombreux pays ont vu dans une telle attitude un espoir de paix, si bien qu'au mois de décembre, l'ONU reconnaissait la Palestine comme un Etat indépendant.

- Et Israël dans tout cela? demanda Sylvain. Comment ont-ils réagi?

- Le premier ministre Shamir est persuadé que tout cela n'est que de la tromperie. Il a déclaré: "l'OLP ne peut pas changer, car sa raison d'être c'est de détruire Israël". Pour lui, les déclarations de paix d'Arafat sont des instruments de guerre. L'article 22 de la charte de l'OLP qui fixe comme objectif la disparition de l'Etat d'Israël n'a pas été aboli et cela, Shamir ne le sait que trop bien. C'est pourquoi il continue de refuser d'accorder aux Palestiniens ce qu'ils demandent, même s'il y a maintenant 99 pays qui ont reconnu l'Etat de la Palestine et qui voudraient voir Israël faire de même.

- Le pire dans tout ça, dit Nicole, ce sont tous ces innocents qui subissent les conséquences de cette dispute pour des morceaux de territoires. Je lisais dernièrement que, depuis le début de l'Intifada, plus de 450 Palestiniens ont été tués par l'armée israélienne, 7,000 ont été blessés, 15,000 ont subi des arrestations, 12,000 ont été emprisonnés et une bonne cinquantaine ont été déportés. Du côté des Israéliens, il y a eu 11 morts.

- Le gouvernement israélien a deux choix, poursuivit François. Ou il continue d'exercer son contrôle sur les Palestiniens, ou il accepte d'échanger des territoires contre la paix. Ce dernier choix est lourd de dangers, mais il apparaît comme le seul moyen de faire cesser un cycle de violence sans fin et d'éviter en plus l'isolement international. Pour le moment, ils n'ont même pas encore voulu entreprendre de dialogue avec l'OLP, alors...

- Vous savez, les amis, dis-je, la lutte pour la possession et le contrôle de Jérusalem ne date pas d'hier. Elle dure depuis plus de 3,000 ans. Je ne veux pas être pessimiste, mais je ne crois pas que ni les pourparlers entrepris entre Israël et les Etats-Unis ou l'U.R.S.S.

pour trouver une solution au Moyen-Orient, ni même la création de l'Etat de la Palestine n'apporteraient la paix dans ce coin du monde. L'humanité ne connaît pas le chemin de la paix pour la simple raison qu'elle n'a pas accepté le message du Christ. Juifs et Arabes auraient besoin de se rendre compte que seule une croyance sincère dans ce message est capable de détruire les barrières entre les religions et les nations. Alors seulement pourrait cesser la dispute entre ces deux frères...

Bien sûr, pendant leur séjour en Israël, mes amis connurent eux aussi le mépris, les injures et même les persécutions de la part de certains Juifs et Arabes. Pierre passa dix jours en prison dans des conditions assez difficiles; Gino, lui, fut battu sauvagement par des Arabes qui ne reculèrent pas devant ses six pieds cinq pouces et François se fit casser ses lunettes dans une autre bagarre. Nicole, bien qu'elle n'évangélisait pas, car elle était enceinte à ce moment-là, subit le mépris des rabbins qui l'évitaient dans les rues sous prétexte qu'elle était "impure". Mais partout où ils allèrent, ils rencontrèrent aussi beaucoup de gens, autant Juifs qu'Arabes, qui virent leur foi et leur courage. Ceux qui aimaient sincèrement Dieu et qui n'étaient pas seulement attachés à des traditions, eurent le goût de connaître eux aussi ce Dieu qui nous donnait, à mes amis et moi, tant de force et de zèle.

---

1. Livre de la Genèse, chapitre 15, verset 4
2. Livre de la Genèse, chapitre 16, verset 10
3. Michée, chapitre 5, verset 2
4. Jérémie, chapitre 31, versets 31 à 33
5. Daniel, chapitre 9, versets 24 à 26
6. Esaie, chapitre 8, verset 14
7. Evangile de Matthieu, chapitre 5, verset 44
8. Journal de Montréal, 18 mai 1989

CHAPITRE 22

LE SOCIALISME CHRÉTIEN

Le 1er novembre 1985, je réunis à Drummondville les membres de mon organisation, afin de leur faire part de mon intention de m'impliquer politiquement aux élections provinciales du 4 décembre de la même année. J'avais, en fait, convoqué tous les responsables des centres "Nouvel Horizon" qui étaient arrivés le jour même des différents coins de la province. Bien entendu, l'annonce que je fis ce matin-là, à tous ces jeunes rassemblés autour de moi, provoqua la surprise générale.

Malgré notre travail commun, les opinions étaient partagées. Certains hésitaient à se lancer dans une pareille aventure, vu qu'il ne nous restait qu'un mois pour faire notre campagne électorale. D'autres, au contraire, étaient très contents et très enthousiastes. Ils étaient même impatients d'en savoir plus long. Je demandai donc le silence, puis, une fois le calme rétabli, je commençai mon premier discours électoral:

- Mes amis, ne croyez surtout pas que c'est un projet insensé, au contraire, c'est une occasion unique de faire entendre nos voix auprès du peuple québécois. Voyez-vous, cela fait des années qu'on combat ensemble contre la drogue, l'alcool, la délinquance, la criminalité et les vices de tous genres, et qu'on essaie de répandre dans la société des valeurs morales et spirituelles solides. Mais vous savez comme moi, combien c'est difficile de se battre contre ces vices, quand on est en bas de l'échelle et que le gouvernement, lui, du haut de l'échelle, tolère et encourage la corruption. C'est comme si un petit enfant essayait d'éteindre une maison en feu avec des verres d'eau; il n'y arriverait jamais malgré tous ses efforts et toutes ses bonnes intentions. Il aurait besoin que les pompiers lui viennent en aide, c'est évident. Nous aussi, il nous faut une plus grande autorité et un plus grand pouvoir afin d'être en mesure d'éliminer le mal avec efficacité. La société doit absolument être purifiée des vices qui la corrompent et la détruisent. Le Québec a donc besoin, plus que jamais, d'un gouvernement qui soit socialiste chrétien puisqu'il serait en mesure d'éliminer le mal à sa source.

Au mot "socialiste", ils furent tous un peu étonnés, je dirais même ébranlés.

- Tout d'abord, continuai-je, il faudrait se libérer de cette espèce de lavage de cerveau négatif que l'on subit dans les pays capitalistes. Beaucoup trop de monde ignorent ce qu'est le vrai socialisme. Ce n'est pas une dictature militaire et ce n'est pas non plus le communisme tel qu'on le voit aujourd'hui dans les pays de l'Est, mais tout simplement un système politique qui veut l'égalité sociale. Quant au vrai communisme, il a pour but de distribuer les biens d'un pays également à tous, et d'en faire la propriété du peuple. Qu'est-ce qu'il peut y avoir de mauvais là-dedans? Rien naturellement. Ce qui est mauvais, c'est ce que l'on fait au nom du socialisme et du communisme. En réalité, les pays qui se disent socialistes ou communistes ont tellement de difficulté à mettre en pratique, même au sein de leur parti, ce que le vrai socialisme leur demande, qu'à la fin ils sont bien loin de l'être.

Pour dire vrai, la presque totalité des pays soi-disant socialistes, sont des dictatures d'Etat soutenues par un puissant pouvoir militaire où le gouvernement possède tout, contrôle tout et dirige tout et où les gens n'ont presque plus de liberté. En plus, le socialisme actuel est athée et il est bien loin de produire des coeurs remplis d'amour pour les autres, ce qui est pourtant essentiel si on veut construire un monde meilleur. Au contraire, ce qu'on obtient, ce sont des régimes de terreur menés par la violence et la haine. Mais ce n'est tout de même pas parce que le socialisme actuel est malade qu'il faut avaler le mensonge qu'il n'est pas bon.

La réalité est que le socialisme doit absolument être chrétien pour être quelque chose de réalisable. En effet, seuls les principes chrétiens du Nouveau Testament et la foi sincère en Dieu ont cette puissance de transformer le coeur des gens. Ainsi, un socialisme chrétien mené de l'avant par des chrétiens authentiques qui vivent le message du Christ dans leur quotidien et qui ont le pouvoir politique, bien qu'il ne puisse pas tout changer automatiquement, influencerait nécessairement le peuple à l'amour, au partage, à la justice, pour la simple raison que tout cela leur serait imposé et enseigné. Comment pourrait-il en être autrement? Dieu est juste et Il considère tous les êtres humains égaux; le socialisme n'est que le moyen qui nous permette de vivre dans la justice et l'égalité.

Les premiers chrétiens vivaient en communauté, dans le partage, la fraternité et la simplicité. Et nous aussi, nous vivons ce socialisme depuis des années à l'intérieur de nos centres. Il nous a pourtant fallu faire des efforts et changer pour être capables de vivre ainsi, car dans le passé, nous avions tous vécu en capitalistes. Nous menions des vies égoïstes; bien loin de nous préoccuper des autres, nous cherchions notre intérêt en tout temps. Partager nous faisait peur, car nous craignions toujours de perdre ou de manquer de quelque chose. Il a vraiment fallu que le Christ change nos entendements pour que la vie de communauté devienne un plaisir. C'est là d'ailleurs la base du socialisme: il doit tout d'abord être implanté dans le coeur de chacun. Alors si nous avons réussi à vivre ce socialisme en petit groupe, nous sommes certainement capables de l'appliquer à une plus grande échelle. Pourquoi donc ne pas mettre sur la place publique certaines de nos convictions acquises au fil des ans? Le point important dans tout ceci est bien simple: un gouvernement qui est un modèle de vie chrétienne pour son peuple, à travers la vie de chacun de ses membres peut, sans crainte, imposer ce modèle à toute une société puisqu'il le met en pratique lui-même.

Laissez-moi maintenant vous expliquer les points importants de mon programme politique. Je vous suggère fortement de prendre des notes. Premièrement, je trouve tout à fait inacceptable que des élus du peuple, députés et membres du gouvernement, gagnent en salaire deux ou trois fois plus d'argent, sinon davantage, que le simple citoyen. Il faudrait réduire leur salaire. Il faut mettre tout le monde sur un même pied d'égalité. Le luxe et le gaspillage des gouvernements actuels sont effrayants: limousines, comptes de dépenses personnelles, voyages à l'étranger, hôtels de luxe, conventions, ne sont que quelques-unes de leurs dépenses inutiles. Ce n'est pas en se permettant une vie luxueuse, loin du peuple et de ce qu'il vit dans sa lutte de tous les jours, qu'ils peuvent se pencher sérieusement sur les problèmes sociaux. Ils devraient sortir de leurs tours d'ivoire remplies de paperasses de tous genres et se mêler à la réalité quotidienne du peuple, afin de mieux comprendre les gens et de trouver des solutions concrètes et efficaces à leurs problèmes.

Une société socialiste doit aussi envisager le travail dans une optique tout à fait différente de celle du capitalisme. C'est là mon deuxième point important. Le capitalisme utilise les travailleurs pour permettre aux intelligents et aux riches de s'amasser des fortunes. Comme si les travailleurs étaient des outils! Personne n'a le droit d'utiliser son semblable. Les compagnies n'ont pas le droit de faire de l'argent sur le dos des gens en réalisant d'énormes profits; pas plus que les patrons n'ont le droit d'exploiter les travailleurs. Les profits d'une entreprise doivent être partagés. Tous les travailleurs ont droit à leur part de profits, pour la simple et unique raison que ce sont eux qui font la production et qu'ils sont nécessaires tout autant que le patron, sinon plus. Le patron qui gagne par exemple 200,000 dollars par année devrait avoir son salaire réduit à 25,000 dollars; ceci permettrait de créer huit emplois à 25,000 dollars par année. Je suis presque certain qu'il n'y aurait plus de chômage. De plus, de cette façon, on pourrait limiter la semaine de travail pour tout le monde, puisqu'on aurait plus de travailleurs pour la même quantité d'argent. Cela libérerait les gens de la pression de l'argent et du stress causé par le surmenage. Ca leur donnerait également la chance de vivre et de pouvoir s'occuper de leur famille.

Le travail est un droit fondamental de tous les individus, qu'une société doit garantir à tous. Comment accepter que des gens soient mis à la porte et remplacés par des machines parce que c'est plus rentable, sans même qu'on ne s'occupe de leur trouver un autre emploi? Comme si les profits d'une entreprise étaient plus importants que la personne humaine! Voyez-vous, si on s'efforçait de partager davantage le pouvoir avec le peuple, au lieu de le garder concentré dans les mains d'une petite poignée de gens, on le libérerait de l'exploitation et des injustices dont il est souvent victime, car le peuple ne s'exploitera jamais lui-même. Du même coup, on élimine les classes sociales qui n'ont d'ailleurs aucune raison d'exister. Si les hommes sont tous égaux, ils ont donc tous droit aux mêmes privilèges, alors pourquoi y en aurait-il des plus choyés que d'autres?

Le troisième point important, c'est qu'on doit revenir à une vie plus simple: la nature, la terre, la vie à la campagne, l'agriculture. Il faudrait faire au Québec un relevé des terres incultivées et permettre à tous ceux qui n'ont pas d'ouvrage ou qui vivent sur le bien-être social, de s'occuper de les rendre productives. Beaucoup de jeunes qui dépriment dans nos grandes villes, en n'y sachant pas trop quoi faire, seraient tout simplement emballés de s'installer sur leur terre, si on les appuyait sérieusement. Si le gouvernement donnait un mille carré à tout le monde, ça créerait pas mal d'emplois! Ca prendrait des gens pour ouvrir des routes par exemple, et pour toutes sortes d'autres travaux. On exploiterait chacun sa terre et tout le monde serait content. On devrait promouvoir l'agriculture en aidant les gens au maximum pour qu'ils puissent vivre de la culture ou de l'élevage; on pourrait leur fournir, en plus du matériel nécessaire, toute l'assistance et les conseils dont ils auraient besoin.

Un pays comme le Canada, en 1984, a accordé des crédits d'environ quatre milliards de dollars à l'armée canadienne pour une flotte d'hélicoptères et pour la modernisation de quelques bateaux de la marine. Avez-vous une idée de la quantité de tracteurs que l'on pourrait acheter avec cette somme d'argent, ou plutôt du nombre de fermes que l'on pourrait mettre sur pied? L'étonnant total de quatre mille fermes à un million de dollars chacune. Et quoi d'autre encore?

L'agriculture est une grande richesse. La production de toutes ces terres en activité pourrait permettre à tout le monde de faire leur épicerie à des prix raisonnables et de se nourrir d'une façon plus saine. On pourrait même donner à manger aux ventres affamés du "Tiers-Monde" si on produisait davantage en cultivant toutes les terres jusqu'ici inutilisées. On pourrait également faire des échanges économiques avec les pays socialistes et ainsi être appuyés par eux.

La province de Québec a assez de potentiel pour se suffire à elle-même, soyez-en assurés.

De plus, il faudrait interdire la chasse et la pêche pendant une période de cinq ans, afin de permettre aux gibiers et aux poissons de procréer.

Un autre point important, c'est qu'il faut éliminer le fléau de la drogue qui ravage notre société en détruisant notre jeunesse. Pourquoi ne pas faire le ménage une fois pour toutes? Nos jeunes sont exploités par des capitalistes sans scrupules qui font des fortunes à les droguer. Pourquoi les laisse-t-on faire? Combien de femmes se prostituent à cause de la drogue? Combien de danseuses nues sont, elles aussi, sous l'emprise de la drogue? Combien de jeunes sont derrière les barreaux à cause de la drogue? Les fournisseurs et les gros vendeurs de drogue devraient être anéantis sans délai. Qu'on les mette à mort, puisque c'est ce qu'ils font eux-mêmes avec nos jeunes gens et nos jeunes filles. Que l'armée s'en mêle! Qu'on sorte les M-l s'il le faut. Je me demande par bout, ce que nos sociétés attendent pour passer à l'action. Il faut mettre un terme à la traite des blanches. Il faut libérer les danseuses nues et leur redonner leur dignité.

Vous savez tous comme moi que si nos sociétés aidaient davantage les criminels, les drogués, les prostituées, il y aurait moins de crimes. Ils ont besoin de réhabilitation et de réinsertion sociale. Ils ont besoin d'être aidés, appuyés, encouragés, orientés vers une nouvelle vie, au lieu d'être rejetés et condamnés. Ce n'est pas en les enfermant entre quatre murs qu'ils vont s'améliorer, au contraire, en faisant cela on les rend encore pires. On en arrive même à croire que les prisons sont une espèce d'industrie qui est bien florissante lorsque les cages sont pleines, puisque de cette façon, les gens qui travaillent dans cet engrenage sont assurés de leur emploi. C'est à coup de centaines de millions de dollars qu'on construit de nouvelles prisons. L'important, c'est que la roue continue à tourner. Résultats concrets: au Canada par exemple, le coût annuel d'un détenu est de 42,000 dollars par année, le taux de récidive est de 80% et les prisons sont pleines à craquer.

Le système pénitencier doit devenir un système de réhabilitation et de rééducation, sinon on perd notre temps. Nos prisons sont des universités du crime, parce qu'on n'aide pas les gens. A quoi bon mettre ensemble des gens qui s'influencent au mal? C'est la vieille logique de la pomme pourrie: s'il y a un paquet de pommes pourries dans le même sac, croyez-moi que ce qui est bon ne survit pas très longtemps. Il faut combattre le négatif par du positif. Et la réhabilitation, c'est possible! Je le sais par expérience. J'ai été moi-même criminel, drogué, alcoolique, violent, etc., et je ne le suis plus aujourd'hui, parce que des gens ont eu l'amour et la détermination de me prendre en main. Et depuis dix ans que je m'occupe d'en aider d'autres, j'ai vu plein de monde changer. Le drame de nos systèmes actuels, c'est qu'ils ne croient pas à la réhabilitation, puisqu'ils n'ont pas de solution pour transformer les gens en profondeur. La seule thérapie efficace, c'est la Bible, car elle s'attaque à la source des problèmes. Et cette source, c'est le coeur humain évidemment. Toute thérapie qui n'est pas spirituelle ne fera qu'effleurer le problème.

Il faudrait aussi s'attaquer au système judiciaire et le transformer complètement parce qu'il est injuste, corrompu par l'argent et tout à fait absurde. Les avocats ne sont pas là pour prendre la défense des innocents, mais pour faire de l'argent et défendre des criminels. Les procès sont trop souvent des pièces de théâtre où tout est décidé à l'avance à cause de l'argent. Bienheureux celui qui a les finances pour acheter les auteurs de la pièce! Les avocats font fléchir la loi et lui enlèvent la force qu'elle a de faire trembler ceux qui font le mal. Pourtant, ça devrait être la justice qui importe, et non l'enrichissement d'une petite poignée de gens qui savent jouer avec la loi et qui sont de fins parleurs.

Quant aux juges, ils ne devraient pas avoir besoin de personne pour décider du sort d'un criminel. Tout ce qu'il nous faut, ce sont des juges droits et intègres qui appliquent la loi telle qu'elle est, en une seule rencontre, sans discussion, sans remise en question, sans retour en cour, sans bureaucratie, sans procédure, et sans acception de personnes surtout. De cette façon, les choses seraient très simples et très justes. Il faut aussi changer le code pénal, car trop de jeunes sont en prison injustement pour de longues sentences. Sous l'emprise de la drogue, ils ont commis des délits dont souvent ils ne se souviennent même pas. Ce ne sont pas des criminels, ils auraient juste besoin d'être soignés.

La loi doit être plus sévère aussi pour que les gens craignent de faire le mal, sinon rien ne changera. Il faut absolument mettre en vigueur la peine de mort pour tous les crimes graves: meurtres, viols, trafic de drogues chimiques, etc. Tous les autres crimes doivent avoir chacun une sentence fixe et précise, qui est la même pour tout le monde. Avant de mettre les gens à mort, il faut cependant leur donner au moins une chance de changer; mais une chance, pas plus. S'ils commettent un autre crime grave, qu'on les élimine, un point c'est tout. Les autres vont y penser deux fois avant de recommencer. Il faut savoir punir sévèrement et savoir aider. Voilà la justice.

Ceci m'amène à parler de l'armée. J'ai toujours cru que l'armée était l'endroit idéal pour inculquer une bonne discipline à des individus, en particulier les jeunes, mais certainement aussi à des criminels qui ont besoin de changer leur comportement. Il faudrait d'abord éliminer toutes ces histoires de grades qui n'en finissent plus, et accorder les mêmes droits à tous. Si quelqu'un a la tâche de diriger les autres, c'est qu'il a les aptitudes pour le faire. Ca ne veut pas dire pour autant qu'il doive dominer sur les autres. Une fois l'armée transformée pour qu'il y règne l'égalité, le partage, le travail d'équipe, la simplicité et la discipline, on ne risquerait qu'une chose: communiquer à notre jeunesse des valeurs de vie essentielles. En imposant le service militaire à tous les jeunes, on les obligerait ainsi à subir cette influence positive et on pourrait aussi en profiter pour leur donner une base de foi.

Imaginez un instant que nos armées actuelles oublieraient totalement toutes ces histoires de guerre et de stratégies militaires qui n'apportent pas grand-chose de constructif à un pays, et s'occuperaient plutôt de la formation et de l'éducation morale et spirituelle de ceux qu'elles enrôlent ou, principalement, de ceux que la société leur confierait. Imaginez encore que l'armée serait impliquée dans toutes sortes de projets et de travaux publics, tels que construction de routes, ponts, édifices publics, culture des terres, défrichage, nettoyage, dépollution, protection des citoyens, travail dans des entreprises qui profitent à toute la société, etc. Et bien, cette armée renouvelée créerait un milieu bien particulier, où nos criminels et tous ceux qui ont besoin de réhabilitation auraient la chance, tout en recevant de l'aide, de jouir d'une bonne vie équilibrée.

En leur donnant de la discipline, de la moralité, en les habituant au travail et à une vie sociale authentique avec tout ce que cela implique de partage, d'entraide et de communication, on ferait sans doute ce qu'il y a de mieux pour les réintégrer à la société et à la vie normale. De plus, nos criminels payeraient leurs crimes en étant productifs pour la société au lieu de lui coûter des fortunes, comme cela est le cas aujourd'hui. On pourrait donc sans crainte, imposer des stages de six mois, d'un an ou plus, tout dépendant de l'individu, à ceux qui sortent d'un temps de réflexion en cellule et qui sont décidés à changer. Il est évident que des gens ayant purgé des peines de cinq, dix ou quinze années dans le système carcéral actuel, exigeraient certainement plus de temps pour se réhabiliter et s'adapter à la vie sociale, mais cela n'est pas impossible, loin de là. Il faut tout juste de la détermination, de la patience, un milieu sain et des gens qui prennent soin d'eux et qui leur communiquent de bonnes influences. Ainsi, en mettant nos criminels avec des gens qui fonctionnent bien et qui, en plus, ont une bonne discipline de vie, on ne pourrait que les aider. C'est ce que j'appelle combattre le mal par le bien.

Les résultats seraient très étonnants, j'en suis sûr. Si un criminel récidive dans un crime léger, et bien, on recommence avec un autre stage dans l'armée, cette fois-ci deux fois plus long. Peut-être cela est-il plus exigeant que d'enfermer les gens dans des cages pendant dix, quinze, ou vingt ans, mais au moins on leur donne une chance de changer et de commencer une vie nouvelle. Une fois ce test d'armée réussi, l'Etat, pour les appuyer davantage, pourrait très facilement leur donner des terres, leur fournir une habitation, leur garantir un emploi, s'occuper d'eux au maximum au lieu de les abandonner à leur sort. On n'a qu'à se servir de notre imagination pour créer des projets et leur trouver des débouchés. Je crois sincèrement que c'est un devoir que notre société a devant Dieu de s'occuper de ses prisonniers, un devoir qu'elle a trop longtemps sérieusement négligé.

Il faut aussi agir au niveau des milieux d'enseignement. A quoi bon instruire nos jeunes si on ne leur communique pas la moralité dont ils ont besoin pour discerner entre le bien et le mal? On doit remettre l'éducation religieuse dans tous les milieux scolaires et universitaires. Il ne s'agit pas de leur laver le cerveau avec de la religion, mais plutôt, que des croyants véritables leur communiquent une foi authentique, riche et vivante. Notre monde est plein de dangereux instruits qui ne croient plus en Dieu et qui ont une moralité complètement à l'envers.

Un autre point important: la société a aussi un devoir moral, auquel est étroitement relié le bien-être intérieur de son peuple et dont elle doit s'occuper, tout autant que le reste. Il est devenu urgent de nettoyer la société du désordre sexuel dans lequel elle est plongée présentement, sinon on la détruit à sa racine. Pourquoi? Parce que, comme vous le savez peut-être, la cellule familiale est la base de la société et c'est elle qui est attaquée premièrement par tous ces vices sexuels. La famille doit donc être protégée. C'est un autre des devoirs d'une société juste. Ainsi, il faut éliminer la pornographie sous toutes ses formes, car elle pollue les esprits et dénature la sexualité. Il faut abolir l'exploitation sexuelle de la femme à travers la prostitution, la publicité et les revues, et détruire tous les clubs de danseuses nues qui font de nos jeunes filles une marchandise pour pervers et frustrés. Il faut prévenir les gens que la sexualité libre, l'adultère, l'homosexualité et la masturbation sont des comportements sexuels déréglés.

Il faut combattre ce mal sexuel en éduquant les gens sur ce qu'est la saine sexualité. Au lieu d'utiliser nos affiches publicitaires pour stimuler les gens à la consommation, pourquoi ne pas organiser des campagnes nationales d'éducation morale qui dénonceraient les faux comportements sexuels et revaloriseraient le mariage, la fidélité, la famille? Pourquoi ne pas influencer les gens au bien, à la pureté, à la maîtrise de soi, au respect des lois de Dieu, au lieu de laisser les vices répandre leur venin mortel partout? Ne serait-ce pas plus constructif? Il faudrait aussi instaurer des lois, assurant aux jeunes le respect de leurs droits partout dans le monde. Il faudrait remettre le prix des transports en question pour permettre à nos jeunes de voyager à travers le pays. C'est l'année des jeunes, il faudrait bien faire quelque chose de concret pour eux!

En terminant, j'aimerais vous parler un peu d'un système politique qui, selon moi, s'approche de cet idéal socialiste plus que n'importe quel gouvernement actuel. Ce système est la "Jamahyria" socialiste et populaire, mise de l'avant en 1969 par la révolution du colonel Muammar El Kadhafi, en Lybie. Fait étonnant, il a réussi sa révolution sans un seul coup de feu. Le peuple entier était avec lui. Tout d'abord, il a mis tous les exploiteurs capitalistes en dehors du pays et a nationalisé les compagnies pétrolières. Ensuite, il a donné le pouvoir au peuple. Il a fait de l'habitation un droit automatique pour toutes les familles à qui maisons et logements sont donnés par l'Etat. Il a proclamé le droit à la terre. Les terres sont données à ceux qui les veulent, dans la mesure où ils s'engagent à les rendre productives.

En fait, en Lybie, tous les besoins essentiels de la vie sont des droits de base pour tout le monde. Logement, nourriture, vêtement et éducation sont pratiquement gratuits. Puis, pour enrayer tous les ravages de l'alcoolisme, dont le taux était particulièrement élevé dans ce pays, le gouvernement Kadhafi a totalement interdit l'alcool et fermé les bars et les clubs. Aux grands maux, les grands moyens! Il a aussi passé la peine de mort pour le trafic de drogue. Il a enlevé toutes les formes de pornographie et d'exploitation sexuelle. Enfin, il a sérieusement influencé tout le pays à une plus grande foi, au respect de la religion, à la prière et à une profonde unité spirituelle, parce qu'il savait très bien que c'est la seule force capable de créer, au sein d'une nation, une fraternité puissante. Quoiqu'on en dise, je respecte ce que cet homme du désert a accompli dans son pays.

Mes amis, pour conclure, j'aimerais vous prévenir que nous allons rencontrer de l'opposition, car quand on parle de redresser des situations qui sont mauvaises, on dérange bien entendu. Les médias vont sans doute me juger et chercher à nous démolir, mais ne vous arrêtez pas à cela, montrez-leur que vous êtes convaincus et vous en convaincrez d'autres! Ne vous inquiétez pas non plus même si vous n'avez pas beaucoup d'instruction, ni de beaux habits; soyez vous-mêmes et parlez simplement aux gens de ce que vous prêchez depuis des années. Ce sera une campagne électorale que nous mènerons sans aucun budget. On va leur montrer qu'on est capable de faire de la politique sans que ça nous coûte un sou. Allez vous inscrire, faites du porte-à-porte et parlez aux gens que vous rencontrerez dans les maisons. Prenez contact avec les journaux, la T.V., la radio; allez dans les cégeps, les universités, partout où il y a du monde à rencontrer. Exposez à tous notre programme politique, et vous serez surpris du nombre de personnes qui vont vous écouter.

N'ayez surtout pas peur de leur dire la vérité sur ce qui se passe dans les bas-fonds de la société, car le gouvernement ne veut jamais laisser paraître que ça va aussi mal. Les politiciens camouflent les problèmes, car ils ont peur de la réaction des gens. Mais vous, ne soyez pas craintifs, car les gens ont le droit de savoir ce qui se passe vraiment en profondeur. Vous vous êtes mêlés à tous les milieux de la société pendant assez longtemps pour avoir maintenant des trésors d'expériences vécues à leur raconter.

Après avoir mis au clair les points essentiels de notre programme, nous nous sommes séparés les comtés de manière à avoir un député dans chacune des 122 circonscriptions. Nous avons réglé les derniers détails en mangeant la pizza qu'on s'était fait livrer. Inutile de vous dire que les conversations étaient des plus animées. Certains émettaient leurs craintes, d'autres, leurs espoirs, s'imaginant déjà ce qu'ils feraient lorsqu'ils seraient élus et de quel ministère ils voudraient être chargés. Des questions, des rires, des éclats de voix se firent entendre jusqu'à tard dans la nuit. Le lendemain, c'était dimanche et nous sommes tous retournés dans nos maisons respectives en méditant sur le travail qui nous attendait.

Pas besoin de vous dire qu'on nous a complètement démolis. Les journalistes ont déformé nos propos et ont donné une fausse image de notre programme. Ils nous ont condamnés à l'avance et nous ont fermé les portes, préférant faire un scandale plutôt que d'apporter simplement la vérité. Pourquoi? Parce que les politiciens capitalistes, avec la complicité des médias, sont en politique pour obtenir le pouvoir et qu'ils sont prêts à tout pour éliminer ceux qui ont le malheur de se mettre dans leur chemin. Ils n'ont aucun scrupule à mentir, à tromper les gens, à faire des promesses qu'ils ne tiendront pas, et à détruire les autres; l'important, c'est de gagner.

Au Québec, la période électorale ne dure que six semaines. Ainsi, pendant ces six belles semaines, les grosses formations politiques, bien appuyées par les médias, les compagnies capitalistes, les gens d'affaires et les caisses électorales de plusieurs millions de dollars, bombardent les gens de messages publicitaires à la radio, à la télévision, dans les journaux, dans les métros, sur les routes, sur les murs, etc., tant et si bien qu'ils leur lavent le cerveau jusqu'à la dernière minute. On appelle cela de la politique. Ce n'est pas de la politique, mais une bataille pour remporter le pouvoir, une guerre dont le peuple est toujours victime car on se joue de lui. De cette guerre sont naturellement exclus tous les petits partis politiques, parce que non seulement ils n'ont pas l'argent pour jouer pareil jeu, mais aussi parce qu'en réalité, ils ne veulent pas le jouer.

Malgré tout cela et malgré notre manque d'expérience, notre parti "Socialiste Chrétien" a quand même récolté douze mille votes. Quant à nous, et bien, nous avons eu la satisfaction de monter sur la tribune politique pour dénoncer le mal et dire au peuple québécois ce que devrait être un gouvernement juste et droit. Élever la voix et crier pour la justice, c'est là l'exemple que le Christ nous a laissé. Mais ce qui est d'autant plus important, c'est que nous sommes ressortis de cette expérience encore plus affermis dans nos convictions chrétiennes.

CHAPITRE 23

LA VISION DE L'OURS

La fin de l'année 1987 marqua l'histoire d'un événement unique: la venue de Mikhaïl Gorbatchev, le dirigeant soviétique, en terre américaine. C'était la première fois depuis 14 ans, qu'un dirigeant russe mettait les pieds aux Etats-Unis. C'était tellement extraordinaire qu'on en parla dans la revue Time comme d'une "seconde venue du Christ"[1].

Il faut dire que depuis 40 ans, c'était vraiment la guerre froide entre les deux grands et tout cela faisait peser sur l'humanité une menace nucléaire très inquiétante. Peut-on maintenant croire qu'il y a un espoir de paix? Peut-on croire en la nouvelle sincérité des Russes? Ronald Reagan, l'ex-président des Etats-Unis, semble en être persuadé. Lui qui est arrivé au pouvoir en champion de l'anti-communisme et qui a toujours eu comme politique extérieure d'empêcher son expansion partout dans le monde, croit que "l'empire du mal", comme il le surnommait auparavant, a maintenant "perdu ses cornes".

En effet, depuis que Gorbatchev a démarré sa nouvelle politique d'ouverture et de transparence, la "glasnost", et qu'il a entrepris sérieusement de réformer son pays en lui donnant une certaine forme de démocratie, la perestroïka (reconstruction), comme il l'appelle, tout porte à croire qu'il est différent de ses prédécesseurs. Mais certains sont réticents. Pourquoi, du jour au lendemain, devrait-on croire que l'ennemi communiste est disparu et que, d'un seul coup de baguette magique, il n'y a plus de danger? Il ne faut pas oublier que Gorbatchev est un fervent croyant de la doctrine de Lénine. Pourquoi aurait-il abandonné le but principal de cette doctrine qui est la conquête du monde entier?

Pour réussir dans son audacieux projet de réforme et à la fois pour étouffer tous les doutes nourris par les pays du monde à l'égard de la nation soviétique, Gorbatchev s'est donc lancé, tête première, dans une offensive de charme à l'échelle planétaire qu'il a menée sans relâche depuis son accession au pouvoir. Il lui fallait convaincre l'opinion publique internationale qu'il est un des "bons gars de l'histoire". C'est ainsi, qu'au fil de toutes ses propositions de réductions d'armes, Gorbatchev a réussi à présenter l'image d'un homme sincère en qui on peut avoir confiance. Il apparaît maintenant comme un homme de renouveau et un porteur d'idées nouvelles, qui croit possible de voir régner la paix sans armement et qui rêve d'un monde libéré de la menace nucléaire.

LE TRAITÉ INF

Finalement, après six années de négociations difficiles, les deux dirigeants les plus puissants de toute la planète ont conclu un accord de désarmement qui a permis la réduction de la tension entre les deux super-puissances. En effet, le traité qu'ils ont signé le 8 décembre 1987, prévoit la destruction sur une période de trois ans, d'une classe entière d'armes atomiques. Bien entendu, on y a ajouté de strictes mesures de vérification, étant donné la mauvaise réputation qu'ont les Russes de toujours mentir et tricher quand ils signent des alliances, mais un accord a été signé tout de même et c'est ça qui est étonnant.

Les missiles dont l'accord fait mention s'appellent "les Forces Nucléaires Intermédiaires" (INF). Pour comprendre plus facilement de quelles sortes d'armes il s'agit, il faut les diviser en deux familles: les missiles nucléaires de courte portée, qui peuvent toucher une cible distante de 330 milles à 600 milles de leur lanceur; et les missiles de longue portée, capables de frapper dans un rayon de 600 milles à 3400 milles. Au total, le traité devrait éliminer 3400 têtes nucléaires, c'est-à-dire environ 1800 missiles soviétiques, dont la plupart sont dotés de 3 têtes nucléaires, et 860 engins américains basés au sol dont les missiles de croisière et les fameux "Pershing II". Soit dit en passant, c'est 8 milliards de dollars, c'est-à-dire 8 fois mille millions de dollars qu'ils vont jeter à la poubelle, car c'est ce que cela a coûté pour construire et installer ces armes. Autre détail important: ils ne détruiront pas le plutonium, élément essentiel pour l'explosion atomique, car il est recyclable et ils pourront ainsi le réutiliser pour la fabrication d'autres armes.

Malgré tout cela, quand on y regarde de plus près, on réalise que la menace soviétique n'a pas été réduite, car les armes qui sont éliminées ne sont pas celles qui visent les Etats-Unis. L'entente a plutôt été bénéfique pour les Russes, car même s'ils éliminent beaucoup plus d'armes que les Américains en nombre, les "Pershing II" qui ont été retirés étaient ceux que les Russes craignaient le plus, étant donné qu'ils pouvaient entrer en territoire soviétique en moins de 13 minutes. D'ailleurs, même en renonçant à tous ses missiles de courte et longue portée, Gorbatchev ne perd rien de sa supériorité militaire conventionnelle en Europe. En effet, le Pacte de Varsovie, l'alliance militaire des pays de l'Est qui comprend la Bulgarie, la Tchécoslovaquie, la Hongrie, la Pologne, la Roumanie, l'Allemagne de l'Est et l'U.R.S.S., demeure nettement supérieur aux Forces de l'OTAN (Organisation du Traité de l'Atlantique

Nord) qui regroupent 16 pays de l'Ouest, dont le Canada et les Etats-Unis.

PROPOSITIONS DE PAIX

Mais Gorbatchev ne s'est pas arrêté là. Son objectif le plus noble est de débarrasser les peuples de la terre du cauchemar nucléaire. En proposant l'élimination de toutes les armes nucléaires pour l'an 2000, il s'est placé comme un défenseur et un constructeur de paix dans le monde. C'est ainsi qu'il séduit les Américains et les Européens et qu'il leur apporte, bien subtilement, une nouvelle image du système socialiste, même s'il demeure toujours à la base un système communiste.

L'année 1988 a été bien remplie pour le chef du Kremlin. Bien entendu, il aurait bien souhaité parvenir à un autre accord avec l'administration Reagan sur la réduction de la moitié de leurs énormes arsenaux stratégiques nucléaires, mais c'était vouloir aller trop vite. Il a quand même prouvé sa bonne volonté en retirant ses troupes d'Afghanistan. En mai 1988, les premiers convois soviétiques ont quitté le pays avec lequel ils étaient en guerre depuis 10 ans. Il faut dire que cela nuisait à leurs nouvelles propagandes de paix, et que Gorbatchev s'était mis en mauvaise odeur auprès des pays arabes en demeurant de force en Afghanistan. Il a donc fait d'une pierre deux coups en cessant l'occupation soviétique.

Un autre événement historique de mai 88 fut la visite de Ronald Reagan à Moscou. Ensemble, les deux grands ont discuté un peu du contrôle des armes, mais la rencontre a plutôt été concentrée sur le sujet de la liberté de religion, d'expression et sur l'immigration des Juifs. Reagan a essayé de jouer le rôle du défenseur des droits de l'homme en rencontrant des dissidents juifs, mais cela a fortement déplu à Gorbatchev qui l'a invité à se mêler de ses affaires et à éviter les sermons. Cette audace a entraîné comme conséquence que la télévision soviétique n'a presque pas montré d'images du sommet. Un beau spectacle bien préparé qui était, de toute façon, destiné aux pays libres de l'Ouest. Puis, à la fin du mois de juin, toujours en cette année 1988, c'est la première conférence du parti communiste depuis 1941. Encore une fois, Gorbatchev se surpasse en proposant des élections en Russie pour élire de nouveaux membres au gouvernement. Il entreprend ainsi de réveiller le vieil ours communiste qui dormait depuis 70 ans.

Finalement, pour clôturer l'année en beauté, à la réunion du mois de décembre de l'Organisation des Nations Unies (ONU), il annonce son intention de réduire les effectifs militaires du Pacte de Varsovie, pour un meilleur équilibre des forces en Europe, tout en gardant l'avantage numérique. Tout le monde manifeste son enthousiasme, mais en réalité personne ne veut voir le fait que les cinq cent mille soldats qu'il veut supprimer sont ceux qu'il aurait de toute manière fallu démobiliser, et que les vieux tanks devaient être envoyés à la révision... Par ses "réductions", l'armée soviétique s'améliore en qualité. Cinq mille nouveaux tanks seront plus puissants que les vingt mille anciens. Mais cela, on préfère l'ignorer. Il propose aussi l'annulation ou sinon, la réduction de la dette des pays du Tiers-Monde, et même l'offre humanitaire d'aider ces pays qui sont aux prises avec des problèmes de famine et de pauvreté. Il fait part aussi de son désir de régler les conflits régionaux, surtout au Moyen-Orient, et conclut en proposant de créer une "maison commune européenne"; une "maison" où toutes les frontières tomberaient et où s'uniraient tous les pays d'Europe. Ils auraient même une monnaie commune, afin qu'ils soient un Etat unifié d'Europe et une nouvelle puissance économique.

C'est à la suite de ces discours qu'il obtient des contrats économiques d'une dizaine de milliards de dollars avec des investisseurs du Moyen-Orient, d'Italie, de France, de Suisse, du Japon, de la Grande-Bretagne, pour n'en nommer que quelques-uns. Ainsi, du Golfe Persique à l'Afrique du Nord en passant par l'Europe, la diplomatie russe, qui reflète la nouvelle politique de Gorbatchev, est en business. Ce qu'il est important de savoir ici, c'est que la stratégie soviétique en matière de politique étrangère est très souvent de faire des propositions paraissant pacifiques, de commencer à les exécuter, et puis ensuite de les arrêter à tout moment. Le jour où Gorbatchev annonce son initiative, il en retire un profit de propagande positive, mais il peut, plus tard, revenir en arrière sous un prétexte quelconque. Ainsi en sera-t-il fort probablement pour la conférence sur les "Droits de l'homme" qui doit se dérouler à Moscou en 1991. Pour le régime, ce sera un immense succès. On signera n'importe quel document, n'importe quel accord. Et après? Comment pourra-t-on exercer un contrôle sur ce qui se passe en réalité? Ce sera impossible naturellement. Le drame dans tout cela, voyez-vous, c'est que les peuples de l'Occident et les médias en général sont très ignorants de ce qui se passe réellement en Union Soviétique, et ce qui est pire, ils refusent de voir la réalité telle qu'elle est. Ils en ont peur.

NOUVELLES OFFRES DE DÉSARMEMENT

Sans se relâcher, le secrétaire du parti communiste d'U.R.S.S. continue de séduire l'Ouest. Il débute même l'année 1989 en grande, avec l'offre alléchante de détruire ses stocks d'armes chimiques. A cette conférence qui réunissait tous les pays possédant cette sorte d'armes qui, soit dit en passant, tue les vivants en laissant les biens matériels intacts, Reagan lui-même s'est uni à Gorbatchev afin de tenter de convaincre les pays pauvres qui possèdent de telles armes de ne plus en fabriquer. Il faut dire toutefois que l'Union Soviétique possède plus d'armes chimiques que le reste de la planète, près de 400,000 tonnes, 10 fois plus que les Etats-Unis; ils sont donc bien loin de donner l'exemple. Mais si les déclarations du numéro 1 soviétique sont vraies, cela ne peut vouloir dire que l'une de ces deux choses: ou bien l'Union Soviétique a trouvé un moyen de dissimuler ses armes chimiques de façon à ce qu'elles échappent à tout contrôle, ou bien la direction du Parti a décidé de les remplacer par des armes nouvellement découvertes. Malgré tout cela, l'ère du désarmement lancée par Gorbatchev continue de plus belle, et il fait tout ce qu'il peut pour prouver sa bonne volonté.

Ainsi, durant l'année, il ne cesse de faire une foule de propositions spectaculaires qui visent bien subtilement à affaiblir la présence américaine en Europe; ce qui fait naître au sein des pays alliés de l'OTAN une division, la première depuis 40 ans d'alliance. "Voilà les deux pièges de l'ours soviétique, nous disent les journaux. Premièrement, étourdir l'Ouest avec un assaut de concessions sans précédent, et deuxièmement, diviser les occidentaux."[2] A la suite de toutes ces manoeuvres, beaucoup d'observateurs croient que la nouvelle ligne de pensée de Gorbatchev, c'est d'endormir l'Ouest dans un sentiment de sécurité. En effet, endormir l'Ouest demeure un complot qui date de Lénine.

TRAITÉS D'AMITIÉ

Non moins spectaculaires, sont les relations qu'entretient Mikhaïl Gorbatchev avec différents pays du monde. Pratiquement partout où il va, il parle de paix et d'amitié. Ainsi, en avril 89, il signe un traité d'amitié et de coopération avec Cuba et affirme: "Il existe à présent, une véritable possibilité d'assurer la paix et la sécurité dans la région"[3]. Bien entendu, il demande à Cuba de retirer ses troupes qui sont stationnées au Cambodge, sinon il menace de couper son aide de six milliards par an. Mentionnons aussi que 70% de l'économie cubaine dépend des Russes.

Une autre concession de Gorbatchev est celle d'avoir fait enlever, en avril 89, les fils barbelés qui séparaient les frontières d'Autriche et de Hongrie. Puis, en mai 89, Gorbatchev propose une frontière d'amitié avec la Chine, avec laquelle il était en brouille depuis 30 ans. "Les deux ours se donnent la main"[4], mentionne le magazine Time. Ils conviennent ensemble sur des accords économiques et militaires et ils veulent même reviser le marxisme, afin de l'adapter aux exigences du 20e siècle. La popularité de Gorbatchev se fait sentir profondément dans la société chinoise. Durant leur manifestation pacifique auprès du gouvernement communiste, les étudiants demandent la "perestroïka chinoise", c'est-à-dire la démocratie et la liberté d'expression. Sur leurs pancartes on peut lire: "En Russie, ils ont Gorbatchev. En Chine, nous avons qui?"

Ailleurs, dans les provinces soviétiques de l'Ukraine et de Lettonie, certains manifestants le voient non pas comme un réformateur mais comme un libérateur. Même Khomeiny, l'ancien chef religieux d'Iran, l'a félicité pour ses initiatives de paix et de réforme.

Toutefois, en avril 89, l'image impeccable de Gorbatchev est légèrement ternie, il y a du sang sur la perestroïka. En effet, vingt-deux personnes sont mortes en Georgie, l'une des républiques soviétiques, lors d'une manifestation pacifique. On croit que leur décès a été causé par l'utilisation d'armes chimiques. N'est-ce pas là l'attitude qu'ont toujours adoptée les communistes à l'égard de tous les opposants au régime?

On devrait regarder les actions soviétiques et non pas leurs paroles seulement. Malheureusement, en politique, les apparences comptent souvent plus que la réalité. Et ceci est tout aussi vrai en ce qui concerne les armes nucléaires. Malgré toutes les belles propositions de désarmement et de paix mondiale, "l'industrie d'armements soviétiques continue toujours de tourner à plein régime"[5]. De plus, on apprend que les dépenses militaires soviétiques pour l'année 89 seront de 123 milliards (US), sur un budget de 750 milliards. C'est du moins, ce que les Russes ont dit... Du côté des Américains, les dépenses seront de 300 milliards de dollars, soit 1/3 du budget national qui est de 1000 milliards. Il y a donc très peu de changement par rapport à l'année 88, alors que le budget militaire était de 309 milliards. Ainsi, ces deux pays, l'U.R.S.S. et les Etats-Unis, possèdent toujours à eux seuls plus de 50,000 têtes nucléaires.[6]

Et Gorbatchev continue de faire sa tournée de paix et d'amitié. Le 12 juin 89, "il se rend en Allemagne fédérale et un accueil délirant est réservé à l'homme qui venait du froid. Une page de l'après-guerre est tournée. Les Allemands n'ont plus peur d'un ours devenu tout miel"[7], qui parle même de réunir les deux Allemagnes, séparées par le mur de Berlin et par le communisme depuis la deuxième guerre mondiale. Ainsi, peu à peu, la puissante influence qu'exerce Gorbatchev sur le monde entier, va attirer à lui les principaux chefs d'Etats qui, désormais, vont s'unir de différentes façons avec ce nouveau leader mondial. Lui qui affirmait dans son livre "Perestroïka" que "le communisme est un formidable potentiel pour l'humanité"[8].

BUSH VISITE GORBATCHEV

Pendant tout ce temps, Bush, le nouveau président des Etats-Unis, et ses conseillers demeurent soupçonneux face au Kremlin. C'est pourquoi, ils refusent obstinément de commencer les négociations sur la réduction de la défense nucléaire d'Europe. "Je ne crois pas aux promesses de paix soviétiques", affirme Georges Bush. Il craint qu'en enlevant toutes les armes nucléaires d'Europe, il ne la rende vulnérable à une attaque militaire conventionnelle russe.

Mais les demandes pressantes de l'Allemagne de l'Ouest (RFA), de l'Italie, de l'Espagne, de la Belgique, du Danemark et de la Norvège qui veulent voir les Etats-Unis ouvrir un dialogue avec les Russes sur les fusées atomiques à courte portée qui sont sur leur territoire, poussent le président des Etats-Unis à sortir de la léthargie dans laquelle il était plongé depuis son élection. "Tous ces pays qui font partie de l'OTAN ont le sentiment grandissant que les Russes ne sont plus une menace pour eux à cause des efforts qu'ils font pour la démocratie."[9]

Quand Bush a réalisé que son comportement négatif vis-à-vis des propositions amicales de Gorbatchev risquait de mettre en danger l'alliance de l'Atlantique Nord, il a complètement changé d'attitude et a lui aussi, en mai 89, à la conférence qui réunissait les pays de l'OTAN, fait une offre spectaculaire de désarmement. En effet, pour la première fois, les Etats-Unis accepteraient de réduire de 10% leurs troupes en Europe, incluant hommes, chars lourds, hélicoptères, avions de combat et pièces d'artillerie, SI les Soviétiques acceptaient de réduire les forces militaires du Pacte de Varsovie au niveau que l'Ouest propose. "Le pari de Bush est clair: "Nous allons voir, monsieur Gorbatchev, déclare-t-il, si vous êtes vraiment sérieux. Si vous voulez vraiment renoncer au déséquilibre militaire en Europe, qui favorise l'Union Soviétique ou si vos propositions ne sont que du vent!"[10]

Dans cet accord, ce sont les pays du Pacte de Varsovie qui auront le plus de soldats et d'effectifs militaires à enlever. Ils perdent, du même coup, leur avantage numérique sur les pays de l'OTAN et deviennent à forces égales. Les Européens sont donc satisfaits que Bush réplique enfin à Gorbatchev, mais se demandent s'il n'en a pas trop fait. Par contre, Gorbatchev sera probablement bien content d'accepter l'offre de Bush ou du moins d'accepter une certaine réduction, car il sait qu'après cela les Américains n'auront plus le choix dans le futur de négocier la réduction ou sinon l'élimination de toutes les armes nucléaires qui restent en Europe, laissant ainsi le sol européen entièrement libéré de la protection des Etats-Unis. Cependant, cela risque d'être dangereux, car certains pensent que moins il y a d'armes, plus la guerre est proche...

PERESTROÏKA

Dans le fond, c'est la dure réalité budgétaire soviétique qui permet d'espérer que, dans le futur, d'autres progrès seront faits vers la paix et le désarmement. Car le chef du Kremlin sait qu'il doit renforcer son potentiel économique et celui de ses alliés. Il sait également que s'il parvient à conquérir l'Europe, son potentiel industriel et sa population seront à la disposition des Russes et il pourra alors en quelque sorte, remplir ses greniers. Quand Gorbatchev a été élu secrétaire général du parti communiste, le 13 mars 1985, il a déclaré dès le lendemain "que le but de sa politique, c'était de surpasser économiquement les Etats-Unis. Nous avons un long chemin à parcourir, et nous devons le faire rapidement. Il faut absolument revitaliser l'économie et encourager le progrès industriel à être plus efficace et plus productif. C'est ce qui fera finalement de l'Union Soviétique une nation encore plus puissante"[11], mais aussi, en même temps deux fois plus dangereuse.

Dans un interview pour la revue Newsweek, Gorbatchev se disait convaincu que "malgré ses points faibles, le système soviétique est matériellement et moralement supérieur au capitalisme"[12], démontrant par ces paroles que la guerre froide entre le communisme et le capitalisme continue toujours d'exister. Donc, le but réel de sa réforme n'est pas uniquement de pousser la démocratie ou de renoncer au communisme, mais plutôt d'améliorer l'image du régime soviétique à l'extérieur. Même si la perestroïka est en marche depuis 4 ans, les graves problèmes de la société soviétique au niveau de la nourriture, des besoins ordinaires de la vie, du travail, de la liberté, n'ont pas été réglés. Il y a toujours de graves pénuries au niveau des produits de consommation de base. On a beau avoir changé des lois, modifié le parlement, accordé des libertés, éliminé de la bureaucratie, assoupli le régime, les progrès ne sont encore qu'en surface. La fameuse perestroïka a produit plus de discours que de réformes réelles. Même les nouvelles formes d'élections ne modifient pas essentiellement le système du pouvoir. Les élus ne représentent qu'une part misérablement petite des millions de bureaucrates qui détiennent le pouvoir réel. L'Occident se fait donc des illusions lorsqu'il croit que la Russie de Gorbatchev s'achemine vers une démocratisation.

Selon le dissident soviétique Alexandre Zinoviev, dans une entrevue qu'il accordait à la revue française Paris Match au mois de juillet 1989, il n'y a aucune perestroïka en cours en Russie; tout "ce qu'il y a c'est une agitation verbale. L'organisation sociale, le fonctionnement du pouvoir, tout demeure inébranlable, l'idéologie également. Le sens de la perestroïka est de permettre à Gorbatchev de créer son propre appareil de super-pouvoir et de gagner du temps. Aujourd'hui, ils adoptent le ton du demandeur: "Développons le commerce, laissez-nous coopérer avec la Communauté Européenne, aidez-nous". Après avoir fait des années durant étalage de sa puissance, l'U.R.S.S. se jette dans l'autre extrémité. Elle dit: "Nous sommes pauvres, nous vivons mal, notre armée est faible, etc. On est prêt à avouer notre impuissance et notre incapacité." Ensuite, quand ils auront utilisé l'Occident au mieux de leurs intérêts, ils commenceront à tenir un autre langage.

Mais pour le peuple russe, la perestroïka n'est qu'une autre forme de propagande. Ils savent très bien au fond que ce n'est qu'une publicité pour les pays de l'Ouest. Un dissident en exil a même déclaré: "La nouvelle pensée de Moscou, c'est du vieux poison dans de nouvelles bouteilles". Il en est de même pour les signatures d'accords ou de traités qui font aussi partie des nouvelles stratégies du Kremlin. Le témoignage extraordinaire de Viktor Suvorov en est une preuve. Depuis la création de l'Etat soviétique, il est le second officier de la GRU, le mystérieux service secret militaire soviétique, à être passé à l'ouest mais le seul encore vivant. L'autre qui s'était réfugié aux Etats-Unis a été assassiné.

Suvorov, qui vit 24 heures sur 24 sous la protection des services spéciaux britanniques, rompt pour la première fois le silence et accepte de rencontrer un journaliste occidental. Voici ce qu'il nous dit à propos des Russes: "Durant toutes mes années de formation dans l'armée, puis à la direction de la GRU, j'ai appris que l'Ouest était l'ennemi à abattre. Je me rappelle aussi une formule enseignée à l'école de guerre: "Nous lancerons les propositions de paix les plus spectaculaires et les plus séduisantes, avec, à la clé, de soi-disant concessions. Les pays capitalistes et décadents coopéreront avec joie à leur propre destruction. Nous les neutraliserons par l'amitié et dès qu'ils se relâcheront, nous les écraserons"[13].

L'ancien agent secret affirme également que "les pays de l'Ouest et leurs dirigeants témoignent d'un aveuglement stupéfiant en ce qui concerne Gorbatchev. Car les occidentaux s'obstinent à considérer le secrétaire général du parti communiste d'U.R.S.S. comme un homme de la même espèce que leurs leaders, alors qu'il est l'incarnation d'une fonction et d'un système qui ne changeront jamais leur objectif qui est d'avoir la domination mondiale". La fameuse "coopération planétaire" dont parle Gorbatchev avec tant d'enthousiasme ne sous-entend t'elle pas la même idée à peine déguisée? Ainsi, même si en surface l'U.R.S.S. semble complètement transformée, quand on y regarde de près, elle demeure tout aussi menaçante. Dans une rencontre avec un journaliste de la revue Paris-Match (13 juillet 1989), Henry Kissinger, l'ancien secrétaire d'Etat américain, s'est fait poser la question suivante: "Supposez que vous rencontriez le diable - ou le bon Dieu - qui, évidemment connaîtrait l'avenir, quelle question aimeriez-vous lui poser sur l'état du monde dans dix ou quinze ans?" Voici ce qu'il a répondu: "Je voudrais savoir si la crise du communisme conduira à une évolution ou débouchera sur une explosion."

L'OURS SOVIÉTIQUE

Un journaliste américain écrivait: "Tous les présidents ont tenté d'apprivoiser l'ours soviétique, mais sans jamais y parvenir"[14]. Il est arrivé, à plusieurs reprises, aux médias d'information de comparer la Russie et son système communiste à un ours et même à un ours polaire. La raison est simple. L'ours blanc qui vit dans le nord est reconnu depuis longtemps pour sa force légendaire. C'est lui le plus gros et le plus dangereux de sa race. Quelle sagesse de voir que les différentes espèces d'ours ne vivent pas toutes dans le même coin, sinon il y aurait certainement des combats. La puissance de l'ours polaire est comparable à celle des Russes. Et aussi invraisemblable semble-t-il d'imaginer des ours de différentes espèces sur le même territoire, de même aussi il est difficile de croire que l'ours soviétique soit capable de vivre en paix avec ceux qui ne partagent pas son idéologie.

J'aimerais maintenant m'arrêter quelques instants pour vous raconter un événement que j'ai vécu, il y a de cela plusieurs années, alors que je me trouvais une fois de plus en plein bois dans le royaume de cet imprévisible animal qu'est l'ours noir. Très honnêtement, ce qui m'arriva cette fois-là est quelque chose d'assez extraordinaire.

Je me trouvais seul au coeur de la forêt, dans le calme de la nature. Je m'étais retiré, comme à mon habitude, dans un petit camp en bois rond tout près d'un lac, pour méditer et refaire mes forces spirituelles. Cette nuit-là, la lune brillait de tout son éclat et le ciel était rempli d'étoiles. Le sommeil m'avait complètement abandonné, aussi j'étais allé m'asseoir à l'extérieur contre un arbre en attendant paisiblement que les heures passent. C'est alors que soudainement, comme dans un rêve, je vis surgir, des épais buissons qui entouraient le lac, un animal qui était au moins à un millier de milles de son habitat naturel: un ours blanc! Je n'en croyais pas mes yeux; il devait peser au moins dans les 1000 livres. Lentement, il s'avança jusqu'à l'eau et se mit à boire. Comment il était arrivé là, et bien, je n'en avais aucune idée. Chose certaine, il était bien là devant moi, en chair et en os. Mais je n'étais pas au bout de mes surprises, loin de là, croyez-moi.

En effet, quelques minutes après cela, de l'autre côté de la petite baie que formait le lac à cet endroit, à peu près vis-à-vis de l'ours blanc, apparut à son tour un ours noir d'environ 500 livres. Mine de rien, il marcha lentement jusqu'à l'eau et se mit à boire lui aussi. J'étais figé d'étonnement. A première vue, la soif les avait rassemblés, mais je me doutais bien que ça n'allait pas en rester là. Tout à coup, sans avertissement et sans raison valable, l'ours noir se mit à courir en direction de l'ours blanc tout en poussant des grognements qui n'avait rien d'amical. Malgré sa taille beaucoup plus petite, il avait décidé d'attaquer.

Le combat fut terrible, d'une violence telle que je n'en avais jamais vue de semblable de toute ma vie: un vrai carnage. Les deux ours étaient debout et se battaient comme des hommes. Les griffes puissantes de ces deux bêtes déchaînées frappaient tour à tour comme des armes meurtrières, s'enfonçant dans la chair. La terre tremblait sous le poids de ces mastodontes en fureur et leurs grognements sauvages retentissaient dans le silence de la nuit jusque par-delà des montagnes. La forêt paisible était devenue un champ de bataille où se livrait une guerre cruelle et sans merci.

L'ours noir, malgré la supériorité évidente de son adversaire, ne voulait pas lâcher prise, mais les coups répétés et puissants du monstre blanc se mirent, peu à peu, à le blesser sérieusement. Lentement mais sûrement, l'ours noir perdait ses forces, alors que l'autre frappait sans relâche.

Finalement, l'ours blanc eut le dessus et le battit à mort. Blessé à une de ses pattes arrière et à une patte de devant, mais bien vivant, il s'en retourna par le même chemin d'où il était venu, laissant sa victime gisant sans vie sur le sol. Puis, comme on tourne les pages d'un livre, tout s'effaça. Plus d'ours noir, plus de trace de combat, rien sinon le silence habituel de la nature, au beau milieu de la nuit. J'eus comme l'impression étrange de m'éveiller d'un rêve. Je ne savais plus trop si j'avais dormi ou non. Toutefois quelque chose de très clair était là bien présent dans mon esprit. Je réalisai, en effet, que pendant tout ce temps, s'était déroulé devant moi un événement que je connaissais déjà trop bien, pour l'avoir compris depuis longtemps au travers des écrits prophétiques de la Bible. La guerre terrible qui, au temps de la fin, doit opposer deux nations puissantes. Tout comme la supériorité de l'ours blanc sur l'ours noir d'Amérique est indiscutable, ainsi celle des Russes sur les Américains l'est elle aussi, en tous points; que ce soit au niveau de l'armement, de leurs alliés ou encore de la popularité de leur idéologie. Et Dieu va se servir de ce géant pour exécuter Son jugement contre les Etats-Unis.

LE DEUXIÈME SCEAU: LA GUERRE

Quand on regarde tout ce qui se passe dans les événements d'aujourd'hui, on sent bien qu'il y a quelque chose qui se prépare; surtout quand on connaît les prophéties bibliques et qu'on les voit s'accomplir, à tous les jours sous nos yeux. Bien entendu, tout cela fait partie du plan de Dieu et les vrais croyants le savent. "Car le Seigneur, l'Eternel, ne fait rien sans avoir révélé Son secret à ses serviteurs les prophètes"[15]. Par contre, je sais que Dieu aurait préféré voir la lumière triompher dans un monde de ténèbres comme le nôtre. Mais malheureusement il n'y a pas d'espérance, la méchanceté et la corruption sont trop grandes sur la terre et c'est impossible de voir la miséricorde triompher du jugement. Il n'y a pas de pardon, c'est le jugement de l'humanité qui s'en vient.

L'Apocalypse, ce dernier livre de la Bible, est une révélation que Dieu a laissé au genre humain sur les événements de la fin des temps. Tout le scénario est divisé en sept sceaux qui correspondent simplement à différentes étapes plus ou moins longues, s'enchaînant les unes aux autres. La guerre est en fait le deuxième sceau de l'Apocalypse. "Et lorsqu'il ouvrit le second sceau, il sortit un autre cheval, roux; et il fut donné à celui qui était assis dessus d'ôter la paix de la terre et de faire qu'ils s'égorgeassent l'un l'autre; et il lui fut donné une grande épée."[16]

Y a-t-il quelque chose qui "ôte la paix" plus qu'une guerre? Les Russes sont munis d'une très grande épée, cela nous le savons très bien. Même s'il n'existe aucune source complète et fiable d'informations sur le nombre d'armes nucléaires soviétiques, il est tout de même possible de constater que les Russes sont en avance de dix ans sur leur rival et que leur supériorité est évidente. Cela a encore été confirmé dernièrement, au mois de juin 1989, lors de la visite d'un américain en U.R.S.S., l'amiral William J. Crowe, président de la commission d'état-major américaine, l'un des plus hauts gradés militaires à jamais visiter la Russie. Après une tournée de onze jours à visiter les installations militaires et nucléaires, cet homme fut impressionné par l'immense potentiel au niveau de l'armement. Il avouait que les Russes avaient certainement plus d'hommes et d'armes qu'ils en ont besoin pour leur défense, et un avantage sérieux dans bien des domaines de l'armement. Il a dit enfin qu'il voyait une réelle menace soviétique, pas de la part des dirigeants actuels, mais dans les capacités militaires qu'ils ont et qu'ils pourraient utiliser dans le futur.[17] Si l'économie de la Russie est en retard de 20 ans par rapport aux Etats-Unis, c'est tout simplement parce qu'ils ont investi pendant toutes ces années tout leur budget dans l'armement. C'est pendant les accords Salt I en 1972 et les accords Salt II en 1979, qui devaient permettre un gel sur la fabrication d'armes nucléaires, que les Américains ont pris du retard. Les Etats-Unis ont respecté l'accord et n'ont pratiquement rien fait pendant des années, tandis que les Russes ont violé, sans aucune honte, le traité et se sont dépêchés de créer une nouvelle génération d'armes nucléaires.

De toute façon, ce n'était pas la première fois dans l'histoire que les Russes trichaient. Depuis 1917, ils ont conclu plus de 45 accords ou traités avec leurs voisins, et ils les ont tous violés. C'est ainsi qu'ils ont pris la tête de la course à l'armement. Pourquoi pensez-vous que pendant le temps où Reagan a été à la tête du gouvernement américain, les dépenses militaires ont quadruplé? Il savait, lui, que les Etats-Unis s'étaient fait avoir par "l'empire satanique" comme il se plaisait à les nommer. Aujourd'hui, il est clair que Reagan s'est fait séduire par les belles paroles de Gorbatchev, ou du moins, c'est là ce qu'il a bien voulu laisser croire. Peut-on se faire un allié en qui on puisse avoir confiance, de celui qu'on comparait, il n'y a pas si longtemps, aux forces du mal? N'est-il pas en train de se dérouler sous nos yeux une belle comédie? Croyez-le ou non, cette comédie fut prédite par le prophète Daniel il y a de cela 3000 ans. "Et ces deux rois auront à coeur de faire du mal et diront des mensonges à une même table. Ils se mêleront par des alliances humaines, mais ils ne seront pas unis l'un à l'autre."[18]

En 1916, Lénine fit cette déclaration: "Comprenons que nous ne pouvons pas coexister éternellement (on s'imagine assez facilement de qui il parle). L'un d'entre nous doit aller à la tombe. Nous n'y tenons pas. Ils (Etats-Unis) n'y tiennent pas non plus. Alors que faire? Nous les pousserons dans leur tombe". Et trois ans plus tard, il déclarait: "Tôt ou tard, le communisme dominera le monde".

Joseph Staline, le deuxième à diriger l'U.R.S.S. a dit un jour: "Aussi longtemps que le capitalisme et le socialisme existeront, nous ne pourrons vivre en paix. A la fin, l'un ou l'autre triomphera. Une marche funèbre sera chantée, soit pour les soviétiques, soit pour le monde capitaliste".

Le troisième dirigeant russe, Khrouchtchev s'était écrié, lors de la première conférence au sommet de Genève, en 1955: "Nous vous enterrerons"! en parlant des Etats-Unis. En 1981, Brejnev affirmait que le premier but du communisme était toujours de dominer le monde. C'est encore aussi vrai sous Gorbatchev, même si sa façon d'agir est beaucoup plus subtile que celle de ceux qui l'ont précédé. On peut lire, au livre de Daniel, ce qui suit: "En pleine paix il entrera dans les lieux les plus riches de la province, et il fera ce que ses pères et les pères de ses pères n'ont pas fait;(...) et il tramera ses desseins contre les places fortes, et cela pour un temps"[19].

Vous êtes-vous déjà demandé ce que le drapeau russe signifiait? Voici la réponse que reçut un touriste ayant interrogé un guide soviétique à ce sujet: "La faucille et le marteau représentent les ouvriers; les cinq pointes de l'étoile, les cinq continents et le rouge du drapeau, le sang des ouvriers à l'échelle mondiale qui devra être versé pour la victoire communiste."

LE COMMUNISME

Voilà donc quel est ce "cheval roux" qui n'hésitera pas à "ôter la paix" de la terre pour finir d'accomplir ce à quoi il travaille depuis des années. En effet, nous n'avons qu'à prendre une carte du monde et à colorer d'une même couleur tous les pays qui, depuis la révolution de 1917, sont tombés aux mains des communistes ou sous leur influence, pour se rendre compte que leur domination ne cesse de s'étendre et qu'ils y mettent pour cela beaucoup d'ardeur. L'Estonie, la Lituanie, l'Ukraine, la Yougoslavie, la Bulgarie, Cuba, le Vietnam, l'Angola, Madagascar, le Sri Lanka, le Congo, l'Afghanistan, le Nicaragua, le Zimbabwe et la Rhodésie, ne sont là que quelques exemples, car la liste est beaucoup plus longue.

De plus, depuis la seconde guerre mondiale, l'Union Soviétique a lancé un défi idéologique en répandant sa philosophie marxiste dans beaucoup de pays du Tiers-Monde décolonisés. Ces changements vers la gauche ont facilité la pénétration de l'influence soviétique en Asie, au Moyen-Orient, en Afrique et en Amérique latine. Un nombre grandissant de révoltes et de soulèvements organisés et soutenus par l'U.R.S.S. lui ont permis d'entrer dans ces pays en leur apportant son aide technique et militaire, mais aussi son idéologie. Le jour où l'U.R.S.S. sera parvenue à détruire les Etats-Unis, il est évident qu'il n'y aura pas un seul pays au monde qui osera s'élever contre ce puissant empire. De toute façon, personne n'en aura les moyens.

Les Etats-Unis, en plus d'être détestés par les pays arabes, se retrouvent de plus en plus isolés. En effet, les pays européens eux-mêmes sont maintenant, pour la plupart, à forte tendance socialiste, ce qui laisse croire qu'en temps de guerre ils seraient plus portés du côté soviétique.

Un texte très évocateur du prophète Daniel nous apporte une précision frappante sur la coopération de certains autres pays avec l'U.R.S.S. Voici ce qu'il nous dit: "Et il aura sous sa puissance les trésors d'or et d'argent, et toutes les choses désirables de l'Egypte; et les Libyens et les Ethiopiens suivront ses pas"[20]. Depuis 1984, les relations diplomatiques des Russes avec l'Egypte ont été restaurées. En mars 87, ils ont signé un traité d'échange économique de cinq ans. Mentionnons que l'Egypte est l'Etat arabe le plus peuplé et le plus puissant militairement.

En 1976, le colonel Muammar Al Kadhafi, le chef d'Etat de la Libye, a conclu avec la Russie ce qui fut probablement le plus important marché d'armement de l'histoire. Ce pays qui est complètement opposé aux Etats-Unis sert de passage secret pour l'acheminement d'armement soviétique destiné à toutes sortes de groupes révolutionnaires. En 1986, la Libye proposait même de s'associer au Pacte de Varsovie. L'Ethiopie, quant à elle, est passée pendant la deuxième moitié des années 70 aux mains des communistes. En 1978, ils ont même signé ensemble un traité d'amitié et de coopération Soviético-Ethiopien. A en juger par les tortures qui sévissent dans ce pays, à l'égard de tous ceux qui s'opposent au régime, il est bien clair qu'il ne s'agissait pas seulement d'une alliance sur papier.

Et pour ce qui est de ces "trésors cachés" dont parle le texte, et bien, il s'agit sans nul doute du pétrole ou du moins du contrôle des routes par lesquelles il est envoyé vers l'Europe, le Japon et les Etats-Unis surtout. En s'assurant la coopération de divers pays du Moyen-Orient, les Russes s'amassent par devers eux, des richesses et de grands avantages.

LES ROIS DU NORD ET DU SUD

"Et au temps de la fin, le roi du midi heurtera contre lui, et le roi du nord fondra sur lui comme une tempête. Et il réveillera sa puissance et son coeur contre le roi du midi avec une grande armée."[21] Daniel nous précise ici, que cette guerre opposant deux nations, aura lieu au "temps de la fin", et que ce sera le sud qui attaquera le nord. Il n'est pas question d'une quelconque guerre du passé, ni de la première ou deuxième guerre mondiale, ne vous y trompez pas. Toujours dans l'Ancien Testament, le prophète Ezéchiel nous parle lui aussi, d'un "prince du nord". "Voici, j'en veux à toi, Gog, prince de Rosh, de Méshec et de Tubal, et je te ferai monter du fond du nord."[22] Ezéchiel prophétisa sur Gog et sur son territoire comme étant situé géographiquement au nord par rapport à Babylone où il vivait. Le nord de Babylone sur les cartes anciennes, correspond à l'Union Soviétique actuelle. Les noms mentionnées dans la prophétie étaient bien connus à l'époque.

Le terme de "Gog" serait un titre d'origine mongole signifiant "tsar" ou "empereur". La plupart des commentateurs bibliques s'accordent pour reconnaître que ces trois noms, Rosh, Méshec et Tubal, concernent la Russie avec sa capitale européenne Moscou et la ville de Tobolsk, située en Sibérie. Wilhelm Génésius, un imminent professeur de sciences hébraïques du 19e siècle, traite de ces noms dans son fameux lexique hébreu. Voici ce qu'il nous dit: "Méshec fut le fondateur du peuple Moschi, peuple barbare qui habitait les montagnes moschiennes". Ce savant dit aussi que le nom grec "Moschi", dérivé du nom hébreu "Méshec", est la racine du nom de la ville de Moscou. A propos de Tubal, il dit: "Tubal est le fils de Japhet, fondateur des Tibérini, peuple qui habitait près de la mer Noire, à l'ouest de Moschi". Génésius conclut en disant que, "sans aucun doute, ce sont ces peuples qui sont à l'origine de la population russe actuelle. Que la Russie occupe une place importante dans la prophétie, a été admise par la plupart des spécialistes qui ont étudié la Bible"[23].

Voici ce qu'un grand nombre de journalistes américains et européens écrivaient en 1989 à propos de Gorbatchev: "L'homme est maintenant le tsar de tous les Russes"[24], et le magazine Time d'ajouter: "son but, c'est de transformer la république d'U.R.S.S. en empire"[25]. Croyez-moi, Gorbatchev a maintenant tous les pouvoirs nécessaires pour atteindre ce but. Il est aujourd'hui le "top man" au Kremlin et le leader de la réforme communiste mondiale. "En congédiant un tiers des membres haut placés du parti communiste central, il a réalisé un tour de force sans précédent dans l'histoire: il est, en même temps, le leader du pouvoir communiste en place et le leader de l'opposition."[26]

Sachant donc que "ce roi du nord" est l'Union Soviétique dirigeant le bloc communiste, le "roi du midi" ne peut être que le bloc non communiste, dirigé par les Etats-Unis. Qui d'autre d'ailleurs correspond à cet ennemi du "roi du nord" et pourrait logiquement entrer en guerre contre l'U.R.S.S.? Le mot "midi" peut signifier sud, mais il veut dire tout d'abord "milieu". Si l'on mesure la distance séparant les deux extrémités nord-sud du continent américain, les Etats-Unis sont bel et bien au milieu de ce continent, de telle sorte que l'expression "roi du midi" ou "roi du milieu" est très juste. Il est quand même étonnant aujourd'hui, en

1989, de lire dans des revues ou des journaux que "la nouvelle pensée de Gorbatchev, c'est d'unir les deux Europes afin que désormais le monde ne soit plus divisé entre l'est et l'ouest, mais entre le nord et le sud"[27]; le royaume du nord et le royaume du midi.

LA GUERRE MONDIALE

Mais revenons au texte biblique pour savoir maintenant ce qui va se passer durant cette guerre mondiale opposant les Etats-Unis à l'Union Soviétique. "Et dans ce temps-là, plusieurs se lèveront contre le roi du midi, et les violents de ton peuple s'élèveront pour accomplir la vision; mais ils tomberont. Et le roi du nord viendra et il élèvera une terrasse, et s'emparera de la ville forte; et les forces du midi ne tiendront pas, ni l'élite de son peuple; et il n'y aura pas de force en lui pour se maintenir. Mais celui qui vient contre lui agira selon son gré, et il n'y aura personne qui lui résiste; et il se tiendra dans le pays de beauté, ayant la destruction dans sa main; et il dirigera sa face pour venir avec les forces de tout son royaume. Et le roi du midi s'engagera dans la guerre avec une grande et très puissante armée. Mais il ne tiendra pas."[28] Il est clair, selon les quelques lignes de ces références bibliques, que le "royaume du midi", les Etats-Unis, malgré une très grande et très puissante armée, ne sera pas le vainqueur dans cette guerre mondiale. Au contraire, la puissance et la force des armées soviétiques sera telle qu'il n'y aura personne qui lui résiste, comme nous le dit le texte de Daniel.

BABYLONE OU SYSTÈME IDOLÂTRIQUE

Au livre du prophète Jérémie, on peut lire ce petit texte "car les desseins de l'Eternel contre Babylone s'accomplissent, pour réduire la terre de Babylone en désolation, de sorte qu'il n'y a pas d'habitant; car du nord il viendra des dévastateurs contre elle, dit l'Eternel"[29]. Fait étonnant au chapitre 18 de l'Apocalypse, l'apôtre Jean nous parle lui aussi de la chute d'un système idolâtrique qu'il appelle "Babylone la grande". Ce qu'il nous faut comprendre ici, c'est qu'il ne s'agit pas de l'ancien empire babylonien qui adorait des dieux d'or et d'argent puisqu'il avait déjà été détruit depuis des centaines d'années au temps où Jean eut la vision. Il s'agit plutôt d'un système capitaliste moderne ayant "commis de grands péchés qui se sont amoncelés jusqu'au trône de Dieu"[30].

Les Etats-Unis d'Amérique sont vraiment à la source de toute la corruption qui s'est répandue dans le monde entier depuis bien des années. L'apôtre Jean nous précise, en parlant de Babylone: "Car par ta magie, toutes les nations ont été égarées"[31]. Le système capitaliste est un système pourri qui rend le monde égoïste et orgueilleux. Qu'importe les besoins de l'homme? Qu'importe la faim? Qu'importe la justice? Qu'importe l'égalité? L'essentiel, c'est l'argent, c'est le pouvoir. Jean continue en nous disant: "car toutes les nations et les rois de la terre sont devenus riches par la puissance de son luxe"[32]. Bien des pays sont tombés dans le piège du système capitaliste, car ils ont pu s'enrichir et acquérir du prestige et de la puissance en trafiquant avec lui. Les "grands" de la terre et les "marchands" se sont vautrés à un tel point dans les délices de l'argent, qu'ils ont perdu toute conscience en exploitant et en faisant vivre leurs semblables dans la misère et la pauvreté.

En effet, si les Etats-Unis et les différents pays capitalistes sont riches et dans l'abondance, c'est parce que d'autres pays sans défense ont été pillés et exploités. Puis, comme pour soulager leur conscience, ils leur accordent de temps à autre une aide plus ou moins efficace. Trop de gens ne réalisent pas que l'aide aux pays pauvres est ridicule en comparaison des énormes richesses de l'Occident, même si cette aide se chiffre en milliards de dollars. Tout en sachant que 50 milliards par an élimineraient les pires aspects de la pauvreté, les Etats-Unis donnent à peine 10 milliards par an. Voilà pourquoi la fureur de Dieu sera grande envers eux et ce sera un témoignage à toutes les nations.

"C'est pourquoi en un seul jour viendront ses plaies, mort, et deuil, et famine, et elle sera brûlée au feu; car le Seigneur Dieu qui l'a jugée est puissant! Et tous les rois de la terre qui se sont livrés avec elle à la débauche et qui ont vécu dans les délices avec elle, pleureront et se lamenteront à cause d'elle, quand ils verront la fumée de son embrasement. Se tenant éloignés, dans la crainte de son tourment, ils diront: "Malheur! Malheur! La grande ville, Babylone, la ville puissante! En une seule heure est venu ton jugement! En une seule heure, tant de richesses ont été changées en désolation!"[33]

VICTIMES DE LA GUERRE

D'autres textes de l'Apocalypse nous décrivent les conséquences de cette guerre: "Et le second ange sonna de la trompette. Et quelque chose comme une grande montagne embrasée par le feu fut jetée dans la mer; et le tiers de la mer devint du sang, et le tiers des créatures qui étaient dans la mer et qui avaient vie mourut, et le tiers des navires périt"[34]. La mer est la figure des peuples; cela est expliqué au chapitre 17 de l'Apocalypse: "les eaux que tu as vues sont des peuples, des nations, des foules, et des langues"[35]. Les "créatures qui sont dans la mer" étant donc les peuples du monde entier, cela signifie qu'un tiers de la population mondiale, soit environ 1 milliard 500 millions de personnes vont mourir pendant la guerre.Nous savons très bien aujourd'hui, en raison de la puissance des arsenaux nucléaires, que les victimes d'une guerre nucléaire s'élèveraient facilement à un tel nombre.

Le texte termine en disant que "le tiers des navires fut détruit". Ces "navires" représentent les gouvernements du monde qui "flottent" sur les "eaux", c'est-à-dire les peuples. Si nous prenons le temps de faire le total des pays du monde penchant plus vers la démocratie et le capitalisme et dont les gouvernements seraient plus susceptibles d'être détruits dans une tentative de l'U.R.S.S. de prendre le contrôle de la planète, nous arrivons à un total d'à peu près 50 pays sur les 168 qui existent dans le monde. Il serait donc très logique de croire qu'un tiers des pays et des gouvernements puissent être détruits.

CONSÉQUENCES

La bombe d'Hiroshima a détruit les deux tiers des 90,000 maisons de la ville et plus de 75% de la surface urbanisée. L'industrie a été rasée et l'agriculture environnante tout à fait stérilisée, sans oublier que plus de deux tiers de la population sont morts ou ont été atteints de maladies très graves. A Nagasaki comme à Hiroshima, l'éclair atomique a été à l'origine de 20 à 30% des pertes humaines. Des brûlures se sont produites même sous plusieurs couches de vêtements; en effet, la boule de feu, née à la suite de l'explosion, a atteint des températures de l'ordre de plusieurs millions de degrés centigrades au centre et de 15,000 degrés aux alentours. Et cette bombe n'avait qu'une puissance de 10 kilotonnes (10,000 tonnes de TNT). Nous possédons maintenant des bombes de 50 mégatonnes, c'est-à-dire 2,500 fois plus fortes que celles d'Hiroshima. On en a même construites de 100 mégatonnes. Naturellement, les dégats seront sérieusement amplifiés par les dommages indirects et secondaires, les retombées à long terme et autres conséquences sur des zones qui n'auraient pas été directement attaquées.

Que dire des violents tremblements de terre qui feront suite à toutes ces explosions? En effet, les fissures déjà existantes dans la croûte terrestre seront durement malmenées par la puissance des explosions, et obéiront aux répercussions progressives de ces chocs, provoquant ainsi un nombre incalculable de tremblements de terre un peu partout sur la planète. Que dire des famines engendrées par la contamination de la nourriture, et des pestes que ces millions de corps morts en décomposition entraîneront inévitablement, puisque l'ampleur des dégâts ne permettra pas aux autorités de les ramasser immédiatement? Que dire de cette déclaration de la majorité des médecins actuels qui s'avouent tout à fait impuissants à guérir ou secourir les victimes d'une guerre atomique? Comme le prophète Daniel nous l'avait prédit: "Ce sera un temps de détresse tel, qu'il n'y en a pas eu depuis qu'il existe une nation jusqu'à ce temps-là"[36].

---

1. Time, décembre 1987

2. L'Express, mars 1989
3. La Presse, 5 avril 1989
4. Time, 13 février 1989
5. L'Express, 2 juin 1988
6. USA Today, 30 janvier 1989
7. L'Express, 23 juin 1989
8. Perestroïka, éditions Flammarion, page 220
9. USA Today, 9 mai 1989
10. L'Express, 9 juin 1989
11. The Russian Imperial War Plan
12. Newsweek, décembre 1987
13. Figaro Magazine, no 410, 12 décembre 1987
14. USA Today, juin 1988
15. Amos chapitre 3, verset 7
16. Apocalypse, chapitre 6, verset 3 à 4
17. Time, 3 juillet 1989
18. Daniel, chapitre 11, verset 27 et chapitre 2, verset 43
19. Daniel, chapitre 11, verset 24
20. Daniel, chapitre 11, verset 43
21. Daniel, chapitre 11, versets 40 et 25
22. Ezéchiel, chapitre 39, versets 1 et 2
23. John Cumming M.D. "The Destiny of Nations, London 1864
24. USA Today, 26 avril 1989, Paris Match, juin 1989
25. Time, 9 juin 1989
26. Time, 5 juin 1989
27. Newsweek, 15 mai 1989
28. Daniel, chapitre 11, versets 14 à 17 et 25
29. Jérémie, chapitre 51, versets 29 et 48
30. Apocalypse, chapitre 18, verset 5
31. Apocalypse, chapitre 18, verset 23b
32. Apocalypse, chapitre 18, verset 3
33. Apocalypse, chapitre 18, versets 8 à 10 et 16
34. Apocalypse, chapitre 8, versets 8 et 9
35. Apocalypse, chapitre 17, verset 15
36. Daniel, chapitre 12, verset 1

CHAPITRE 24

LE ROYAUME DE LA BÊTE

Imaginez-vous un instant dans quel état sera la planète après une guerre nucléaire. Tout d'abord, le système capitaliste sera complètement anéanti. Les Etats-Unis seront très durement touchés et les principales villes américaines détruites; le Canada ne sera pas non plus épargné. De plus, 40 à 50% des villes de plusieurs pays seront détruites elles aussi. En fait, partout dans le monde les peuples auront à subir les conséquences de cette 3ième guerre mondiale, car les effets secondaires les atteindront tous. L'apôtre Jean nous précise: "Et le troisième ange versa sa coupe sur les fleuves, et sur les fontaines des eaux; et ils devinrent du sang"[1]. En sachant que les eaux, ici encore, représentent des peuples, le fait qu'elles soient changées en sang signifie naturellement qu'un très grand nombre de gens mourront suite aux conséquences de la guerre.

Ainsi, les années qui suivront la guerre seront très douloureuses physiquement, d'autant plus que les ressources matérielles seront limitées. En effet, les systèmes de communication (radio, T.V., téléphone) seront touchés; l'électricité, le transport, les soins médicaux, le chauffage, le logis manqueront sérieusement. L'eau des rivières et des fleuves, les animaux, les cultures de toutes sortes seront contaminés, aggravant les problèmes de nourriture. Au début, il n'y aura personne pour nous secourir. L'armée ne pourra probablement pas apporter beaucoup de son aide, puisque les camps militaires sont généralement des cibles de première importance.

LA RESTAURATION

Cette situation prévalant dans la plupart des pays du monde, la reconstruction sera longue, pénible et d'une ampleur gigantesque. Pendant des jours et même des mois, il faudra des équipes de chercheurs pour retrouver les survivants et leur apporter l'aide nécessaire, ainsi que d'autres équipes pour retrouver les cadavres et les incinérer afin d'éviter le plus possible les épidémies. A cause de la destruction des secteurs industriels, la société aura très peu de possibilités techniques. L'économie et l'industrie ne seront pas complètement anéanties, mais feront face à des problèmes majeurs auxquels on devra remédier. Depuis quelques années seulement, nous avons assisté, dans divers pays, à quelques cataclysmes naturels comme des tremblements de terre, des inondations, des tornades, etc. Malgré l'aide de plusieurs pays qui se sont joints à eux pour leur donner un coup de main, on a mis des mois et même des années pour reconstruire et ramener les zones sinistrées à leur état normal. Alors, il n'est pas trop difficile d'entrevoir combien les conséquences d'une guerre nucléaire seront terribles à tous points de vue.

Toutes ces tâches échoueront naturellement à ce nouveau gouvernement mondial qui sera formé après la guerre et qui aura, de toute évidence, beaucoup de pain sur la planche. Une fois que la plupart des gens auront été secourus, il faudra, entre autres choses, enlever les débris de toutes sortes, mettre sur pied un réseau de communication minimum, effectuer les réparations les plus urgentes aux édifices, aux routes, aux utilités publiques, il faudra réorganiser les systèmes de transports, relancer le marché et l'économie, etc. etc. Puis, il faudra aussi, bien sûr, ajuster la population à un nouveau genre de vie qui sera mis de l'avant par les nouveaux dirigeants mondiaux. Bien entendu, tous les gouvernements des pays qui n'auront pas été détruits et qui auront été témoins de la puissance avec laquelle l'empire soviétique aura remporté cette guerre et anéanti le capitalisme, n'auront pas d'autre solution que de se soumettre docilement à ce nouveau régime, par crainte d'être anéantis eux aussi.

UN EMPIRE UNIVERSEL

Ainsi, en ces jours-là, l'empire soviétique va étendre son emprise sur toute la terre. Voilà précisément ce que sera le troisième sceau de l'Apocalypse. L'apôtre Jean nous dit ce qui suit à propos de ce royaume: "Et lorsqu'il ouvrit le 3è sceau, je vis un cheval noir; et celui qui était assis dessus ayant une balance dans sa main"[2]. Ce verset de Jean, voyez-vous, nous éclaire sur l'option politique et sociale de ce nouveau gouvernement: la balance représente tout simplement l'équilibre social qui sera implanté sur la terre par ce système socialiste mondial. Inévitablement donc, tous les gouvernements du monde qui ne seront pas déjà socialistes, le deviendront à ce moment-là. Ils n'auront pas le choix.

En fait, ce ne sera pas la première fois dans l'histoire de l'humanité qu'un empire s'élèvera pour dominer le monde. La Bible, d'ailleurs, nous étonne encore une fois en nous parlant bien clairement de ces empires universels qui ont traversé l'histoire de l'homme, de ses tout débuts jusqu'à sa toute fin. Nous nous arrêterons ici quelques instants sur ce qu'elle en dit, car cela va nous permettre de mieux comprendre cet empire des jours de la fin. Le texte le plus complet là-dessus se trouve au livre de l'Apocalypse et il se lit comme suit: "Les sept têtes.... ce sont aussi sept rois: cinq sont tombés; l'un est; l'autre n'est pas encore venu et quand il sera venu, il faut qu'il demeure un peu de temps"[3].

Jean nous parle donc de 7 empires: "l'un est", c'est bien évidemment l'empire romain dans lequel Jean vivait à ce moment précis où il a écrit ce texte de l'Apocalypse. Les "cinq sont tombés" sont ainsi les cinq empires universels historiques qui ont précédé celui de Rome. Ce sont la Mésopotamie ou l'Assyrie, l'Egypte, Babylone, l'empire des Mèdes et des Perses, puis la Grèce d'Alexandre le Grand. Trois de ces empires aussi, les trois derniers ainsi que l'empire romain, sont décrits dans un texte du prophète Daniel. Alors qu'il vivait lui-même dans l'empire Babylonien, Dieu lui montra en vision les quatre royaumes qui allaient persécuter le peuple hébreu dans leur terre promise, la terre d'Israël. Le premier était l'empire de Babylone, et le quatrième, celui de Rome, bien sûr.

La description que Daniel nous donne de cet empire romain, est plutôt étonnante (les empires sont représentés par des bêtes dans son texte): "Et voici une quatrième bête, effrayante et terrible et extraordinairement puissante, et elle avait de grandes dents de fer: elle dévorait et écrasait. Et elle était différente de toutes les bêtes qui étaient avant elles"[4]. Aucun empire, en effet, n'avait jamais eu la suprématie et la puissance des armées romaines qui dominèrent le monde pendant six siècles. "Elle dévorait et écrasait" nous dit Daniel. Jules César, à lui seul, avec ses armées, prit huit cents villes, soumit trois cents peuples, et défit par le combat trois millions d'hommes. "Elle avait de grandes dents de fer" ajoute-t-il. L'extrême cruauté des Romains se manifesta certainement dans les jeux du cirque et dans la violence des persécutions religieuses à l'égard des chrétiens pendant trois siècles.

Voilà donc pour ces six premiers empires universels. Ceci nous amène au 7è, décrit dans le texte de Jean en ces mots bien simples: "L'autre n'est pas encore venu et quand il sera venu, il faut qu'il demeure un peu de temps". Cette description peut difficilement correspondre à autre chose que l'empire français de Napoléon Bonaparte qui essaya toute sa vie, de restaurer l'empire romain. Il se donna le droit, après avoir été couronné empereur, de disposer des territoires et des couronnes de l'Europe entière. La puissance de ses armées s'imposa non seulement en Europe, mais jusqu'en Egypte et en Russie, et c'est ce qui fit de lui l'homme le plus puissant du monde à l'époque. Mais son règne ne dura que "peu de temps". L'empire français de Napoléon Bonaparte fut vaincu par la 6ième Coalition des "Alliés" d'Europe, le 18 juin 1815, à Waterloo. Enfin, Jean termine cette liste de royaumes par ces mots: "Et la bête qui était et qui n'est pas, est, elle aussi, un huitième et elle est d'entre les sept et s'en va à la perdition"[5]. Voilà donc ce huitième empire qui doit dominer le monde entier, aux jours de la fin.

LA PREMIÈRE BÊTE

Toutefois, ce royaume a quelque chose de spécial. Il aura pour ainsi dire deux têtes, il sera composé de deux "bêtes" qui vont s'associer l'une à l'autre. C'est pourquoi, dans cette référence de Jean qui se rapporte à la deuxième bête, il est dit: "Et la bête qui était et qui n'est pas, est, elle aussi un huitième". J'insiste ici sur les mots "elle aussi", parce qu'ils nous font bien comprendre que cette bête n'est pas la seule à former le huitième royaume. Au chapitre 13 de l'Apocalypse, Jean lève le voile sur la nature de l'une des bêtes: "Et le dragon lui donna sa puissance et son trône et un grand pouvoir"[6].

Le dragon, qui représente le diable lui-même, donnera sa puissance et son autorité à cette bête qui implantera alors un système athée mondial. Voilà la première bête de l'Apocalypse: un dictateur communiste qui aura certainement une grande puissance puisqu'il dominera sur toute la terre. "Et il lui fut donné pouvoir sur toute tribu, et peuple, et langue, et nation"[7] nous dit encore Jean. Cela ne sera pas un pouvoir ordinaire ou tout simplement politique, car ce dirigeant ne sera nul autre que l'antichrist, lui-même, le "fils de perdition qui doit être révélé dans les derniers jours"[8]. Ainsi, contrairement au Christ qui fut oint d'une onction divine, cet homme, lui, recevra une onction satanique extraordinaire qui le remplira de pouvoir. "Alors sera révélé l'inique, duquel la venue est selon l'opération de Satan, en toutes sortes de miracles, et signes et prodiges de mensonge."[9]

LA DEUXIÈME BÊTE

Revenons à la référence de Jean qui nous parlait des huit royaumes et nous découvrirons qui est la deuxième bête: "Et la bête qui était et qui n'est pas, est, elle aussi, un huitième, et elle est d'entre les sept". Il y a donc un des sept premiers empires universels qui reviendra une seconde fois, à l'intérieur de ce huitième royaume. Un autre texte de Jean, au chapitre 13, nous révèle lui aussi la même chose: "et je vis monter de la mer une bête qui avait 10 cornes et sept têtes. Et je vis une de ses têtes comme frappée à mort; et sa plaie mortelle avait été guérie"[10]. Comme nous l'avons vu un peu plus tôt, ces sept têtes sont les sept royaumes universels à être établis avant le huitième dont nous parlons; ici encore, une tête ou un royaume revient deux fois. Mais c'est au chapitre 17 de l'Apocalypse que Jean nous donne un indice qui va nous révéler exactement quel est ce royaume d'entre les sept qui reviendra à la vie: "les sept têtes sont sept montagnes où la femme est assise"[11]. La ville de Rome a été construite sur sept montagnes; il est donc évident que cet empire ressuscité est l'empire romain dont la capitale fut bâtie bien précisément sur la ville actuelle de Rome.

On peut lire, toujours au chapitre 17 de l'Apocalypse: "Viens ici, je te montrerai la sentence de la grande prostituée qui est assise sur plusieurs eaux, avec laquelle les rois de la terre ont commis fornication; et ceux qui habitent sur la terre ont été enivrés du vin de sa fornication"[12]. La 2ième bête est apparentée à un système universel, puisqu'elle est "assise sur plusieurs eaux", c'est-à-dire sur plusieurs peuples. De plus, elle est identifiée à une "grande prostituée" pour montrer qu'elle s'est détournée de sa voie première, pour non seulement s'égarer elle-même mais entraîner avec elle les "habitants de la terre". Nous avons là trois indices avec lesquels il nous est impossible de nous tromper. L'Eglise Catholique Romaine est "assise", elle aussi, sur les sept montagnes de la ville de Rome; le Vatican, siège de cette Eglise, est, comme nous le savons, à l'intérieur de la ville de Rome, même s'il a le statut de pays indépendant. Deuxièmement, cette Eglise est aussi "assise" sur plusieurs peuples; le caractère universel de l'Eglise Catholique Romaine ne peut pas faire de doute pour personne: elle est sans contredit l'organisation religieuse la plus vaste au monde, avec près de huit cents millions de fidèles.

Enfin, cette mère des Eglises s'est prostituée de son Dieu, tout d'abord en se détournant du pur enseignement de la loi divine pour se tourner vers des lois humaines, des traditions ecclésiastiques, des cultes cérémoniaux; puis, en se mariant avec la plupart des pouvoirs politiques de l'histoire. Le prestige politique du Vatican et les visites que lui rendent les chefs d'Etat, montrent qu'encore aujourd'hui l'alliance politico-religieuse demeure une de leurs toutes premières préoccupations. La richesse du Vatican et ses musées ne sont que peu de choses à côté de sa puissance économique. L'Eglise possède des centaines de millions de dollars dans des banques suisses et a des investissements très importants dans une dizaine de grandes multinationales du monde. "Et la femme était vêtue de pourpre et d'écarlate, et parée d'or et de pierres précieuses et de perles."[13]

L'ALLIANCE DE L'ÉTAT ET DE L'ÉGLISE

Si la première bête de l'Apocalypse représente le pouvoir politique, cette deuxième bête représente, elle, le pouvoir religieux, et les deux pouvoirs se marient ensemble. Jean nous le confirme clairement: "et je vis une femme assise sur une bête écarlate"[14]. La "femme", c'est-à-dire le "pouvoir religieux" est assise sur une "bête écarlate", une bête rouge qui est sans contredit le système communiste athée "rouge". Comme cela est déjà arrivé à plusieurs reprises dans l'histoire, la mère des Eglises se prostituera, encore une fois, avec le pouvoir politique et c'est ce qui fera de ce huitième royaume un empire politico-religieux. Quand on sait que les Eglises de Rome et de Moscou ont rompu un silence de 7 ans en 1987[15] et que le pape désire se rendre en Russie pour une visite pastorale, comme il le disait lui-même en juin 1988, il n'est pas difficile de croire à l'alliance future des deux bêtes de l'Apocalypse.

Ainsi, l'Eglise catholique sera au service de l'Etat, comme l'Eglise orthodoxe l'est depuis bien longtemps au parti communiste de l'U.R.S.S. Et tout comme l'Eglise orthodoxe russe est allée jusqu'à déclarer que "communisme" et "christianisme" étaient fondamentalement apparentés et pouvaient coexister, de même aussi, en ces jours-là, l'Eglise vantera les mérites du système en place et poussera les gens à s'y soumettre totalement.

LA DOCTRINE DE LA BÊTE COMMUNISTE

L'Apocalypse nous précise que: "la terre toute entière était dans l'admiration de la bête" à qui il "fut donné une bouche qui proférait de grandes choses"[16]. Il faut dire que cette incarnation de Satan dans un homme sera quelque chose d'assez extraordinaire. Ce dictateur soviétique aura la réponse à tous les besoins du genre humain, autant sur le plan social, politique, économique et culturel; mais non pas toutefois sur le plan moral et spirituel. Celui-ci établira en effet un système athée qui reniera toute forme de croyance et de religion. Mais l'antichist sera beaucoup trop rusé pour déclarer cela ouvertement, aussi se servira-t-il de la 2ième bête, le faux-prophète, qui prêchera une religion n'ayant rien à voir avec la vraie foi. Ce sera la seule qui sera tolérée.

Jean nous précise: "Et il tomba du ciel une grande étoile, brûlante comme un flambeau; et elle tomba sur le tiers des fleuves et sur les fontaines des eaux. Et le nom de l'étoile est absinthe; et le tiers des eaux devint absinthe"[17]. Sachant que les eaux sont des peuples, rappelons-nous qu'un tiers des pays ont été détruits lors de la guerre et qu'un autre tiers étaient déjà communistes ou du moins à forte tendance socialiste athée. Ainsi, sur les deux tiers de l'humanité qui seront demeurés vivants, Jean nous dit dans cette prophétie, qu'un tiers deviendra athée sous l'influence de ce dictateur mondial qui séduira les foules par de douces paroles et un beau langage et les éloignera du Dieu vivant. L'athéisme est représenté dans le texte de Jean par l'"absinthe" qui rendra les peuples "amers".

LA PLUIE DE LA DERNIÈRE SAISON

Toutefois, l'ardeur athée de ce nouveau régime socialiste sera freinée pendant plusieurs années par des priorités pour le moins terre à terre, c'est-à-dire tout le temps que cela prendra pour restaurer et réorganiser la société. Ce sera donc un temps de calme pour les chrétiens ayant survécu à la guerre, car l'antichrist ne s'en prendra pas à eux tout de suite. Ce sera aussi un temps d'abondance spirituelle jamais vue dans toute l'histoire de l'humanité. Voyant les prophéties qui viennent de s'accomplir et soumis à toutes sortes de souffrances, les gens seront beaucoup plus ouverts à la Parole de Dieu. Ils se rendront compte que les richesses et le confort dans lesquels ils se confiaient ne peuvent être d'aucun secours au jour de l'épreuve.

Le troisième sceau que nous avons cité au début du chapitre se termine ainsi: "et ne nuis pas à l'huile, ni au vin"[18]. "L'huile", ici dans le texte, est la figure du Saint-Esprit, et le "vin", représente la joie des enfants de Dieu. Ainsi, en ces jours de malheur apparent, les chrétiens vont recevoir un souffle bien particulier de l'Esprit-Saint qui va semer une joie spirituelle plus grande encore que celle du jour de la Pentecôte, il y a 2000 ans où, pour la première fois, Dieu répandit Son Esprit sur ses enfants. En effet, les chrétiens, dans ces temps de trouble, jouiront d'une "double portion de l'Esprit-Saint". "Alors, je donnerai la pluie de votre pays en son temps, la pluie de la première saison et la pluie de la dernière saison"[19]. Cette "pluie de la première saison" fut celle d'il y a 2000 ans, et la "pluie de la dernière saison" est celle qui sera bel et bien la dernière saison de l'Esprit de Dieu en ce monde.

Ainsi, Dieu, en ces jours-là, va répandre Son Esprit sur ses enfants pour qu'ils prophétisent, car Dieu n'abandonnera pas la population mondiale restante au lavage de cerveau athée de la bête communiste. Au contraire, encore une fois, Il donnera la chance à tous ces gens de s'ouvrir les yeux et de rejeter l'enseignement de ce "messie" satanique.

Pour cela, Dieu a évidemment besoin de ses enfants. Daniel nous dit: "Mais le peuple qui connaît son Dieu sera fort et agira. Et les sages du peuple enseigneront la multitude. Et les sages brilleront comme la splendeur de l'étendue, et ceux qui ont enseigné la justice à la multitude, brilleront comme les étoiles"[20]. Ainsi, les vrais chrétiens ne doivent pas s'attendre à disparaître avant l'avènement de ces choses, mais ils doivent au contraire se préparer à l'avance, parce que Dieu aura besoin d'eux à ce moment-là pour "enseigner la multitude".

Par la force des choses, cette explosion de l'Esprit-Saint à travers le monde et ce refus des chrétiens de se soumettre à la philosophie athée de la bête, entraînera, d'année en année, une attitude de plus en plus agressive de la part du système communiste et de ceux qui rendront hommage à cette bête, attitude qui va finalement dégénérer en un raz-de-marée de persécutions violentes à l'égard de tous les chrétiens. Voici venir les jours de malheur pourrions-nous dire, jours de malheur pour certains, mais jours de bonheur pour d'autres. Une foule de textes de la Parole de Dieu confirment que tous les croyants encore vivants sur la terre en ces jours-là, auront à subir une terrible persécution de la part de l'antichrist qui est un destructeur. Ceci d'ailleurs est tout à fait compréhensible, car c'est ce qui est toujours arrivé aux chrétiens au cours de l'histoire. Comment ne pas se rappeler ce que l'empire romain fit subir aux martyrs chrétiens pendant plus de trois cents ans?

LA MARQUE DE LA BÊTE

Les chrétiens ne devront surtout pas se souiller avec le système en place, car les châtiments de Dieu s'abattront tôt ou tard sur ceux qui agiront ainsi. Jean nous en avertit dans l'Apocalypse: "Si quelqu'un rend hommage à la bête et à son image, et qu'il reçoive une marque sur son front ou sur sa main, lui aussi boira du vin de la fureur de Dieu. Ici est la patience des saints; ici ceux qui gardent les commandements de Dieu et la foi en Jésus"[21].

La marque sur le front dont on parle, c'est tout simplement une façon de dire que ceux qui se seront soumis à la bête, auront rejeté Dieu de leur conscience et de leurs pensées. Bien sûr, ce sera difficile de ne pas être "marqué" par la mentalité athée imposée par un tel système, et de ne pas s'y soumettre, car l'Etat contrôlera tout, même les choses essentielles de la vie. Ainsi, il n'y aura probablement que ceux qui s'y seront soumis qui pourront se procurer ce dont ils auront besoin pour vivre. On n'a qu'à regarder ce qui se passe actuellement dans les pays communistes pour en avoir une bonne idée. En effet, dans la plupart de ces pays, il est très difficile d'acheter de la nourriture ou quoi que ce soit sans l'autorisation de l'Etat.

En ces temps-là, il sera tout aussi difficile, sinon plus, pour les chrétiens de se procurer le nécessaire sans avoir à renier leur foi. Autrement dit, les chrétiens seront des hors-la-loi, puisqu'ils ne seront soumis à personne d'autre que Dieu. Tout comme les Juifs du temps du prophète Daniel ont été persécutés par le pouvoir en place, parce qu'ils refusèrent d'adorer et de se prosterner devant la statue d'or que le roi avait construite, ainsi, tous ceux qui refuseront de servir le système en place et d'honorer la bête seront persécutés sans merci. "Et elle séduit ceux qui habitent sur la terre, à cause des miracles qu'il lui fut donné de faire devant la bête, disant à ceux qui habitent sur la terre de faire une image à la bête qui a la plaie de l'épée et qui a repris vie. Et il lui fut donné de donner la respiration à l'image de la bête, afin que l'image de la bête parlât même, et qu'elle fit que tous ceux qui ne rendraient pas hommage à l'image de la bête fussent mis à mort"[22].

---

1. Apocalypse, chapitre 16, verset 4
2. Apocalypse, chapitre 6, verset 5
3. Apocalypse, chapitre 17, verset 10

4. Daniel, chapitre 7, verset 7
5. Apocalypse, chapitre 17, verset 11
6. Apocalypse, chapitre 13, verset 2b
7. Apocalypse, chapitre 13, verset 7b
8. Deuxième épître aux Thessaloniciens, chapitre 2, verset 3
9. Deuxième épître aux Thessaloniciens, chapitre 2, versets 8 et 9
10. Apocalypse, chapitre 13, versets 1 et 3
11. Apocalypse, chapitre 17, verset 9
12. Apocalypse, chapitre 17, versets 1 et 2
13. Apocalypse, chapitre 17, verset 4
14. Apocalypse, chapitre 17, verset 3
15. Journal de Montréal, 18 octobre 1987
16. Apocalypse, chapitre 13, verset 3 et 5a
17. Apocalypse, chapitre 8, versets 10 et 11
18. Apocalypse, chapitre 6, verset 6b
19. Deutéronome, chapitre 11, verset 14
20. Daniel, chapitre 11, versets 32 et 33, chapitre 12, verset 3
21. Apocalypse, chapitre 14, versets 9, 10 et 12
22. Apocalypse, chapitre 13, versets 14 et 15

CHAPITRE 25

LES PERSÉCUTIONS

Pour des milliers de gens habitant les pays communistes, être un chrétien engagé signifie être considéré comme un "ennemi de l'Etat". Bien sûr, on laisse croire à l'Occident que maintenant tout a changé et que la pratique religieuse est laissée libre, mais entre ce qu'on veut bien nous laisser croire et ce qui se passe vraiment, il y a toute une différence. Récemment, un événement sensationnel fut transmis sur les écrans de TV du monde occidental. Après avoir interdit la religion pendant 70 ans, les médias d'information d'U.R.S.S. ont permis la transmission d'une messe en direct d'une église de Moscou. Tout le monde s'exclama que des changements réels étaient en train de se produire en Russie. Pourtant, la vérité est qu'aucun citoyen soviétique n'a eu la possibilité de voir ce programme puisqu'habituellement, entre 11 heures pm et 6 heures am, il n'y a aucune programmation à la télé. Ce soir-là, c'est à 3 heures du matin que la célébration religieuse fut transmise sur les ondes en Russie, et il n'y a que les reporters occidentaux séjournant à Moscou qui en furent avisés à l'avance... On prit même soin de les appeler par téléphone![1]

Certains se demandent si ce qui se passe actuellement en U.R.S.S. est un progrès ou une tromperie. Pour être exact, il faudrait plutôt parler d'un progrès dans la tromperie. Lors de sa visite en Union Soviétique en mai 88, monsieur Reagan n'aurait pas pris la peine de plaider pour la réouverture des lieux de culte et pour une tolérance religieuse si tout était parfait de ce côté-là. Ce qu'on oublie souvent, c'est que Gorbatchev n'est pas un nouveau venu au sein du Parti Communiste. Pendant 17 ans, il a été membre du Comité Central du Parti, ce qui signifie qu'il a été complice de tous les crimes commis par Brejnev et Andropov à l'égard des croyants. En 1986, dans un discours prononcé à Tachkent, le numéro 1 de l'U.R.S.S. avait encouragé les autorités locales à continuer de "mener une lutte déterminée et inflexible contre les tendances religieuses et à renforcer la propagande athée"[2].

Le communisme, peu importe le dictateur, reste un système qui fait la guerre à toute forme de croyance. "Lénine et Staline ont mené la plus vicieuse tyrannie anti-chrétienne depuis les persécutions de l'Eglise de l'empire romain. Seulement en ce qui concerne l'église orthodoxe, 50,000 prêtres, moines et religieuses ont été assassinés ou envoyés à la mort dans des camps. Le nombre de martyrs est incalculable. Nikita Krouchtchev a intensifié les persécutions entre 1959 et 1964, en emprisonnant un grand nombre de croyants et en augmentant le contrôle de l'Etat sur la religion."[3] Dans l'histoire de l'U.R.S.S., il y a eu des temps plus intensifs d'emprisonnements et de tortures, il y a eu aussi des périodes de relâchement, mais toujours le même but est poursuivi: l'élimination de tout ce qui empêche l'idéologie du régime de régner. Josyf Térélia, un catholique qui a passé 26 ans en prison pour sa foi, a déclaré: "Il y a eu plusieurs perestroïka depuis 1917 et chaque fois, cela s'est terminé par des bains de sang effroyables"[4].

LA RELIGION INTERDITE

Actuellement, en Union Soviétique, les chrétiens peuvent participer à une célébration religieuse une fois par semaine, mais il leur est défendu d'assister à d'autres assemblées. Il leur est interdit de propager leur foi et on enseigne obligatoirement à leurs enfants la philosophie athée. Cela fait aussi partie de la propagande athée de dire aux gens que les chrétiens sont des criminels, qu'ils font des orgies lorsqu'ils se rencontrent en dehors de l'église, etc. Toute oeuvre charitable ainsi que toute littérature religieuse sont interdites, bien que Gorbatchev se vante du contraire. Aucune librairie ne vend de Bibles en Russie; on les vend 160 $ sur le marché noir. Récemment, au début de cette année, à Dobropolsky, la police a saisi 308 Evangiles imprimés clandestinement pour les détruire.[5] En 1987, pendant la perestroïka, 150 églises ont été fermées et la plupart ont été transformées, selon les lieux, en piscine, salle de gymnastique, restaurant, salle de cinéma, musée, etc. Quant à celles qui sont toujours ouvertes, les pasteurs et prêtres en charge doivent remettre des rapports à tous les trois mois à propos du nombre de baptêmes, de membres, etc. Si les chiffres augmentent, l'église a droit à une plus grande supervision de la part du "Conseil aux Affaires Religieuses".

Le père Gleb Yakunin, un ancien prisonnier, affirme: "L'atmosphère générale a beaucoup changée dans mon pays, mais en ce qui regarde les églises, c'est la même chose qu'il y a 30 ans". Dans sa paroisse, en banlieue de Moscou, "quand le service est fini et que mes paroissiens s'approchent pour venir me parler, dit-il, l'agent du KGB m'ordonne de partir. Je ne suis pas non plus autorisé à m'entretenir avec eux chez-moi". Un autre pasteur, lui, disait que le régime actuel donne un peu plus de liberté aux églises de Moscou, pour impressionner les reporters occidentaux, mais qu'en province "les autorités locales interrompent régulièrement le service du dimanche"[6].

Les chrétiens qui refusent d'être membres du Parti Communiste ont la vie dure sur le plan social. Très peu d'entre eux sont admis à l'Université, ce qui leur empêche d'avoir accès à bien des emplois, et il est rare qu'ils puissent habiter des maisons convenables. Ceux qui se sont convertis alors qu'ils avaient déjà un emploi l'ont souvent perdu. Tous ces gens qui refusent d'attiédir leur foi pour pouvoir obtenir des faveurs du Parti sur le plan matériel, font partie de ce qu'on appelle l'Eglise clandestine. Ces chrétiens se rencontrent secrètement dans les bois ou dans leur maison, car pour eux, obéir à l'Evangile est plus important que d'obéir aux hommes. Ils ne peuvent pas accepter de compromis, car ils savent que la vérité de l'Evangile en serait changée. Ce n'est pas là l'attitude de l'Eglise officielle. Les évêques de l'Eglise Orthodoxe russe sont, pour la plupart, totalement dévoués au pouvoir. Ils ont tous commencé leur carrière avec la bénédiction du KGB dans les années 50 et 60. Même s'ils ont conscience de ce que l'Etat fait subir aux chrétiens et de la propagande athée qui est propagée, ils ne font rien pour étendre l'influence de la foi dans la société.

1000 ANS DE RELIGION

L'Eglise officielle se prête sans aucune protestation à l'Etat qui l'utilise pour sauver les apparences. Le meilleur exemple de cela, c'est la célébration du millénaire de la chrétienté russe au mois de juin 1988. Les dirigeants religieux ont eu l'accord de l'Etat pour organiser une fête grandiose destinée surtout à l'Occident. Ce que les gens devraient savoir, c'est que cette façade de piété fabriquée par tous les costumes de cérémonie, les vapeurs d'encens, les trésors de l'Eglise Orthodoxe et les icônes de grand prix, ne font naître que de beaux sentiments religieux qui n'ont rien à voir avec la foi. Si Gorbatchev voulait vraiment donner la liberté religieuse aux gens de son pays, il ne se contenterait pas de donner des "spectacles" mais libérerait les prisonniers et ferait cesser les persécutions. Ainsi, même si on a mis du "velours aux barreaux", c'est-à-dire même si Gorbatchev a tout de même accordé quelques libertés aux croyants, les chrétiens de l'Union Soviétique continuent tout de même d'être prisonniers d'un système qui fait tout pour éteindre leur foi.

Lors de la visite du chancelier ouest-allemand Helmut Kohl à Moscou, il avait été entendu que Gorbatchev devait libérer tous les prisonniers politiques avant la fin de l'année 1988. Le Kremlin parlait de 10 à 50 détenus, alors que les organisations humanitaires occidentales en recensaient de 250 à 400. Qu'est-il arrivé? Pas grand-chose. Depuis le début de la glasnost, 200 prisonniers politiques (artistes, journalistes, philosophes, etc.) ont été libérés, mais les croyants n'ont pas profité de ce dégel.[7] Le nombre de détenus religieux dans les hôpitaux psychiatriques a même augmenté. Leur propre définition de la schizophrénie leur fait mettre en prison des gens sains d'esprit. En effet, le manuel de psychiatrie (Moscou, éditions "Méditsina" 1988) mentionne, parmi les symptômes de cette maladie mentale, que la personne atteinte a un "intérêt particulier pour la philosophie, l'art et la religion". Il ne suffit pas aux chrétiens qui ont été jetés dans ce qu'on appelle "les chambres à gaz de l'esprit" d'admettre que le communisme est juste pour pouvoir en sortir, mais il faut encore qu'ils dénoncent d'autres "fous", c'est-à-dire d'autres croyants. Electrochocs, injections de drogues qui détruisent la volonté, isolement, ne sont que quelques exemples de ce que doivent endurer les chrétiens qui ont commis le crime d'aimer Dieu.

LES TORTURES

Selon Abraham Shiffrin, 63 ans, un ancien enquêteur criminel qui fut emprisonné pour sa foi juive et qui dirige maintenant, à Jérusalem, un centre de recherches sur les prisons soviétiques, il y aurait environ 100,000 croyants dans les camps de concentration soviétiques. Il estime qu'il y aurait aujourd'hui plus de 3,000 prisons et camps. "Sous le règne de Gorbatchev, dit-il, on donne moins de nourriture aux prisonniers, ils n'ont pas le droit de recevoir de paquets de nourriture durant la première moitié de leur sentence et les visites sont plus rares. Dans le passé, après 15 jours dans une cellule punitive, un prisonnier devait être relâché pour quelque temps. Aujourd'hui, la punition peut être renouvelée indéfiniment, jusqu'à la mort. Shiffrin affirme aussi détenir des informations sur 43 "camps d'extermination" où les prisonniers travaillent dans l'extraction et le traitement de l'uranium et sont exposés à des doses radioactives.

Les conditions de vie dans les prisons soviétiques sont donc des plus difficiles. A la prison pour femmes de Bosoi, les prisonnières doivent garder leur pardessus jour et nuit et ce, à l'année longue, parce que le froid est trop intense. Elles vont même jusqu'à se couvrir avec leur matelas. Quelquefois, quand elles se réveillent le matin, elles ne peuvent pas se lever parce que la glace a collé leurs cheveux au plancher pendant qu'elles dormaient. Murs et plafonds sont couverts de glace. Pendant la nuit, la respiration d'autant de prisonnières entassées dans les mêmes cellules fait fondre la glace et l'eau s'égoutte sur elles, leurs vêtements sont toujours humides.[8]

Les tortures auxquelles sont soumis certains croyants susceptibles de pouvoir révéler des noms de chrétiens engagés sont terribles. Par exemple, on introduit des rats affamés dans les cellules au travers d'un gros tuyau. Les prisonniers doivent se défendre de leurs agressions des nuits durant et ne peuvent ainsi fermer l'oeil. D'autres reçoivent des chocs électriques sur les organes génitaux, des hommes sont suspendus la tête en bas et exposés à être mordus par des chiens. Des objets coupants sont introduits dans l'utérus des prisonnières. Des croyants sont attachés à des croix, des jours et des nuits durant. Les croix sont déposées à même le sol et d'autres prisonniers torturés sont obligés de soulager leurs besoins sur le visage et le corps des crucifiés. Pour forcer les pères de famille à renier leur foi, les communistes amènent leurs enfants dans les prisons et les fouettent devant eux ou les battent à mort. D'autres sont enfermés dans des glacières dont l'intérieur est tapissé de glace. A l'article de la mort, on les retire de là en vitesse pour les réchauffer, puis le scénario se répète, et cela pendant des jours et des jours, parfois jusqu'à ce que mort s'en suive.

La torture mentale est présente aussi dans ces prisons. On enregistre des cris de douleur d'enfants sur bandes magnétiques que l'on fait entendre aux pères et aux mères de famille, en leur disant que ce sont leurs propres enfants. Le lavage de cerveau est aussi une pratique courante. Selon le Dr Richard Wurmbrand, qui a passé 14 années dans les prisons de Roumanie, c'est une des pires tortures infligées aux chrétiens: "Pendant des années, nous avons dû rester assis dix-sept heures par jour à entendre: "Le communisme est bon. Le communisme est bon. Le christianisme est stupide. Le christianisme est stupide. Renoncez-y! Renoncez-y!" Puis, il ajoute: "Tortures et brutalités n'avaient jamais d'arrêt. J'étais en prison depuis 8 ans et demi. J'avais terriblement maigri, j'étais couvert de vilains ulcères. J'avais été brutalement battu et frappé à coups de pieds, affamé, écrasé, interrogé jusqu'à la nausée, menacé, humilié. Rien n'avait produit les résultats qu'attendaient mes geôliers. Découragés, ils commencaient à me négliger".

La persécution des chrétiens est sensiblement la même à travers tous les pays communistes. Au Cambodge, tous les prêtres et religieux catholiques ont été tués. Il ne reste que trois pasteurs évangéliques; seule une église clandestine continue de survivre, même si chacun de ses membres risquent leur vie ou du moins leur liberté en cas d'arrestation. Les pires pays communistes sont ceux d'Afrique: l'Angola, l'Ethiopie, le Zimbabwe et le Mozambique. Dans ce pays, où l'on compte une Bible pour mille chrétiens, des assemblées entières de fidèles ont été tuées à l'intérieur des églises, et on y laissa les corps jusqu'à ce qu'ils pourrissent. Un pasteur a été crucifié sur le mur de son église.

En Ethiopie, 30,000 personnes sont en prison, dont d'innombrables chrétiens. L'Albanie subit la pire persécution religieuse, et en Chine, les vrais chrétiens n'ont qu'une Bible pour 50 croyants. A Cuba, depuis la révolution communiste d'il y a 31 ans, Castro a permis l'entrée d'environ douze mille Bibles dans un pays ayant une population de 12 millions de personnes. Tous les croyants qui dénoncent le régime sont automatiquement emprisonnés. En Roumanie, la dissidente chrétienne Doina Cornea, après avoir été emprisonnée pendant de longues années puis mise sous surveillance, a maintenant disparue. Elle avait été interviewée par des journalistes de différents pays (les journalistes du Point, magazine télévisé quotidiennement à l'antenne de Radio-Canada, l'ont même rencontrée) et avaient dénoncé tous les aspects oppresseurs du régime. "En Ukraine, nos catholiques sont battus et nos églises brûlées par le KGB de l'antéchrist Mikhaïl Gorbatchev", déclara le dissident Josyf Térélia au Journal de Montréal, le 11 juin 1989.

QUATRIÈME SCEAU

Le mot martyre signifie: le témoignage rendu par la souffrance, le sang et la mort, à la vérité d'un fait et à la divinité. A travers l'histoire de toutes les époques, des milliers et des milliers de chrétiens ont rendu ce témoignage. Il semble bien que les persécutions d'un vrai chrétien soient inévitables: "S'ils m'ont persécuté, ils vous persécuteront vous aussi"[9], nous disait Jésus. Après la guerre, une fois que le système athée sera bien implanté sur toute la planète, les chrétiens devront à nouveau subir une période intense de persécutions. Tous ceux qui n'accepteront pas de se soumettre à la philosophie de la bête communiste seront mis à mort de diverses manières. "Et il fut donné de faire la guerre aux saints et de les vaincre. Et lorsqu'il ouvrit le quatrième sceau, je vis: et voici un cheval livide; et le nom de celui qui était assis dessus est la Mort; et le hadès suivait avec lui; et il lui fut donné pouvoir sur le quart de la terre pour tuer avec l'épée, et par la famine, et par la mort, et par les bêtes sauvages de la terre."[10]

Ainsi, les persécutions qui existent actuellement dans les pays communistes vont alors être étendues à l'échelle mondiale. C'est là le test que Dieu a choisi pour éprouver la fidélité de ses enfants. Comme l'or passé au feu, ils seront purifiés à travers les souffrances. "Et ils tomberont par l'épée et par la flamme, par la captivité et par le pillage, plusieurs jours. Et d'entre les sages il en tombera pour les éprouver ainsi, et pour les purifier, et pour les blanchir, jusqu'au temps de la fin."[11] Même s'ils seront soumis à de dures épreuves, les chrétiens en sortiront toutefois victorieux, car tout cela ne fera que les rendre encore meilleurs, plus près de la sainteté, plus près de Dieu. Jésus disait: "Heureux serez-vous lorsqu'on vous outragera, qu'on vous persécutera et qu'on dira en mentant toute sorte de mal de vous, à cause de moi. Réjouissez-vous et tressaillez de joie, parce que votre récompense sera grande dans les cieux; car c'est ainsi qu'on a persécuté les prophètes qui ont été avant vous"[12]. Cette joie dans la souffrance ne peut venir que de Dieu seul qui se tiendra près de nous et nous donnera Sa grâce pour passer à travers ces épreuves.

Dans les prisons communistes, un bourreau cessa soudainement de battre un chrétien et lui demanda: “Mais qu’est-ce que cette lumière sur ton visage? Pourquoi brille-t-il?” “Les chrétiens, disait Richard Wurmbrand, sont comme les fleurs, qui, lorsqu’on les écrasent se vengent en donnant leur parfum.”[13] Au plus profond de ce qui semble être l’enfer, dans les ténèbres chargées de haine et de violence des prisons, la lumière et l’amour de Dieu surabondent pour ceux qui L’aiment plus que leur propre vie. Le père Alexandre Ratiu, un Roumain ayant séjourné dans les prisons, disait: “En prison, j’ai vécu des moments d’une joie indescriptible. Je savais que mon coeur était tout entier avec Dieu. Cette grâce renouvelait mon courage et ma persévérance de suivre le Christ. Les saints choisissent de partager même les souffrances les plus cruelles, celles dont les gens ordinaires ne veulent même pas entendre parler”.

Il n’est pas demandé à tout le monde de mourir en martyr, mais certains d’entre nous devrons certainement passer par les persécutions. La seule façon de s’y préparer, c’est de vivre comme ayant déjà fait abandon de sa vie au Christ. En parlant des saints, l’Apocalypse nous dit: “Et ils n’ont pas aimé leur vie, même jusqu’à la mort”[14]. En prison, vous perdez tout. On vous enlève vos habits et un uniforme de prisonnier vous est remis; plus de jolis meubles, de beaux tapis, ni de jolis rideaux. Vous n’avez plus de femme, vous n’avez plus d’enfants. Rien de ce qui rend la vie agréable ne vous reste. Nul ne résiste s’il n’a pas renoncé à l’avance à toutes ces choses. Pour le chrétien qui a appris à renoncer à lui-même et à chercher l’intérêt de Dieu en toutes choses, la prison n’est qu’un nouveau domaine qui lui est ouvert pour témoigner du Christ.

PERSÉCUTION DES JUIFS

On découvre toutefois dans la Parole de Dieu que les Juifs, eux, pendant tout le temps que dureront les persécutions chrétiennes, seront à l'abri des foudres de l'antichrist. En effet, en ce temps-là, la nation juive signera avec le système athée un pacte de non-agression ou de non-persécution qui lui garantira la liberté religieuse. C'est ce qu'on peut lire au livre de Daniel: "Et il confirmera une alliance avec la multitude pour une semaine."[15] Le mot "semaine" ici dans le texte, est la traduction du mot hébreu "septante" qui correspond à une semaine d'années, non à une semaine de jours. La même chose se retrouve au livre de la Genèse, dans un petit texte qui dit ce qui suit: "Accomplis la semaine de celle-ci, et nous te donnerons aussi celle-là pour le service que tu feras chez moi encore sept autres années."[16] Ils concluront donc une alliance pour sept années. Grâce à cette alliance d'ailleurs, les Juifs feront revivre leurs vieilles pratiques religieuses, telles qu'elles avaient lieu à l'époque de l'Ancien Testament.

La situation actuelle entre Jérusalem et Moscou laisse envisager la possibilité d'une pareille alliance. Même si les Juifs demeurent, après les chrétiens, le groupe le plus persécuté en Union Soviétique, il semble qu'en 1988, un plus grand nombre de visas de sortie leur ont été accordés. En février 1989, les ministres des affaires extérieures de l'U.R.S.S. et d'Israël, messieurs Chevarnadze et Arens, se sont rencontrés en Egypte pour la première fois depuis 14 ans. Cela constitue un premier pas vers une alliance éventuelle qui sera conclue entre les deux pays comme nous l'annonce la prophétie biblique.

Malheureusement pour les Juifs, cette alliance ne sera pas respectée. La suite du texte de Daniel que nous venons de lire à propos de tout cela continue en ces mots: "et au milieu de la semaine, il fera cesser le sacrifice et l'offrande".[17] L'alliance sera donc rompue dans le "milieu de la semaine"; cela veut dire qu'après la persécution des chrétiens qui aura duré trois ans et demi, l'antichrist fera cesser les anciens "sacrifices et offrandes" de la loi de Moïse, et s'attaquera alors aux Juifs. Cela correspond en fait au 5è sceau de l'Apocalypse: "Et lorsqu'il ouvrit le 5è sceau, je vis sous l'autel les âmes de ceux qui avaient été égorgés pour la Parole de Dieu et pour le témoignage qu'ils avaient rendu. Et elles criaient à haute voix, disant: "Jusqu'à quand, O Souverain, saint et véritable, ne juges-tu pas et ne venges-tu pas notre sang sur ceux qui habitent sur la terre? Et il leur fut donné à chacun une longue robe blanche; et il leur fut dit qu'ils se reposassent encore un peu de temps, jusqu'à ce que, et leurs compagnons d'esclavage et leurs frères qui devaient être mis à mort comme eux, fussent au complet."[18] Ce texte, lorsqu'il nous parle de "ceux qui avaient été égorgés pour la Parole de Dieu", fait mention naturellement de tous ces chrétiens non-juifs qui ont déjà été mis à mort dans le 4è sceau. Quant à ceux qui doivent "être mis à mort comme eux", ce sont bien sûr leurs frères chrétiens Juifs. En réalité, l'antichrist se déchaînera précisément contre le "résidu" du peuple juif.

Ce résidu correspond au reste du peuple juif qui se tournera vers Dieu en se convertissant au Christ et à son message évangélique à la fin des temps. St-Paul dit lui aussi qu'aux jours de la fin une partie seulement du peuple juif s'ouvrira les yeux. "Quand le nombre des fils d'Israël serait comme le sable de la mer, un résidu seulement sera sauvé."[19]

LES DEUX TÉMOINS

Malgré cette persécution, la Parole de Dieu sera tout de même répandue dans la terre d'Israël. En ces jours-là, la puissance de Dieu se manifestera à travers deux prophètes qui seront chargés d'une mission divine en Israël pour la conversion du peuple juif. "Et je donnerai puissance à mes deux témoins. Et ils prophétiseront 1260 jours, vêtus de sacs. Ceux-ci sont les deux oliviers et les deux lampes qui se tiennent devant le Seigneur de la terre. Et si quelqu'un veut leur nuire, le feu sort de leur bouche et dévore leurs ennemis; et si quelqu'un veut leur nuire, il faut qu'il soit ainsi mis à mort. Ceux-ci ont le pouvoir de fermer le ciel, afin qu'il ne tombe pas de pluie durant les jours de leur prophétie; et ils ont le pouvoir sur les eaux pour les changer en sang."[20] Ces deux "oliviers" qui prophétiseront pendant 1260 jours, c'est-à-dire trois ans et demi, et auxquels personne ne pourra nuire sont Moïse et Elie. Moïse est le seul prophète de tout l'Ancien Testament à avoir changé l'eau en sang et Elie est le seul prophète qui ferma le ciel pour qu'il ne tomba pas de pluie.[21] Ainsi malgré la rage de l'antichrist, Dieu suscitera deux prophètes intouchables qui deviendront de véritables plaies vivantes pour la bête athée et tous ceux qui se seront souillés avec elle.

Ainsi, grâce à ces deux témoins, de nombreux Juifs se tourneront vers Dieu en se convertissant au Christ et à son message. Ils comprendront que Jésus de Nazareth a été le Messie et le Sauveur des hommes. Le prophète Osée avait annoncé qu'aux jours de la fin, un certain nombre des fils d'Israël s'ouvriraient enfin les yeux. "Car les fils d'Israël resteront beaucoup de jours sans roi, et sans prince, et sans sacrifice, et sans statue, et sans éphod ni théraphim. Ensuite, les fils d'Israël retourneront et rechercheront l'Eternel, leur Dieu, et David, leur roi, et se tourneront avec crainte vers l'Eternel et vers sa bonté, à la fin des jours."[22]

Toutefois, lorsque ces deux témoins auront terminé leur mission de trois ans et demi, l'antichrist les fera mourir. "Et quand ils auront achevé leur témoignage, la bête qui monte de l'abîme leur fera la guerre, et les vaincra, et les mettra à mort; et leur corps mort sera étendu sur la place de la grande ville... Et ceux des peuples et des tribus et des langues et des nations voient leur corps mort durant trois jours et demi, et ils ne permettent point que leurs corps morts soient mis dans un sépulcre. Et ceux qui habitent sur la terre se réjouissent à leur sujet et font des réjouissances,... parce que ces deux prophètes tourmentaient ceux qui habitent sur la terre."[23] Mais Dieu leur réservera une surprise à sa manière:

"Et après les trois jours et demi, l'esprit de vie venant de Dieu entra en eux; et ils se tinrent sur leurs pieds, et une grande crainte tomba sur ceux qui les contemplaient. Et j'entendis une grande voix venant du ciel, leur disant: Montez ici. Et ils montèrent au ciel dans la nuée, et leurs ennemis les contemplèrent."[24] C'est donc la fin des deux témoins qui monteront au ciel par la puissance de Dieu. De nouveau, la bête et tous ceux qui sont avec elle seront confondus, car ces hommes qu'ils auront tués et étendus en spectacle sur la place publique en se réjouissant de leur mort, reviendront à la vie; et oui, ils se lèveront d'entre les morts comme le Christ le fit il y a 2000 ans. Ils se lèveront non seulement d'entre les morts, mais ils s'élèveront au ciel dans la nuée où Dieu les appelera, devant les yeux ébahis de tous leurs ennemis.

L'ABOMINATION DE LA DÉSOLATION

Les ténèbres seront grandes sur la terre, en ces jours-là, quand l'antichrist aura éliminé presque tous les chrétiens juifs. Selon les prophéties: "lorsqu'il aura achevé de briser la force du peuple saint, toutes ces choses seront achevées"[25]. C'est là que se termine le cinquième sceau et c'est à ce moment précis aussi que sera établie "l'abomination de la désolation": "Et des forces se tiendront là de sa part, et elles profaneront le sanctuaire de la forteresse, et ôteront le sacrifice continuel, et elles placeront l'abomination qui cause la désolation."[26] Dans la religion juive, l'expression "l'abomination de la désolation" signifie la profanation du temple en amenant un non-juif ou une chose impure dans le lieu saint, la partie consacrée du temple où seul un prêtre autorisé peut entrer. C'est alors que l'antichrist portera l'athéisme à son comble. St-Paul nous l'explique dans l'une de ses épîtres: "l'homme de péché, le fils de perdition, qui s'oppose et s'élève contre tout ce qui est appelé Dieu, s'assiéra lui-même au temple de Dieu se présentant comme étant Dieu"[27].

Le Christ, lui, exhorte les juifs chrétiens qui seront encore vivants à ce moment-là à s'enfuir loin des villes. Voici cette mise en garde telle qu'on peut la lire dans l'évangile de Matthieu: "Quand vous verrez l'abomination de la désolation, dont il a été parlé par Daniel le prophète, établie dans le lieu saint, alors que ceux qui sont en Judée s'enfuient dans les montagnes; que celui qui est sur le toit ne descende pas pour emporter ses effets hors de sa maison; et que celui qui est aux champs ne retourne pas en arrière pour emporter son vêtement.[28]

Maintenant la fin approche à grands pas. En effet, il reste ici si peu de temps, que Daniel compte même les jours à partir du moment précis où l'abomination sera établie dans le lieu saint: "Et depuis le temps où le sacrifice continuel sera ôté (le jour où l'alliance avec les Juifs sera brisée) et où l'abomination qui désole sera placée, il y aura mille deux cent quatre-vingt-dix jours (trois ans et demi, la durée des persécutions juives). Bienheureux celui qui attend et qui parvient à mille trois cent trente-cinq jours"[29]. Ainsi, quarante-cinq jours après le moment précis où l'antichrist s'assiera dans le temple de Jérusalem, son règne prendra fin. Mais le jour tant espéré où ce royaume ténébreux sera détruit n'arrivera pas sans qu'il y ait eu, tout d'abord, un combat effroyable.

1. La voix des Martyrs, juin 1989
2. La revue Time, 21 décembre 1987
3. La revue Time, 4 avril 1988
4. Le journal de Montréal, 11 juin 1989
5. La voix des Martyrs, avril 1989
6. La revue Time, 4 avril 1988
7. L'express, 3 juin 1988
8. La voix des Martyrs, novembre 1987
9. Evangile de Jean, chapitre 15, verset 20
10. Apocalypse, chapitre 13, versets 7 et chap. 6, versets 7 et 8
11. Daniel, chapitre 11, versets 33b et 35
12. Evangile de Matthieu, chapitre 5, versets 11 et 12
13. Plusieurs informations concernant les tortures et les conditions de vie dans les prisons soviétiques ont été tirées des livres du pasteur Richard Wurmbrand.
14. Apocalypse, chapitre 12, verset 11b
15. Daniel, chapitre 9, verset 27a
16. Genèse, chapitre 29, verset 27
17. Daniel, chapitre 9, verset 27b
18. Apocalypse, chapitre 6, versets 9 à 11
19. Epître de Paul aux Romains, chapitre 9, verset 27
20. Apocalypse, chapitre 11, versets 3 à 6
21. Exode, chapitre 7, versets 14 à 21 et 1 Rois, chapitres 17 et 18
22. Osée, chapitres 3, 4 et 5
23. Apocalypse, chapitre 11, versets 7 à 10
24. Apocalypse, chapitre 11, versets 11 et 12
25. Daniel, chapitre 12, verset 7b
26. Daniel, chapitre 11, versets 28b et 31
27. 2è épître de Paul aux Thessaloniciens, chapitre 2, versets 3 et 4
28. Evangile de Matthieu, chapitre 24, versets 15 à 18
29. Daniel, chapitre 12, versets 11 et 12

CHAPITRE 26

ARMAGÉDON

C'est ici le début du sixième sceau, le grand jour de la colère de Dieu où de nombreuses armées s'affronteront. En fait, l'antichrist sera au courant que le Christ est sur le point de revenir en Israël et c'est afin de le tuer, au moment de son retour, qu'il marchera vers ce pays avec les rois de la terre. Sachant que Dieu doit remettre à Son Fils, en ces jours-là, l'autorité pour gouverner toutes les nations, le diable, incarné dans l'antichrist, aura la prétention de vouloir changer le décret divin, en tuant l'Héritier avant qu'il ne s'assoie sur le trône. Une telle folie, un tel égarement sera-t-il possible?

Et bien oui, l'antichrist, étant en ces jours-là le dictateur des nations, mettra sur pied, avec l'aide d'un grand nombre de pays, une armée internationale. Le prophète Ezéchiel nous renseigne très bien là-dessus: "toi, Gog, prince de Rosh, de Méshec et de Tubal... je te ferai sortir et je te ferai venir sur les montagnes d'Israël; toi et toute ton armée, chevaux et cavaliers, tous parfaitement équipés, un grand rassemblement... avec eux la Perse, Cush et Puth ayant tous des boucliers et des casques; Gomer et toutes ses bandes; la maison de Togarma, du fond du nord, et toutes ses bandes, beaucoup de peuples avec toi. Prépare-toi, et tiens-toi prêt, toi et tout ton rassemblement qui est assemblé auprès de toi, et sois leur chef"[1].

Ce texte, d'une très grande clarté, nous confirme que la bête de l'Apocalypse assemblera "beaucoup de peuples" et qu'elle sera à la tête de cette armée. Le texte nous détaille même certains des peuples qui se joindront à ce "prince de Rosh": les peuples d'Arménie, l'une des républiques soviétiques (Togarma), l'Iran (l'ancienne Perse), la Libye (Puth) un solide allié d'U.R.S.S., l'Ethiopie (Cush), la Turquie, le Liban, la Syrie et l'Iraq (Gomer et les peuples qui ont habité la région sud de la Mer Noire), et enfin plusieurs peuples arabes se rallieront sous sa bannière; ils auront, en effet, une occasion rêvée de marcher sur la terre d'Israël pour détruire leur ennemi de toujours.

MONTÉS SUR DES CHEVAUX

Le texte nous dit "chevaux et cavaliers"; cette armée sera bel et bien montée sur des chevaux, aussi invraisemblable que cela puisse paraître. En effet, dans une époque comme la nôtre, où les progrès technologiques et la nette supériorité de toutes les formes de véhicules motorisés ont relégué aux oubliettes le cheval comme moyen de transport, on s'interroge avec raison sur cette "cavalerie du futur". Toutefois, en faisant un peu d'anticipation, on peut estimer sans pour cela exagérer, qu'à la suite de la 3è guerre mondiale, une bonne partie des réserves d'énergie conventionnelle, tel que le pétrole par exemple, aura fortement diminué et continuera par la suite à décroître très rapidement. Ajoutons à cela plusieurs explosions atomiques détruisant beaucoup de sources d'approvisionnement, et on commence à réaliser que l'utilisation des chevaux devient de plus en plus vraisemblable. Ce n'est donc pas un hasard si, depuis les dernières années, les Russes se sont mis à acheter des chevaux de trait dans le monde entier, et ont très sérieusement intensifié la reproduction des chevaux, si bien qu'on en compte déjà quelques dizaines de millions.

200 MILLIONS DE SOLDATS

Tout ceci nous amène à nous interroger sur les effectifs de cette armée et le nombre approximatif de soldats qu'elle aura dans ses rangs. Voici un verset de l'Apocalypse qui nous précise cela. "Et le nombre des armées de la cavalerie était de deux myriades de myriades: j'en entendis le nombre."[2] Le mot "myriade" signifie dix mille, de sorte que "myriade de myriade" ou dix mille fois dix mille, donne le total de 100 millions, qu'il faut multiplier finalement par deux, puisque nous avons "deux myriades de myriades". Ce total en fait, regroupe l'armée internationale que l'antichrist assemblera, et une autre armée qui sera mêlée elle aussi à ce conflit. Un texte de Jean dans l'Apocalypse nous informe sur le mouvement de cette armée: "et le sixième versa sa coupe sur le grand fleuve Euphrate; et son eau tarit, afin que la voie des rois qui viennent de l'Orient fût préparée"[3].

L'Euphrate a été, tout au cours de l'histoire, une formidable barrière entre les peuples. Il est long de 1440 milles et jusqu'à tout récemment, on ne pouvait le traverser qu'à certaines saisons et à des endroits précis. Toutefois, il y a quelques années, la Russie a construit deux grands barrages, l'un sur l'Euphrate en Syrie, et l'autre sur le Nil, de sorte que, pour la première fois de l'histoire, ces deux fleuves peuvent être asséchés par des efforts humains, permettant ainsi à des armées venant de l'Orient de se rendre en Israël. Ces "rois de l'Orient" ne sont en fait rien d'autre que les Chinois eux-mêmes qui s'associeront en ces jours-là avec la bête communiste. Contrairement à ce que bien des gens disent ou pensent, les Chinois ne domineront pas le monde, même s'ils ont une population de plus d'un milliard d'habitants. Ils seront eux aussi soumis, comme tous les autres, à cet empire mondial. De toute façon, il n'y aura rien d'étonnant à ce qu'un pays vivant sous le régime communiste depuis les années cinquante s'unisse alors à un autre système communiste, et marche main dans la main avec lui. Ainsi, les armées de la Chine venues d'Orient et celles des alliés de la bête descendront en Israël. "Gog, en ce jour-là... tu viendras de ton lieu; du fond du nord, toi et beaucoup de peuples avec toi, et tu monteras contre mon peuple Israël, comme une nuée, pour couvrir le pays. Ce sera à la fin des jours."[4] Ce texte nous informe que cette armée descendra du nord, du pays de l'Union Soviétique, vers la terre d'Israël, tout comme l'armée chinoise.

LA DÉSOLATION SUR LE PAYS

Ces deux armées, avant d'être au point de rendez-vous, vont toutefois semer la terreur et la désolation sur tout le pays. Imaginez-vous un instant une armée de 200 millions de soldats pénétrant sur un territoire aussi petit qu'Israël, et rappelez-vous dans votre mémoire, depuis les premiers temps de l'histoire jusqu'à la récente deuxième guerre mondiale, ce que beaucoup d'armées envahissant un pays ont commis comme sauvagerie, comme brutalité et comme horreur, et alors vous aurez une idée de l'ampleur du désastre. Voilà aussi pourquoi Jésus avertissait son peuple à propos de cet événement précis. "Et quand vous verrez Jérusalem environnée d'armées, sachez alors que sa désolation est proche. Alors, que ceux qui sont en Judée s'enfuient dans les montagnes; et que ceux qui sont au milieu de Jérusalem s'en retirent; et que ceux qui sont dans les campagnes n'entrent pas en elle. Car ce sont là des jours de vengeance; afin que toutes les choses qui sont écrites soient accomplies."[5]

L'armée internationale dévastera tout sur son passage, tuant, pillant, saccageant, violant, si bien que tout le pays d'Israël sera durement frappé. Ecoutons ce que le prophète Zacharie nous dit: "Et j'assemblerai toutes les nations contre Jérusalem, pour le combat; et la ville sera prise, et les maisons seront pillées et les femmes violées, et la moitié de la ville s'en ira en captivité"[6].

ARMAGÉDON

"Et ils les assemblèrent au lieu appelé en hébreu: Armagédon".[7] C'est donc là qu'aura lieu l'affrontement final. En plus d'être une expression utilisée depuis des siècles pour désigner les horreurs de la guerre ou quelque grande catastrophe, le mot "Armagédon" a une racine hébraïque et signifie précisément "montagne de Méguiddo". Ces montagnes sont celles qui entourent la grande plaine de Jizréel qui traverse le milieu de la Terre Sainte, de la Méditerranée jusqu'au Jourdain, à laquelle elles ont aussi donné leur nom. Or, la plaine de Méguiddo a toujours été un lieu de carnage. Dans l'histoire, plusieurs batailles fameuses se livrèrent à cet endroit. On dit que Napoléon, debout sur la colline de Méguiddo et se souvenant des prophéties bibliques, déclara, après avoir parcouru la vallée du regard: "toutes les armées du monde pourraient manoeuvrer ici pour un combat!" C'est dans cette plaine immense de Méguiddo que se rassembleront donc les armées du monde où Dieu les exterminera, parce qu'elles auront voulu combattre contre Lui et contre Son Fils, Jésus-Christ.

Voyons de quelle façon la colère de Dieu va s'abattre sur eux. "Et le sixième ange sonna de la trompette... disant: Délie les quatre anges qui sont liés sur le grand fleuve Euphrate. Et les quatre anges qui étaient préparés pour l'heure et le jour et le mois et l'année, furent déliés, afin de tuer le tiers des hommes."[8] Ces anges seront donc déliés et leur colère se tournera contre les soldats assemblés. Le prophète Zacharie nous explique l'action de ces quatre anges qui provoqueront la mort d'un tiers des soldats: "Et il arrivera, en ce jour-là, qu'il y aura de par l'Eternel, un grand trouble parmi eux, et ils saisiront la main l'un de l'autre, et lèveront la main l'un contre l'autre. En ce jour-là, dit l'Eternel, je frapperai d'étourdissement tous les chevaux, et de délire ceux qui les monteront... et je frapperai d'aveuglement tous les chevaux des peuples"[9]. "L'épée de chacun sera contre son frère."[10]

Sur ces armées réunies s'abattra donc une confusion incontrôlable. Confusion des chevaux qui, pris d'étourdissement et devenus aveugles, s'affoleront, se cabreront; et confusion des cavaliers qui, pris d'une folie soudaine, se tourneront l'un contre l'autre et s'entretueront. Le carnage, les cavaliers piétinés, les bêtes renversées, meurtries, tout ça va inévitablement se terminer en une mare gigantesque de sang. La description que nous en fait Jean dans l'Apocalypse, bien que brève, est stupéfiante: "Et de la cuve, il sortit du sang jusqu'aux mors des chevaux sur un espace de mille six cent stades"[11]. (Un stade est égal à un huitième de mille.) Ainsi, sur une distance de 200 milles, les corps morts gisant pêle-mêle sur le sol avec les millions de bêtes tuées, seront recouverts par quatre à cinq pieds de sang. Le texte, en effet, précise qu'il "s'élèvera jusqu'au mors des chevaux", cette barre métallique que l'on passe dans la bouche du cheval.

LES OISEAUX DE PROIE

Puis accourront de tous les horizons, des millions d'oiseaux de proie pour participer à ce qui sera pour eux un véritable festin. "Et je vis un ange..., disant à tous les oiseaux qui volent par le milieu du ciel: Venez, assemblez-vous au grand souper de Dieu; afin que vous mangiez la chair des rois, et la chair des chiliarques, et la chair des puissants, et la chair des chevaux et de ceux qui sont assis dessus, et la chair de tous, libres et esclaves, petits et grands"[12].

Voilà le festin en question, festin plutôt particulier il est vrai, où les oiseaux se lanceront sur les victimes et se gorgeront de sang comme en un jour de fête. Ezéchiel, dans l'une de ses prophéties, nous décrit le même événement alors qu'il parle de la descente de l'antichrist sur les montagnes d'Israël: "Tu tomberas sur les montagnes d'Israël, toi et toutes tes bandes, et les peuples qui seront avec toi; je te donnerai en pâture aux oiseaux de proie, de toute aile"[13].

Fait surprenant, selon une déclaration de Michael Esses, un ancien rabbin, tirée de son livre "Le prochain visiteur sur la planète", une nouvelle espèce de vautour, encore jamais vue, a fait son apparition en Israël. Cette variété d'oiseaux de proie se multiplie à un rythme trois fois supérieur à la normale. Les buses aussi qui pondaient normalement un seul oeuf à la fois, en pondent maintenant quatre! Tous ces oiseaux survolent déjà la vallée d'Armagédon, attendant le jour du festin auquel ils ont été conviés.

LA FIN

"Et la bête fut prise et le faux prophète qui était avec elle... Ils furent tous deux jetés vifs dans l'étang de feu embrasé par le soufre; et le reste fut tué par l'épée de celui qui était assis sur le cheval, laquelle sortait de sa bouche, et tous les oiseaux furent rassasiés de leur chair."[14] Ainsi, Armagédon est tout de même une histoire qui finit bien, car c'est après cette bataille que "le dragon, le serpent ancien qui est le diable et Satan sera lié pour mille ans"[15].

De plus, ce personnage monté sur un cheval blanc n'est nul autre que le Christ lui-même. Il est apparu du ciel avec toute son armée céleste pour régler le cas de l'antichrist, du faux prophète et du diable. "Et je vis le ciel ouvert: et voici un cheval blanc et celui qui est assis dessus juge et combat en justice. Et les armées qui sont dans le ciel le suivaient sur des chevaux blancs; et une épée aigüe à deux tranchants sort de sa bouche, afin qu'il en frappe les nations."[16] Fait à noter, Jésus lui-même et son armée ne sont pas sur terre, mais ils sont bel et bien dans les airs, alors que tous ces événements se déroulent. En effet, un autre groupe de chrétiens véritables doit être "enlevé" de la terre et monter à leur rencontre dans le ciel.

Voici donc le sixième sceau de l'Apocalypse qui prend fin sur tous ces événements bouleversants et grandioses, alors que l'armée céleste est sur le point de poser les pieds en Israël avec son chef, le Christ. Nous ne sommes plus alors qu'à quelques instants de la conclusion de Dieu.

1. Ezéchiel, chapitre 39, versets 2 et 3, et chapitre 38, versets 4 à 7
2. Apocalypse, chapitre 9, verset 16
3. Apocalypse, chapitre 16, verset 12
4. Ezéchiel, chapitre 38, versets 14 à 16
5. Evangile de Luc, chapitre 21, versets 20 à 22
6. Zacharie, chapitre 14, verset 2
7. Apocalypse, chapitre 16, verset 16
8. Apocalypse, chapitre 9, versets 14 et 15
9. Zacharie, chapitre 14, verset 13 et chapitre 12, verset 4
10. Ezéchiel, chapitre 38, verset 21b
11. Apocalypse, chapitre 14, verset 20
12. Apocalypse, chapitre 19, versets 17, 18
13. Ezéchiel, chapitre 39, verset 4
14. Apocalypse, chapitre 19, verset 20a et 21
15. Apocalypse, chapitre 20, verset 2
16. Apocalypse, chapitre 19, versets 11, 14 et 15

CHAPITRE 27

LE RÈGNE DE 1000 ANS

Le septième sceau de l'Apocalypse débute avec l'arrivée de l'armée céleste du Christ à travers les nuées du ciel. Elle est dans l'attente d'un enlèvement qui ajoutera à cette armée nombreuse un nouveau groupe de croyants. Ces croyants, tout comme Moïse et Elie, s'élèveront eux aussi à la rencontre du Seigneur, dans les airs. "Je vous dis qu'en cette nuit-là, deux seront sur un même lit, l'un sera pris et l'autre laissé; deux femmes moudront ensemble, l'une sera prise et l'autre laissée; deux seront aux champs, l'un sera pris et l'autre laissé. Et répondant, ses disciples lui disent: Où Seigneur? Et il leur dit: Là où est le corps mort, là aussi s'assembleront les aigles."[1]

Ce texte de l'Evangile de Luc nous confirme que l'enlèvement aura bel et bien lieu sur la terre d'Israël, puisque c'est là que s'assembleront les aigles, au moment du retour du Christ. Ceux qui seront ravis avec le Christ seront donc les habitants de Jérusalem et des alentours. En fait, comme les chrétiens non juifs ont tous été mis à mort par l'antichrist à ce moment-là, ceux qui se sont échappés et qui sont demeurés vivants jusqu'à ce jour et qui seront enlevés, ne peuvent être que des Juifs convertis. Un texte de Jean dans l'Apocalypse nous le confirme: "Et j'entendis le nombre de ceux qui étaient scellés: cent quarante-quatre mille scellés de toute tribu des fils d'Israël"[2]. Il s'agit donc de 144,000 descendants des douze tribus d'Israël qui recevront cette bénédiction de la part de Dieu.

"Voici, je vous dis un mystère: nous ne nous endormirons pas tous, mais nous serons tous changés; en un instant, en un clin d'oeil, à la dernière trompette... Ensuite, nous les vivants qui seront restés, nous serons tous ensemble enlevés avec eux sur des nuées, à la rencontre du Seigneur dans les airs, et ainsi nous serons toujours avec le Seigneur."[3] "Alors, aux jours de la voix du septième ange, quand il sera sur le point de sonner de la trompette, le mystère de Dieu aussi sera terminé."[4]

Tout ceci bien évidemment arrive à la toute fin, lorsque le royaume de la terre est sur le point d'être remis au Christ qui s'apprête du haut du ciel à descendre sur la terre avec ses saints: "Et les pieds de l'Eternel se tiendront, en ce jour-là, sur la montagne des Oliviers, qui est en face de Jérusalem"[5], "et avec Lui cent quarante-quatre milliers, ayant son nom et le nom de son Père écrits sur leurs fronts."[6] "Voici, Il vient avec les nuées, et tout oeil le verra,"[7] dit-on aussi au livre de l'Apocalypse. La venue du Christ sur les nuées du ciel sera sûrement quelque chose d'éclatant.

LES SAINTS

Toutefois, il n'y aura pas que les 144,000 Juifs avec Lui, car une foule innombrable de chrétiens ayant gardé une fidélité au Christ à travers les persécutions de l'antichrist, l'accompagneront aussi lors de sa venue: "et les armées qui sont dans le ciel le suivaient sur des chevaux blancs, vêtues de fin lin, blanc et pur."[8]

Un autre texte de Jean dans l'Apocalypse nous précise qui seront ces saints qui possèderont la terre: "Et je vis des trônes, et ils étaient assis dessus, et le jugement leur fut donné; et les âmes de ceux qui avaient été décapités pour le témoignage de Jésus, et pour la Parole de Dieu; et ceux qui n'avaient pas rendu hommage à la bête et à son image... vécurent et régnèrent avec le Christ mille ans: le reste des morts ne vécut pas jusqu'à ce que les mille ans fussent accomplis. C'est ici la première résurrection. Bienheureux et saint celui qui a part à la première résurrection: sur eux la seconde mort n'a point de pouvoir; mais ils seront sacrificateurs de Dieu et du Christ, et ils régneront avec lui mille ans."[9] Le terme "décapités" est plutôt clair. Tous ces saints sont donc les croyants qui ont donné leur vie, et versé leur sang. Ces vrais croyants reviendront dans un corps glorifié immortel et "seront sacrificateurs de Dieu et du Christ". Ce qui signifie qu'ils seront les bras droits du Christ, ses conseillers qui l'assisteront dans sa tâche de faire régner la justice et la paix.

Alors tous les saints qui auront été fidèles au Christ jusqu'à la mort "seront vêtus de vêtements blancs, ils seront des colonnes dans le temple de Dieu, ils auront autorité sur les nations, et ils s'assoieront avec lui sur son trône"[10]. "Et celui qui est assis sur le trône dressera sa tente sur eux. Ils n'auront plus faim et ils n'auront plus soif, et le soleil ne les frappera plus, ni aucune chaleur, parce que l'Agneau qui est au milieu du trône les paîtra et les conduira aux fontaines des eaux de la vie, et Dieu essuiera toute larme de leurs yeux."[11] Bienheureux ceux qui ont part au règne du Christ, car c'est une grande bénédiction, après toutes les épreuves d'une vie chrétienne. Le prophète Esaïe nous décrit ici quelle sera la gloire de tous ces saints: "Vous mangerez des richesses des nations, et vous vous revêtirez de leur gloire. Ils célébreront avec joie leur portion; c'est pourquoi dans leur pays, ils posséderont le double; ils auront une joie éternelle. Et je leur donnerai leur récompense avec vérité, et je ferai avec eux une alliance éternelle. Tous ceux qui les verront les reconnaîtront, qu'ils sont la semence que l'Eternel a bénie."[13]

LE JOUR DE REPOS

Le règne de mille ans est, en d'autres mots, un repos pour le peuple de Dieu. C'est l'apôtre Paul qui nous explique cette figure spirituelle, en reprenant le récit de la Genèse à propos des six jours de création et du 7è jour de repos, le sabbat. Il cite tout d'abord ceci: "Et Dieu se reposa de toutes ses oeuvres au 7è jour". Puis il ajoute: "il reste donc un repos sabbatique pour le peuple de Dieu"[13]. Paul ici, cherche à nous faire comprendre bien simplement que ce 7è jour de la création représente aussi un 7è jour de l'humanité où l'homme demeuré fidèle à Dieu, se reposera lui aussi de son oeuvre. La clé de tout ceci se trouve dans un passage des épîtres de Pierre, alors qu'il nous explique la signification du mot "jour". "Mais n'ignorez pas cette chose, bien-aimés, c'est qu'un jour est devant le Seigneur comme mille ans, et mille ans comme un jour."[14] Ainsi, l'histoire de l'homme s'échelonnera sur une période de six mille ans ou six jours; soit quatre mille ans avant Jésus-Christ ou quatre jours, et deux mille ans après Jésus-Christ ou deux jours. Nous sommes d'ailleurs presque parvenus à la fin de ce 6000 ans, puisqu'il s'est déjà écoulé 5989 années depuis les tout débuts de la Bible. Le règne du Christ qui durera 1000 ans, c'est à dire un jour, est donc le septième jour de l'histoire de l'humanité. Tout cela pour un total de 7000 ans.

LE NEUVIÈME EMPIRE

"Le Dieu des cieux établira un royaume qui ne sera jamais détruit; et ce royaume ne passera point à un autre peuple;... et il subsistera à toujours. Et on lui donna la domination, et l'honneur, et la royauté, pour que tous les peuples, les peuplades et les langues le servissent. Sa domination est une domination éternelle qui ne passera pas, et son royaume, un royaume qui ne sera pas détruit."[15] Ce passage de la Parole de Dieu fait allusion au temps où le Messie régnera de Jérusalem sur toute la terre et rendra la justice parmi les nations dans un royaume terrestre, visible et réel qu'il aura établi lui-même. Voilà le règne pour lequel Jésus a enseigné ses disciples à prier dans le "Notre-Père", lorsqu'il leur disait "que ton règne vienne, que ta volonté soit faite sur la terre comme au ciel"[16]. La Parole de Dieu enseigne, en effet, qu'une paix durable ne viendra dans ce monde qu'après le retour du Christ, lorsqu'il siégera sur le trône de David à Jérusalem et établira son règne historique sur terre, le neuvième empire universel, pour une période de mille ans.

C'est dans son sermon sur la montagne que Jésus nous donne un avant-goût de la charpente de ce royaume terrestre, lorsqu'il nous dit: "Bienheureux les débonnaires... bienheureux ceux qui ont faim et soif de la justice... bienheureux les miséricordieux... bienheureux ceux qui sont purs de coeur... bienheureux ceux qui procurent la paix..., car c'est à eux qu'est le royaume des cieux"[17]. Ce sera donc un royaume de simplicité, de bonté, de justice, de pardon, de pureté, de paix, d'amour et de partage véritable. Au fond, c'est une question de coeur. Quand ceux qui dirigeront la planète seront des gens qui auront dans le coeur la bonté et l'amour de Dieu, rien ne sera plus pareil! Ce sera certainement bien différent d'être dirigés par un gouvernement de saints, à l'abri de la corruption. Mais il n'y aura pas que des saints sur la terre, car ceux qui seront déjà là au moment du retour du Christ seront mortels et ils repeupleront la terre. Il faut dire toutefois, qu'en ces jours-là "la terre sera pleine de la connaissance de l'Eternel, comme les eaux couvrent le fond de la mer"[18]. Alors tous les gens apprendront à aimer Dieu dans leur vie quotidienne, car toute la société sera organisée de manière à les rapprocher de Lui. Ils auront de véritables exemples de foi, de vrais saints sous leurs yeux et le Christ lui-même sera là pour instruire le peuple. Le Christ édifiera sur la terre un règne socialiste chrétien, où la foi sera la force nouvelle d'un peuple libéré. Ainsi, tous les gouvernements du monde entier dans le règne de mille ans, seront dirigés par des disciples du Christ.

LE NETTOYAGE

Tous ces saints participeront avec le Christ au "réaménagement" de la planète qui, à la suite de tous ces fléaux, ces guerres et ces morts, aura vraiment besoin d'un sérieux nettoyage avant que les habitants puissent enfin respirer dans un monde renouvelé. La première tâche à laquelle se livrera le nouveau gouvernement avec l'aide de la population, sera un grand nettoyage. Les efforts seront concentrés, dans un premier temps, surtout sur la terre d'Israël qui aura subie une bonne part des événements mouvementés de la fin. On s'attaquera tout d'abord aux millions de cadavres jonchant le sol, pour les enterrer; cadavres des victimes de la sauvagerie des armées et des soldats eux-mêmes de ces deux armées, tous morts dans l'affrontement final d'Armagédon. Le prophète Ezéchiel nous explique ce qui se passera: "Et il arrivera, en ce jour-là, que je donnerai là à Gog un lieu pour sépulcre en Israël, la vallée des passants, à l'orient de la mer; et le chemin sera ainsi fermé aux passants, et on enterrera là Gog et toute la multitude; et on l'appellera la vallée de Hamon-Gog. Et la maison d'Israël les enterrera pendant sept mois, pour purifier le pays; et tout le peuple du pays les enterrera."[19]

Puis, ce sera le nettoyage des armes de toutes sortes, amenés par ces deux immenses armées. Un détail d'une référence d'Ezéchiel à propos de l'élimination des armes nous laisse toutefois un peu songeur, lorsqu'il nous dit qu'ils "brûleront" les armes. "Et les habitants des villes d'Israël sortiront et allumeront du feu, et brûleront les armes, et les écus, et les boucliers avec les arcs, et les flèches, et les épieux, et les piques; et ils en feront du feu pendant 7 ans. Et ils n'apporteront point de bois des champs et ils n'en couperont point des forêts, car ils feront du feu avec des armes."[20] Le texte nous explique qu'ils feront non seulement brûler les armes, mais qu'elles leur serviront de combustible à la place du bois des forêts. Ici, il faut absolument mettre en lumière un fait qui va donner à ce texte d'Ezéchiel une touche d'authenticité à peine croyable. La Russie a construit la plupart de ses armes, et même ses chars d'assaut, dans un nouveau produit, importé d'Hollande et appelé "lingostone"; ce produit, aussi incroyable que cela puisse sembler, est fait de bois et il est plus solide que le métal. Mais ce qu'il y a de plus étonnant, c'est qu'il brûle aussi bien que du charbon! Comment ne pas reconnaître ici, dans un léger détail prophétique, l'extraordinaire précision de l'Esprit de Dieu qui a révélé des siècles à l'avance des choses que l'esprit de l'homme aurait été incapable d'imaginer même, ne serait-ce que quelques années à l'avance!

LA GUERRE N'EXISTERA PLUS

Cette paix tant recherchée par tous les royaumes et tous les gouvernements de l'homme depuis le début des temps, sera enfin établie sur la terre. Le Christ non seulement fera brûler toutes les armes, mais surtout abolira totalement la violence et la guerre. Sur la pierre angulaire du bâtiment des Nations-Unies est écrite une partie d'une prophétie qui se lit comme suit: "... et de leurs épées, ils forgeront des socs, et de leurs lances, des serpes; une nation ne lèvera pas l'épée contre une autre nation, et on n'apprendra plus la guerre"[21]. C'est là une noble pensée qui a souvent été citée par ceux qui recherchaient la paix pour notre monde troublé. Toutefois, c'est seulement en ces jours-là que cette prophétie s'accomplira, en ces jours où le "Prince de Paix", Jésus-Christ, réalisera avec l'aide de Dieu ce que les Nations-Unies n'ont jamais réussi à faire.

Le Christ changera définitivement tous les outils de guerre en outils de paix, car l'homme ne songera plus à se battre ou à se défendre, mais il songera, au contraire, à vivre paisiblement en travaillant le sol de ses mains. Même la crainte n'existera plus dans ce monde où l'homme, enfin délivré de l'esclavage des passions, n'aura plus à se méfier de son prochain, car tous seront frères. "Car l'homme violent ne sera plus et le moqueur aura pris fin. Et ils s'assiéront chacun sous sa vigne et sous son figuier, et il n'y aura personne qui les effraye."[22]

JÉRUSALEM, LE CENTRE DU MONDE

Jérusalem, la cité sainte, le siège du gouvernement, deviendra le centre spirituel du monde entier, car c'est là, selon la Parole de Dieu, que Jésus-Christ établira sa maison pour le règne de mille ans, c'est-à-dire sur la montagne de Jérusalem. "Et il arrivera à la fin des jours, que la montagne de la maison de l'Eternel sera établie sur le sommet des montagnes et sera élevée au-dessus des collines; et les peuples y afflueront; et beaucoup de nations iront, et diront: Venez, et montons à la montagne de l'Eternel et à la maison du Dieu de Jacob, et il nous instruira de ses voies, et nous marcherons dans ses sentiers. Car de Sion sortira la loi, et de Jérusalem, la Parole de l'Eternel. Et il jugera au milieu de beaucoup de peuples, et prononcera le droit à de fortes nations jusqu'au loin."[23] La loi du monde sortira donc de "cette ville de vérité" où toutes les nations tourneront leurs regards pour connaître les lois de Dieu. Même la confusion des langues n'existera plus, car il n'y aura qu'une "seule langue"[24].

C'est de Jérusalem ainsi que le Christ exercera le jugement sur tous les peuples de la terre. Toutefois, ce jugement sera très sévère, malgré l'harmonie et la paix retrouvées. En effet, les textes nous révèlent que le Christ aura encore à juger des désobéissants parmi les nations du monde. Il semble, de plus, qu'il s'acquittera de cette tâche lui-même. "En ces jours-là, et en ce temps-là, je ferai germer à David un germe de justice, et il exercera le jugement et la justice dans les pays..."[25] "et il frappera la terre avec la verge de sa bouche, et par le souffle de ses lèvres il fera mourir le méchant... et il les paîtra avec une verge de fer."[26] Les rebelles ainsi, seront durement châtiés, pour servir d'exemple à tous les autres endurcis qui ne voudront pas se soumettre à leur nouveau Roi. David nous en parle lui aussi: "Chaque matin, je détruirai tous les méchants du pays, pour retrancher de la ville de l'Eternel tous les ouvriers d'iniquité."[27] Le mal sera repris à chaque jour dans cette société nouvelle où la Bible sera devenue la loi universelle.

LE PARADIS TERRESTRE

La méchanceté et la violence envers les animaux et la nature n'existeront plus. Car l'harmonie qui régnait dans le paradis terrestre au début de la création sera retrouvée. Cela, les simples animaux le savent depuis toujours. C'est pourquoi St-Paul nous dit que: "La création attend avec un ardent désir la révélation des fils de Dieu. Car la création a été soumise à la vanité, non de son propre gré, mais à cause de l'homme, avec l'espérance qu'elle aussi sera délivrée de l'esclavage de la corruption, pour avoir part à la liberté de la gloire des enfants de Dieu"[28]. Oui, même la nature sera libérée de la méchante domination de l'homme pour vivre avec les fils et les filles de Dieu qui sauront la respecter. Alors ceux qui posséderont la terre en prendront soin pour qu'elle retrouve toute sa santé. Ils répareront tous les dégats qui ont été causé à l'environnement au cours de l'histoire. Dans toute la création, l'équilibre sera retrouvé, éliminant ainsi un grand nombre de maladies, autant chez les animaux que chez les humains. Tous pourront jouir des merveilles de la nature, car non seulement on pourra voyager sans se soucier d'aucune frontière, mais aussi parce que les animaux ne nous craindront plus. En effet, comme nous le dit Esaïe, même entre eux il n'y aura plus d'agressivité. "Et le loup habitera avec l'agneau, et le léopard couchera avec le chevreau; et le veau et le jeune lion, et la bête grasse seront ensemble, et un petit enfant les conduira. La vache paîtra avec l'ourse, leurs petits coucheront l'un près de l'autre, et le lion mangera de la paille comme le boeuf. Le nourisson s'ébattra sur le trou de la vipère, et l'enfant sevré étendra sa main sur l'antre du serpent."[29]

L'ESQUIMAU JOYEUX

C'est parfois difficile pour nous, qui vivons dans un monde tel que le nôtre, de s'imaginer le bonheur que nous connaîtrons au règne de mille ans. J'ai pourtant rencontré un jour quelqu'un qui m'en a donné une idée.

J'étais à la pêche au lac Lemoine, entre Fort Chimo et Schefferville. Il y avait là un Inuit avec sa femme; c'est elle qui interprétait en anglais tout ce qu'il disait, car lui, ne parlait que la langue des esquimaux. Ces gens-là vivaient tous les deux avec leurs trois enfants sur leur petit coin de terre; ils pêchaient, chassaient, et l'hiver ils faisaient un peu de traîneau à chiens. Tout ça pour vous dire que c'est l'homme que j'ai vu le plus joyeux du monde, je n'avais jamais vu ça! Il avait toujours vécu simplement et ne voulait rien savoir de la ville et du péché, son coeur était très pur. Cet homme-là était au courant des armements nucléaires; il savait que l'homme blanc était pour se détruire s'il continuait comme ça. Même s'il n'était jamais allé à l'école de sa vie, il connaissait beaucoup de choses. Il était vraiment inspiré de Dieu. Moi, je connaissais la Bible, et tout ce qu'il disait, c'était spirituel. C'était un saint homme d'une certaine façon. Au règne de mille ans, les gens connaîtront ce bonheur et cette joie de vivre sur leur petit coin de terre, unis avec tous ceux qui les entoureront, et dans une société qui les influencera au bien.

LE DIABLE, UNE DERNIÈRE FOIS

Finalement, à la fin du règne de mille ans, le diable qui avait été enchaîné pendant ces mille ans, sera délié pour la dernière fois, et soulèvera à nouveau les peuples de la terre contre Dieu et contre Son Fils. "Et quand les mille ans seront accomplis, Satan sera délié de sa prison; et il sortira pour égarer les nations qui sont aux quatre coins de la terre, Gog et Magog, pour les assembler pour le combat. Et ils montèrent sur la largeur de la terre, et ils environnèrent le camp des saints et la cité bien-aimée."[30]

Il semble que la leçon d'Armagédon n'a pas été suffisante ou que ces mille années d'histoire auront peu à peu effacé dans l'esprit de ces nouvelles générations, le souvenir de ce jour où tous les insensés qui osèrent marcher contre Dieu périrent. Cette fois-ci l'action de Dieu sera instantanée, et le jour sera enfin venu pour Lui de clore pour l'éternité l'éternel conflit du bien et du mal. Voici la suite: "Et du feu descendit du ciel de la part de Dieu et les dévora. Et le diable qui les avait égarés fut jeté dans l'étang de feu et de soufre où sont la bête et le faux prophète; et ils seront tourmentés, jour et nuit, aux siècles des siècles"[31].

---

1. Evangile de Luc, chapitre 17, versets 34 à 37
2. Apocalypse de Jean, chapitre 7, verset 4
3. Première épître de Paul aux Corinthiens, chap. 15, versets 51, 52a
   première épître de Paul aux Thessaloniciens, chapitre 4, verset 17
4. Apocalypse, chapitre 10, verset 7
5. Zacharie, chapitre 14, verset 4a
6. Apocalypse, chapitre 14, verset 1
7. Apocalypse, chapitre 1, verset 7a
8. Apocalypse, chapitre 19, verset 14
9. Apocalypse, chapitre 20, verset 4 à 6
10. Apocalypse, chap. 3, versets 5, 12 et 21; et chap. 2,verset 26
11. Apocalypse, chapitre 7, versets 15b à 17
12. Esaïe, chapitre 61, verset 6b à 9
13. Epître de Paul aux Hébreux, chapitre 4, verset 4 & 9
14. Deuxième épître de Pierre, chapitre 3, verset 8
15. Daniel, chapitre 2, verset 44 et chapitre 7, verset 14
16. Evangile de Matthieu, chapitre 6, verset 10
17. Evangile de Matthieu, chapitre 5, versets 5 à 10
18. Esaïe, chapitre 11, verset 9b
19. Ezéchiel, chapitre 39, versets 11 à 13a
20. Ezéchiel, chapitre 39, versets 8 à 10
21. Esaïe, chapitre 2, verset 4
22. Esaïe, chapitre 29, verset 20 et Michée, chapitre 4, verset 4
23. Michée, chapitre 4, versets 1 à 3
24. Sophonie, chapitre 3, verset 9
25. Jérémie, chapitre 33, verset 15
26. Esaïe, chapitre 11, verset 4 et Apocalypse, chapitre 19, verset 15b
27. Psaumes 101, verset 8

28. Epître de Paul aux Romains, chapitre 8, versets 19 à 21

29. Esaïe, chapitre 11, versets 6 à 8

30. Apocalypse, chapitre 20, versets 7 à 9b

31. Apocalypse, chapitre 20, versets 9b, 10

CHAPITRE 28

PERDUS DANS LA FORÊT

Bien que la vie en forêt nous fasse retourner aux sources de la vie et à la simplicité de la nature, elle nous cache aussi des dangers auxquels il nous arrive d'être confrontés. Cette belle forêt aux mille et un attraits, remplie de castors, de marmottes, de souris, de lièvres, de renards, d'oiseaux de toutes sortes, de loups et d'ours aussi, peut rapidement se transformer en cauchemar et parfois même en tombeau. L'été de 1979, alors que nous étions campés au lac à l'Ours, je vécus avec trois de mes amis, Yves Ledoux, Vincent Séguin et Guy Corcoran, une aventure que nous n'oublierons jamais de toute notre vie.

Notre désir d'explorer les lacs et les ruisseaux environnants nous avait donné l'idée de nous rendre à un petit lac situé à quelques milles du campement. Bien sûr, l'ambition d'une belle pêche de truites rouges était notre motivation principale. Et pourtant, nous avions déjà de tout au lac à l'Ours: truites et dorés que nous pêchions joyeusement depuis quelques semaines. Mais notre nature humaine insatiable, nous poussa à nous aventurer dans les profondeurs de la forêt.

Ainsi, par un beau lundi ensoleillé, vers six heures du matin environ, on quitta le campement. Il fallut parvenir jusqu'au lac Ventadour par un sentier de brousse, puis naviguer jusqu'au fond de l'une de ses nombreuses baies en canot à moteur. C'est là que commença notre aventure. On s'enfonça dans la forêt à la recherche du lac Ida. Ce lac était situé plus haut dans les montagnes, et selon mes estimations et celles de notre carte, il nous fallait suivre l'un des deux ruisseaux qui lui était relié pour y parvenir. Dans l'énervement et l'excitation de cette nouvelle expérience, on commit l'imprudence d'oublier non seulement la boussole mais aussi la réserve d'allumettes. On n'avait qu'un seul paquet, qu'Yves, mon beau-frère venu passer quelques jours avec nous, avait amené pour ses cigarettes, car il fumait. Fait étonnant, sur la vingtaine de jeunes qui composaient notre équipe de réhabilitation et d'évangélisation à ce moment-là, aucun ne fumait. Tous avaient cessé lorsqu'ils s'étaient convertis, désirant désormais vivre une vie plus saine, autant extérieurement qu'intérieurement.

Lorsqu'on pénétra dans la forêt, il était déjà huit heures trente a.m. D'après mes calculs, si tout allait bien naturellement, en suivant le ruisseau le plus court nous devions parvenir au lac vers la fin de l'après-midi. Puisqu'il n'y avait aucun sentier, il nous fallait ouvrir le chemin et cela à travers un bois très dense, car nous devions suivre le ruisseau d'assez près pour ne pas le perdre de vue. Quiconque s'est déjà aventuré dans la forêt québécoise sait très bien qu'aux abords des cours d'eau, on pénètre dans un sous-bois qui ressemble à une vraie jungle. On s'arrêta sur l'heure du midi pour manger une bouchée et refaire nos forces. La fatigue commençait déjà à se faire sentir.

Nous projetions de coucher près du lac ce jour-là et d'y passer la journée le lendemain, pour revenir au camp sur la fin de l'après-midi. Nous comptions, bien sûr, sur notre pêche du lendemain pour nous alimenter. Le bagage avait été réduit au minimum: quatre cannes à pêche, quatre sacs de couchage, une tente, une petite hache, une machette, ainsi que quelques conserves, un pain et quelques biscuits; de la nourriture pour deux jours tout au plus. Toutefois, à la fin de la journée, nous n'avions toujours pas trouvé le lac. En fait, il était arrivé quelque chose de tout à fait imprévisible. Le ruisseau était soudainement devenu souterrain et avait disparu dans la montagne. Notre chère carte ne faisait pas mention de cela.

Epuisés par cette journée de marche en pleine chaleur du mois de juillet, on décida de monter la tente et de gravir ensuite la montagne pour trouver le ruisseau perdu. Nous nous sommes couchés ce soir-là avec la nette impression que "nous n'étions pas sortis du bois". Le lendemain matin, nous repartions de plus belle, après un déjeuner fort apprécié. Nous n'avions plus beaucoup de temps pour découvrir notre fameux lac. En effet, nous avions rendez-vous avec nos amis le soir même; nous avions convenu qu'ils nous recueilleraient le lendemain soir du départ à sept heures pile. Si le lac n'était pas trouvé avant midi, il nous faudrait rebrousser chemin.

Nous avons marché et marché et marché encore, cherchant vainement le ruisseau. Je n'oublierai jamais ce mardi-là. Le ciel était gris et triste et il pleuvait de temps à autre. La marche était évidemment plus lente et plus dangereuse à cause des arbres mouillés. Même si je faisais attention, je ne pus éviter de glisser sur un tronc d'arbre mouillé; je tombai sur une grosse branche qui me blessa au côté. Je continuai à marcher malgré tout, mais la douleur me ralentissait graduellement. Vers onze heures de l'avant-midi, on s'enfonça dans un bois marécageux. Au fur et à mesure qu'on avançait, on réalisait avec de plus en plus de conviction qu'on avait perdu toute trace du ruisseau. Après s'être débattus tant bien que mal pendant une heure dans ces marécages, nous étions complètement vidés et trempés. De plus, notre moral commençait à être sérieusement attaqué.

On se mit à l'abri sous les arbres pour souffler un peu et faire le bilan de la situation. Il était tout à fait évident que nous étions complètement perdus; il nous semblait de plus en plus impossible de découvrir ce fameux lac Ida. Aussi, la nourriture était sérieusement à la baisse; nous n'avions plus que quelques conserves et quelques tranches de pain, et nous étions affamés. Il en restait à peine pour un repas. L'idée d'atteindre ce lac Ida ne nous intéressait plus du tout, d'autant plus que nous étions de moins en moins sûrs d'être au rendez-vous avec nos amis à l'heure fixée. Bien honnêtement, le seul espoir qu'il nous restait était que Dieu nous éclaire un peu. Nous étions vraiment désemparés devant l'immensité de la forêt. On n'avait plus d'idée où se diriger. Du fond de notre misère, on implora Dieu de nous donner un signe: on lancerait en l'air un bout de bois marqué à l'une des extrémités, et l'orientation qu'il prendrait une fois tombé serait notre direction à suivre. Fait bizarre, il indiqua la position contraire à celle que nous aurions prise normalement. On ramassa nos bagages et notre courage aussi, et on reprit la route. Il était midi trente.

La progression était toujours aussi pénible, mais nous n'avions pas le choix. Deux heures plus tard, le soleil se mit à percer tranquillement. Sa chaleur et sa lumière nous apportèrent un peu de réconfort; malgré la marche toujours difficile, cela allégea un peu notre fardeau. Nous nous efforçions d'avancer en ligne droite, mais avec les branches, les arbres morts, les trous, les roches, les cours d'eau, les marécages, les pentes escarpées, les mouches et les moustiques à vous rendre fou, ce n'était pas toujours facile. Toutefois, on marcha sans arrêt jusqu'à six heures. Quelle ne fut pas notre surprise d'aboutir, après une journée complète de marche dans la forêt, exactement à la même petite clairière où nous avions couché le soir précédent.

Ce fut pour nous un genre de soulagement et la réponse au signe que nous avions demandé à Dieu. Il nous avait ramenés à notre point de départ pour nous faire comprendre qu'il nous fallait désormais demeurer sur place et attendre l'arrivée du secours. De toute façon, nous étions tous les quatre complètement épuisés physiquement. Nous étions quand même chanceux dans notre malheur: à côté de notre clairière, quelques trois cent pieds plus bas au pied d'une pente douce, se trouvait un petit cours d'eau. L'eau y était limpide et froide et à notre plus grande joie, elle était peuplée de jolies truites. Mes amis ne se firent pas trop prier pour aller sonder le cours d'eau; Guy et Vincent descendirent joyeusement jusqu'au ruisseau, le coeur plein d'espoir. Le retour de la pêche fut cependant moins joyeux, car ils n'avaient réussi à attraper que six petites truites. J'en aurais moi-même avalé le double! On les dégusta minutieusement jusqu'à la dernière bouchée et on but même le bouillon de la cuisson. Quel délice lorsqu'on a vraiment faim! On avala aussi le ragoût de boulettes en conserve et les quelques biscuits qu'il nous restait.

Malgré notre situation dramatique, nous avions une espérance solide: nos épouses, demeurées au campement (nous étions tous les quatre mariés), s'empresseraient sans aucun doute d'alerter les gardes-chasses; au pire, elles attendraient une journée, soit jusqu'au lendemain soir. Nous avions la chance incroyable d'être attendus, nous disions-nous avec soulagement. De plus, mon beau-frère, Marc Lemelin, connaissait la région comme le fond de sa poche pour s'y être promené durant des années avec son avion. Mais il fallait nous armer de patience; les secours ne viendraient pas avant deux jours au moins, peut-être trois. En effet, avant d'atteindre le téléphone, il leur fallait traverser deux lacs et faire un portage de près d'un mille.

Inévitablement, l'inquiétude nous travaillait. Nous trouveraient-ils à temps? Ma blessure au côté me faisait de plus en plus souffrir. Nous sentions dans nos corps la fragilité de la vie; nous étions à la merci de cette impitoyable forêt qui nous gardait prisonniers. Et que dire de la pluie! Si elle se mettait de la partie, elle nous priverait non seulement de feu, mais elle clouerait au sol avions et hélicoptères. Nous n'osions pas trop penser aux meutes de loups qui rôdaient dans cette forêt. Nous les entendions souvent hurler une fois la nuit tombée. Leurs cris sinistres faisaient écho sur les montagnes. Ils n'auraient fait qu'une bouchée de nous.

La journée du mercredi débuta avec un soleil radieux qui nous donna sa chaleur toute la journée. Je demeurai cloué au lit à cause de la douleur. Je bougeais à peine. Quant à mes trois compagnons, rassemblant le peu d'énergie restant, ils coupèrent le plus de petits arbres possible pour alimenter notre feu. Il devait brûler toute la journée, car c'était là notre signal de détresse et nous étions en manque d'allumettes. Après une petite heure de travail, ils étaient bons pour deux heures de repos, immobiles. Cette journée-là, en plus, les poissons boudaient nos hameçons. On n'attrapa que trois ou quatre petites truites. Les heures étaient interminables, le temps s'écoulait comme au compte-goutte. On commençait à avoir bien hâte que le secours arrive.

C'était notre troisième journée dans le bois et la nuit qui suivit fût la plus longue de toutes. Tourmentés par le froid et par la faim, personne n'arriva vraiment à fermer l'oeil. Seul dans ma tente, c'est pendant cette nuit-là que je réalisai davantage ce que ça signifiait d'être perdu dans la forêt. Je crois que je ne m'étais jamais senti aussi impuissant. C'est étonnant de voir toutes les idées qui peuvent nous passer par la tête lorsqu'on se retrouve dans une situation semblable; on ne peut pas s'empêcher de penser qu'on pourrait bien mourir. On dirait alors qu'en quelques instants, on voit notre vie se dérouler dans notre tête comme un film. On pense à ceux que l'on aime, on revoit les joies et les souffrances que l'on a vécues; peu à peu aussi, s'éveille en nous les remords de nos erreurs passées et de nos actions mauvaises.

Alors que je songeais à cela, je remerciai Dieu d'avoir, un jour, usé de miséricorde envers le pécheur que j'étais, et d'avoir permis aussi que mon coeur soit mis en lumière afin que je réalise ma misère. Ce moment avait eu lieu une bonne dizaine d'années auparavant, lorsque j'avais sincèrement regretté devant Dieu toutes mes fautes du passé, et cela avait été un point tournant dans ma vie. Je réalisais plus que jamais, dans les profondeurs et le silence de cette forêt, à quel point on ne peut pas se sentir bien dans notre peau quand on n'a pas fait cela; surtout dans des situations difficiles comme celle-là.

J'étais peut-être tout seul au fond des bois, mais au moins j'étais en paix avec Dieu. Je ne pouvais m'empêcher de penser à tous ces gens perdus dans cette jungle qu'est le monde et qui, lorsqu'ils se retrouvent seuls avec eux-mêmes, ressentent cette pression intérieure, ce malaise, cette sorte de tristesse dont ils ne peuvent se débarrasser. C'est un combat angoissant qui se situe au niveau de nos pensées et qui ne nous laisse pas de repos. La plupart de ces gens, malheureusement, ne se doutent pas que ce poids qui les accable, c'est la conséquence de leurs désobéissances envers Dieu. On a beau essayer de camoufler ça dans le tourbillon de la vie, des occupations, du travail, des loisirs, etc., c'est un poids intérieur qui refait toujours surface.

Une chose est certaine, quand on arrive à ce point dans notre vie où l'on ne peut plus se retrouver face à face avec soi-même sans être mal à l'aise, qu'on se sent sale intérieurement à cause du mal qu'on a fait, et qu'on n'en peut plus de traîner avec soi une conscience souillée et pesante, on doit alors écouter l'appel dans notre coeur qui nous invite à demander pardon à Dieu pour nous réconcilier avec Lui. "C'est la bonté de Dieu qui te pousse à la repentance"[1]. Soyez sûrs que Dieu écoute les pécheurs qui Le supplient de tout leur coeur, et Il se fait connaître à eux. Il faut juste être assez humble pour reconnaître nos injustices et nos fautes et se tourner vers Lui. "Dieu ne méprisera pas un coeur brisé et humilié"[2], nous dit David dans les Psaumes. Quand on sait cela, c'est avec confiance et sincérité qu'on s'approche de Lui.

Malheureusement, le problème de beaucoup de gens, c'est qu'ils se croient justes. Parce qu'ils ne sont pas des prostitués, des ivrognes, des drogués ou des criminels, ou parce qu'ils ont une vie sociale respectable, ou qu'ils pratiquent une religion, ils croient qu'ils n'ont pas besoin de vivre l'étape de la repentance. Pourtant, les premières paroles de Jésus ont bien été celles-ci: "Repentez-vous et croyez à l'Evangile"[3]. En fait, si les gens se regardaient en profondeur, ils verraient eux aussi que c'est de leur coeur "que sortent les mauvaises pensées, les adultères, les méchancetés, l'hypocrisie, les injures, l'orgueil, le mensonge, la cupidité. Toutes ces mauvaises choses sortent du dedans et souillent l'homme"[4]. Ils comprendraient aussi que tous ces péchés déplaisent autant à Dieu que n'importe quels autres.

En vérité, si on pouvait se voir avec les yeux de Dieu tel que l'on est avec nos péchés, on se rendrait compte avec surprise que l'on ressemble à un lépreux couvert de plaies! Croyez-moi, on a beau se parfumer, et se vêtir de beaux vêtements pour paraître meilleurs aux yeux des hommes, nous n'arriverons jamais à camoufler notre impureté devant la face de Dieu. Dans les Psaumes on peut lire ce qui suit: "L'Eternel a regardé des cieux sur les fils des hommes, pour voir s'il y a quelqu'un qui soit intelligent, qui recherche Dieu. Ils se sont tous détournés, ils se sont tous ensemble corrompus; il n'y a personne qui fasse le bien, non pas même un seul"[5]. Et Paul ajoute à cela: "Il n'y a pas de différence, car tous ont péché et n'atteignent pas la gloire de Dieu."[6]

Ainsi, il n'y a personne qui soit assez bon pour se sauver lui-même, ni personne de trop mauvais pour que Dieu ne puisse pas le rejoindre. Mais pour se retrouver, sachez qu'il faut tout d'abord craindre de se perdre. Lorsqu'on a cette crainte dans notre coeur, et bien on se met tout simplement à l'écoute de ce que Dieu nous demande de faire. "Repentez-vous et convertissez-vous pour que vos péchés soient effacés."[7] Voilà donc la solution que Dieu nous offre pour que nous puissions passer l'éponge sur notre passé et commencer une nouvelle vie.

L'un des fruits qui témoigne de notre sincérité à faire cela, est la violence que l'on met à se battre contre les forces du mal qu'on a soutenues et encouragées dans notre passé. C'est alors que quelque chose de bien spécial se passe. Dieu, en effet, nous fait don de l'Esprit Saint qui, lui, nous apporte cette force nouvelle dont nous avons besoin pour réellement combattre le mal à 100% et résister aux tentations.

L'Esprit Saint nous apporte aussi une lumière nouvelle sur notre péché. Dieu, en fait, au fil des semaines, au fil des mois, si on est fidèle pour bien L'écouter, nous montre notre coeur tel qu'il est avec tous ses racoins de saleté et de péché, tout cela pour que l'on fasse le ménage en profondeur bien sûr. Car bien que la décision de se repentir et de changer de vie se fasse dans un temps assez court, il en est tout autrement pour le nettoyage de notre vie. Il y a des choses bien incrustées dans notre coeur qui demandent de la persévérance et du travail pour être changées. C'est ce qu'on pourrait appeler l'action de la vraie repentance, qui produit du fruit à long terme et non pendant quelques semaines seulement.

Le résultat de tout ça, c'est qu'on se retrouve avec une conscience nettoyée et un coeur pur, libéré enfin du péché; une explosion de vie et de joie tellement extraordinaire qu'on pourrait la comparer à un aveugle qui découvrirait la lumière dans sa vie.

Finalement, le jour finit par succéder à cette nuit qui fut probablement l'une des plus longues de toute ma vie. Par chance, encore une fois, l'aube nous laissa entrevoir un ciel dégagé où le soleil se mit à briller de tout son éclat; pour nous, ce soleil, croyez-moi c'était beaucoup. Toutefois, la journée s'annonçait plutôt immobile; nous ne parlions presque plus. Etendus au soleil, on allongeait le bras de temps à autre pour mettre une branche au feu. C'est alors que tout à coup, nos oreilles saisirent le bruit d'un avion qui semblait s'approcher. A la seconde même, plus d'une dizaine de branches de sapin s'étaient déjà entassées sur le feu pour lancer notre signal de détresse. Par expérience, nous savions que du sapin fraîchement coupé dégage une épaisse fumée blanche lorsqu'il est posé sur un feu. Déception... c'était un avion commercial qui volait à très haute altitude et que l'on distinguait à peine. Il se souciait peu de ce petit "spot" blanc sur le vert de la forêt. Par contre, ceci nous fouetta un peu et nous donna comme un nouveau souffle de vie. Le son d'un avion recréait le contact avec le monde.

Comme j'allais un peu mieux physiquement, je décidai d'aller pêcher quelques poissons. Vincent voulut se joindre à moi, histoire de s'encourager l'un l'autre. On descendit donc au petit ruisseau. Il devait être environ onze heures lorsque soudainement, un autre bruit d'avion parvint jusqu'à nos oreilles et nous fit bondir sur nos jambes. Et celui-là semblait venir droit sur nous. La même pensée surgit dans notre esprit: L'AVION DE MARC! Nos deux amis entassaient les branches de sapin comme deux vraies machines, il y avait de la fumée partout. L'avion passa en rase-mottes juste au dessus de nos têtes, fendant le nuage de fumée. C'était bien Marc! Une force nouvelle coulait dans nos veines. Nous étions comme ressuscités. Vincent et moi avons escaladé la pente menant à la clairière comme deux vraies gazelles. Marc repassa une deuxième fois, en sortant son bras pour nous indiquer la direction du lac. Le lac n'était donc pas très loin.

Dans le temps de le dire, le camp était démonté et nous courions dans la forêt, portant nos sacs à dos. Marc s'était posé sur le lac et laissait tourner son moteur à plein régime pour nous orienter. Incroyable ce que le fait d'être sauvés nous redonna comme énergie! On atteignit le fameux lac Ida en moins de quinze minutes. Dire qu'on l'avait cherché pendant des heures et des heures, et qu'il était si près de nous. Quelle aventure et quel soulagement! Le retour au camp, portés par les ailes de l'avion de notre ami, se fit dans un débordement de joie. Nos femmes furent, bien sûr, toutes émues de nous revoir sains et saufs, nos amis aussi d'ailleurs. Quel bonheur d'être à nouveau tous ensemble, et pourtant toute cette aventure n'avait duré que quatre jours!

Ce soir-là, Eileen, Guy, Hélène et moi fûmes les derniers à aller se coucher. On s'était assis tranquillement autour d'un feu, savourant le bonheur d'avoir été rescapés des griffes de la forêt. Je ne pus m'empêcher de partager avec eux à quel point toute cette histoire m'avait fait méditer sur la repentance.

- Vous savez les amis, lorsqu'on était en plein coeur de cette forêt, et bien je dois vous dire qu'on s'est vraiment senti perdu et malheureux. Cela m'a rappelé que c'est comme ça que se sent n'importe quel pécheur dans le monde qui cherche à s'approcher de Dieu. Ce qui est fort aussi, c'est que c'est à ce moment-là précisément qu'on a crié vers Lui pour qu'Il vienne à notre secours. Et oui, c'est quand on a réalisé qu'on était incapable de s'en sortir par nous-mêmes, qu'on Lui a demandé de l'aide. Cela nous a humilié au début de réaliser qu'on n'était pas capable de s'en sortir tout seul, mais laissez-moi vous dire que notre humiliation s'est réellement changée en joie profonde, lorsqu'on a découvert le lac et l'avion de Marc posé dessus. La joie d'être sauvé bien sûr! On était tellement joyeux que c'est comme si toutes les souffrances passées s'étaient envolées d'un seul coup.

Et c'est exactement cela la joie de la repentance, cette sensation incroyable qu'on est enfin libéré de notre fardeau. En fait, quand on demande pardon à Dieu, on est vraiment délivré de notre passé, de nos souffrances et de tout ce mal qu'on a fait et qui nous a salis en dedans. C'est pour ça qu'on se sent si bien après.

Marc m'a dit aussi une petite chose qui m'a vraiment frappé à propos de notre feu: alors qu'il volait dans les airs, le mince filet de fumée était visible des milles à la ronde dans l'immensité de la forêt verte. Il l'avait aperçu bien avant qu'on entende le son de son avion et qu'on se mette à jeter plein de branches sur notre feu. C'est tellement la même chose avec Dieu. Il est un Père qui se soucie de nous et qui prête une oreille attentive à tout cri de pécheur en détresse qui s'élève de l'humanité. Avant même qu'on s'en rende compte, Il s'est déjà porté à notre secours en nous poussant à la repentance.

Malheureusement, je rencontre souvent des gens qui me disent: "Je vais remettre ça à plus tard". Quelle folie! Comme si on peut remettre cela à plus tard! Je leur réponds toujours: "Vous ne pouvez pas vous repentir trop tôt, car vous ne savez pas quand il sera trop tard. Vous êtes vivant aujourd'hui, mais vous serez peut-être mort demain. Un seul jour peut faire une éternelle différence". Puis je leur cite la plupart du temps ce verset des Ecritures: "Dieu donc, ayant passé par-dessus les temps de l'ignorance, ordonne maintenant aux hommes que tous, en tous lieux, ils se repentent; parce qu'il a établi un jour auquel il doit juger en justice la terre habitée, par l'homme qu'il a destiné à cela, de quoi il a donné une preuve certaine à tous l'ayant ressuscité d'entre les morts'[8]. Alors aujourd'hui, si vous entendez Sa voix, n'endurcissez pas vos coeurs!

On passa encore une bonne partie de la nuit à jaser ensemble. Après la solitude de la forêt et la crainte de ne plus jamais revoir ceux qu'on aime, on apprécie doublement les moments qu'on passe avec eux, vous pouvez me croire!

---

1. Epître de Paul aux Romains, chapitre 2, verset 4
2. Psaume 51, verset 17
3. Evangile de Marc, chapitre 1, verset 15
4. Evangile de Marc, chapitre 7, versets 21 à 23
5. Psaume 14, versets 2 et 3
6. Epître de Paul aux Romains, chapitre 3, verset 23
7. Actes des Apôtres, chapitre 3, verset 19
8. Actes des Apôtres, chapitre 17, verset 30 et 31

CHAPITRE 29

L'OURS EN CAGE

Il m'est arrivé à quelques reprises d'attraper des ours dans des cages pour les étudier. Je tentais alors toutes sortes de petites expériences et j'observais leurs réactions. Pas besoin de vous dire que je fus plus d'une fois étonné, ainsi d'ailleurs que tous ceux qui partagèrent avec moi ces moments en tête-à-tête avec un ours.

Une fois, entre autres, un photographe qui avait entendu parler de mes expériences avec les ours vint me voir, car il avait absolument besoin d'une photo d'un ours fâché. Je l'emmenai donc avec moi près de la cage où je venais tout juste d'en prendre un, et je commençai à pousser l'ours avec un bâton que je passais entre les barreaux tout en lui parlant durement. Le résultat ne se fit pas attendre. L'ours se mit debout sur ses deux pattes arrière, commença à claquer des dents et à grogner. Il était vraiment fâché, d'autant plus qu'il savait que c'était moi qui avait mis la cage là. Cet ours d'environ 250 livres s'était fait prendre par un tout petit appât: un petit peu de miel sur un bout de papier attaché à une corde.

Après que la photo eut été prise, je commençai à parler doucement à l'ours, très doucement en le regardant bien dans les yeux. Je fis cela pendant un certain temps puis, sans mouvement brusque, j'ouvris la porte de la cage et je lui donnai un morceau de viande. Le photographe en oubliait presque de prendre ses photos tellement il n'en revenait pas. Je me souviens que quand je le relâchai quelques jours plus tard, il ne chercha même pas à se venger de moi. Il faut dire aussi qu'il était tellement content de retrouver sa liberté, que tout ce qui comptait pour lui c'était d'en profiter.

Il y a une autre fois aussi où je capturai un ours avec une cage et où j'appris vraiment quelque chose. Peu après qu'il se soit fait prendre, je me tenais à 100 pieds de lui. L'ours donnait des tapes sur le grillage avec une rage incroyable, au point où la cage se déplaçait. Il grognait, il beuglait, il sifflait, il était très négatif dans le vrai sens du mot. Il en était épeurant. Je me disais en moi-même: "il est fou cet ours-là, "tabarnouche"! Il y a quelque chose qui ne marche pas avec lui". L'idée me vint alors qu'il devait sûrement avoir faim ou soif, et que je pourrais me servir de cela pour l'amadouer.

La première journée, je ne lui donnai rien à boire, car il était trop méchant, il ne voulait rien savoir. Pour lui, j'étais l'ennemi qui l'avait mis là. La deuxième journée, je fis le tour de sa cage deux ou trois fois. Il resta calme et me sentit, tandis que moi, je faisais semblant de rien. Je ne tentai rien de plus. La troisième journée, quand je fis le tour de la cage, il me démontra qu'il voulait que je m'occupe de lui. Je m'approchai et il me regarda bien calmement. Alors, tout de suite je suis allé lui chercher quelque chose à boire. Je savais bien qu'il avait soif. Je lui ai donné de l'eau à travers les barreaux et il a bu tout de suite comme un petit chien. C'est comme ça que je l'ai dompté. Et oui, imaginez donc, juste avec un peu d'eau il est devenu mon ami; et très rapidement à part de ça. Par la suite, je lui ai donné un rat musqué, de la viande, des sandwichs, et des tartines de confitures. Comme tous ceux que j'ai capturés, je l'ai relâché peu de temps après, car je n'aimais pas ça les garder longtemps prisonniers.

Ce n'est quand même pas une vie pour un ours de vivre emprisonné, pas plus que ça ne l'est pour tous les animaux qui vivent dans les zoos. Aucun animal n'est fait pour vivre en cage de toute façon. L'ours emprisonné n'était vraiment pas lui-même. On voyait qu'il était malheureux, "pogné" et renfermé. Toutes les fois qu'on voulait s'approcher de lui, il voulait nous sauter dessus. Il était vraiment agressif, car il n'acceptait pas d'être enfermé dans une cage.

Et l'homme avec son intelligence, c'est encore dix fois pire, car naturellement il accepte encore dix fois moins de se retrouver entre quatre murs. Malheureusement, notre société moderne n'a rien trouvé de mieux pour punir ceux qui font le mal, que de les enfermer dans une cage avec d'autres criminels. J'ai moi-même passé quelques années de ma vie derrière les barreaux, et je dois vous dire sincèrement qu'il est tout à fait impossible d'améliorer qui que ce soit dans une atmosphère pareille. Bien sûr, cela varie d'une prison à l'autre. Une prison à sécurité maximum, contenant une forte majorité de criminels sérieux, purgeant de longues sentences (ce qui suppose qu'ils n'en sont pas à leur première offense), est tout de même différente d'un minimum, où les délits commis ont été moins graves. Mais au fond, le mal est présent partout et la prison devient toujours une espèce d'enfer. C'est tout d'abord un enfer de violence où la force physique fait la loi; une loi animale semblable à celle de la jungle, les gros dévorant les petits et les terrorisant. Cette hiérarchie des "bras", ajoutée au climat de haine qui règne dans une prison, engendre une multitude de bagarres et d'agressions de toutes sortes.

Comme vous vous en doutez peut-être, la prison est aussi un lieu très propice aux obsessions sexuelles. J'ai vu, lorsque j'étais en prison, des jeunes se faire battre sauvagement dès leur arrivée, puis se faire violer par un nombre assez important de ces fiers-à-bras avides de sexe. L'homosexualité, bien qu'elle ne soit pas générale, fait ses ravages, tout particulièrement dans les pénitenciers où les détenus purgent de longues sentences. Ce débordement de vices est arrosé généreusement par la quantité incroyable de revues pornographiques qui circulent très librement à l'intérieur de toutes les prisons, ou presque. Naturellement, on s'y masturbe comme on fume la cigarette; à regarder et à désirer ainsi des femmes nues, on ne peut guère faire autrement. Certaines prisons ont même eu l'idée très intelligente de permettre le visionnement de films "porno".

La drogue aussi, malheureusement, est monnaie courante dans nos prisons. Lorsque ce ne sont pas les détenus qui en ramènent de leurs sorties autorisées, ce sont les visiteurs ou même les gardiens eux-mêmes qui en font le trafic. Et non seulement on laisse faire tout cela, mais on leur fournit aussi de la drogue légale. N'importe quel détenu qui sait se faire convaincant sera généreusement alimenté en "valium" ou autre somnifère du genre par l'infirmerie de la prison. On crée ainsi un marché noir, car ces pilules deviennent une monnaie d'échange très forte. La drogue, en effet, est au centre de beaucoup d'agressions, de meurtres et de guerres de clan. Pour dire vrai, il y a autant de drogue à l'intérieur qu'à l'extérieur des prisons, et le pire, c'est qu'on ne fait rien pour que ça change.

Lorsque l'homme, un être intelligent, est enfermé dans une prison sans une thérapie efficace et sans amour surtout, comment voulez-vous qu'il ne s'endurcisse pas? Comment voulez-vous qu'il ne se décourage pas? Comment voulez-vous qu'il ne songe pas à se suicider quand il est abandonné de tous et livré à un pareil entourage?

Je me souviendrai toujours de l'expérience que je fis quand je me retrouvai pendant dix jours à la prison de St-Jérôme. Je passai les trois premiers jours à observer soigneusement ce qui se déroulait autour de moi. Nous étions environ une dizaine de prisonniers dans l'aile principale, deux par cellule. Etant donné que je jeûnais depuis mon arrivée, je pus me faire facilement des amis en leur faisant bénéficier de tous mes repas, ce qui les intriguait un peu d'ailleurs. J'avais amené ma Bible avec moi et je passais la plus grande partie de mes journées à la lire, ce qui les étonnait encore plus. L'atmosphère était quand même tendue; personne ou presque ne se parlait et on n'avait rien d'autre à faire qu'attendre que le temps passe.

Il régnait dans l'air un climat d'impatience. Il y avait parmi nous un détenu qui propageait à lui seul une grande partie de cette mauvaise ambiance. On voyait bien qu'il n'en était pas à sa première journée en prison. Il s'appelait Jean Paquin. Il était âgé d'environ 35 ans, mais ses yeux noirs, son air sombre et son visage déformé par la haine le faisaient paraître bien plus vieux. Il était très nerveux et fumait cigarette sur cigarette. Personne ne pouvait l'approcher tellement il était négatif. De toute façon, les autres détenus en avaient plutôt peur. Même les gardiens le craignaient et ne faisaient pas exprès pour le contrarier. Toute la journée, il marchait sans arrêt. Dans le couloir de la prison, il marchait de long en large. Il me faisait penser à un animal en cage. Il était incapable de rester tranquille deux minutes. Son attitude irritait la plupart des détenus. Quelquefois, on l'entendait se parler; on aurait dit qu'il se fâchait contre lui-même. Quand venait le temps de verrouiller les portes des cellules pour la nuit, la plupart du temps le gardien laissait sa porte ouverte; sans doute le connaissait-il ou en avait-il pitié, je ne sais pas trop. Il pouvait ainsi continuer à marcher jusqu'à l'aube. Parfois, il se retrouvait enfermé dans sa cellule comme tous les autres et je l'entendais marcher toute la nuit. Il ne dormait pratiquement pas.

A le regarder agir ainsi, je ne pouvais m'empêcher de revoir en lui mes ours que j'avais emprisonnés dans des cages. J'avais l'impression d'avoir un ours devant moi. Tout comme eux, Jean était agressif, malheureux et très révolté. J'avais à coeur de l'aider, mais je ne savais pas trop comment l'aborder. Finalement, après trois jours de jeûne et de prière, je me rappelai ce moment bien spécial où j'avais complètement amadoué un ours en lui donnant de l'eau à boire. J'eus alors une idée. Pourquoi ne pas essayer de l'apaiser avec de l'eau, comme j'avais fait avec mon ours en cage? Mais oui! Pourquoi pas... me dis-je à moi-même. C'était vraiment la seule chose qui avait tranquilisé l'ours. En fait, dès que je lui en avais donnée, il était aussitôt devenu moins méchant. Bien entendu, cette fois-ci c'est l'eau spirituelle qu'est la Parole de Dieu dont je me servirais.

Ce même soir donc, je demandai au gardien de laisser la porte de ma cellule ouverte et exceptionnellement, il accepta. Ainsi, vers onze heures, je me levai de mon lit et j'allai retrouver Jean. Pendant au moins vingt minutes, je marchai de long en large à ses côtés. Au début, il ne voulait rien savoir et me repoussa. Toutefois, voyant mon insistance à vouloir lui parler, il finit par me laisser faire. Je lui racontai bien simplement mon témoignage et comment le message du Christ avait changé ma vie. Je sentais bien qu'il était attentif, même s'il ne me regardait pas en face; ceci m'encouragea à continuer.

- Ecoute, moi je veux t'aider non pas seulement à sortir de prison, mais surtout à sortir de tes problèmes. La pire des prisons que j'ai connues, si tu veux que je sois franc avec toi, c'est celle que j'avais bâtie à l'intérieur de moi. Je sais trop bien comment on devient révolté et endurci quand on est seul, assoiffé d'amour et de bonheur. J'ai une vraie famille à te présenter et je voudrais tellement te faire découvrir Celui qui peut te faire goûter à ce que tu as toujours cherché au fond de toi-même.

- Si tu veux m'aider, donne-moi de l'argent, un "char" et les clés d'un super condominium. Et n'oublie pas non plus de me présenter une belle fille, répondit-il d'un ton moqueur.

- Jean, continuai-je, si tu vis dans un désert et que je te donne toutes ces choses, elles ne pourront jamais remplacer le verre d'eau qui étancherait ta soif. Pourquoi toujours te laisser séduire par ce qui ne rend pas heureux? Donne plutôt une chance au Christ de faire quelque chose pour toi. Ecoute ce qu'il te dit dans l'Apocalypse: "Que celui qui a soif vienne; que celui qui veut prenne gratuitement de l'eau de la vie"[1]. Te rends-tu compte que Jésus est le seul qui puisse rassasier ta faim et ta soif intérieures!

A cela, il ne trouva rien à redire. Au bout d'une bonne heure de marche rapide pendant laquelle je n'avais cessé de lui parler, j'avais mon voyage de la marche et j'étais à bout de souffle. J'ordonnai donc à Jean sur un ton sec, d'arrêter et de venir dans ma cellule. Il me regarda tout étonné et me suivit sans dire un mot. Le fait que je lui avait parlé de Dieu avec amour l'avait vraiment calmé. Etant donné que mon compagnon de cellule était parti le matin même, j'étais seul avec Jean. Nous étions assis l'un en face de l'autre et il était tout disposé à m'écouter. Je poursuivis sans perdre un instant.

- Vois-tu Jean, la Parole de Dieu, c'est comme de l'eau. Quand on lit le Nouveau Testament bien simplement, notre coeur et notre conscience se font nettoyer en profondeur. Toute ta vie, t'as été influencé par la société autour de toi, à penser et à vivre de telle ou telle manière. T'as pris bien des mauvais plis naturellement, et c'est pourquoi t'as besoin maintenant d'être renouvelé dans ton intelligence et d'être transformé dans ta façon de raisonner et de voir la vie. C'est à force de lire la Bible, à la lumière de l'Esprit de Dieu, qu'on apprend à vivre de la manière que le Christ propose. Bien que certains livres informent et que d'autres réforment, seule la Bible transforme. Je te le dis par expérience. Son enseignement nous fait connaître la vérité à propos de nous-mêmes et de la vie qui nous entoure, et fait naître en nous un homme nouveau, capable d'aimer et de répandre autour de lui la paix et la joie.

Je le sais que t'es rendu à un point où tu penses que c'est plus possible pour toi d'être comme ça. Mais, dis-toi bien que le Christ t'offre une chance de vivre autre chose que ce que tu as toujours vécu. Il y a en toi un être spirituel qui a soif de justice et d'amour. Pour le moment, il est comme un petit bébé sans force qui a besoin d'être nourri, car même s'il voudrait faire le bien, il n'en a pas la force. Le Christ peut lui donner cette nourriture spirituelle et cette eau de vie qui le fortifieront et le feront grandir. Si vivre dans ce monde-ci ne t'a jamais donné de satisfaction, alors pourquoi n'essaies-tu pas de naître à une nouvelle vie, transformée et vraie? Pourquoi n'essaies-tu pas de naître à nouveau? Jésus appelle cela être "né de l'eau et de l'Esprit"[2]. L'eau qui te fait renaître, c'est bien sûr la Parole de Dieu. Elle agit en toi avec une puissance incroyable. Si tu persévères à la lire et à la mettre en pratique à tous les jours, et bien tu finis par renaître de l'Esprit, car l'Esprit de Dieu vient habiter en toi. Tu es alors un homme né de nouveau, un homme né deux fois. La première au monde de l'homme, la deuxième au monde de Dieu. C'est là que tes yeux s'ouvrent sur un monde spirituel et la vie cesse d'être uniquement cette routine que tu n'es plus capable de supporter.

Prends moi, par exemple, même si je suis en prison, je ne vois pas cela seulement comme des heures interminables où les seules activités sont manger et dormir. Non, je vois ça tout d'abord comme un temps pour méditer, et pour moi, c'est quelque chose d'agréable. C'est important d'entretenir des pensées propres, car elles font partie de notre environnement. Il faut combattre toute forme de pollution morale et interne si on veut être en bonne santé spirituelle. Je cherche aussi les occasions de faire du bien, d'aider ceux que je vois qui ont l'air d'en arracher plus que les autres, d'encourager ceux qui en ont besoin et tout cela, ce sont des joies pour moi. Vois-tu, quand on grandit spirituellement, on devient un jour un homme de Dieu accompli. Ni tristesse, ni inconvénients, ni haine, ni impatience,... ne peuvent plus nous dérober cette joie, cette paix, cet amour qu'on ressent en nous. Naître de nouveau, c'est en d'autres mots, avoir une porte ouverte sur le ciel pendant notre séjour sur la terre.

Jean alla se coucher sans qu'il ne m'ait pratiquement dit un mot. Mais il m'avait laissé lui parler et quelque chose me disait que j'avais gagné sa confiance. Le lendemain, après que le déjeuner fut terminé, je reçus sa visite dans ma cellule. Il me regarda directement dans les yeux et me demanda si je tenais vraiment à l'aider. Je lui répondis qu'il pouvait compter sur moi. Il se mit alors à me raconter sa vie. En fait, il n'y avait pas grand-chose à dire là-dessus, car croyez-le ou non, il avait passé son enfance, son adolescence et sa vie d'adulte enfermé entre quatre murs! Le peu de temps qu'il avait vécu à l'extérieur, ça avait été pour mettre en pratique ce qu'il avait appris en prison. Il était vraiment écoeuré de ne jamais être capable de s'en sortir. Bien sûr, c'était un voleur et un fraudeur, mais c'était un bandit qui avait soif de vivre une vraie vie, un bandit qui reconnaissait qu'il devait changer mais qui n'avait jamais trouvé de porte de sortie.

Je passai le reste de la journée à lui jaser de choses spirituelles. Il écouta bien attentivement et m'arrêta à quelques reprises pour me poser des questions. C'est ainsi que se passèrent les jours qui suivirent. Quand le soir arrivait, il s'enfermait dans sa cellule avec ma Bible et la lisait, parfois toute la nuit. Quand au bout de dix jours mon temps fut accompli, je dus m'en aller, mais croyez-moi que Dieu avait déjà travaillé dans le coeur de Jean et l'avait vraiment changé. Il était de bonne humeur, son visage était plus paisible, même ses yeux étaient brillants.

Avant de partir, je l'avertis qu'il devait être ferme dans ses convictions, parce qu'il connaîtrait sûrement des jours difficiles. La foi ne nous met pas à l'abri des épreuves, mais au moins elle nous les fait traverser victorieusement. Je l'encourageai également à persévérer dans sa lecture du Nouveau Testament en le mettant en garde sérieusement:

- Ce livre te gardera du péché ou c'est le péché qui te gardera de ce livre. L'important, c'est que tu aies confiance en Dieu et que tu ne te décourages pas surtout.

Les mois qui suivirent ne furent pas faciles pour Jean. Il faut dire que le climat de nos prisons n'est pas l'idéal non plus pour grandir dans la foi. Toutefois, même après quelques rechutes, je continuai tout de même à l'aider, autant spirituellement que matériellement. Mes amis et moi lui écrivions, et lui nous téléphonait aussi très souvent pour qu'on jase avec lui. Quand il sortit de prison quelques mois plus tard, une famille qui l'aimait était là pour l'accueillir. Cela ne fut pas une tâche facile de le réinsérer à la société; il dut se cogner le nez à quelques reprises et retourner en prison une fois de plus, pour finalement comprendre qu'il n'y avait aucune chance de bonheur sans Dieu. Depuis, il n'est plus jamais retourné en dedans et il a refait sa vie. La dernière fois que je l'ai vu, il m'a même raconté qu'il avait voulu voler un briquet "Bic" dans un dépanneur et qu'il en avait été incapable. Sa conscience lui parlait trop, il était allé le reporter au propriétaire en main propre.

Cette expérience fut pour moi le début d'un projet qui allait continuer pendant des années, celui de réhabiliter les prisonniers et de les réintégrer à la société. En effet, à partir de mon court séjour en prison et du témoignage de Jean, nos maisons Nouvel Horizon ont aidé plus d'une centaine d'ex-prisonniers. Notre thérapie était simple: les accueillir avec amour, leur faire lire le Nouveau Testament et leur communiquer la foi en Dieu. Il n'y a rien de plus puissant que l'amour pour jeter à terre n'importe quelle forteresse de haine et d'indifférence et pour donner un espoir.

Je crois honnêtement que la solitude d'une cellule serait excellente pour mettre à profit la thérapie spirituelle de la Parole de Dieu. D'ailleurs, cela éliminerait tout d'un coup toute forme de mauvaises influences entre les détenus. La grande richesse de la solitude, c'est qu'elle pousse les gens à réfléchir sur eux-mêmes. C'est pourquoi beaucoup en ont peur. Toutefois, les détenus ont sérieusement besoin de ce temps de réflexion.

Seul dans sa cellule avec l'obligation de lire le Nouveau Testament, n'importe quel criminel serait mis au pied du mur. En effet, la Parole de Dieu est le miroir de l'âme qui met en lumière les vices les plus cachés du coeur humain. Il n'aurait tout simplement pas le choix de se voir tel qu'il est et de se reconnaître coupable. Car les détenus ont presque tous le défaut de mettre les torts sur les autres: la société, les parents, la justice, la police, alors qu'au fond, même si souvent ils ont eu de mauvaises influences, ils ont tout de même récolté ce qu'ils ont semé.

Puis, avec la présence d'un conseiller spirituel ou d'un bon prêtre qui prendrait le temps de connaître le détenu et de devenir son ami, notre prisonnier aurait certainement pas mal plus de chance de voir clair dans sa vie et de s'ouvrir le coeur. Ce conseiller pourrait vraiment l'aider à cheminer dans la foi et à comprendre la Parole de Dieu. Voilà ce qui pourrait être le premier pas d'un effort de réhabilitation. Après cette période de réflexion spirituelle et de partages bibliques, tout dépendant de la bonne volonté de l'individu et de ses progrès, il n'y aurait qu'un pas à faire pour le réintégrer graduellement dans la société.

Se retrouver dans une cellule peut être quelque chose de très positif ou du moins une étape importante dans la vie d'une personne; cela dépend uniquement des influences qu'elle aura autour d'elle. C'est comme mon ours en cage qui devenait super agressif si je lui parlais durement et si je le provoquais, mais qui se montrait très calme dès que je lui parlais doucement et que je lui donnais seulement un peu d'eau. Dites-vous bien que c'est la même chose pour nous, les humains. Sachant cela, il n'en tient qu'à nous de ne pas laisser ceux qui ont fait des erreurs au désert, mais plutôt de les abreuver spirituellement. Alors si la réhabilitation ça existe, pourquoi n'arrêtons-nous pas de mettre des hommes et des femmes en cage en les traitant comme des animaux? Donnons-leur de l'amour et la foi, et nous pourrons voir des miracles de transformation. "Souvenez-vous de ceux qui sont en prison comme si vous étiez en prison avec eux."[3]

---

1. Apocalypse, chapitre 22, verset 17
2. Evangile de Jean, chapitre 3, verset 5a
3. Epître de Paul aux Hébreux, chapitre 13, verset 3

CHAPITRE 30

L'ENFER DE LA DROGUE

Je me trouvais sur l'une des routes de la Gaspésie et je faisais de l'auto-stop sans aucune direction précise. Je laissais l'Esprit de Dieu me guider à gauche et à droite, bien heureux de rencontrer des gens et de leur témoigner de ma foi. C'est pendant ce voyage que je fis la connaissance d'un monsieur d'une cinquantaine d'années nommé Philippe. Il avait été assez gentil pour me faire monter à bord de son auto. Il me donna tout de suite l'impression d'un homme usé par le temps qui n'avait pas eu la vie trop facile. Son visage rougi par l'alcool et la caisse de bières sur le banc arrière de son auto trahissaient l'une de ses faiblesses. Sans gêne, je lui parlai de l'Evangile, comme c'était mon habitude.

Il m'écouta religieusement, puis se mit à me parler de ses problèmes, tout particulièrement de ce que lui et son frère alcoolique avaient vécu avec leur épouse. Je finis par me retrouver chez lui, dans une petite maison toute simple qu'il habitait avec ses deux frères. Tous trois étaient maintenant séparés de leur femme. Quant à son deuxième frère, il venait tout juste d'être libéré de prison après un séjour incroyable de vingt-cinq années. Et j'étais là, moi, l'inconnu arrivant de nulle part, bien conscient que Dieu m'avait, encore une fois, entraîné où Il voulait bien, pour un but qui était toujours le même, c'est-à-dire semer Sa Parole dans le coeur des autres. J'eus la chance de demeurer là quelques jours. Mon passé d'alcoolique et de criminel et tout ce que Dieu avait accompli dans ma vie pour me libérer de ces chaînes ne laissèrent aucun de ces hommes indifférents. Ils avaient tous désormais une solution pour se libérer de leurs problèmes et changer le cours de leur vie. Il n'en tenait qu'à eux de la saisir.

Cette rencontre, toutefois, me réservait une surprise. La vie de monsieur Philippe avait été partagée entre le gars de bois, le bûcheron et le trappeur, de sorte qu'il avait passé sa vie à parcourir les forêts. Il possédait toujours d'ailleurs son territoire de chasse et de trappe pas trop loin de sa maison, et il le visitait régulièrement en motoneige. Il m'invita donc, le lendemain matin par une belle journée de printemps, à faire la tournée avec lui, ce que j'acceptai avec joie. Après une randonnée d'une dizaine de milles, Philippe arrêta la motoneige, histoire de souffler un peu. C'est alors que notre attention fut attirée par un beuglement d'animal. Moi, je n'étais pas trop certain de ce que ça pouvait être, mais Philippe, lui, connaissait trop bien la forêt pour ne pas savoir exactement ce que c'était. Il se tourna vers moi et me dit:

- Je crois que c'est un ours et qu'il est pris dans un piège. La seule chose que je ne comprends pas, c'est que je n'ai pas de piège dans ce coin-ci, et pourtant, c'est bien mon territoire de chasse!

Je sentis tout de suite qu'il n'était pas trop content. On marcha quelques minutes jusqu'à ce que Philippe m'arrête brusquement. Et oui, là devant nous, à quelques soixante-dix pieds, un ours noir d'environ trois cents livres était bel et bien prisonnier d'un piège.

- Ne bouge pas, me chuchota Philippe. Reste ici et surtout ne bouge pas. Observe-moi, c'est tout. Je vais libérer cet ours de son piège parce que vois-tu, il n'a pas d'affaire là. C'est ma ligne de trappe ici et personne n'a le droit de mettre un piège sur le territoire d'un autre. Pire encore, il n'a même pas identifié son piège. C'est pourtant une loi dans la forêt d'identifier nos pièges pour éviter que quelqu'un se prenne dedans.

Laissez-moi vous dire que j'ai trouvé mon bonhomme pas mal étrange. C'est beau la nature et les animaux, mais de là à libérer les ours de leurs pièges, il ne faut pas charrier non plus. Au fond, j'avais beaucoup de mal à croire qu'il puisse faire une chose pareille. Je m'accroupis donc dans la neige et j'observai les deux yeux grands ouverts ce qui allait se passer. Il se mit étrangement à tourner autour de l'ours, en décrivant des cercles toujours de plus en plus petits. L'ours ne le quittait pas des yeux et tournait sa tête comme un hibou. Après avoir fait sept ou huit tours, ce qui lui prit à peu près quarante-cinq minutes, il n'était plus qu'à une dizaine de pieds de l'animal. Il s'est alors approché à quelques pieds seulement et lui a tendu un morceau de bois. L'ours s'est rapidement levé debout et l'a mordu sans hésiter; il était très fâché. Il claquait ses dents avec rage et faisait toutes sortes de bruits épouvantables.

L'homme a répété son geste quatre ou cinq fois avec le même bâton. A chaque fois l'ours a mordu dedans, si bien qu'à la fin le morceau de bois était lui-même en morceaux. Mais, à mon grand étonnement, après toute cette action, l'animal s'apaisa totalement. Voyant que l'homme ne se sauvait pas et qu'il n'avait aucunement peur de lui, l'ours eut l'air de réaliser qu'il ne lui voulait aucun mal. C'est alors que tout d'un coup, comme pour lancer un message à cet humain bizarre qui était là devant lui, il leva sa patte dans les airs, précisément celle qui était emprisonnée par le piège.

Dès ce moment, Philippe sut très bien que l'ours ne l'attaquerait pas. Il s'approcha de la bête et bien calmement força les deux côtés du piège avec une paire de pinces. L'ours, une fois libéré, regarda le monsieur comme si c'était vraiment quelqu'un de spécial. Je n'oublierai jamais le regard de cet ours envers l'homme. Il finit par s'éloigner tranquillement sur ses trois pattes, mais il continuait d'observer soigneusement celui qui l'avait libéré. Il avait perdu toute trace de méchanceté; on aurait dit un gros toutou. J'ai vu beaucoup de choses dans ma vie, mais jamais rien d'aussi impressionnant. Il fallait que l'homme connaisse bien gros l'ours pour agir comme ça.

Ce geste posé par un homme envers un animal prisonnier d'un piège me fit beaucoup réfléchir. Si ce monsieur Philippe avait eu assez d'amour pour libérer un ours, un animal, me dis-je à moi-même, pourquoi n'aurions-nous pas nous, envers nos semblables qui eux sont des êtres humains, ce même amour pour les libérer des pièges mortels de la vie comme la drogue, par exemple? Tout comme Philippe, nous devons nous aussi être des libérateurs, c'est-à-dire des libérateurs spirituels pour tous ceux qui souffrent d'être prisonniers. S'il vous arrivait un jour, en vous promenant dans le bois, de vous mettre les pieds dans un piège, vous sauriez combien c'est douloureux et comment c'est difficile de s'en sortir tout seul. Et bien dans la vie d'aujourd'hui, dites-vous que la même chose peut arriver à chaque jour avec des pièges qui sont bien plus subtils que ceux qu'on retrouve dans la forêt.

Pour ma part, je connais les ravages de la drogue et ses liens, car lorsque je n'avais pas Dieu dans ma vie, j'y ai goûté jusqu'au désespoir. Et au risque d'en surprendre plusieurs, j'y ai goûté à nouveau dans mon amour fou des drogués. Et oui, après des années d'abstinence totale, sans même fumer une cigarette, je me suis replongé volontairement et tête première dans l'enfer de la drogue. Certains me diront peut-être que c'est de la folie pure, d'autres me pointeront du doigt et me jugeront, mais moi je sais pourquoi je l'ai fait.

Je l'ai fait premièrement pour revivre dans ma chair ce que des millions de jeunes et moins jeunes souffrent sous l'esclavage de la drogue. Je l'ai fait ensuite pour me rapprocher d'eux, car voyez-vous, je ne me suis pas drogué tout seul dans mon salon, mais je me suis drogué avec les drogués dans les bars, les clubs, les rues, les bas-fonds les plus dégueulasses qui font frémir les bons citoyens. Je suis devenu l'un des leurs à part entière pour qu'ils m'acceptent parmi eux sans méfiance. J'ai souffert, j'ai ri, j'ai pleuré avec eux. J'ai erré des nuits entières avec l'un et avec l'autre, sans but, sans direction. J'ai partagé leurs trips sans limites pour qu'ils s'ouvrent à moi sans limites. Je leur ai même payé de la drogue pour qu'ils cessent de se prostituer et de commettre des crimes.

Laissez-moi vous dire que j'ai été, de cette façon et plus d'une fois, l'unique compagnon de leur solitude et de leur détresse. Car ils étaient la plupart du temps seuls avec eux-mêmes ou entourés d'autres drogués aussi malheureux et désespérés qu'eux. J'ai eu ainsi mille et une chances de semer la Parole de Dieu dans leur coeur et de faire briller un peu de lumière dans leur obscurité. Car les ténèbres ne peuvent pas éteindre la lampe, elles ne peuvent que rendre la lumière encore plus brillante. Un seul de ces moments où j'ai vu Dieu agir dans leur coeur a valu pour moi toute la souffrance que j'ai pu endurer, car c'est évident qu'on doit souffrir quand on aide les autres. Mais malgré tout le poids de ce monde de ténèbres, le désespoir de la drogue ne m'a jamais envahi, car j'ai toujours été convaincu, dès le départ, que ma foi était plus puissante que la drogue. Et c'est d'ailleurs ce que j'ai voulu leur montrer: peu importe leur désespoir, leur déchéance, leur esclavage, il n'est jamais trop tard pour ouvrir la porte à Dieu, à qui rien n'est impossible.

C'est pourquoi je me suis toujours efforcé de réconcilier le monde avec Dieu, car c'est Lui le plus puissant des libérateurs. Ainsi, je me suis non seulement drogué avec eux, mais je me suis aussi désintoxiqué avec eux. Cette conclusion naturellement a été très importante; en tout cas, elle leur a donné un exemple vivant de ce que la foi peut accomplir. Une chose est certaine, c'est qu'une bougie ne perd rien de sa flamme en la communiquant à une autre, et c'est la même chose avec la foi, on ne la perd pas lorsqu'on la communique aux autres.

Bien sûr, on n'est pas obligé de se droguer avec les drogués pour les aider, mais il faut certainement sortir de notre indifférence. 80% de la criminalité est relié directement ou non à la consommation de stupéfiants. La drogue est devenue une épidémie ni plus ni moins, parce que justement, on ne fait presque rien. Saviez-vous que 40% des enfants de douze et treize ans ont déjà expérimenté la drogue ou utilisent celle-ci régulièrement? Saviez-vous aussi que 65% des étudiants terminant leur secondaire consomment de l'alcool, de la marijuana, de la cocaïne ou d'autres drogues deux ou trois fois par semaine, et que 25% de tous ces étudiants sont sous l'influence d'une drogue la plupart du temps? Comment voulez-vous qu'il en soit autrement si nos écoles sont bourrées de drogue et que nos jeunes peuvent s'en procurer à peu près n'importe où, dans les salles de pool, les arcades, les bars et les rues.

La drogue étant si largement répandue, il est difficile de ne pas succomber à la tentation. Même si les premières consommations sont souvent pour imiter les autres, on peut y prendre goût très rapidement, croyez-moi. En fait, il y a mille et une raisons qui peuvent pousser quelqu'un à en consommer et à aimer ça. Je dirais que généralement, les jeunes se laissent séduire par le côté amusant de la drogue. Lorsqu'on est jeune, on a envie de "tripper", de s'amuser, de vivre des sensations fortes, des expériences nouvelles, et la drogue offre tout cela et encore plus. Elle transporte réellement dans un autre monde, le monde de l'imagination, de l'irréel, du rêve, et nous fait vivre des états d'être assez incroyables où nos sens et notre pensée sont comme libérés de leurs barrières. C'est d'ailleurs pourquoi musique et drogue font un si heureux mariage. La magie des sons transporte encore davantage dans ce monde d'illusion.

La drogue est un signe évident d'un malaise de vivre. Beaucoup de ceux qui s'y réfugient cherchent désespérément à combler ce vide intérieur qu'ils ressentent. Ils essaient de comprendre le pourquoi de leur existence et creusent au fond d'eux-mêmes pour trouver des réponses à toutes les questions que la vie leur pose, mais en vain. Pour d'autres, c'est le désir de s'évader de la réalité parce qu'elle leur déplaît ou qu'elle ne les satisfait plus, qui les pousse à consommer. Dans une société comme la nôtre avec sa quantité incroyable de problèmes, je vous dirai malheureusement que la réalité est plus souvent qu'autrement décevante, contrariante et déprimante, non seulement pour beaucoup de jeunes, mais aussi pour beaucoup d'adultes. Bien des gens ne peuvent pas supporter la vie telle qu'elle est. Il est difficile pour eux d'affronter un monde de haine, de violence, d'égoïsme, de matérialisme et d'injustice, sans succomber à la tentation de se réfugier dans la drogue. Alors ils choisissent cette voie facile, afin d'oublier pour un instant ce qui se passe autour d'eux.

Beaucoup de gens encore ont de la difficulté à s'accepter eux-mêmes tels qu'ils sont avec leurs défauts, leur gêne, leurs limites, leurs défaites, leurs problèmes; et au lieu d'affronter la réalité, ils choisissent eux aussi de fuir dans le monde de la drogue. Les gens qui vivent des situations difficiles sont donc plus susceptibles que les autres de s'y accrocher; tous ces jeunes par exemple qui viennent de milieux familiaux difficiles, marqués par la violence, l'alcoolisme, le divorce, et qui ont manqué d'amour, de dialogue, de discipline, sont de fréquentes victimes. La classe sociale n'a pas tellement d'importance dans tout ceci, car les riches ont leurs problèmes eux aussi. Les jeunes des milieux riches ou à l'aise sont souvent plus blasés que les autres et ils ont plus d'argent dans leurs poches pour s'en payer.

Toutefois, ce besoin d'évasion, de refuge, de fuite, devient vite un cercle vicieux, parce que notre corps finit toujours par s'habituer à l'effet de la drogue et il en demande plus, naturellement. De là, la tentation de consommer des drogues plus fortes. Que l'on résiste à cette tentation ou non, inévitablement les quantités vont augmenter et on se retrouve à en consommer à tous les jours ou presque. Lentement mais sûrement, nous escaladons les échelons destructeurs de la drogue. Et c'est ainsi que l'illusion de bien-être se transforme en un esclavage physique ou psychologique. Notre système devient dépendant et il a besoin de sa dose quotidienne.

En fait, c'est la même chose pour quelqu'un qui fume la cigarette régulièrement. Pourquoi croyez-vous que tant de gens sont incapables d'arrêter de fumer? Ils sont pris au piège de la nicotine tout simplement. Leur sang est intoxiqué et cela crée un besoin auquel il devient très difficile de résister. En d'autres mots, ils sont des drogués de la cigarette, tout comme d'ailleurs tous ces gens qui vivent sur les pilules. Ceux-ci sont peut-être un autre genre de drogués, mais ce sont des drogués quand même. Bien souvent ils ne veulent pas l'admettre, parce que leur drogue est légale. Le pire pour les consommateurs de drogues, peu importe laquelle, c'est quand ils se font accroire qu'ils ont le contrôle. Pourtant, ils sont bien loin d'être capables d'arrêter. Ainsi, des millions et des millions de barbituriques sortent des pharmacies tous les jours, parce que des millions et des millions d'adultes qui n'ont peut-être jamais fumé de joints pensent apaiser leur mal de vivre en avalant des tranquilisants ou des stimulants. Ils passent peut-être inaperçus, mais ils ne sont pas moins prisonniers que tous les autres drogués et ils deviennent plus ou moins rapidement abrutis par leurs pilules. Qu'ils l'acceptent ou non, ils ont eux aussi besoin de se désintoxiquer.

Bien sûr, il y a des esclavages pires que d'autres. Des drogues comme le L.S.D., l'acide, le THC ou la mescaline (qui en général ne sont rien d'autre que du PCP, une espèce de tranquilisant à cheval), le "crystal" et la colle d'avion, détruisent carrément les cellules du cerveau qui ne se regénèrent pas. Nombre de jeunes qui en ont abusées sont devenus des genres de zombies et traînent aujourd'hui dans les hôpitaux psychiatriques, ou dans les rues tout simplement, détruits pour la vie. Beaucoup d'autres sont marqués pour le restant de leurs jours par l'une de ces drogues, parfois même à la suite d'un seul "bad trip" (mauvais voyage). De toutes ces drogues, le L.S.D. est sans aucun doute la plus diabolique; on pourrait la baptiser "Highway to hell" (autoroute pour l'enfer). Avec une seule petite goutte, en effet, on ouvre la porte à toute une armée de puissances spirituelles insoupçonnées qui ne sont pas trop positives, croyez-moi.

La marijuana, quant à elle, semble peut-être inoffensive, mais elle est pleine de conséquences négatives qui se manifestent surtout à long terme lorsqu'on en consomme régulièrement. Tout d'abord, tout est bien comique, mais à la longue elle provoque une espèce d'ankylosement général. En fait, on devient tellement engourdi qu'on n'a plus le goût de rien faire. Et c'est probablement le plus grand tort du "pot" et du haschich: ils détruisent la volonté à un degré qui devient chronique, sérieusement chronique. On perd pratiquement toute motivation et toute ambition. Notre façon de penser aussi change. On ne voit plus la vie avec les mêmes yeux et ce changement n'est pas trop positif à la longue. Un "joint" à l'occasion n'est pas si terrible c'est vrai, mais quand on est rendu que ça nous prend un petit joint pour nous donner notre petite joie de la journée, c'est que l'habitude est déjà prise.

La marijuana crée aussi la schizophrénie, un bien grand mot qui se traduit par cette tendance que beaucoup de drogués ont de vivre dans leur monde intérieur; un monde irréel de fantaisie, de rêve, d'imagination, qui les coupe du monde réel et les fait peu à peu se refermer sur eux-mêmes comme une huître dans sa coquille. La communication, en tout cas, n'est pas à son plus fort. Le haschich et la marijuana engendrent enfin la paranoïa, cette espèce de peur intérieure qui est tout à fait imaginaire puisque tout se passe dans notre cerveau malade, et qui devient de plus en plus sérieuse avec les années. Elle se manifeste naturellement lorsqu'on est sous l'effet de la drogue. On a peur de tout ou presque, on s'imagine des choses sur les autres qui n'existent même pas, on leur attribue des pensées sans même savoir ce qui se passe dans leur tête, on dramatise pour des riens, on se culpabilise sans raison, on voit des dangers surtout, alors que rien ne se passe. Une paranoïa qui, inévitablement, nous referme encore davantage sur nous-mêmes.

La paranoïa est aussi l'une des premières conséquences de la consommation régulière de cocaïne. En fait, la paranoïa engendrée par la cocaïne est la pire de toutes; elle est plus manifeste encore chez ceux qui s'injectent cette drogue dans les veines. Cela frise la folie: on voit des formes, des gens, on entend des bruits, des sons, on a peur de son ombrage, on se méfie de tout le monde, on vit sous une tension continuelle. J'ai connu des consommateurs réguliers de cocaïne qui s'asseyaient toujours le dos contre le mur dans les endroits publics, parce qu'ils ne pouvaient pas supporter d'avoir quelqu'un derrière eux. Quelle vie reposante, n'est-ce pas?

Et pourtant, croyez-le ou non, la cocaïne est l'une des drogues les plus populaires actuellement. Un article publié dans le magazine Newsweek révélait que les deux menaces actuelles à propos de la cocaïne étaient les suivantes: "de plus en plus, et de plus en plus jeune."[1] Je vous dirai sans exagérer que la grosse majorité de ceux qui touchent à la drogue en 1988 ne peuvent s'empêcher de faire de la cocaïne; elle est partout, dans tous les milieux, dans toutes les classes sociales, chez les jeunes, les vieux, les "bums", les riches, les travailleurs,... De plus, c'est une drogue qui coûte des fortunes. Les sommes d'argent dépensées dans la "coke" sont tout simplement inimaginables. Pas surprenant que les milieux riches, professionnels, le monde du show business, de la musique, de la télévision, du cinéma, du sport professionnel, soient des milieux sérieusement pollués par la cocaïne. Nos vedettes s'en donnent à coeur joie dans la poudre blanche.

J'ai vu des gens engloutir des années et des années de travail dans la cocaïne en moins d'un an; perdre leur emploi, leur maison, leur voiture, leurs amis, leur femme et leurs enfants même, et se retrouver à la rue comme des vagabonds et des loques humaines. On peut très facilement gaspiller des centaines de dollars par jour en cocaïne; ce qui fait qu'un très grand nombre d'adeptes deviennent menteurs, hypocrites, manipulateurs, profiteurs, voleurs, pour se procurer cet argent. En fait, l'effet de cette drogue est si intense et si bref, et l'état dépressif qui suit inévitablement tellement insupportable, que les consommateurs de cocaïne ne sont jamais rassasiés. C'est une roue sans fin, meurtrière et destructrice qui entraîne jusqu'à la déchéance totale.

Ainsi en est-il avec l'héroïne et pire encore; au-delà même de ce que vous pouvez vous imaginer. C'est la drogue qui ne pardonne pas. Depuis un demi-siècle, Montréal est la plaque tournante pour l'introduction de l'héroïne en Amérique du Nord. Et depuis deux ans, le nombre d'héroïnomanes a triplé dans cette ville. Comment expliquer qu'une drogue aussi meurtrière puisse être aussi populaire? Il faut dire que les premières consommations procurent un réel soulagement, au point où elle parait être la drogue rêvée. Elle semble éliminer la fatigue, l'angoisse, les problèmes, tout quoi. On flotte sur un nuage rose mais ce n'est que tromperie, car elle devient vite un cauchemar pire que la cocaïne. En fait, son esclavage est le plus terrible et le plus rapide de tous. Alors que l'esclavage de la cocaïne est beaucoup plus psychologique, celui de l'héroïne est carrément physique et il est si puissant qu'en moins d'une semaine de consommation régulière, on ne peut presque plus s'en passer.

Un héroïnomane va faire n'importe quoi pour se procurer sa dose quotidienne. C'est pourquoi la plupart de ceux et celles qui consomment de l'héroïne finissent soit sur la rue à se prostituer, soit à commettre des crimes de toutes sortes pour se procurer l'argent dont ils ont besoin. On comprend pourquoi la mafia contrôle presque 100% de la vente d'héroïne: c'est une mine d'or assurant des revenus réguliers. Imaginez-vous donc que la mafia paie même des gens pour initier des jeunes à l'héroïne gratuitement, jusqu'à ce qu'ils soient assez accrochés pour en vouloir désespérément. C'est dégueulasse!

Alors que les mafiosi roulent sur des millions, nos jeunes, eux, agonisent et meurent à petit feu, brisés physiquement et psychologiquement jusqu'à ce qu'une overdose mette un terme à cette vie de mort-vivant. Car pour un héroïnomane, la drogue devient le centre de sa vie. Il ne vit plus que pour elle. Elle occupe ses pensées vingt-quatre heures sur vingt-quatre. Elle s'empare de lui totalement, au point où il se fout de tout, de sa famille, de ses amis, de son avenir, de sa santé, de la loi, de se retrouver derrière les barreaux, de la mort même, car il sait trop bien ce qui l'attend s'il n'a pas sa dose: un enfer de douleurs physiques, de crampes atroces, de convulsions, de nausées, de sueurs, d'insomnies, que très peu de gens ont la force de traverser. Un sevrage d'héroïne est une expérience inoubliable en souffrances, et je connais des gens qui en ont traversé plusieurs sans jamais se dompter.

Voilà donc où mène la drogue. A plus ou moins forte dose, inévitablement, c'est la destruction et le désespoir qui attendent le drogué au bout de la route. Car si la drogue semble apaiser le mal de vivre, elle ne l'apaise que pour un temps, et un temps très court. En réalité, non seulement elle ne l'apaise pas, mais elle crée un mal de vivre plus profond encore. Ce qu'il nous faut comprendre c'est que, comme le dit la Bible, le sang qui coule dans nos veines, c'est l'âme, c'est-à-dire la vie. Ainsi, en consommant toutes sortes de drogues, et bien on pollue notre sang et cela affecte tout notre système qui devient de plus en plus dépendant et malade. C'est pourquoi les conséquences ne sont pas uniquement physiques, mais aussi spirituelles. Quand on laisse entrer le mal dans notre vie, on devient de plus en plus tourmenté, mal dans sa peau, angoissé, troublé, si bien que tout cela nous pousse au désespoir, à la dépression, à la folie...

Tout cela me fait penser aux araignées. Un matin, alors que j'étais en camping, il m'est arrivé d'observer une araignée descendre tranquillement le long de son fil. Elle alla piquer une mouche qui, sur le coup, ne se rendit compte de rien, puis remonta par où elle était venue. Je fus surpris de voir presqu'aussitôt la mouche faire quelques pas hésitants et remuer ses ailes en vain: elle était comme engourdie. L'araignée attendit un peu, puis elle revint la chercher afin de l'emprisonner dans son filet, dans l'intention de la manger plus tard bien entendu. Ainsi, quand on commence à consommer de la drogue, on éprouve tout d'abord un certain plaisir, mais le diable profite de notre engourdissement pour nous lier et détruire notre vie, car c'est là tout ce qu'il veut.

Certaines personnes aussi après des années passées à se droguer, deviennent désespérées devant la faillite de leur vie, devant leur incapacité à se débarasser de leur esclavage et devant leurs éternelles rechutes, et ils ne trouvent rien de mieux à faire que de s'enlever la vie. Je crois que le taux élevé de suicides qu'on connaît actuellement a un rapport étroit avec la consommation de drogues et d'alcool, car la drogue aussi bien que l'alcool aggrave sérieusement les états dépressifs. Intoxiqués par l'un ou l'autre, on devient une proie fragile et faible face à ce tourbillon intérieur de mauvaises idées qui nous envahissent et nous disent qu'il n'y a pas de solution, qu'on ne s'en sortira jamais, qu'il est trop tard, qu'on est allé trop loin, que la vie ne vaut pas la peine d'être vécue, qu'il vaut mieux en finir tout de suite, qu'ainsi il n'y aura plus de problèmes, etc...

Pourtant, bien qu'il soit difficile de juger tous les suicides, Dieu ne nous permet pas de mettre fin à notre vie. Esaïe nous dit à propos de ceux qui se laissent aller ainsi: "ceux qui descendent dans la fosse, c'est qu'ils ne s'attendent plus à ta vérité, Seigneur"[2]. Dieu n'est pas un Dieu de désespoir mais un Dieu d'espérance, parce qu'Il sait qu'il y a toujours une solution à nos problèmes, quels qu'ils soient. Il ne faut donc jamais abandonner le combat de la vie; il faut croire, espérer, combattre, aller jusqu'au bout et, avec l'aide de Dieu, vaincre.

La vérité dans tout cela, voyez-vous, c'est que c'est possible de vivre heureux et libre. Et oui, cette liberté que l'on recherche tant de mille et une manières est vraiment quelque chose de possible. Il faut tout juste la chercher à la bonne place, c'est tout. En fait, l'être humain a besoin de comprendre tout d'abord que la liberté ne se situe pas au niveau de son corps, mais au niveau de son esprit: la vraie liberté en d'autres mots n'est pas extérieure, mais intérieure. Malheureusement, on tombe tous dans le piège de croire que la liberté c'est de faire ce que l'on veut, quand on veut, où on veut et avec qui on veut, surtout quand on est jeune. Et pourtant, lorsqu'on agit comme ça, on devient tout simplement esclave de nos désirs et de nos passions.

Voilà ce qui a fait dire à l'apôtre Pierre ce petit verset: "chacun est esclave de ce qui a triomphé de lui"[3]. C'est une bonne question à se poser: "Qu'est-ce qui a triomphé de nous? Est-ce l'alcool, ou la drogue, ou l'argent, ou le sexe, ou encore, plus subtilement, dans notre coeur, est-ce l'orgueil, la méchanceté, l'hypocrisie, la haine, l'égoisme? Car tout cela, croyez-le, nous enchaîne intérieurement. La société aussi est pleine de toutes sortes de choses qui ne sont pas mauvaises en soi, mais qui deviennent mauvaises lorsqu'on en devient dépendant. "Toutes choses me sont permises, mais je ne me laisserai moi asservir par aucune"[4] disait l'apôtre Paul à son tour, et c'est vrai. On peut user d'à peu près n'importe quoi dans ce monde, mais les utiliser en cherchant toujours notre propre intérêt nous rend peu à peu esclave. Il faut vraiment faire attention pour ne pas devenir attaché à toutes sortes de choses.

Nous avons aussi besoin d'être éclairé sur ce que sont les pièges de la vie afin d'en être délivrés. Le Christ nous dit: "Si vous persévérez dans ma parole vous êtes vraiment mes disciples; et vous connaîtrez la vérité et la vérité vous rendra libres."[5] Ainsi c'est quand on persévère à s'instruire de ce que la Bible nous enseigne que la lumière se fait sur ce que nous sommes en profondeur et que l'on prend conscience de ce qu'est vraiment le bien et le mal. Et lorsqu'on choisit librement de se soumettre au bien, c'est là qu'on devient véritablement libre; car nous ne sommes plus des marionnettes dirigés ça et là par le système de vie que l'homme a inventé. Par contre, nous avons besoin de la puissance de Dieu pour briser tous ces liens qui nous empêchent de connaître les vrais horizons. Un peu comme un bateau doit couper toutes les cordes qui le retiennent au bord afin de pouvoir s'élancer vers le large; nous aussi nous devons nous débarrasser de nos chaînes extérieures et intérieures afin de nous élever vers cette liberté à laquelle Dieu nous appelle; cette libération profonde et spirituelle que tous désirent.

C'est lorsqu'on découvre notre vraie nature et le sens de notre vie sur terre que l'on comprend qu'on est des êtres spirituels et éternels qui viennent de Dieu et qui retournent à Dieu. C'est alors qu'on ne peut plus regarder la vie de la même manière, et notre recherche de la liberté ne peut plus être la même non plus. Tout comme le poisson dans l'eau et l'oiseau dans le ciel jouissent d'une grande liberté parce qu'ils sont à la place que Dieu leur a donnée, nous aussi, pour être libres, nous devons respecter l'ordre établit par Dieu pour nous dans la création et s'y soumettre volontairement.

Cependant, l'être humain est une créature bien étrange, car souvent il devient amoureux de ces mêmes chaînes qui, pourtant, le rendent malheureux. Si les ours, qui sont des animaux, acceptent de se faire libérer des pièges dans lesquels ils sont tombés, l'homme lui, parfois refuse. Ce qu'il ignore toutefois, c'est que, bien qu'il soit libre de ses choix, il n'est jamais libre des conséquences. Cela nous fait réaliser à quel point ça prend quelque chose de puissant pour pousser les hommes à changer; ça leur prend une motivation sérieuse, solide, ça leur prend un but réel et intéressant. Ca leur prend quelque chose de grandement meilleure et supérieure à ce qu'est leur vie et à ce que leur offre le monde. Parce que c'est vrai que ce n'est pas facile de changer. Il n'y a que Dieu, en fait, qui puisse nous donner cette motivation, ce but, cette force dont nous avons besoin.

Malheureusement, si on applique une thérapie qui consiste seulement à faire arrêter la consommation, la personne n'aura pas la force de résister longtemps aux tentations et un jour ou l'autre, elle finira par retomber dans son vieux vice, ou encore elle trouvera autre chose pour le remplacer. Je sais par expérience qu'on peut, non seulement désintoxiquer un drogué, mais qu'on peut aussi le transformer intérieurement et en faire une personne différente qui va même haïr la drogue. Cette transformation profonde et intérieure est la seule qui puisse durer.

Ainsi, tout ce dont nous avons besoin, ce sont des gens qui s'impliquent et dont le coeur déborde d'amour pour ces brebis perdues. Des gens qui veulent sincèrement s'occuper des toxicomanes, et prendre de leur temps pour les écouter, pour les comprendre, pour leur donner l'amour, pour les soutenir moralement et enfin, pour les nourrir spirituellement, afin qu'eux aussi puissent se libérer de leurs chaînes. En d'autres mots, il nous faut être aujourd'hui pour les autres des libérateurs comme le Christ l'a été pour chacun de nous.

J'aimerais vous dire en terminant que si je n'avais pas été chrétien, je n'aurais jamais replongé dans le monde de la drogue. Si je l'ai fait, cette fois-ci, c'était par amour pour tous ces malheureux à qui j'ai voulu faire découvrir cette liberté intérieure qu'ils cherchent désespérément et qu'ils découvriront seulement en devenant chrétien. "Là où est l'Esprit du Seigneur, là est la liberté."[6] Cette présence de Dieu dans notre vie est ce qui nous permet de vivre en toute liberté sans avoir besoin de rien d'autre pour être heureux.

---

1. Newsweek, 17 mars 1986
2. Esaie, chapitre 38, verset 18
3. Deuxième épître de Pierre, chapitre 2, verset 19
4. Première épître de Paul aux Corinthiens, chapitre 6, verset 12
5. Evangile de Jean, chapitre 8, versets 31 et 32
6. Deuxième épître de Paul aux Corinthiens, chapitre 3, verset 17

CHAPITRE 31

UN SEUL EST BON

Il était une fois un jeune roi très riche qui n'avait jamais connu ni la misère, ni la souffrance, ni la pauvreté. Il vivait dans une immense forteresse et ne pouvait même pas s'imaginer ce qu'était la vie en dehors des murs de son château. Il entendait dire que le monde était malheureux, mais il ne savait pas ce que cela signifiait. Bien qu'il ne régnait pas encore sur son pays, il savait que le jour viendrait où il devrait monter sur le trône. Il se disait qu'il ne serait jamais un bon roi s'il ne connaissait pas la vie des gens habitant son royaume. Il décida alors qu'il irait vers eux. Il se dépouilla de son manteau royal, de ses bijoux et de tout ce qui était un signe de sa royauté, et se vêtit de vêtements sales et déchirés. Il vécut pendant un certain temps dans le monde et connut alors tout ce que sa royauté lui avait caché. Il dut coucher dehors au froid, souffrir la faim, la soif; il fut méprisé et rejeté, connut l'inquiétude, la solitude, la honte. Il vécut tout ça, mais cela ne changea pas son coeur de roi, même si extérieurement, il n'était plus le même. Quand il retourna chez lui, il connaissait la misère des gens et il était désormais en mesure de les aider.

L'histoire de ce jeune roi, c'est un peu celle de Jésus. Quand Il a quitté son royaume et qu'Il a traversé les cieux pour venir vers nous, c'était aussi dans le but de mieux nous comprendre. Ce à quoi on s'arrête rarement, c'est qu'en revêtant un corps humain, il s'exposait du même coup à toutes les souffrances et à toutes les tentations que cela implique. Jérémie avait prédit qu'il serait un "essayeur"[1], afin de connaître et d'éprouver les voies des hommes. Il était donc destiné à goûter à tout par amour pour l'humanité.

A sa première apparition publique dans le village de Nazareth où il a grandi, Jésus fit la lecture d'un texte d'Esaïe qui parle du Messie et de sa mission. Ce jour-là, dans la synagogue, il déclara aux gens de son village que cette prophétie qu'il venait de lire était accomplie là sous leurs yeux. Puis il ajouta: "Assurément, vous me direz cette parabole: médecin, guéris-toi toi-même"[2]. Pourquoi donc Jésus était-il certain que les gens du village où il avait grandi lui diraient de se guérir lui-même avant de guérir les autres? Tout simplement parce que Jésus savait bien qu'ils l'avaient connu dans sa jeunesse, dans un temps où il fit des erreurs comme tous les jeunes. Si Jésus avait toujours été parfait et irréprochable, une pensée comme celle-là n'aurait jamais effleuré l'esprit des gens qui l'avaient vu grandir. En fait, non seulement ils n'acceptèrent pas ce que Jésus proclamait être, mais "ils le chassèrent hors de la ville, et le menèrent jusqu'au bord escarpé de la montagne sur laquelle leur ville était bâtie, de manière à l'en précipiter. Mais lui, passant au milieu d'eux, s'en alla."[3]

Au début de l'Evangile de Marc nous est raconté une situation presque semblable qui lui arriva, cette fois-ci avec sa propre famille. Alors que Jésus prêchait aux foules assemblées autour de la maison qu'il habitait avec ses disciples, "les parents de Jésus, ayant appris ce qui se passait, vinrent pour se saisir de lui; car ils disaient: il est hors de sens"[4]. Quelle drôle de réaction, direz-vous peut-être. En réalité, c'est que la famille immédiate de Jésus ne voyait pas en lui le Messie de Dieu; au contraire, pour eux, il était le même qu'il avait été pendant tant d'années, un fils et un grand frère comme les autres. L'apôtre Jean nous précise même que "ses frères ne croyaient pas en lui non plus"[5]. Pour les gens de son village, il était Jésus le charpentier qui avait appris le métier de son père Joseph, et dont les frères et les soeurs étaient là parmi eux. "Celui-ci n'est-il pas le charpentier, le fils de Marie, et le frère de Jacques et de Joses et de Jude et de Simon; et ses soeurs ne sont-elles pas ici auprès de nous?"[6] nous dit l'Evangile de Marc. Jésus était certainement le premier-né de la famille, mais il n'était pas un enfant unique.

Ces gens-là ne pouvaient comprendre d'où lui venaient cette sagesse et ces miracles qui s'opéraient par ses mains. Non seulement ils étaient dans l'étonnement, nous dit Marc mais "ils étaient scandalisés en lui"[7]. En fait, même si à l'âge de douze ans Jésus étonnait déjà les docteurs de la loi par sa sagesse, sa vie par la suite a sûrement pris un tournant bien différent. Et c'est pourquoi c'était scandaleux pour ceux qui l'avaient connu de croire que celui-ci était l'Envoyé de Dieu.

Nous savons que souvent, avant de devenir des saints, les hommes ont été de grands pécheurs. Ainsi en était-il avec St-Augustin qui a vécu une vie de débauche, mais qui est devenu un saint homme après que sa mère, Ste-Monique, eut prié pour lui pendant trente ans. St-François d'Assise était fils d'un riche marchand et a aussi connu une vie de luxure avant de se tourner vers Dieu.

Pourquoi pensez-vous que Jésus comprenait tant les gens de mauvaises vies, les pécheurs, les pauvres, etc? Simplement parce qu'il était Fils de Dieu? Non, mais parce qu'il avait vécu lui-même dans ces milieux. En effet, comment pouvait-il être l'auteur d'un salut à la mesure de l'être humain, s'il était tellement différent de nous? C'était impossible. Ainsi, cela faisait partie du plan de Dieu que Jésus, en tant qu'homme, soit soumis aux mêmes tentations que tout le monde et qu'il vive dans sa nature charnelle ce que tous vivent. Etant de sexe masculin, il a connu la tentation de la femme; pauvre charpentier d'une nation opprimée par l'empire romain, il a eu lui aussi le goût de se révolter ou de se jouer du système.

A un moment donné, Jésus a fait la rencontre d'un jeune homme qui s'est jeté à ses pieds et lui a demandé: "Bon maître, que ferai-je afin que j'hérite de la vie éternelle?" Jésus fit alors ce qui était pour lui une mise au point importante. "Pourquoi m'appelles-tu bon? Nul n'est bon sinon un seul, Dieu."[8] Il reconnaissait lui-même que nul ne pouvait être vraiment bon en vivant dans une chair comme la nôtre.

L'apôtre Pierre, qui l'a bien connu, nous dit de lui: "Christ donc, ayant souffert pour nous dans la chair... s'est reposé du péché pour ne plus vivre le reste de son temps dans la chair"[9]. Si Jésus s'est reposé du péché, c'est bien parce qu'il a souffert à cause du péché. Comme cela était écrit au livre d'Esaïe: "Il mangera du caillé et du miel pour savoir rejeter le mal et choisir le bien"[10]. Ainsi, il a dû faire le choix un jour d'obéir à Dieu pour recevoir Sa grâce. Ca n'a pas été facile pour lui non plus. Il lui a fallu lui aussi tomber sur ses genoux et crier à son Père, du fond de son désespoir. "De même le Christ aussi, durant les jours de sa chair, ayant offert avec de grands cris et avec larmes, des prières et des supplications, à celui qui pouvait le sauver de la mort, et ayant été exaucé à cause de sa piété, quoiqu'il fût Fils, a appris l'obéissance par les choses qu'il a souffertes."[11] De quelle mort Jésus a-t-il donc été délivré? Sûrement pas de la mort de la croix! Mais bien plutôt de la mort intérieure. Ainsi, il a dû souffrir les conséquences du mal, c'est à dire l'angoisse, le désespoir, le vide intérieur, les remords, etc., mais il a été délivré à cause de sa foi, et a finalement eu la victoire sur le péché. "Qui de vous me convaincra de péché?"[12] disait-il aux Juifs de son temps.

Alors, comme c'est un mystère pour nous qu'Adam, le premier homme créé parfait, ait pu désobéir à Dieu pour devenir imparfait, c'est aussi le mystère de la piété que Jésus, qui a été créé avec une nature charnelle pécheresse, soit devenu parfait par l'obéissance à la foi. Jésus, en croyant dans cette perfection spirituelle à laquelle Dieu l'appelait, s'est sanctifié et s'est purifié afin de devenir celui qui allait recevoir Dieu en lui.

Ce n'est qu'après un cheminement spirituel de plusieurs années qu'il est devenu le Christ. En effet, le mot Christ, du grec "khristos" veut dire "oint de l'Eternel"; ainsi Jésus à trente ans environ, au terme de sa sanctification, a reçu l'onction de Dieu qui a fait de lui Jésus-Christ. Jean le Baptiste a vu cela de ses yeux. "Et Jean rendit témoignage disant: j'ai vu l'Esprit descendant du ciel comme une colombe, et il demeura sur lui."[13]

Voilà la bonté de Dieu! Permettre que son Fils unique naisse à la ressemblance des hommes, afin qu'il puisse être un médiateur compréhensif entre Dieu et les humains. C'est bien ce que la Bible nous explique: "C'est pourquoi il dut, en toutes choses, être rendu semblable à ses frères, afin qu'il fût un miséricordieux et fidèle souverain sacrificateur dans les choses qui concernent Dieu..."[14] Ainsi, sa connaissance du mal et du péché lui a permis de comprendre réellement ce que nous vivons à travers le combat spirituel de la vie terrestre. "Car en ce qu'il a souffert lui-même, étant tenté, il est à même de secourir ceux qui sont tentés."[15] Jésus nous comprend parfaitement et il peut vraiment nous secourir dans les pires détresses.

Comprenons bien dans tout ceci que le Christ n'a pas péché, mais qu'Il a été fait par Dieu semblable au péché, ayant revêtu la nature pécheresse qu'était sa chair; son esprit, lui, est demeuré sans tache. Un peu comme le jeune roi qui, malgré ses vieux vêtements sales avait gardé son coeur de roi. C'est ce qu'on peut lire dans un autre texte de la Parole de Dieu, "Dieu ayant envoyé son propre Fils en ressemblance de chair de péché, et pour le péché, a condamné le péché dans la chair"[16]. Par sa vie, par son exemple, il nous donne la solution pour que le mal n'ait plus d'emprise sur nous et il nous montre aussi le chemin du salut. Le prix qu'il a dû payer pour cela, ce sont toutes les souffrances de sa sanctification, son combat spirituel jusqu'à la fin, et son sang versé sur la croix. Oui, il est bien cet "homme de douleurs habitué à la souffrance, et c'est par ses meurtrissures que nous sommes guéris. Car nous étions tous errants comme des brebis, chacun suivait sa propre voie; et l'Eternel a fait retomber sur lui les péchés de nous tous"[17].

Nous devons donc suivre ses traces de très près, car nous n'avons plus aucune justification pour ne pas vaincre le péché dans notre vie. Son exemple est là pour nous montrer que nous pouvons y arriver. Si nous marchons dans le chemin qu'il nous a tracé et que nous acceptons à la fois les joies et les souffrances de la vie chrétienne, nous devenons les "compagnons du Christ". Car Jésus-Christ n'est pas un Dieu inaccessible, mais un frère plein de compassion qui attend seulement qu'on s'en remette à Lui pour nous amener vers la victoire à laquelle il est lui-même parvenu. "Vous aurez de la tribulation dans le monde; mais ayez bon courage, moi j'ai vaincu le monde."[18]

1. Jérémie, chapitre 6, verset 27
2. Evangile de Luc, chapitre 4, verset 23
3. Evangile de Luc, chapitre 4, versets 29 et 30
4. Evangile de Marc, chapitre 3, verset 21
5. Evangile de Jean, chapitre 7, verset 5
6. Evangile de Marc, chapitre 6, verset 3
7. Evangile de Marc, chapitre 6, verset 3b
8. Evangile de Marc, chapitre 10, versets 17 et 18
9. Première épître de Pierre, chapitre 4, versets 1 et 2
10. Esaïe, chapitre 7, verset 15
11. Epître de Paul aux Hébreux, chapitre 5, versets 7 et 8
12. Evangile de Jean, chapitre 8, verset 46
13. Evangile de Jean, chapitre 1, verset 32
14. Epître de Paul aux Hébreux, chapitre 2, verset 17
15. Epître de Paul aux Hébreux, chapitre 2, verset 18
16. Epître de Paul aux Romains, chapitre 8, verset 3
17. Esaïe, chapitre 53, versets 3, 5b et 6
18. Evangile de Jean, chapitre 16, verset 33

CHAPITRE 32

L'ALPHA ET L'OMÉGA

Depuis les tout premiers moments où Il a placé l'homme sur la terre, Dieu a toujours veillé sur lui. Et oui, tout au long de son histoire, il n'a jamais cessé de le guider et de se révéler à lui. Il a fait cela, bien sûr, à travers tous les prophètes qui ont parlé en Son nom, et qui ont encouragé les hommes à suivre les voies de Dieu. C'est aussi par la bouche de ces mêmes prophètes, ceux de l'Ancien Testament, qu'Il avait prédit qu'un jour un Messie, un Sauveur, viendrait sur la terre. En fait, les livres de l'Ancien Testament contiennent non seulement une grande quantité de prophéties sur cet Envoyé et sur ses différentes missions, mais ils contiennent aussi mille et une figures qui nous parlent encore de Lui. Cela n'a rien d'étonnant quand on sait que le Christ est au centre de tout le plan de Dieu.

C'est au travers de ces prophéties et de ces figures que l'on découvre à quel point le Christ représentait beaucoup pour tous ces prophètes qui espéraient en sa venue. En effet, Il était à la fois le "germe"[1] qui détenait toutes les promesses de vie et le "clou"[2] sur lequel toute la maison d'Israël pourrait s'appuyer. Ces hommes de Dieu savaient que le Messie devait unir Dieu et les hommes d'une alliance solide, inébranlable, aussi l'appelèrent-ils le "plomb"[3]. Ils savaient aussi que Celui-ci devait leur faire connaître clairement les pensées de Dieu, comme si un "étendard"[4] ou une bannière était élevée sur une montagne et qu'on eut simplement à lire ce qui y était écrit.

Tous ces textes de la Bible nous amènent finalement à comprendre quelque chose de bien important: le Christ en sa qualité de "grand chef", et de "défenseur des enfants du peuple de Dieu"[5], n'a pas voulu laisser son peuple à lui-même pendant des milliers d'années sans lui venir en aide. Les prophètes avaient trop besoin de ses directives et de ses conseils pour qu'Il ne soit pas à leur côté de temps en temps. Ainsi, le Christ ne s'est pas contenté de venir pour nous donner le salut au temps où cela avait été prévu, mais Il est aussi apparu à plusieurs reprises tout au long de l'histoire de l'Ancien Testament à différents personnages.

Il s'est entretenu avec Abraham alors qu'il voyageait dans le désert, pour l'encourager; en effet, cette fois-là, Il lui confia le plan que Dieu avait pour ses descendants. Une autre fois, Il lui donna le signe de la circoncision comme alliance entre Dieu et son peuple. Abraham l'a aussi rencontré sous le nom de Melchisédec, roi de justice, et a reçu sa bénédiction[6]. Sous le nom de l'Ange de l'Eternel, Il est apparu à Moïse pour lui confier la tâche de faire sortir les Hébreux d'Egypte[7]. Quand Josué et le peuple hébreu voulurent attaquer Jéricho, c'est Lui qui vint leur expliquer quoi faire pour s'emparer de la ville. C'est en tant que "chef de l'armée de l'Eternel" qu'Il était venu à ce moment-là[8]. Il est aussi apparu à Elie pour l'encourager alors que sa vie était en danger[9]. Il est même descendu dans la fournaise de feu dans laquelle les amis du prophète Daniel avaient été jetés[10]. Ainsi, le "bras de l'Eternel"[11] a toujours été auprès de son peuple pour exécuter tout ce que lui ordonnait son Père.

Bien que la plupart de ces apparitions ne concernaient que quelques élus spécialement précieux et choisis aux yeux de Dieu, il faut dire toutefois que le Christ a aussi accompli d'autres différentes missions beaucoup plus importantes qui, elles, ont influencé le sort de toute l'humanité. Par exemple, c'est Lui qui fut avec Dieu son Père, l'auteur du plan de la création au tout début des temps. Au commencement de l'Evangile de Jean, on peut lire ce qui suit à propos de la Parole de Dieu, qui est le Christ: "Toutes choses furent faites par elle, et sans elle pas une seule chose ne fut faite de ce qui a été fait."[12] C'est Lui aussi qui a proposé à Dieu le plan de rédemption et qui en plus, est venu l'accomplir sur la terre. C'est encore par Lui que s'accomplira le plan du jugement, tel qu'on peut le lire encore dans l'Evangile de Jean: "le Père ne juge personne mais Il a donné tout le jugement au fils"[13], c'est d'ailleurs l'une des raisons pour laquelle Il est venu sur la terre juger de lui-même ce qui s'y passe. En fait, voyez-vous, Dieu a remis toutes choses entre les mains de Son fils depuis le commencement, c'est donc tout à fait normal qu'Il soit là à l'oeuvre dans toutes ces différentes tâches.

Ceci nous amène à une révélation que l'on retrouve au livre de l'Apocalypse. Voici ce qu'elle dit: "Moi, je suis l'Alpha et l'Oméga, celui qui est et qui était, et qui vient, le Tout-puissant"[14]. Quand le Christ affirme être "l'Alpha et l'Oméga" (la première et la dernière lettre de l'alphabet grec, langue dans laquelle le Nouveau Testament a été écrit), Il nous annonce qu'Il aura le premier et le dernier rôle à jouer, c'est-à-dire qu'Il sera présent au commencement et à la fin des événements qui marqueront la fin des temps. C'est pourquoi entre autres, au livre de Jérémie, dans un texte qui concerne très clairement les jours de la fin, le Christ est décrit comme étant le "marteau" de Dieu et ses "armes de guerre"[15]. Le "Oint"[16] de l'Eternel sera donc encore une fois à l'oeuvre sur la terre, à ce moment précis de l'histoire humaine.

Mais pour bien comprendre l'étendue de ce dont nous parlons ici, arrêtons-nous tout d'abord sur une petite parabole tirée du livre de la Genèse. Cette parabole est au coeur de l'histoire de Noé et du déluge qui s'est déroulée il y a plus de 4,000 ans. Lisons-la ensemble: "Lorsque le déluge fut terminé, l'arche se posa sur les montagnes d'Ararat. Noé, au bout de quarante jours, ouvrit la fenêtre de l'arche et lâcha le corbeau qui sortit, allant et revenant, jusqu'à ce que les eaux eussent séchées de dessus la terre. Et il lâcha d'avec lui la colombe, pour voir si les eaux avaient baissé sur la face du sol; mais la colombe ne trouva pas où poser la plante de son pied, et revint à lui dans l'arche, car les eaux étaient sur la face de toute la terre; et il étendit sa main, et la prit, et la fit entrer auprès de lui dans l'arche. Et il attendit encore sept autres jours, et il lâcha de nouveau la colombe hors de l'arche. Et la colombe vint à lui au temps du soir, et voici dans son bec, une feuille d'olivier arrachée. Et Noé sut que les eaux avaient baissé sur la terre. Et il attendit encore sept autres jours, et il lâcha la colombe, et elle ne revint plus de nouveau vers lui"[17].

Cette parabole est une figure spirituelle bien profonde, c'est-à-dire qu'elle explique d'une façon imagée des événements qui ont lieu dans la réalité. Le corbeau représente le diable qui a été envoyé sur la terre pour toute la durée de l'histoire humaine. La première sortie de la colombe est la figure de la première venue du Christ il y a 2,000 ans. Il est dit dans le texte: "mais la colombe ne trouva pas où poser la plante de son pied". Et bien, il en fut exactement comme ça pour le Christ, lorsqu'il vint sur la terre cette première fois. Il a dit en effet, en parlant de lui-même: "Le fils de l'homme, lui, n'a pas où reposer sa tête"[18]. Et comme la petite colombe est revenue à l'arche de Noé, il est lui aussi retourné à son Père à la fin de sa vie. La troisième sortie où la colombe va et ne revient pas, illustre la venue du Christ à la fin des événements prophétiques, alors qu'il établira le règne de mille ans et ne retournera pas à son Père, puisqu'il régnera sur la terre.

La deuxième sortie de la colombe représente donc une deuxième venue du Christ de grande importance. Le texte nous précise que la colombe revient "au temps du soir" et qu'elle avait dans son bec une "feuille d'olivier". Comme vous le savez, nous sommes parvenus à la fin de l'histoire de l'humanité; ce temps de la fin dans lequel nous vivons pourrait s'appeler en d'autres mots: le "temps du soir". Cette feuille d'olivier dans le bec de la colombe représente la nation juive. En fait, comme la feuille d'érable fait penser à la nation canadienne, la feuille d'olivier symbolise l'état d'Israël dont la naissance, en 1948, a marqué le commencement des jours de la fin.

Le prophète Esaïe nous explique, dans l'une de ses prophéties, qu'au même moment de la naissance de cette nation d'Israël, naîtra aussi un enfant mâle. "Avant qu'elle ait été en travail, elle a enfanté; avant que les douleurs lui soient venues, elle a donné le jour à un enfant mâle. Qui a entendu une chose pareille? Qui a vu de telles choses? Fera-t-on qu'un pays enfante en un seul jour? Une nation naîtra-t-elle en une fois?"[19] Esaïe lui-même est étonné de voir comment tout se passe subitement, autant pour la naissance de cet enfant que pour celle du pays. Comme si personne n'avait pu prévoir ce qui allait alors se passer.

Puis, ailleurs dans une autre de ses prophéties, il nous donne cette fois-ci des détails sur le lieu où cet envoyé de Dieu doit faire son apparition. "Je l'ai réveillé du nord, et il vient, du lever du soleil, celui qui invoquera mon nom; toi que j'ai pris des bouts de la terre et appelé de ses extrémités, et il passa en sûreté par un chemin où il n'était pas allé de ses pieds."[20] Ceci nous amène à comprendre qu'au début des événements prophétiques, le Christ a dû voir le jour à l'une des extrémités de la planète, au nord-est d'une terre étrangère éloignée d'Israel, où il n'avait jamais mis les pieds. Jean nous dit enfin dans l'Apocalypse que ce fils mâle "fut enlevé vers Dieu et vers son trône"[21]. Ce "fils mâle" est, bien évidemment, le Fils de Dieu et ce texte ne peut pas s'appliquer à la première venue du Christ, puisqu'il a été écrit 70 ans après sa mort. Il ne peut pas s'appliquer non plus au retour glorieux du Fils de Dieu, car à ce moment-là, il descendra du trône de Dieu vers la terre. Il s'applique donc très clairement à cette deuxième venue du Christ, où tout comme la colombe est retournée à l'arche, le "fils mâle" retournera lui aussi une fois de plus à son Père.

Sans la présence de l'Esprit de prophétie qui est le "témoignage de Jésus"[22] dans le corps d'un homme, l'Apocalypse serait demeuré un livre scellé et incompris, ce qui pourtant n'est pas le cas aujourd'hui. C'est encore au livre de l'Apocalypse que l'on découvre un peu plus de lumière là-dessus. "Et je vis dans la droite de celui qui était assis sur le trône, un livre écrit au dedans et sur le revers, scellé de sept sceaux. Et je vis un ange puissant, proclamant à haute voix: Qui est digne d'ouvrir le livre et d'en rompre les sceaux? Et personne, ni dans le ciel, ni sur la terre, ni au-dessous de la terre, ne pouvait ouvrir le livre ni le regarder. Et moi, je pleurais fort parce que nul n'était trouvé digne d'ouvrir le livre ni de le regarder. Et l'un des anciens me dit: Ne pleure pas; voici le lion qui est de la tribu de Juda, la racine de David, a vaincu pour ouvrir le livre et ses sept sceaux."[23] Il n'y a ici, évidemment, personne d'autre que "le lion de la tribu de Juda" qui ait l'autorité de révéler aux hommes que le temps est arrivé pour Dieu de juger les peuples de la terre. Ainsi, le Christ, dans son immense amour des pécheurs et dans sa grande miséricorde, a accepté, une fois de plus, de s'abaisser pour endosser la nature humaine.

De plus, le premier et le dernier sceau de l'Apocalypse sont tous deux représentés par un cheval blanc. Alors que celui du premier sceau est monté par un homme "ayant un arc" en sa main, recevant une "couronne" et sortant "en vainqueur et pour vaincre"[24]; celui du septième sceau est monté par quelqu'un "appelé fidèle et véritable et son nom est la Parole de Dieu; ses yeux sont une flamme de feu; et sur sa tête il y a plusieurs diadèmes... il a sur son vêtement et sur sa cuisse un nom écrit: Roi des rois et Seigneur des seigneurs"[25]. Si le cavalier du dernier sceau est revêtu de toute sa splendeur, celui du premier semble plus discret. Sa mission était de venir annoncer le jugement aux nations de la terre, dans l'espoir que les gens se repentent avant qu'il ne soit trop tard. Voici ce qu'était son message: "Et je vis un ange volant par le milieu du ciel, ayant l'Evangile éternel pour l'annoncer à ceux qui sont établis sur la terre, et à toute nation et tribu et langue et peuple disant à haute voix: Craignez Dieu et donnez-lui gloire, car l'heure de son jugement est venue et rendez hommage à celui qui a fait le ciel et la terre et la mer et les fontaines d'eaux"[26].

Il n'était pas venu cette fois pour qu'on le reconnaisse. De toute façon, même s'il avait fait des miracles et de grands prodiges, qui l'aurait cru? Tout en demeurant inconnu, Il a voulu propager, dans cette fin de siècle plutôt sombre où les hommes ne connaissent plus Dieu, un peu de lumière en nous disant la vérité. Il est sans doute responsable de ce courant de sincérité qui s'est répandu parmi bien des chrétiens à travers le monde. Il a dû passer son temps à prêcher un peu partout pour que non seulement les gens retrouvent un peu de la simplicité de l'Evangile, mais aussi pour qu'ils aient la force de passer à travers les temps troublés de la fin sans perdre leur foi. Sachant ainsi à l'avance ce qui arrivera, il y a certainement moins de chance pour que nous nous laissions séduire par le système qui prendra le pouvoir.

Voilà pourquoi il était important que ce fut Lui, une fois de plus, qui se tienne à nos côtés avant l'heure de l'épreuve qui s'en vient sur la terre habitée toute entière.

"Ainsi le Christ, ayant été offert une fois pour porter les péchés de plusieurs, apparaîtra une seconde fois, n'ayant plus rien à faire avec le péché, pour le salut de ceux qui l'attendent."[27]

1. Esaie, chapitre 4, versets 2a
2. Esdras, chapitre 9, verset 8
3. Amos, chapitre 7, verset 8a
4. Esaie, chapitre 13, versets 2 et 3
5. Daniel, chapitre 12, verset 1
6. Genèse, chapitre 12, verset 7, chap. 17, verset 10 et chap. 14, verset 18
7. Exode, chapitre 3, verset 2
8. Josué, chapitre 5, versets 13 à 15
9. 1 Roi, chapitre 19, verset 7
10. Daniel, chapitre 3, verset 25
11. Psaumes 77, verset 15
12. Evangile de Jean, chapitre 1, verset 3
13. Evangile de Jean, chapitre 5, verset 22
14. Apocalypse, chapitre 1, verset 8
15. Jérémie, chapitre 51, verset 20
16. Psaumes 2, verset 6
17. Genèse, chapitre 8, verset 6 à 12
18. Evangile de Matthieu, chapitre 8, verset 20
19. Esaïe, chapitre 66, versets 7 et 8
20. Esaïe, chapitre 41, versets 25, 9a et 3
21. Apocalypse, chapitre 12, verset 5
22. Apocalypse, chapitre 19, verset 10b
23. Apocalypse, chapitre 5, versets 1 à 5
24. Apocalypse, chapitre 6, verset 2
25. Apocalypse, chapitre 19, versets 11b, 12, 13 et 16
26. Apocalypse, chapitre 14, versets 6 et 7
27. Epître de Paul aux Hébreux, chapitre 9, verset 28

CHAPITRE 33

L'ULTIMATUM SUR LA TERRE DES HOMMES

"Quand ils diront: Paix et sûreté, alors une subite destruction viendra sur eux, comme les douleurs sur celle qui est enceinte, et ils n'échapperont point."[1]

Voilà l'avertissement final qui est donné à l'humanité pour qu'elle s'ouvre les yeux sur ce qui s'en vient. Voilà l'ultimatum de Dieu: si les hommes ne changent pas, s'ils ne se convertissent pas, c'est fini, il n'y a plus de chance. Dieu est vraiment sur le point de juger l'humanité et il n'y a plus de pardon. La guerre s'en vient pour de vrai, car c'est le méchant qui domine sur la terre.

L'Eternel nous dit également: "N'écoutez pas les paroles de ceux qui vous disent: "Vous aurez la paix, ou encore il ne viendra pas de mal sur vous" car Je n'ai pas envoyé ces prophètes, et Je ne leur ai pas parlé"[2].

1988 a été l'année de la paix. Pourtant, partout dans le monde, c'était la guerre. Les plus grands personnages qui dominent à l'échelle mondiale ont tous parlé de paix, demandé la paix et cherché la paix comme jamais. Cependant, cela ne demeure que des paroles et de beaux discours... Ce qu'il faut savoir plutôt, c'est que Dieu s'est servi des grands de ce monde pour déclencher et opérer cette vague de paix. C'est au livre de l'Apocalypse encore une fois que l'on découvre la nature de ces personnages qui nous parlent ainsi faussement. "Et je vis sortir de la bouche du dragon, et de la bouche de la bête, et de la bouche du faux prophète trois esprits immondes, comme des grenouilles."[3] Ces trois esprits sont en fait, trois puissances, trois systèmes en place, trois différents gouvernements qui ont tous un but commun: celui de détourner les hommes et les femmes de la vérité. L'autorité qu'ils ont sur la vie des gens leur donne justement une grande influence.

Premièrement, il y a "l'esprit qui sort de la bouche du dragon". Celui-ci est un système athée, qui renie Dieu mais qui, partout où il va, séduit le monde avec ses propositions de paix. Puis "de la bouche de la bête"; c'est le système capitaliste, le pouvoir de l'argent. Un système en lui-même opposé à Dieu, mais qui parle lui aussi de contribuer à la paix mondiale. Pour finir, "le faux prophète", ce messager de paix à la tête de la fausse religion, non seulement parle de paix tout comme les autres, mais égare les gens bien loin de la vérité de l'Evangile. "Il avait deux cornes semblables à un agneau; et il parlait comme un dragon"[4], lit-on à propos de lui.

Ces trois différents pouvoirs, Dieu s'en sert pour accomplir et exécuter Son jugement sur les nations. La propagande de la paix ne sert en fait, qu'à dissimuler les préparatifs de guerre. C'est pourquoi, même s'ils vous annoncent la paix, même s'ils essaient de vous enlever vos craintes face à la guerre, même s'ils essaient de vous faire croire en une certaine sécurité, même s'ils vous disent: détendez-vous, ne vous inquiétez plus, nous voulons la paix mondiale; ne les croyez surtout pas car ce sont des esprits de mensonges envoyés sur la terre pour séduire ceux qui n'ont pas la lumière de Dieu dans leur vie. Oui, il faut vraiment avoir reçu l'amour de la vérité pour être sauvés de cet égarement.

On peut se poser la question: pourquoi la Bible compare t'elle ces trois esprits à des grenouilles? Tout simplement parce qu'ils ont quelque chose en commun. Les grenouilles se battent et se mangent entre elles. Ces trois pouvoirs eux aussi, agiront de la même manière. Même si, en apparence, ils coexistent pour un temps afin de propager le mensonge de la paix, à la base, ils sont complètement opposés entre eux. La doctrine athée ne peut accepter la doctrine religieuse, le capitalisme ne peut tolérer le communisme athée, et la fausse religion ne peut accepter ni l'athéisme, ni le capitalisme même si elle aime le capital. Ainsi, en fin de compte, tout comme les grenouilles, ils finiront par se battre et se dévorer entre eux.

C'est ça l'ultimatum de Dieu, c'est ça qui est le dernier message qu'il y a à être donné. Les méchants n'ont plus de chance, ils défaudront de soif. "Dis aux gens que tu espérerais être un faux prophète, car ma colère s'est embrasée pour la dernière fois avec l'homme! Il a péché et s'est rebellé contre mes deux alliances. C'est pourquoi je ferai en vos jours un amas de tombeaux et de morts, comme il ne s'en est point vu depuis le commencement de la création. Vous vous êtes rebellé. Le chien dira-t-il à son maître ce qu'il faut faire? Le chien est plus fidèle à son maître que vous l'avez été envers moi, dit l'Eternel. C'est pourquoi vos péchés se sont élevés jusqu'à mon trône de gloire, et vos péchés vous atteindront chacun selon vos oeuvres parce que vous avez abandonné et perverti l'alliance que j'ai faite par Mon Fils. Je redemanderai aux hommes des oeuvres convenables à la repentance et ne vous mettez pas à dire que vous avez vos propres religions, car sachez que ceux qui ont dissipé mes brebis et qui ont changé l'alliance divine en religion humaine seront jugés plus sévèrement. Maudite soit la diversité de vos croyances, dit l'Eternel!

C'est pourquoi, dis à tout le monde que tu espérerais sept fois être un faux prophète. Vous vous êtes prostitués et prosternés devant l'oeuvre de vos mains. Tout coeur, devant ma face, est à nu et à découvert. J'ai vu, et cela a été une mauvaise chose, dit l'Eternel. Les sacrificateurs se sont prostitués et les scribes de même, ont philosophé et ont changé mes préceptes divins en traditions d'homme. Ainsi, dit l'Eternel: ils seront jugés plus sévèrement. Ce sont des chiens qui n'aboient pas et qui sont injustes à l'égard de mon jugement. Est-ce que je prends plaisir à la mort du méchant? dit l'Eternel. N'est-ce pas plutôt à ce qu'il se détourne de ses voies et qu'il vive? Ne sont-ce pas vos voies qui ne sont pas droites? Que celui qui prononce Mon Saint Nom, dit l'Eternel, s'éloigne de l'iniquité, qu'il se détourne de ses mauvaises voies. Ainsi dit l'Eternel: Dis à l'homme: si l'homme pèche contre l'homme, l'homme peut lui pardonner, mais s'il pèche contre moi, qui est l'Eternel des Cieux, le Seigneur des seigneurs, qui priera pour lui? Votre foi est maintenant dans les fables. Je ne contesterai plus avec l'homme."

Ce n'est pas avec des sentiments humains que Dieu nous avertit, mais avec des sentiments divins qu'Il révèle ce que son coeur ressent, et qu'Il annonce son secret à ses serviteurs.

Il faut vraiment que les gouvernements se sanctifient; et à partir des autorités, il faut se sanctifier jusqu'à la base, jusqu'aux bas-fonds de la société. C'est aussi simple que ça. Sinon, c'est grave parce que ce sont des milliards de gens qui vont mourir. C'est terrible, terrible! Moi, quand j'ai su que les Etats-Unis seraient détruits, je n'en revenais pas. J'ai dit: "Seigneur, ça ne se peut pas, voyons donc. Es-tu un bon Dieu ou un mauvais Dieu?" Je me posais vraiment des questions, mais dans le fond je sais que Dieu n'est pas pour la mort du méchant; Il est pour que le méchant se repente, et mène une bonne vie, et qu'il soit heureux, et qu'il soit pardonné. Le plan de Dieu, ce n'est pas la mort, la mort de l'âme ou de l'esprit; ce n'est pas ça, c'est le contraire. Il veut que les méchants connaissent la vérité, pour qu'ils puissent se réveiller du piège du diable par qui ils ont été pris. Moi, je dis que les méchants devraient laisser une chance au Christ pour qu'Il se manifeste dans leur vie pour la bonté, la spiritualité, la vérité, la justice. En tout cas, ils vont avoir un choix à faire... "Connaissant le temps, que c'est déjà l'heure de nous réveiller du sommeil, car maintenant le salut est plus près de nous que lorsque nous avons cru: la nuit est fort avancée, et le jour s'est approché; rejetons donc les oeuvres des ténèbres, et revêtons les armes de la lumière."[5]

Alors, comme à toutes choses, il y a toujours deux côtés, les grenouilles elles aussi ont un côté positif. Elles vivent en famille, dans un étang, 10 ou 15 familles ensemble, tout dépendant de la grosseur de l'étang. Ce qui est positif, c'est que ça chante. Alors, nous autres aussi, il faut chanter Dieu. Si les grenouilles et les oiseaux chantent le matin, nous autres aussi, les enfants de Dieu, nous devons témoigner de notre foi et rendre témoignage de l'Evangile. C'est juste ça qu'on a à faire, pas plus, pas moins. Tout est là.

---

1. Première épître de Paul aux Thessaloniciens, chapitre 5, verset 3
2. Jérémie, chapitre 23, versets 16 à 21
3. Apocalypse de Jean, chapitre 16, verset 13
4. Apocalypse de Jean, chapitre 13, verset 11
5. Epître de Paul aux Romains, chapitre 13, verset 11 et 12

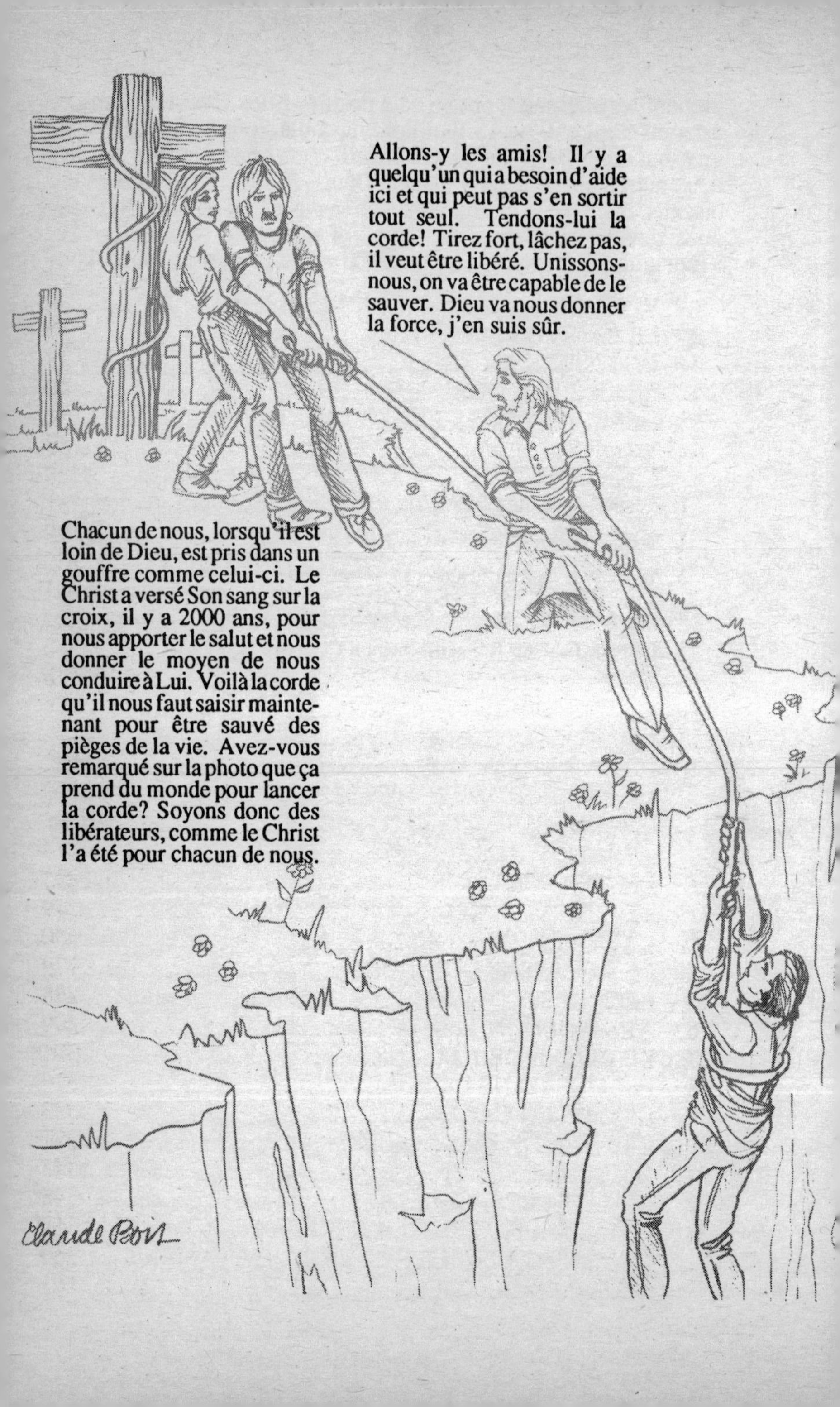
Allons-y les amis! Il y a quelqu'un qui a besoin d'aide ici et qui peut pas s'en sortir tout seul. Tendons-lui la corde! Tirez fort, lâchez pas, il veut être libéré. Unissons-nous, on va être capable de le sauver. Dieu va nous donner la force, j'en suis sûr.
Chacun de nous, lorsqu'il est loin de Dieu, est pris dans un gouffre comme celui-ci. Le Christ a versé Son sang sur la croix, il y a 2000 ans, pour nous apporter le salut et nous donner le moyen de nous conduire à Lui. Voilà la corde qu'il nous faut saisir maintenant pour être sauvé des pièges de la vie. Avez-vous remarqué sur la photo que ça prend du monde pour lancer la corde? Soyons donc des libérateurs, comme le Christ l'a été pour chacun de nous.
Claude Bois

TABLE DES MATIÈRES

COMMENT LIRE LE NOUVEAU TESTAMENT

La façon la plus simple de comprendre le Nouveau Testament est de le lire selon cet ordre:

1- Evangile de St-Jean
2- Epître de St-Jacques
3- Première épître de St-Pierre
4- Deuxième épître de St-Pierre
5- Première épître de St-Jean
6- Deuxième épître de St-Jean
7- Troisième épître de St-Jean
8- Evangile de St-Matthieu
9- Première épître de St-Paul à Timothée
10- Deuxième épître de St-Paul à Timothée
11- Epître de St-Paul aux Galates
12- Epître de St-Paul aux Ephésiens
13- Epître de St-Paul aux Philippiens
14- Epître de St-Paul aux Colossiens
15- Actes des Apôtres
16- Evangile de St-Luc
17- Première épître de St-Paul aux Corinthiens
18- Deuxième épître de St-Paul aux Corinthiens
19- Epître de St-Paul à Tite
20- Epître de St-Paul à Philémon
21- Première épître de St-Paul aux Thessaloniciens
22- Deuxième épître de St-Paul aux Thessaloniciens
23- Epître de St-Paul aux Romains
24- Evangile de St-Marc
25- Epître de St-Paul aux Hébreux
26- Epître de St-Jude
27- Apocalypse de St-Jean

ÉTUDES BIBLIQUES

Voici notre thérapie spirituelle sous forme d'études bibliques. Vous devez aller voir vous-mêmes les textes de ces versets à l'intérieur de votre Bible.

LA REPENTANCE
Marc 1:15
Actes 17:30 et 31
2 Pierre 3:9
Jean 5:24
Luc 3:8

LA FOI
Jean 3:16
Jean 6:29
Actes 10:43
Jean 6:35
Jean 20:31

LE SALUT
Romains 5:8
Actes 4:12
Romains 12:2
Jean 3:3 à 5
Apocalypse 3:21

RENAITRE D'EAU ET D'ESPRIT
Jean 3:3 à 5
Apocalypse 22:17
Jean 6:35
Ephésiens 4:20 à 24
1 Jean 5:20

SE NOURRIR DES ÉCRITURES SAINTES
Matthieu 4:4
2 Timothée 3:16
1 Pierre 2:2
Psaume 1:1à3
Romains 15:4

LE PÉCHÉ
Ephésiens 2:1 à 5
Jacques 1:14-15
1 Jean 2:15 à 17
Hébreux 12:1
Jacques 4:17

RÉSISTER AUX TENTATIONS
1 Corinthiens 10:13
Jacques 1:13 à 15
1 Pierre 2:11
1 Pierre 5:8 à 10
Jacques 4:7

ON EST ESCLAVE DE CE PAR QUOI ON EST VAINCU
2 Pierre 2:19
Jean 8:34
Romains 6:16 à 18
2 Timothée 2:26
Galates 5:1

LA PRIÈRE
1 Timothée 2:1 à 4
Jean 14:14
Marc 14:38
Jacques 5:13 à 16
1 Jean 5:14-15

LA PURIFICATION
Hébreux 9:14
Matthieu 5:48
Jean 17:17
Ephésiens 5:25-26
1 Pierre 1:22

LE SAINT-ESPRIT
Actes 1:8
Jean 14:26
Jean 16:13
2 Timothée 1:7-8
Actes 2:38

NOTRE CITÉ A NOUS EST DANS LES CIEUX
Hébreux 13:14
Philippiens 3:20
2 Corinthiens 5:1
1 Pierre 1:3 à 5
Apocalypse 22:1 à 5

LA VRAIE LIBERTÉ
Jean 8:31-32
Jacques 1:25
Galates 5:1
Romains 6:6-7
Galates 5:13

LE DIABLE
Ezéchiel 28:14 à 19
Esaïe 14:12 à 15
Jean 8:44 1 Pierre 5:8-9
Apocalypse 12:7 à 12
Romains 16:20

L'ENFER
Matthieu 13:47 à 50
Matthieu 25:41 à 46
Luc 13:25 à 28
Apocalypse 14:10-11
Galates 6:7-8

METTRE EN PRATIQUE LA PAROLE DE DIEU
Jacques 1:22
1 Jean 3:18
Jean 14:21
Romains 2:13
Matthieu 13:23

LA CHAIR ET L'ESPRIT
Galates 5:16 à 22
1 Pierre 2:11
Colossiens 3:5
2 Timothée 3:1 à 4
Apocalypse 22:12

PARDONNER
Matthieu 6:14-15
Matthieu 18:21 à 35
Luc 6:27-28
Colossiens 3:13
2 Corinthiens 2:7

LA PATIENCE
Jacques 1:3-4
Hébreux 12:1
Romains 12:12
Luc 21:19
Hébreux 10:36

LE VRAI AMOUR CHRÉTIEN
1 Jean 3:16 à 18
1 Jean 5:3
1 Jean 2:3 à 6
Esaïe 26:10
Ezéchiel 3:19

L'HUMILITÉ ET L'ORGUEIL

Jacques 4:6 à 10
Marc 9:35
Colossiens 3:12
Proverbes 16:18-19
Luc 16:15

LE PLUS GRAND PIÈGE DE SATAN: LE SEXE

Proverbes 5:3 à 6
Proverbes 23:26 à 29
Genèse 6:12
1 Corinthiens 6:9-10
Romains 1:24 à 27

ON N'EST PAS TOUJOURS "SAUVÉ"

2 Pierre 2:20 à 22
Hébreux 6:4 à 8
Hébreux 10:26 à 27
Hébreux 10:38-39
Matthieu 24:13

CHACUN DE NOUS RENDRA COMPTE À DIEU POUR LUI-MÊME

2 Corinthiens 5:10
Hébreux 4:13
Galates 6:7
Apocalypse 20:11 à 15
Jérémie 17:10

LES FRÈRES QUI SOUFFRENT

Matthieu 5:11
Matthieu 10:28
2 Timothée 3:12
1 Pierre 5:8 à 10
1 Pierre 4:16

FAIRE ATTENTION À NOTRE LANGUE

Ephésiens 4:25
Proverbes 13:3
1 Pierre 3:10
Jacques 3:1 à 12
Jacques 1:26

LE CHRÉTIEN ET LE MONDE

1 Jean 2:15 à 17
Jacques 4:4
Marc 8:38
Romains 12:2
2 Corinthiens 6:14 à 18

LES ARMES SPIRITUELLES

2 Corinthiens 10:4-5
2 Corinthiens 6:7
Romains 13:12
Ephésiens 6:11 à 17
1 Thessaloniciens 5:8

LA JOIE DANS LE SEIGNEUR

2 Corinthiens 13:11
1 Thessaloniciens 5:16
Néhémie 8:10
1 Pierre 4:13
2 Corinthiens 9:7

À SATAN APPARTIENT LA TERRE

1 Jean 5:19
Jean 18:36
Luc 4:5à 7
Ephésiens 2:1-2
2 Corinthiens 4:3-4

Ceux et celles qui désireraient nous faire parvenir des dons pour participer financièrement à notre oeuvre, sachez que vos contributions serviront à financer notre travail d'évangélisation et de thérapie qui est totalement bénévole. Elles soutiendront aussi des missionnaires dans leur travail à l'étranger. Nous ne pouvons que vous remercier de tout notre coeur.

Pour toute information, veuillez nous écrire à l'adresse suivante:

MAISON NOUVEL HORIZON

C.P. 410, STATION M

MONTRÉAL, QUÉBEC

H1V 3M5

P.S. Si vous voulez un Nouveau Testament, communiquez à la même adresse.

Nous tenons à remercier très sincèrement ceux qui ont aidé à la réalisation de ce livre:

- IMPRIMERIE INTERLITHO
- LES PRODUITS FORESTIERS CANADIEN PACIFIQUE Ltée

"Qui donne au pauvre, prête à Dieu."

Achevé d'imprimer en juin
mil neuf cent quatre-vingt dix
sur les presses de l'imprimerie INTERLITHO
Montréal, Canada